SICILIANO

Abusado

Caco Barcellos

Abusado

O Dono do Morro Dona Marta

2ª EDIÇÃO

EDITORA RECORD
RIO DE JANEIRO • SÃO PAULO
2003

CIP-Brasil. Catalogação-na-fonte
Sindicato Nacional dos Editores de Livros, RJ.

Barcellos, Caco

B218a   Abusado: O Dono do Morro Dona Marta / Caco
2ª ed.   Barcellos. – 2ª ed. – Rio de Janeiro: Record, 2003.

ISBN 85-01-06520-X

1. Crime organizado – Rio de Janeiro (RJ). 2. Santa
Marta (Rio de Janeiro, RJ) – Condições sociais. 3.
Repórteres e reportagens. I. Título.

CDD – 364.106
03-0221   CDU – 343.91

Projeto de miolo, capa e encarte: 19 Design/Ana Luisa Escorel

Foto de capa: Agência O Dia

Foto do autor: Luiza Dantas/Carta Z Notícias

Direitos desta edição reservados pela
DISTRIBUIDORA RECORD DE SERVIÇOS DE IMPRENSA S.A.
Rua Argentina 171 – Rio de Janeiro, RJ – 20921-380 – Tel.: 2585-2000

Impresso no Brasil

ISBN 85-01-06520-X

PEDIDOS PELO REEMBOLSO POSTAL
Caixa Postal 23.052
Rio de Janeiro, RJ – 20922-970

EDITORA AFILIADA

SUMÁRIO

AGRADECIMENTOS

Agradeço o acompanhamento da investigação, a leitura dos originais, as críticas valiosas e a força nos momentos mais difíceis deste livro a Bibi Fragelli, Maurício Maia, Marcelo Yuca, Paulo Fragelli, Tereza Pinheiro, Guto Fragelli, Eliana Sá e Henrique Fragelli.

Inesquecíveis o esforço e a ajuda carinhosa de meus filhos Ian Maenfeld Barcelos e Iuri Barcelos.

Agradeço os incentivos de Alexandre Barcelos, Alice Fragelli Barcelos, Andrea Barcelos, Roseane Baptista, Chico Pinheiro, Edna Lucia do Vale Dantas, Marcos Uchoa, Cristiane Vaz, José Roberto Burnier, Wagner Carelli, Cristiane Soethe, Patrícia Carvalho, Cintia Ribeiro, Edgard Fiore, José Luiz Soleiro, Walmir Salaro, Celso Kinjô, Daniel Anemberg, Paula Carvalho, Sérgio Gilz, Paulo Bezerra, Edvaldo Santana, Telmo Emerim, Cristina Angelini, Dina Amêndola, Marília Andrade e Erick Hart.

E um agradecimento especial aos moradores da Santa Marta: Dona Carmem, Dona Noêmia, Dona Sueli, Seu Arnaldo, Kitty, Roni, Etiene, Denise, Deca, Teo, JB, crianças e jovens órfãos das vítimas da guerra no morro, pessoal do movimento Hip Hop, funcionários da Casa da Cidadania, garis da Associação de Moradores e a todas as pessoas que me confiaram seus depoimentos e cujos nomes pediram para omitir.

Também foram de grande valor a contribuição dos amigos e parentes dos traficantes dos morros do Turano, Vidigal, Pavão-Pavãozinho, Cantagalo e Rocinha. Eles abriram suas portas para mim em alguns momentos de perigo e se dispuseram a contar suas histórias, muitas vezes durante a madrugada, pessoalmente ou por telefone, mesmo sob forte perseguição policial.

Quero também registrar meu agradecimento ao ativista social André Fernandes, pela ajuda constante e pela coragem de ter sido leal nas horas de derrota da produção deste livro.

Finalmente, a minha gratidão à editora Ana Paula Costa, pela sensibilidade, sugestões preciosas de edição e o rigor no trabalho deste livro.

NOTA DO AUTOR

Em nenhum momento da investigação deste livro sofri alguma pressão da quadrilha ou de outros personagens. Omiti alguns nomes para evitar intriga, perseguição ou punições judiciárias aos que me confiaram seus segredos. Usei o mesmo critério para quem vivia fora do morro, criminosos ou trabalhadores, gente honesta ou não.

Optei por usar os codinomes ou apelidos conhecidos dos mais íntimos como forma de contar as histórias de crimes sem precisar mutilar a verdade. Durante os quatro anos de produção do livro, muitos deles foram presos, torturados, mortos sempre de forma brutal. A experiência reforçou meu repúdio à cultura da punição perversa, contra quem já nasceu condenado a todas as formas de injustiça.

PARTE I

TEMPO DE VIVER

CAPÍTULO 1 | MELHOR BANDIDO

O Salgueiro está formado
com o Fabinho e o Dá
na Mangueira verde e rosa
Coringa e o Polegar
Lá no Serra tem o Bruxo
Na Santa Marta, Santo, Difé,
Marcinho VP no ar!
| Funk proibido |

O socorro desce a ladeira interminável, com faróis e lanternas apagadas. Silêncio para ouvidos desatentos. O ruído do motor é de carro novo. Com o câmbio em ponto morto, é inaudível até para o cachorro, sempre atento aos movimentos, na curva que se aproxima. É prudente frear, reduzir ao mínimo a velocidade e desligar o Fiesta para evitar o latido escandaloso de sempre. Só o rangido do giro de pneu sobre o paralelepípedo denuncia o avanço lento de quem vai tentar o resgate dos amigos. O Fiesta ainda se movimenta ladeira abaixo, quando é cercado pelos parceiros que aguardam ansiosos pelo socorro. Os quatro querem entrar no carro ao mesmo tempo. Alguém esqueceu as portas traseiras travadas, e eles perdem segundos eternos para destravá-las. Correm ao lado, enfiam os braços pelas janelas das portas da frente para levantar o pino das de trás. Um empurra o outro para entrar mais depressa, com dificuldades por causa de fuzis atravessados no peito e mãos ocupadas por pistolas e revólveres.

Ao volante, Careca tem o colo cheio de granadas. É sempre o escolhido pelo grupo para as operações motorizadas mais perigosas. Agora dependem da habilidade dele para driblar o inimigo que chega de surpresa, ladeira acima, como se surgisse do nada.

— Pisa fundo, Careca!

Uma arrancada forte, daquelas de assaltante de banco em fuga, contra o inimigo que avança no meio de uma nuvem explosiva, numa curva em forma da letra U. A ladeira em espiral começa no bairro de Laranjeiras e acaba na favela Santa Marta.

Fugir significa fazer a curva radical à esquerda, para subir em direção aos amigos, que aguardam no topo do morro. No meio da curva nasce uma rua, formando o desenho da letra Y. É o único acesso de Laranjeiras ao morro Dona Marta. É por esta rua que os soldados do Segundo Batalhão da Polícia Militar avançam disparando suas armas.

Vista do Fiesta, a camionete D-20 parece um tanque de guerra. Um soldado em pé usa a metralhadora pelo vão do teto solar. Dois outros PMs atiram com os fuzis pelas janelas laterais. Os tiros provocam uma fumaça azul, cortada pela linha de fogo intermitente. Uma das balas atinge o transformador do poste da rede pública de energia elétrica e provoca uma explosão semelhante à de uma dinamite.

No Fiesta é forte o cheiro de enxofre e sangue. Careca acelera fundo, mas solta as mãos do volante. Tenta proteger a cabeça com os dois braços erguidos, encostados ao rosto. O Fiesta sem controle aponta para a direita e mergulha na nuvem azulada. Sobe a calçada, atropela uma lixeira da Comlurb, bate no poste de concreto e pára. A colisão quebra a base do poste, que não chega a cair, mas rompe um fio de alta-tensão e desarma a rede de energia. Dez ruas do bairro ficam às escuras. As rajadas do inimigo não param. Pardal, sentado junto à porta traseira direita, salta pela janela e fica caído na calçada. Paranóia tenta a fuga impossível. Baixa o máximo que pode a cabeça, segura firme a arma com as duas mãos e com o ombro direito força a abertura da porta de ferro retorcido. Sai do carro cambaleando quando alguém grita para acionar o gatilho do G-3.

— Dá, Paranóia, dá!

A reação é quase intuitiva para um jovem de 19 anos, três como traficante da quadrilha de Juliano VP. O chefe ainda está dentro do carro, sentado no banco da frente, ao lado do motorista. Segura um AK-47 que tem a base apoiada no banco entre suas pernas. Paralisado, ferido pelos tiros e pelo impacto da batida do carro no poste. A única reação é de Paranóia, que começa a disparar contra o inimigo justamente no momento em que ele está mais próximo. O tanque D-20, que avançava de frente, agora desvia e passa ao lado do Fiesta, disparando rajadas que furam a lataria, estilhaçam os vidros, espalham pânico entre os parceiros que tentam se encolher dentro do carro.

Ao lado do carro, Paranóia se joga ao chão e aperta o gatilho com toda a força dos dedos. Mas o G-3 não responde, o gatilho está mole, sem pressão. Imediatamente ele joga a arma emperrada para dentro do Fiesta e grita com Juliano:

— Tá fudida essa porra! Me dá a sua. Caralho! Caralho!

No lado esquerdo do banco traseiro do Fiesta, Bruxo tenta se encolher para não ser atingido pelas balas, usando o banco da frente, onde está Careca, como escudo. Ele tem 29 anos e é o mais experiente dos homens de Juliano. É um *free lancer*, voluntário que veio do morro Cerro Corá reforçar o grupo, como sempre faz em missões difíceis como esta. A morte nunca esteve tão perto de Bruxo. Ele vê Juliano ainda paralisado e o sacode para saber se está vivo.

— Vaza, Juliano, vaza!

Bruxo aproveita a cobertura de Paranóia, se arrasta pelo banco e passa com dificuldade pela porta traseira semi-aberta. Mas um tiro acerta o cano do seu fuzil, que salta para longe de suas mãos. Ele se abaixa para tentar recuperar a arma. Deitado na calçada, grita de novo para Juliano sair do carro. O chefe, que havia perdido a consciência por alguns instantes, começa então a se movimentar. Grogue, com uma forte ardência na testa, passa a mão na cabeça e nos cabelos encharcados de sangue...

— Tô baleado, tô baleado!

O sangue escorre sem parar do ferimento no couro cabeludo, um pouco acima da testa. O rosto coberto de vermelho assusta Bruxo, que se expõe ao inimigo para tirar Juliano do carro. Ele o puxa pelo braço, mas o amigo não ajuda. Parece ignorar o risco, não consegue nem mesmo abaixar-se ou proteger a cabeça.

— Vaza, Juliano! Vambora!

Atordoado, Juliano deixa-se arrastar para fora do carro, falando palavras sem sentido.

— Desvia da sombra! Mergulha! Fogo! Fogo!

Aos poucos Juliano vai recuperando a lucidez e volta a gritar palavras de ordem.

— Dá, Paranóia, dá!

Talvez enfurecido pelo tiro na cabeça, Juliano corre em direção aos pontos de fogo que saem das armas dos policiais. E lança um objeto metálico contra eles.

— Granada!!

Em vez da granada — duas continuam nos bolsos do colete —, Juliano atira o celular contra o inimigo e desaba de cara na calçada.

Os homens correm para ajudá-lo. Paranóia se arrasta, pressiona o gatilho e aponta o fuzil na direção de onde vêm os tiros dos soldados. Bruxo tenta levantar Juliano com ajuda de Pardal, o mais calmo do grupo.

— Pro outro lado. Vamo, porra!

A escuridão ajuda-os a escapar dos tiros, mas a ação de Paranóia é a melhor cobertura. Atacados, os soldados vão para a defensiva, agrupados atrás da D-20. Disparam sem condições de mirar o alvo, atiram a esmo para apavorar os seus inimigos. Paranóia mantém a posição, enquanto Juliano é arrastado ladeira acima.

As balas atingem muros e casarões da rua Marechal Esperidião Rosa. Na casa 25, a jovem Ana, de 20 anos, se desespera. Alguns projéteis perfuram a porta e atingem a cama de Ana, que teve sorte. Ela tem desvio de coluna e pouco antes do tiroteio resolveu deitar no chão para fazer exercícios de alongamento e aliviar a dor. Os tiros passam a meio metro dela. Nesse momento a irmã de Ana, Cristina Ramos, está voltando para casa na garupa da motocicleta do marido, o ex-jogador de vôlei da seleção brasileira Antônio Carlos Ribeiro, o Badalhoca. O casal, que aproveitara a noite de clima agradável para tomar chope num bar de Botafogo, leva um susto ao encontrar uma cena de guerra na rua onde mora.

Eles param a moto perto da barreira policial e deitam-se no chão para se proteger do tiroteio. Badalhoca usa o celular para falar com a cunhada Ana, mas ninguém atende.

Ana ouve o telefone tocar mas não tem coragem de se levantar do chão para atender. Ela se arrasta pelo assoalho, passa pelo corredor até chegar à parede de alvenaria da sala. Com medo de alguma invasão, ela empurra alguns móveis para formar uma barreira junto à porta principal da casa. Em silêncio, luzes apagadas, ouve os tiros e a gritaria da rua.

Os gritos agora são de Bruxo:

— Manda a granada!

— Dá, não. O Paranóia tá lá embaixo — responde Pardal.

— Então sobe. Força, força!

Um grupo de cinco homens, que do pico do morro acompanhava o tiroteio, desce a ladeira para reforçar o socorro aos amigos. Todos carregam granadas, mas ninguém faz uso delas porque Paranóia troca tiros muito perto do inimigo e pode ser ferido junto. Nenhuma arma do grupo de apoio é acionada. A prioridade é salvar o chefe. Paranóia, que vem uns dez metros atrás, pede ajuda.

— Caralho! A munição acabou! Acabou!

— É contigo, Bruxo!

A primeira granada é lançada. Pardal recebe a ajuda de dois parceiros que acabaram de descer do morro. Os três levantam Juliano do chão pelas pernas e braços. A explosão da segunda granada lançada por Bruxo contém o avanço dos soldados, apesar das sirenes anunciarem a chegada do reforço inimigo. Três camionetes lotadas de PMs param no meio da ladeira a 300 metros do pico e dali sustentam o tiroteio sem muita chance de atingir o grupo que arrasta Juliano pelo meio do mato. Sem parar, cruzam o pequeno campo de futebol. Logo que chegam à área dos barracos são cercados pelos homens mais bem armados do morro, que assumem o socorro do chefe.

— Deus, o que é isso, comandante? — pergunta Diva, a irmã de criação.

— Aí, rapaziada. Já é, ó! Tô morrendo! — responde Juliano.

Ainda se ouve o barulho dos tiros, que vão se tornando raros... Aos poucos os curiosos aparecem nas janelas e as primeiras crianças saem às ruas. Cercam o grupo que leva Juliano para o barraco de uma família discreta e solidária, a família de Maria Madalena, a Madá.

Enquanto isso, lá embaixo, no local do tiroteio, só agora, com o fim dos tiros, Badalhoca consegue falar com a cunhada pelo telefone:

— Alô, Ana. É Badalhoca... O que está acontecendo?

— Loucura! É guerra!

— Por que você está chorando? Você está machucada?

— Escapei por milagre, Deus... Um horror, um horror.

— Fique calma. Já estamos indo praí...

Dez minutos depois do fim do tiroteio, a polícia permite que o casal caminhe com as mãos para o alto até a casa onde moram. Badalhoca percebe que há muitos policiais em volta do Fiesta semidestruído. Vê que o carro da cunhada também está perfurado de balas, e passa direto com a mulher, preocupado com a situação de Ana. Já dentro de casa, com as irmãs em prantos, Badalhoca faz uma promessa para si mesmo:

— O Rio de Janeiro acabou. Vamos embora desta cidade!

No morro, Doente Baubau corre à frente do grupo que carrega Juliano ferido pelas vielas, dando ordem para todo mundo se trancar em casa.

— Sai pra rua, não. Sai, não. O bicho vai pegá!

As crianças ignoram as ordens e correm pelas vielas para espalhar a novidade:

— O Juliano VP tá morrendo!

Não por acaso o lugar escolhido para esconder Juliano é a casa de Madá, mulher do birosqueiro Osmar, uma mulher de confiança e que guarda segredos antigos da quadrilha dele. Ela os recebe à luz de velas, tira os gatos do sofá para Juliano deitar, com o cuidado de manter a cabeça dele erguida, apoiada num monte de almofadas e travesseiros. Ela olha em silêncio o jovem que conhece desde a infância, o filho da comadre Betinha. Quer protegê-lo como fazia quando a mãe dele, auxiliar de enfermagem, tirava plantão no hospital psiquiátrico Doutor Eiras e não tinha onde deixar Juliano. Ainda tem lembranças muito vivas do moleque franzino, que tinha os cabelos encaracolados, pele morena, olhos repuxados como os dos orientais, nariz e lábios grossos característicos dos negros. Para Madá, nem parece que Juliano virou um homem de 29 anos, um metro e setenta e dois de altura, que usa cavanhaque e costeleta e que continua parecendo metade negro, metade japonês. Madá não consegue separar a figura do chefe do morro daquela do menino que viu crescer, tão de perto, sobretudo neste momento em que ele está fragilizado pelo ferimento na cabeça que não pára de sangrar. O sangue impressiona, assusta o próprio Juliano:

— Diz, Madá. Tô morrendo ou não tô?

Madá o ajuda a tirar o colete molhado de suor e sangue. Limpa com um pedaço de pano um pouco das placas vermelhas do cabelo e do rosto, para ver melhor os ferimentos. De repente, Juliano se apavora e tem um ataque de desconfiança. Interrompe o atendimento de Madá, levanta-se do sofá e avisa ao pessoal que quer mudar de esconderijo.

— Porra! Alguém limpô o sangue do caminho? Os homi vão chegá fácil. Vamo caí fora, já!

— Segura aí, comandante, vamo lavá o sangue lá fora.

— Lavá o caralho!

Bruxo, que vem chegando da guerra, põe mais tensão no barraco:

— Os homi tão parado lá, esperando reforço. Tamo ferrado, olha aí. Tão dizendo que vão quebrá, passá o rodo mesmo!

Juliano ouve com atenção as palavras de Bruxo e apressa uma saída estratégica dali. Em vez de apagar o rastro de sangue das vielas, resolve percorrer o mesmo caminho no sentido contrário. E ali mesmo, no pico, por onde chegaram, escolhe outro barraco para entrar, desta vez com cuidado para não deixar marcas de sangue pelo chão. Assim, em vez de delatar, as marcas de sangue podem conduzir os perseguidores para o esconderijo errado.

No apartamento confortável da Gávea, Luana não consegue se concentrar na leitura do romance *Aurora*, de Fritz Utzeri. Está ansiosa. Espera o telefonema combinado para as nove horas da noite e já passam das dez. Não é a primeira vez que o namorado bandido a deixa esperando, coisa que a incomoda e, ao mesmo tempo, preocupa-a. A falta de contato pode representar desinteresse. Mas ela sabe que também pode ser conseqüência de algum imprevisto da aventura do dia. No telefonema da manhã, Juliano a havia alertado:

— Minha paixão! Hoje é o dia mais importante do morro. A missão tem que dá certo, praí, depois, eu te encontrá à noite... reza por nós!

Criada numa família rica, Luana nunca entrara numa favela até conhecer Juliano, havia menos de um ano. Ainda vive os abalos provocados pelo romance mais aventuroso de seus trinta anos. Sempre cercada pelos amigos de sua classe social, suas maiores transgressões na adolescência não passaram de programas furtivos com namorados em viagens de fim de semana, quando dizia para a mãe que estava em companhia de amigas. Luana é loira, tem um metro e setenta de altura, cabelos encaracolados, sobrancelhas cerradas, lábios finos. Tem um jeito meigo, retraído, tímido. Gosta muito de estudar, de fazer versos, embora já esteja formada há oito anos, e de ler diariamente, por dever profissional e por prazer. Jamais se envolveu antes com alguém tão distante de seus hábitos e de sua realidade. São meses de amor pelo traficante e de envolvimento tumultuado com as pessoas da favela e com a vida que desconhecia. O romance tem provocado desconfianças de ambos os lados. A força das descobertas está provocando mudanças até no rumo da sua bem-sucedida carreira de publicitária.

Luana vive uma paixão cercada de medo. Um telefonema pode afastar os fantasmas da noite? Resolve ligar para o celular de Juliano e o chamar pelo codinome:

— Oi, Palermo?

— Quem está falando? Alô...

Luana estranha a voz, faz um breve silêncio e, pensando que o telefone estivesse nas mãos de algum parceiro, insiste:

— Você pode passar o telefone para o Juliano, por favor?

Do outro lado da linha, quem fala é o policial militar que — durante o tiroteio — achou o celular de Juliano no chão.

— Quem está falando?

— É Luana!

— Você é amante dele?

Luana desliga imediatamente, com a certeza de que jamais alguém da quadrilha teria a ousadia de fazer uma pergunta dessas à namorada do chefe.

Dois quilômetros longe dali, quase simultaneamente, um dos melhores amigos de Juliano está enviando mensagens pela internet aos colaboradores da Casa da Cidadania, o abrigo das vítimas da violência da favela. Ao ouvir o toque do celular, o missionário evangélico Kevin Vargas interrompe o trabalho no computador. Pelo número que aparece no visor do aparelho, ele sabe que a chamada vem do morro.

— Fale, Luz, tudo bem?

— Tenho notícia boa, não! Balearam nosso irmão! Balearam o Juliano.

— Como assim? O que você está falando?

Luz é a única mulher com cargo de confiança de Juliano. Odeia armas, guerras, brigas, se envolver diretamente com a violência, mas adora ser amiga dos malandros e criminosos. Nos dias de combate, fica na retaguarda, pensando na estratégia, tomando providências. Na hora da emergência, quando há esperança, é ela quem providencia o socorro.

— O Juliano... baleado... é grave, Kevin, tiro na cabeça.

— Não é possível!

— É verdade, sobe na manha! Precisamos de você, urgente!

— Diga mais, Luz... na cabeça... tem certeza? Quantos tiros?

— O Bope tá na área. Dá para falar mais nada, não.

Apavorado, Kevin calça rapidamente o tênis, explica para a mulher, Cristiane, o que está acontecendo e, antes de sair, por sugestão dela, resolve checar melhor a história. Kevin e a família vivem o medo permanente das ameaças de morte e, por prudência, telefona para quem pode ter informações de Juliano a essa hora da noite.

— Alô? Luana? É Kevin, Kevin Vargas.

— Oi, Kevin, que bom que você ligou. Você tem notícias do Juliano?

— Você não está sabendo de nada? Acabaram de me ligar com uma informação horrível.

— Mataram Juliano? Fala, Kevin, fala!

— Não, não, mas ele foi baleado na cabeça, deve estar muito mal, eu vou correr lá para fazer alguma coisa.

— Me liga, não deixa de ligar... O morro está cercado? A polícia está por aí?

— Não sei, não sei, tchau. Parece que foi o Bope. Te ligo, te ligo...

O prédio de Kevin fica na Jupira, uma das duas ruas de acesso ao morro pelo bairro de Botafogo. Pela janela do apartamento, no segundo andar, ele ouve o ruído das camionetes da Polícia Militar lá fora. Suspeita que o telefonema possa ser uma armadilha, mas resolve correr o risco. Cristiane é solidária:

— Acho que você não deve ir....

— Também acho... mas não tenho escolha, não.

— Então vou junto...

A rua Jupira está excepcionalmente deserta às dez horas da noite. O cerco da polícia nas últimas horas levou a maioria dos moradores a se abrigar em casa. No portão do prédio, Kevin e Cristiane esperam a passagem de alguém que volta apressado do trabalho e vão atrás. São 200 metros de pista em curva, coberta de paralelepípedos até o largo do Cantão, no início da subida pelo lado oeste do morro, onde há uma concentração de soldados da PM.

Por medida de segurança, ao se aproximar da polícia, Kevin telefona para uma repórter de sua confiança e explica o que está acontecendo. Passa pela barreira com o celular colado ao ouvido, acreditando que assim consiga desestimular alguma abordagem violenta.

Passada a barreira, o telefonema é para Luz.

— Estou chegando ao Cruzeiro, e agora?

— Vai em direção à mina. Se tiver limpeza, segue para a pedra. Cuidado com os cara da P-2.

Ao chegar na Pedra de Xangô, novo contato.

— Sobe mais. Vem pela Jabuti em direção à Cerquinha...

Há dois homens de vigia na laje de um dos barracos do pico. Os outros estão junto à porta da cozinha, alguns do lado de fora. A maioria se concentra em volta do chefe, sentado na pia por onde escorre o sangue.

No primeiro momento, Kevin falou como amigo.

— Meu Deus, você está com a cabeça cheia de tiros! Vamos voar para o hospital.

Juliano se irrita.

— Que hospital? Tu qué me vê na cadeia, aí?

— Calma aí, irmão. Você está muito mal, não sei o que fazer...

Por momentos, o nervosismo faz Kevin Vargas perder a segurança necessária para agir rápido, como fazia quando era fuzileiro naval e voluntário dos grupos de primeiros socorros da Cruz Vermelha Internacional. Juliano tenta ajudá-lo a tomar uma atitude. Pega uma faca sobre a mesa e se aproxima do amigo.

— Aí, se eu preciso de cirurgia, tá aqui o desenrole. Mandaí, irmão! A responsa é minha, manda bala — ordena Juliano.

— Impossível, não tem anestesia aqui — diz Madá.

— Espere, tive umas idéias maneras!

Kevin telefona para Luana. Em seguida faz uma série de ligações para repórteres, militantes de grupos de defesa dos direitos humanos e dirigentes de Associação de Moradores de outras favelas controladas pelo Comando Vermelho. Para todos faz um mesmo pedido:

— Preciso urgente de um neurologista que entenda de trauma no cérebro e tope orientar os primeiros socorros por telefone.

Um projétil que entrou na testa, atravessou o cérebro e saiu na nuca. Ou dois projéteis: um na nuca e outro na testa, ambos com as balas alojadas no crânio. O número exato de tiros que teriam entrado na cabeça de Juliano divide a discussão na cozinha. Sobre possíveis danos causados ao cérebro há um consenso: o ferimento parece ter acentuado uma tendência do chefe ao exagero.

— Aí, pode acreditá. Fudeu, tô quebrado. Vocês tão perdendo o melhor bandido do Rio de Janeiro — diz Juliano ao pessoal a sua volta.

O tão esperado telefonema de um médico da cidade acaba com a conversa na cozinha. Quem atende é Kevin Vargas, que faz um breve relato sobre a situação de Juliano. O médico, que ainda não se identificou, procura ser objetivo, por telefone:

— Sentado sobre a pia? Tire de lá. Ele não pode beber uma gota sequer de água.

— Ele deve ir para a cama, doutor?

— Não, não... ele não pode dormir de jeito nenhum... não parem de falar com ele... Notaram alguma diferença no olhar ou na fala dele? Ele disse alguma loucura?

— As de sempre, doutor.

Orientado pelo médico, Kevin passa a providenciar a limpeza da área ferida, com água destilada e clorofórmio. Localiza uma cavidade redonda na parte superior da testa, onde nascem os cabelos, e um corte, de uns dez centímetros, no tampo da cabeça. Improvisa um curativo com farta quantidade de mercurocromo e consegue estancar quase totalmente o sangramento. Na nuca, faz uma descoberta preocupante: duas zonas de inchaço. Suspeita que ali estejam alojados os projéteis.

— Neste caso — diz o médico pelo telefone —, vocês devem levá-lo para o hospital.

Depois de duas horas de conspiração telefônica, em vez de Juliano sair do esconderijo para ser hospitalizado, o hospital é que vai subir o morro para socorrê-lo. Ao amanhecer, homens desarmados misturam-se às primeiras pessoas que descem as vielas para ir ao trabalho. Vão até o Cantão para recepcionar o médico que está chegando de táxi. Oferecem ajuda para levar a bagagem. É um homem jovem, pouco mais de trinta anos. Veste roupa e sapatos brancos e leva estetoscópio, o sensor de batimentos cardíacos, pendurado ao pescoço. Cumprimenta o grupo sem falar o nome. Os homens oferecem ajuda, e ele não aceita. Para evitar qualquer possibilidade de ser confundido, o médico caminha atrás do grupo e faz questão de carregar a maleta com os instrumentos para casos de emergência.

— Com a glória de Deus e de Nossa Senhora Aparecida, eu sou Juliano, muito prazê.

O médico o cumprimenta em silêncio. Tem pressa.

Abre a maleta dos instrumentos e, enquanto seleciona algumas peças, começa a interrogar Juliano a distância.

— Vamos ver os ferimentos... Sente alguma ardência nos olhos? Visão prejudicada? Vê alguma nuvem escura?

Juliano responde que está bem e, visivelmente desconfiado, vai até a cozinha e chama Kevin para uma conversa. Ele quer saber como o médico chegou até ali. Ao ser informado de que ele fora indicado por uma moça da favela que namora um traficante do morro do Dendê, desiste de ser atendido.

— Mas como? O Dendê é dos alemão, é ou não é? Se esse médico é do contexto do inimigo, é nosso inimigo também. Vai tocá a mão em mim, não! — diz Juliano.

Por insistência de Kevin, o máximo que Juliano permite é um exame do médico a distância.

— Tu, Kevin, examina. E o cara fica de longe, na tua campana.

Assim é feito. Primeiro, examina a parte posterior da cabeça. Apalpa com os dedos e descobre as duas pequenas bolas de inchaço na nuca. Ele comenta que elas se formaram provavelmente por algum trauma durante o tiroteio, sem nenhuma possibilidade de alojarem dois projéteis. Diz que seria necessário fazer uma radiografia para avaliar a profundidade do corte no tampo do cérebro e da testa.

— Radiografia? Hospital? Só saio daqui morto — diz Juliano.

O médico tenta acalmá-lo com uma surpresa.

— Eu trouxe um aparelho de raios X portátil. É muito simples!

— Ótimo! — diz Juliano. — Aí então o senhor pode fazê o raio X do Paranóia. Ó só, como tá o braço do moleque?

Constrangido, o médico faz o exame no adolescente, cercado pela curiosidade dos amigos que se aproximaram para ver de perto. A radiografia constata fratura no braço direito e mostra a posição dos dois projéteis alojados perto do ombro de Paranóia, coberto pelas manchas pretas da hemorragia interna.

— Olha só a azeitona onde parou, caralho. E aí? Dá para tirá daí, doutor? — pergunta Paranóia.

O médico diz que a cirurgia só poderia ser feita no hospital. Imobiliza o braço quebrado e faz um curativo na lateral da cabeça, logo acima da orelha, ferimento provocado provavelmente pelo impacto da colisão do carro contra o poste. Juliano, ainda desconfiado, examina a radiografia para ter certeza do diagnóstico médico.

— Maior responsa, hein, doutor? O senhor é bom nisso?

O médico não responde. E começa a arrumar os instrumentos na maleta para ir embora. Juliano não contém a curiosidade e toma a iniciativa de uma conversa sobre o seu próprio ferimento.

— Qual é a chinfra dessa radiografia, doutor? Pode mostrá bagulho estranho dentro da minha cabeça?

— É. A chapa mostra, sim.

— Olhando assim de perto, qual a sua impressão, doutor?

— Sinceramente?

— Claro! Se eu tivé morrendo, pode dizê.

— Isso foi um tiro de raspão, com certeza.

— Quantos por cento de certeza?

— Noventa e nove vírgula nove! Você nasceu de novo!

Antes do médico partir, Juliano volta à cozinha para uma conversa particular com Kevin.

— Tu ouviu a conversa desse cara? Noventa e nove vírgula nove!

— Qual é o problema? — pergunta Kevin.

— Ele qué que eu não procure socorro, aí! Isso é coisa de alemão, aí.

— Paranóia, tá de paranóia. O cara é profissional!

— Qué dizê que tu concorda com o cara, Kevin? Tô bolado contigo, aí!

— Concordo. Quer saber: eu vi, é tiro de raspão mesmo!

Juliano aos poucos vai sendo convencido por Kevin sobre a isenção do médico. Mais calmo, ele se esforça para ser um pouco gentil. Concorda em pelo menos agradecer pelo tratamento recebido.

— Precisando qualqué coisa lá no asfalto, é só pedi. Aqui em cima tamo mais perto de Deus!

Quando o médico parte, Juliano não esconde a euforia.

— Cara, nasci de novo! Agora é só fazê uma plástica...

Uma cirurgia de guerra, feita pela própria vítima e sem perda de tempo para a ferida não se consolidar. Juliano escala dois homens para segurar o principal equipamento da operação, o pequeno espelho com moldura de madeira que estava pendurado no banheiro da casa.

As palmas das mãos fazem a automassagem no rosto. E os dedos pressionam a pele da testa em volta da área atingida pelo projétil. É um corte com dois centímetros e meio de extensão e bem raso, tem poucos milímetros de profundidade.

O toque perto da ferida provoca um pequeno sangramento, absorvido e limpo com a própria camiseta. Agora usa a ponta dos dedos delicadamente para juntar ao máximo as duas bordas da ferida. A cirurgia se completa com a colagem de duas fitas adesivas em paralelo, uma de cada lado da linha de carne viva da testa.

De frente para o espelho, Juliano agradece o sucesso da cirurgia com uma oração:

— Obrigado, meu Pai, por mais um dia nesta tua terra maravilhosa. E por nos conceder esta liberdade... que esta misericórdia se estenda por muitos e muitos séculos... e o que o mal jamais vença o bem!

Apesar de ter passado a noite acordado, Juliano ainda tem energia para conversar. E quer falar, por telefone, com alguém de fora do morro para saber da repercussão que o tiroteio teve na cidade. Disca alguns números, mas como ninguém atende deixa recados animados nas caixas postais eletrônicas. Ao desligar o celular, constata que só ele está animado. Dá uma bronca na quadrilha.

— Porra, que cara é essa? Tavam torcendo pra que eu fosse pro inferno? Qual que é?

Mas Juliano não sustenta a bronca por muito tempo. Exausto e enfraquecido pela perda de sangue, tenta não dormir enquanto repete a oração da graça alcançada:

— Obrigado, Senhor, pela proteção divina...

Enquanto isso, na área da boca, todos querem conversar com Paranóia, ver de perto os ferimentos, saber detalhes do tiroteio, elogiar a sua ação. Uma menina pediu de presente a camiseta furada de bala, para guardar de lembrança. Ele sentia dores, estava abatido, traumatizado pelo que acabara de viver, mas gostava de ouvir o pessoal comentar que sua coragem tinha salvado o chefe. Tomou um banho em casa, sem fazer barulho para a mãe não acordar e ver o sangue seco espalhado pelo corpo. Vestiu a camiseta preferida e que tinha tudo a ver com o seu momento. Uma camiseta preta, com o símbolo do grupo de rap Racionais MCs no peito e nas costas a frase: "Só Deus sabe a minha hora."

No final da reza de Juliano, os parceiros contam para o chefe que o seu companheiro mais antigo na quadrilha não conseguiu escapar. E que, devido às circunstâncias, nem o corpo podiam trazer para perto deles como sempre fazem quando perdem alguém na guerra.

Lá embaixo, na ladeira de paralelepípedos, uma pequena multidão está em volta do carro para ver o corpo do melhor motorista da favela. Almir de Paula Bento, o Careca, fuzilado ao volante do Fiesta.

CAPÍTULO 2 | **VOLANTE**

M-16P. G-3. AK-47
Uzi. Glock
Fuzil lança rojão
que vem na contenção.
Pra fortalecê, pra fortalecê!
| **Funk proibido** |

Não há tempo para refletir sobre as falhas da missão que levaram à morte de Careca. Os parceiros dele estão exaustos, 24 horas sem dormir. Precisam encontrar um esconderijo seguro para descansar, mas antes têm que enviar dinheiro para a família pagar os gastos de um velório digno para o amigo que foi fiel até o último momento.

Careca tinha bons motivos para oferecer fidelidade aos parceiros de crime. Seis meses antes, as mulheres da favela ajudaram sua irmã, Cris, a salvar a sua vida, quando já estava sendo carregado pela polícia para o fuzilamento no pico do morro.

— Descobrimos teu irmão pegado — disseram os policiais que o prenderam por porte de cocaína.

Era uma blitz da Delegacia de Roubos e Furtos, e Careca, que passara a noite acordado, cheirando cocaína com a namorada, não acordou a tempo de escapar dos policiais. Foi amarrado com fios de arame tão apertados que fizeram sangrar os pulsos e os tornozelos. Foi surrado na frente dos parentes e arrastado morro acima com o rosto coberto por um saco preto, um indício de que estavam a caminho de uma execução.

— A delegacia é para baixo! — protestou a irmã Cris, com o apoio de várias amigas que cercaram os policiais para pressioná-los. Uma das mulheres ligou para a repórter Albeniza Garcia, muito respeitada pelos moradores do morro. Quando os policiais ouviram a notícia de que Albeniza estava a caminho da favela, levaram Careca preso para a delegacia de Botafogo.

Como era reincidente, já tinha sido preso cinco anos antes por receptação de carro, Careca teve que esperar meio ano pelo julgamento na cadeia. Nesse tempo, mesmo com o morro em guerra, nunca deixou de receber dos amigos pequenas remessas em dinheiro ou maconha. A ajuda serviu para comprar dos carcereiros o direito de tomar uma hora diária de sol, de dobrar o tempo de 15 minutos da visita da família e de poder cobrir com um lençol a grade da cela para ter privacidade quando a mulher Andréia ou a namorada Cristina dos Olhos apareciam.

Ainda na cadeia, Careca soube que o morro planejava um ataque importante. Por isso, absolvido e libertado justamente na semana em que estava prevista a ação, foi direto à Santa Marta oferecer ajuda a quem, nas horas mais difíceis, amenizou o seu sofrimento na prisão. Apresentou-se ao chefe, seu amigo de infância, como voluntário.

— Tô aqui pra reforçá, Juliano. Aí, tô sabendo que vamo metê uma parada sinistra. Tu tem que arrumá um ferro preu sentá o dedo neles... aí!

Naqueles dias, Juliano também estava recebendo o apoio de voluntários dos morros amigos do Cerro Corá, do Turano e do Vidigal. Em circunstâncias normais, a habilidade de Careca ao volante o colocaria entre os selecionados para o bonde, nome que os traficantes dão a todo grupo que se movimenta para realizar alguma tarefa. Mas a missão exigia um outro perfil. Juliano sabia que não iria convocá-lo, mas não dispensou a ajuda.

— Vamo precisá de carro não, Careca... Tu fica na contenção aqui. Qualquer caô te chamo pra pegá nós.

— Aí. E uma moto? Posso arrumá uma moto, aí — sugeriu Careca.

— Manero, manero. Mas deixa na boa. Essa parada vai sê diferente. Aproveita, vai tirando uma chinfra aí no morro. No dia certo te chamo, tá manero?

Nos três primeiros dias de liberdade Careca vagou pela favela fazendo coisas que sonhara na cadeia. Almoçou na casa dos melhores amigos. Tomou vários banhos na fonte natural no coração da favela, a praça das Lavadeiras, que também é chamada de primeira Mina, no meio da algazarra das crianças que brincavam na água e das mulheres que lavavam roupa. Embora fosse casado, preferiu voltar a morar com a mãe, dona Dalva, e com as duas irmãs gêmeas, Cris e Michele, na casa conhecida, pela atividade de sua avó, como o Terreiro da Maria Batuca. Assim, poderia passar parte do dia com cada uma das mulheres.

A mãe Dalva, separada do marido Tibinha, criou os filhos lavando roupa para os clientes do asfalto e com o dinheiro arrecadado no terreiro de macumba que herdou da mãe e que ocupa todo o andar térreo da casa. Depois das atividades religiosas o salão virava área de recreação das crianças da família e dos filhos dos amigos que brincavam no meio das imagens de Oxum, Oxóssi, Preto-Velho. E domingo pela manhã se transformava em sede do Imperial, um time de futebol criado por Tibinha antes de se separar de Dalva.

Depois de tanto tempo limitado a jogar bola num espaço de dois metros quadrados, no pátio do presídio, Careca reencontrou com grande alegria os jogadores do morro e assistiu com eles a alguns jogos transmitidos pela TV da birosca do seu Arnaldo. A família de Careca era responsável por uma peculiaridade da Santa Marta. Apesar de ser o morro mais íngreme do Rio de Janeiro, sem nenhum espaço adequado para jogar bola, graças à iniciativa do seu Tibinha de fundar o pioneiro Clube Imperial a favela era representada nas peladas da cidade por quatro times de futebol. A limitação geográfica impedia que os jogadores treinassem e os obrigava a sempre disputar as partidas em território neutro ou no campo do adversário. Dos quatro times, o Nascente e o Noturno eram formados por traficantes. O Mengão só tinha trabalhadores. O outro era o Imperial, que um dia disputou a terceira divisão do futebol carioca. Antes de ir para a cadeia, Careca era o lateral esquerdo titular. Em março de 99, ele prometia recuperar a posição no jogo que marcaria a sua volta, previsto para o primeiro domingo do mês, contra o Cruzeiro Azul, um time de traficantes do Vidigal, no aterro do Flamengo.

Bom de bola e de samba, todas as noites Careca participou das rodas de samba na quadra da Escola Unidos da Santa Marta, no Cantão. Ele tinha um motivo maior para freqüentar a escola de samba: a paixão por uma bela passista da escola, uma mulata de olhos verdes, Cristina dos Olhos. Namoro que o fez esquecer os compromissos com a mulher, Andréia, com quem tinha duas filhas gêmeas. As meninas, de cinco anos, eram atração na favela porque uma era branca e a outra negra. Careca passou um dia com elas, que moravam com a mãe no barraco da sogra. Avisou que estava de volta à liberdade e prometeu retornar ao convívio da família assim que arranjasse um trabalho ou algum dinheiro para tirá-las de lá.

Na madrugada em que Juliano decidiu atacar o inimigo, Careca dormia no Terreiro da Maria Batuca com a namorada Cristina dos Olhos, com quem também tinha uma filha. Foi acordado por Luz, que trazia uma mensagem de Juliano. A notícia o surpreendeu.

— Eles partiram de madrugada, a pé — disse Luz.

— Foram quantos? — perguntou Careca.

— Sei não o que passa na cabeça do Juliano. Levou apenas o Bruxo, o Tucano e o Paranóia.

— Bonde apenas com quatro! Nunca vi, nunca vi. E qual é a parada?

— Juliano mandô avisá pra ficá na muda pra evitá cagüetação. A parada é foda, se dé errado tamo ferrado, neguinho vai tê que rapá fora daqui para sempre — avisou Luz.

Careca havia participado das reuniões de planejamento e ainda tinha esperança de ser escalado para a missão. O plano de Juliano era atacar os principais inimigos do morro, que chamam de "os alemão". Um ataque surpresa, ao estilo de ações guerrilheiras, que paralisasse o inimigo sem necessidade de muito uso de armas, seguida de recuo estratégico para o esconderijo.

O ataque era o fator surpresa. Nesses dias seus homens lutavam na defensiva, devido à brutal desvantagem em relação aos inimigos, que tinham o apoio involuntário dos policiais. Por ordem do governador do Rio de Janeiro, dezenas deles estavam envolvidos na perseguição a Juliano.

A notoriedade do chefe tem sido o maior adversário da quadrilha. Condenado pela Justiça a 46 anos de cadeia, foragido há dois anos e meio, Júlio Mario Figueira, o Juliano, de 29 anos, se tornou um dos criminosos mais procurados pela polícia porque durante a sua última fuga, em 1996, um investigador que tentou evitá-la foi baleado no rosto. A gravidade do episódio levou a Secretaria de Segurança Pública a oferecer dois mil dólares de recompensa para quem informasse a localização de seu esconderijo.

Nesse ano de 1999, por ordem do governador Anthony Garotinho, o valor da recompensa pela sua captura subiu para cinco mil dólares. Isso motivou uma caçada sem precedentes, que incluiu a colagem nas biroscas da favela de um cartaz com seu nome e a palavra PROCURA-SE impressa com letras maiúsculas embaixo da foto de um jovem moreno, com nariz achatado, olhos pequenos repuxados como os dos orientais, cabelos raspados, bigode e cavanhaque.

Os PMs do Segundo Batalhão da Polícia Militar, o mais próximo da Santa Marta, faziam operações diárias de busca a Juliano. Em alguns dias, no começo da noite ou antes do amanhecer, recebiam o apoio dos soldados do Bope, o Batalhão de Operações Especiais da PM, que revistavam os homens nas ruas e nos botequins e usavam máscaras quando invadiam os barracos sob suspeitas de abrigar o dono do morro.

A prisão do bandido de cinco mil dólares também era disputada pelos policiais do DRE, o Departamento de Repressão a Entorpecentes da Polícia Civil. Vários grupos de outras unidades também faziam operações no morro, às vezes com o reforço de matadores profissionais ou informantes anônimos.

Os inimigos mais temidos estavam tirando proveito das prisões e das mortes dos guerreiros de Juliano e do desgaste da perseguição. Eles agiam sob o comando do homem acusado de ser o maior atacadista de cocaína da zona sul do Rio de Janeiro, Carlos Gilmar Santos Tavares, o Carlos da Praça, ex-morador da Santa Marta e um dos mentores do tráfico no morro, que esteve sob seu domínio por cinco anos. Durante mais de uma década Da Praça também tinha sido o único fornecedor de drogas da favela. E tinha Juliano como um de seus homens de maior intimidade e confiança. Chamava-o de sobrinho "leite ninho". Foram parceiros de viagens para traficar fora da cidade e do estado. E juntos foram condenados, em um mesmo inquérito policial. Muitas vezes estiveram cumprindo pena na mesma cadeia. Embora também fosse integrante do Comando Vermelho, Da Praça passou a ser considerado inimigo no dia em que o então gerente da boca, Juliano, organizou uma rebelião armada contra ele. Além de ser expulso da comunidade, Da Praça também perdeu a condição de único fornecedor de pó do morro. Juliano contratou outro atacadista, o que abriria uma guerra sem fim contra o seu antigo patrão.

Mesmo prisioneiro em 1999, a cadeia não impediu que Carlos da Praça exercesse sua influência para financiar a organização de quadrilhas que invadiram o morro com a missão de matar Juliano. Às vezes conseguia o apoio de policiais civis, o que dificultava a reação.

Os combates quase diários contra os homens de Da Praça tinham acabado com as reservas de munição de um grupo já fragilizado pelas mortes e prisões, perdas de armas e falta de dinheiro. Não havia mais como sustentar um tiroteio nem por meia hora, como eles sempre faziam para conter a subida da polícia e evitar prisões em flagrante na boca. Nesses dias, lutar, para os homens de Juliano, significava apenas correr pelas vielas em ziguezague, esconder-se embaixo de algum barraco ou dentro das valas de esgoto, saltar de uma laje para outra ou, de preferência, fugir para bem longe das balas da polícia.

Enquanto a polícia atacava pela parte alta do morro para atingir a base da quadrilha, os homens de Carlos da Praça agiam pelas margens, nas ruas próximas ao acesso da Santa Marta. Nos primeiros dias dos ataques sua quadrilha tomou dois dos quatro pontos-de-venda de cocaína de Juliano localizados no asfalto, no pé do morro, no lado do bairro de Laranjeiras. Uma vitória sem resistência e que no dia seguinte garantiu a retomada das vendas, sob nova direção. E ainda continuou pressionando Juliano com ataques sistemáticos para tomar de vez toda a sua estrutura do tráfico. Por cartas, que mandava entregar aos gerentes da boca, Da Praça também fazia uma guerra psicológica, ameaçadora.

— Você tem uma semana para devolver o que me pertence — sentenciava Da Praça.

■ ■ ■

Juliano passou parte da madrugada em silêncio preparando o kit guerrilha. Carregou quatro baterias de dois aparelhos celulares. Lubrificou os fuzis emprestados pelos dois amigos do Vidigal. Pôs as granadas, cortesia do Turano, nas mochilas dos homens da quadrilha, meia dúzia para cada um. Reservou para ele dois cinturões carregados de projéteis de alta velocidade. Para não sobrecarregar ninguém, distribuiu entre eles o peso de vinte metros de corda de náilon, um rolo de corda encerada, duas lanternas submarinas, um facão, quatro cantis de alumínio, um canivete chinês de múltiplas utilidades, seis isqueiros a gás, 24 velas vermelhas, pretas e brancas e duas imagens em cerâmica de São Jorge e Nossa Senhora Aparecida.

De manhã bem cedo, para não chamar a atenção dos policiais à paisana que circulavam pelas vielas, Juliano reuniu seus homens sobre a laje de um barraco do beco Jabuti. Agachado, no centro da roda, ele revelou os primeiros detalhes do plano.

— Eles pensam que tamo acuado, sem condição de saí da toca. A idéia é pegá os cara desprevenidos. De que jeito? Furando o cerco, atacando em silêncio, na manha, como nos assaltos, de surpresa.

A necessidade de sair da favela sem chamar atenção explicava a escolha de um bonde pequeno, com quatro homens. A experiência em assalto a residências e ao comércio levou à seleção imediata de Tucano, que era conhecido como caxangueiro, especialista em ataque a residências. Era respeitado como veterano, embora tivesse 27 anos. Costumava lutar ao lado dos traficantes por amizade a Juliano. A contrapartida do amigo era o empréstimo de armas quando ele precisava de um reforço para os assaltos de maior porte.

Outro selecionado, Paranóia, um adolescente de 19 anos, desde criança vivera muito próximo do pessoal da boca. Soldado do tráfico havia três anos, já dera provas de coragem e determinação em situações de intenso tiroteio. Paranóia e Tucano receberam a tarefa com orgulho, consideraram-se prestigiados e engrandecidos porque teriam como parceiros dois chefões de morro, Juliano, da Santa Marta, e o voluntário Paulo Roberto dos Santos da Silva, o Bruxo, do Cerro Corá. Ambos tinham 29 anos de idade, mais de dez anos vividos no crime.

Quem assistiu à partida do bonde também não escondeu a admiração pela dupla Bruxo-Juliano. Os dois já tinham sido inimigos mortais. Todos lembravam do dia em que Bruxo entrou na favela determinado a matar Juliano por encomenda de alguns homens do presídio de segurança máxima Bangu 3. E oportunidades para a execução não faltaram.

No dia planejado para o assassinato, Bruxo esteve várias vezes frente a frente com Juliano. Também teve a chance de alvejá-lo pelas costas quando ele se banhava na Mina. Chegou a sacar a arma, mas se arrependeu ou não teve coragem de apertar o gatilho.

A recepção simpática de Juliano, seguida de uma longa conversa sobre a forma de poder exercida pelo Comando Vermelho na favela, e a prova de fidelidade de seu grupo à organização fizeram Bruxo desistir de matá-lo. Pelo menos não naquele dia, nem nos seguintes. Depois de partilhar dezenas de baseados com ele, Bruxo aprovaria o "desenrole" e mudaria de lado. A amizade entre os dois se tornou definitiva quando Juliano e seus companheiros foram solidários nas horas mais difíceis. E se ofereceram para lutar como aliados na guerra contra os inimigos comuns pelo controle da favela do Cerro Corá.

Na época em que Bruxo ainda perambulava de morro em morro, desprestigiado, e executava tarefas mercenárias encomendadas por terceiros, o pessoal da Santa Marta foi o primeiro a ajudá-lo a retomar o poder no morro onde ele se criou e de onde havia sido expulso.

■ ■ ■

— Dois frentes de morro juntos! Esse é o bonde — disse Luz, desejando boa sorte para o grupo que partiu de manhã bem cedo para a missão.

O bloqueio da polícia nas ruas de ligação com os bairros de Botafogo e Laranjeiras os obrigou a buscar saídas alternativas, as divisas laterais da favela, nas áreas de grande concentração de lixo. Bruxo e Paranóia seguiram em direção ao leste. Tucano e Juliano, para o oeste. No caminho, Doente Baubau e algumas crianças se ofereceram para andar à frente deles para checar se o caminho estava livre. Andavam dez metros mais ou menos, paravam para espiar quando havia alguma curva e davam o sinal de avançar. Por telefone, Juliano também fazia checagens de segurança em contato com as duas bases do grupo perto do matagal.

— Alô fronteira? Aqui é Juliano. Como tá por aí?

— Limpeza, comandante. Área livre.

— Tô seguindo...

— Tu é o cara! Vambora!

Os próximos telefonemas de Juliano não foram exatamente estratégicos. Um deles foi para Salvador, na Bahia. Quem atendeu foi Vânia, vocalista de uma famosa banda de axé music.

— Não acredito, é você? Fale mais um pouco... — pediu Vânia.

— Flor do meu jardim... — respondeu Juliano.

— Saudades de seu cheiro, meu rei! Que manda?

— Preciso levá uma idéia contigo. Te pedi um favor, na moral, dá pra sê?

Os guerreiros da divisa oeste estavam preocupados com a segurança do chefe, que sentou sobre uma velha geladeira virada para falar ao telefone. Fizeram sinal para Juliano se apressar. Ele passou a preocupação a Vânia, mas não saiu do lugar.

— Tenho que vazá daqui, flor. Mas aí, ó: eu te vi na TV, no show. Maravilhosa!

— Te queria na platéia, meu rei!

— Aqui! Reza muito por mim, hoje. Tô num lance aí... vô precisá de proteção. Tu reza?

— É muito perigoso? Vou começar a rezar já.

— Ah, tem um porém.

— O quê?

— Reza pra Santa Maria das Almas Perdidas. Ela é boa nisso, fecha o corpo, manero.

— Boa nisso, é ruim, hein? Te cuida... te cuida.

— Um beijo no teu coração.

Em seguida, Juliano ouviu tocar a campainha do celular. Observou o número que estava chamando e abriu um sorriso. Recebeu uma bronca de Tucano.

— Pelo menos põe no vibrador, Juliano. Esse barulho todo vai acabá chamando os homi.

Juliano ouviu com atenção a crítica, mas resolveu atender a quem chamava

— Luana, sol da minha praia. Tô numa correria aqui. Segura aí que eu já já te ligo.

A pedido de Tucano, Juliano saiu rápido dos limites da favela e entrou na floresta. Antes pediu para alguém desligar a campainha do celular.

— Quem é bom nisso? Põe pra vibrá essa porra!

Já estavam entrando na mata, quando uma mulher chegou esbaforida:

— Tu qué destruí minha família, Juliano.

— Destruí o quê, Goretti. Calma, mulhé.

Goretti era uma das namoradas de Tucano, tinha um filho dele.

— Vocês esqueceram da festa do meu filho, legal, hein?

Tucano e Juliano trocaram olhares em silêncio enquanto Goretti insistia em convencê-los a adiar a missão.

— Deixa pra manhã, qual é o problema, Juliano?

— Aí, deixa comigo. Sem caô. Eu que sei da parada certa. Seguinte, Tucano: tua mina tá cabrera. Confio no instinto de mulher, cara. Tu fica com teu filho. Vô chamá o Pardal pro teu lugar, na moral!

Pardal tinha 18 anos, embora aparentasse mais. Desde os sete já prestava serviços esporádicos na boca, ultimamente na função de soldado. Estava em atividade na área próxima ao Lixão e vibrou quando soube da decisão de Juliano. Assumiu a tarefa tão logo recebeu a mochila e a arma de Tucano.

— Que cano é esse, cumpadi! Aí, seguinte: vô sentá o dedo nos cara! Não vô dá mole, não vô dá mole — disse Pardal, convencido da importância da missão para a continuidade da quadrilha.

Para ele e sobretudo para seus pais, tráfico de drogas representava o emprego que nunca teve, uma garantia de renda melhor que a deles. A mãe, Genilda, era faxineira de um prédio de Copacabana. E o pai, Robson, era pedreiro e estava aposentado por invalidez. Pardal convivia com o pessoal da boca desde criança, prestando alguns serviços esporádicos para os traficantes. Quando virou adolescente ficou três anos na lista de espera para a função de segurança, enquanto atuava como olheiro ou avião. Vinha demonstrando maturidade e uma rigorosa obediência às ordens de comando em situações de confronto com a polícia ou com os rivais, características que contavam pontos na visão do chefe.

Depois de dez minutos de caminhada na mata, Juliano parou de andar. Sentando num tronco de uma árvore caída, passou a primeira ordem a Pardal.

— Hora do lanche!

— Que é isso, chefe?

— Tu tá começando agora, moleque. Vou mandá uma idéia aí, na chinfra: Se pudé comê, come. Se tivé água, bebe. Se tivé sono, dorme. Um guerreiro nunca sabe quando vai tê essas chances de novo. Tá interado?

Abriu uma lata de guaraná, pôs no pão doce algumas fatias de salame e, enquanto digitava o número do telefone de Luana, ofereceu o sanduíche a Pardal.

— Come agora, moleque. Quando o pipoco pegá, vai tê mole não!

— Minha fome é parti pra cima deles — disse Pardal.

O sinal de telefone ocupado na casa de Luana fez Juliano mudar de idéia. Liga outro número. Destino: um barraco do próprio morro.

— Alô, Milene? Meu bem, tá acordando?

— Hum, ruum.

— Precisa falá nada não... É só pra te pedi uma promessa. Tu promete?

— Prometo!

— Mas tu nem sabe o quê, mulher, e já promete?

— Amooor... Eu tô dormindo...

— Talvez eu demore pra voltá. Tu promete não me esquecê, não? É pedi muito?

— Amooor...

— Promete? Tá bom. Um beijo no seu coração.

Juliano apertou a tecla *end* do celular. Mandou Paranóia buscar comida no morro com uma grande bacia de alumínio para garantir mantimentos para todos. Abriu a segunda lata de guaraná e fez uma nova ligação para a namorada da Gávea, que já estava de saída para o escritório da agência de publicidade. Na conversa rápida, Juliano não quis explicar detalhes da operação, apesar da insistência de Luana, que nos últimos dias apreendera a conhecer as circunstâncias da luta em que ele estava envolvido. A preocupação de Juliano era uma só: convencê-la de que no final da missão ele iria ao encontro dela para passar uma noite juntos, longe dos riscos da guerra da Santa Marta.

Juliano ainda falava com Luana quando fez o sinal de partida para Pardal. Estavam a cinco metros do muro do Palácio da Cidade, sede da Prefeitura, e caminharam em direção ao topo do morro, guiados, lá do alto, pela imagem do Cristo Redentor. Usaram o facão para abrir espaço nas partes da mata mais fechada e para matar uma cobra venenosa que encontraram no caminho. Lentamente seguiram em direção ao ponto onde combinaram encontrar Bruxo e Paranóia, que estavam embrenhados no matagal do lado oposto.

— ¿El fator surpresa, entiendes?

Juliano manifestou seu entusiasmo falando algumas frases de efeito em espanhol. É que nos dias em que esteve recluso na Toca, uma caverna de acesso secreto, dedicara-se à leitura de um livro sobre a guerrilha foquista de Che Guevara. Ficou tão influenciado pela leitura que queria empregar algumas táticas com o seu grupo.

∎ ∎ ∎

A duas horas do anoitecer o quarteto aguardava, deitado na mata, o momento certo do ataque. O cansaço e um certo tédio de Pardal e Paranóia contrastavam com a euforia de Juliano.

Eles estavam atrás de um muro de três metros de altura, limite da floresta com a rua Assunção, no bairro de Botafogo. Pelos cálculos de Juliano, os inimigos estavam exatamente no outro lado do muro. Bastava ultrapassar o obstáculo e estariam em cima deles. Discutiram enquanto aguardavam o pôr-do-sol. Na verdade, Paranóia e Bruxo ainda questionavam se a tática da selva teria sido a melhor.

Bruxo fingiu indiferença e se dedicou a limpar a munição e a montar e desmontar partes da pistola automática enquanto ouvia a discussão de Paranóia e Juliano. Na verdade, era a extensão da conversa que já haviam tido na caverna secreta e que envolvia o interesse de todos os que moravam no morro. Falavam da procura de uma saída que garantisse, pelo menos, um meio de resistir à pressão das perseguições por mais alguns dias. Paranóia, que na caverna tentara convencê-lo a mudar de idéia, agora queria provar que seus argumentos tinham consistência.

Assaltantes experientes em ações urbanas, Paranóia e Bruxo queriam que o ataque fosse pelos caminhos do asfalto, simples e prático, sem muito planejamento.

As chances de surpreender o inimigo, segundo Paranóia, seriam grandes. Eles poderiam formar um grupo forte com guerreiros voluntários, vindos de outros morros, que certamente não seriam reconhecidos pelos seus inimigos.

— Sinistro! Mas o comandante do ataque ia ser reconhecido não? — perguntou Juliano com ironia.

— Tu tinha que ficá fora dessa. Ficava no morro, escondido, monitorando pelo celular — respondeu Paranóia.

— Isso é coisa de playboy, rapá. Sou de responsa, de trampo. Tu tá pensando que vô amarelá, rapá?

— Ninguém duvida que tu é o cara, Juliano. Mas tem que sê o cara sempre?

— Descola outra, Paranóia.

Sentado nas raízes expostas de uma amendoeira, indiferente à conversa, Pardal passou repelente nos braços para conter a fúria dos pernilongos.

— Que porra, repelente parece que dá mais fome pra esses mosquitos.

O pôr-do-sol atrás da imagem do Cristo Redentor era a referência da hora do ataque. Juliano foi o primeiro a subir pelo tronco da amendoeira. De uma altura de quatro metros, passou a guiar a ação de escalada do muro. Mas ao atingir altura suficiente para ver a rua, ele se assustou e imediatamente desceu de volta.

— Erro de cálculo: tamo em frente à Décima — avisou Juliano, referindo-se a Décima Delegacia de Polícia de Botafogo.

— Meu Deus! Em cima dos homi! — disse Pardal.

— Temo que descê pra esquerda! — disse Juliano.

O medo acelerou o ritmo dos quatro. Eles se deslocaram para a esquerda, avançaram cerca de 300 metros, mas acabaram andando muito mais. Não dava para seguir em linha reta. Depois de uma hora de dificuldades para vencer os obstáculos da mata cerrada, Juliano irritou-se e resolveu dar uma pausa. Acendeu seis velas vermelhas para eliminar as más energias da área.

— Prepara um baseado aí, Bruxo, enquanto eu acendo essas velas aqui para a minha santa preferida.

— Vou fechá baseado, não. Tu tá doidão? A gente tá colado no muro... E o cheiro, e o cheiro?

— Que muro, cara. Tu ainda não compreendeu que tamo perdido?

— E baseado por acaso é bússola?

— Entra no clima, Bruxo... Entra no clima!

Dos quatro, apenas Bruxo preferiu não fumar. A maconha animou Juliano, que resolveu equipar melhor o grupo. Ele abriu o zíper do fundo falso da mochila e tirou quatro camisetas especiais para uso em selva, pintadas de verde e marrom para camuflar a presença deles no mato.

— Manera, hein, chefe? Parece daqueles grupos de sobrevivência na selva — elogiou Pardal.

Todos vestiram a camiseta e partiram novamente para o lado que acreditaram ser o certo. Minutos depois, já escuro na mata, ficou mais fácil se guiar. Dava para ver as luzes nas áreas altas da cidade, indicando a direção a seguir. Juliano reconheceu o prédio da escola, que era uma referência do ponto de ataque.

— Tamo chegando, pessoal. É agora!

A última pausa para preparar o material da escalada mostrou o estado de alguns guerreiros. Pardal, que passara a noite acordado fazendo a vigilância da boca, estava sentado com as costas apoiadas numa árvore. Depois de fumar maconha, animara-se um pouco durante a caminhada, e agora, exausto, cabeceava para um lado e para o outro, tentando resistir acordado. Não por muito tempo.

— É o que dá fumá um baseado numa missão dessa, Juliano. Aí, a parada nem começou e o Pardal já tá roncando! — critica Bruxo.

— Na hora certa ele acorda, podicrê! — diz Juliano.

Juliano tomou a iniciativa de escalar o muro em silêncio. Todos ergueram o polegar para, desta vez, concordar com Juliano, que começava a subir na árvore mais próxima. Mais ou menos numa altura de três metros, ele pegou o rolo de corda de náilon preso ao cinturão e amarrou uma das pontas da corda ao tronco da árvore. Atirou a outra ponta lá embaixo para ajudar a escalada dos outros.

A mesma corda usada para subir à árvore serviu para descer o muro e chegar à rua Assunção, em frente à Escola General Costa e Silva, a dez metros da esquina onde estava o ponto-de-venda de cocaína tomado deles pelos inimigos havia uma semana.

Os rivais estavam em frente ao bar, misturados aos jovens encostados no balcão e entre os que ocupavam parte da calçada, com um copo de cerveja nas mãos. Os homens de Juliano chegaram mais perto para saber quem era quem, quais eram os homens do exército "alemão" de Carlos da Praça.

Paranóia avançou com um fuzil G-3 apontado para o chão, protegido entre o braço direito e a lateral do corpo. Pardal, ao lado, levava uma pistola automática na mão, escondida junto à perna. Bruxo e Juliano, logo atrás, eram ostensivos: numa caminhada apressada, quase uma corrida, carregavam os fuzis atravessados no peito.

A cinco metros da esquina, enquanto Juliano tentava nervosamente ver quais homens estavam armados, Bruxo o avisou com um toque de cotovelo que o perigo não estava só na esquina. Acenou num movimento de cabeça para um Gol preto estacionado em fila dupla. Três jovens apoiados sobre a capota do carro conversavam com o motorista, que tinha um parceiro ao lado. O ruído de um radiotransmissor enfureceu Juliano, que foi na direção deles.

— Perdeu! Perdeu! Vai morrê, vai morrê! — gritou Juliano, para intimidar o motorista que ainda tinha o radiotransmissor nas mãos.

Os jovens que conversavam em volta do carro se afastaram devagar. Bruxo apontou nervosamente o fuzil para o homem que estava ao lado no banco do passageiro, enquanto Pardal e Paranóia ameaçavam o pessoal que estava na calçada, em frente ao botequim. Alguns se protegeram atrás da parede, a maioria se jogou ao chão.

O motorista do Gol, em pânico, levantou as mãos e sem querer acabou assustando os guerreiros.

— Juliano, é você?

O motorista era um velho conhecido, aliás, conhecidíssimo. Era Josefino, protagonista de um dos episódios mais comentados na Santa Marta nos últimos anos. Ele era amante da ex-mulher de Juliano, Marina, mãe de Juliano Lucas, um de seus três filhos. No começo o romance fora um escândalo, nunca bem absorvido por Juliano. Havia quem dissesse que o namoro de Marina e Josefino teria começado antes da separação. Muita gente acreditava que um dia ele iria se vingar.

Mais grave que a traição fora o tipo de escolha da ex-mulher. No tempo em que Marina era a primeira-dama da Santa Marta, Josefino já era um dos maiores inimigos de Juliano. Os dois haviam se enfrentado em muitos tiroteios. Aliás, se não fosse a profissão de Josefino, certamente algum parceiro teria tentado vingar a honra do chefe. Como ele era um P-2, a vingança teve que ser evitada ou adiada não se sabia até quando.

Se antes do ataque alguém tivesse olhado a chapa daquele Gol preto, certamente teria evitado a abordagem ao motorista. As iniciais L-B-D, da placa LBD 4325, indicavam que o carro pertencia ao Serviço de Inteligência da Polícia Militar do Rio Janeiro, a chamada P-2.

Agora era tarde para arrependimentos.

— Cai fora, viado. Vô te matá, seu puto — gritou Juliano.

Sob a mira do fuzil de Juliano, o sargento Paulo César Josefino abriu a porta do Gol sem falar nada. O parceiro dele, o sargento Evandro Pinto, na mira de Bruxo, também saiu do carro pedindo calma.

— Perdi, perdi!

Juliano encostou a ponta da arma nas costas de Josefino, tirou a pistola da cintura dele e o empurrou para indicar o caminho da fuga.

— Cai fora, mijão... Olha pra trás não, que eu te sento o dedo, rapá!

Enquanto os dois sargentos corriam em direção à Décima Delegacia, que ficava a três quarteirões, Juliano assumiu o volante do Gol para sair o mais depressa possível dali. Sem disparar um único tiro, Bruxo, Pardal e Paranóia também desistiram de atacar os inimigos, que sumiram da esquina em disparada.

Cada minuto dentro do carro do Serviço Secreto da PM representou uma eternidade para os quatro. E, com Juliano dirigindo, quanto maior era a pressa, pior o desempenho. Ele deixou o motor morrer uma, duas, três vezes...

— Primeira, Juliano! Tu qué arrancá na quarta marcha... Primeira, caralho! — gritou Paranóia.

O nervosismo aumentou quando os dois radiotransmissores abandonados pelos PMs no carro começaram a emitir informações da Central de Operação.

— Atenção todas as viaturas!... Atenção viaturas da área!

O som das sirenes anunciou que Josefino já havia pedido socorro ao Segundo Batalhão quando eles entraram na rua Mundo Novo, o caminho mais curto até o morro, a 800 metros do ponto onde estavam, em Botafogo. Seria rápido se o motor do Gol não estivesse falhando e se o motorista não fosse Juliano. Ele se atrapalhou na curva fechada, bateu no meio-fio, quebrou uma das rodas.

— É carro de viado, mesmo! — reclamou Juliano ao abandonar o Gol na subida da ladeira.

Eles seguiram a pé, levando o telefone celular e o radiotransmissor esquecidos por Josefino. O rádio não parava de emitir mensagens de uma base da PM.

— Quadrilha em fuga... rua Mundo Novo, Laranjeiras.

Juliano aproveitou um pequeno buraco do muro para enfiar o pé e impulsionar o corpo. Saltou por sobre uma linha de arames farpados e ferros pontiagudos, cravados no alto do muro, e passou para o outro lado, para a floresta. Usou os galhos das árvores como apoio de descida. O último a pular foi Paranóia, que ficara dando cobertura. Minutos depois, com todos escondidos na mata, encolhidos num bambuzal, ouviram o vaivém das viaturas da PM na ladeira de paralelepípedos. E os latidos dos cães que orientavam a perseguição dos soldados pela mata escura.

Sem lanterna para procurá-los melhor, os soldados se limitaram a vigiar toda a extensão do muro na rua onde o Gol preto fora abandonado. Depois de mais de duas horas imóveis, em silêncio, os quatro foram aos poucos avançando no meio da mata, morro acima. Minutos depois, Juliano deu uma nova ordem que fez parar a caminhada.

— Caralho, esqueci a minha bíblia lá no mato

— Porra, Juliano, a bíblia? Deixa pra lá. Vambora.

— Deixa pra lá, o caralho... volta lá Pardal, volta lá!

Recuperada a bíblia, voltaram a andar. Ao atingir o alto de uma rocha, de onde tinham uma boa visão do movimento na principal ladeira de acesso à favela, Juliano ligou o celular e pediu apoio à quadrilha.

— Alô, firma. Aqui é Juliano. O Careca tá por aí?

Careca havia acabado de chegar da roda de samba. Bebia cerveja e conversava com a namorada Cristina dos Olhos e com vários amigos da boca em frente ao botequim de dona Virgínia, um dos pontos-de-venda de cocaína do morro. Falava do problema do tornozelo inchado. Sofrera uma torção do pé ao correr da polícia quando chegava à quadra para se divertir. Estava a uns 50 metros do ponto onde os PMs abordavam os suspeitos. Embora não estivesse cometendo nenhum crime, contava que preferiu fugir morro acima para evitar o risco de ser interrogado e recolhido para "averiguação" dos documentos no posto policial, pois ainda estava sob o efeito do trauma do confinamento na cadeia.

Tomava cerveja quando um dos olheiros da boca o chamou para atender o telefone.

— Quem é? — perguntou Careca.

— É o Juliano. Tá cercado pela polícia. Precisa de sua ajuda — disse Tucano.

— Tá ferrado, hoje posso ir nessa parada não.

— Qual que é, Careca?

— Olha o meu tornozelo, inchadaço, cara.

— Conserta depois, passa em qualqué hospital, mas antes temo que salvá a pele do chefe.

— Meu problema não é só esse. O mais grave é que, no pinote, rompi a minha guia de Exu, minha proteção, minha corrente do pescoço...

— Caralho, aí o bagulho é foda. Sem o corpo fechado... E agora, Careca?

— Pra mim é um aviso, sacumé? Proteção divina rompida, mermão.

A irmã Cris, que chegara para conversar com eles, percebeu que Careca estava com algum pressentimento ruim.

— Pode sê um catuque, não pode, Cris? Exu é foda!

Enquanto Tucano, Cris e Careca falavam do episódio da corrente, o celular do contador da boca, Rivaldo, voltou a tocar. Era novamente Juliano, agora mais insistente, querendo saber por que o piloto ainda não estava a caminho. Por ordem dele, o pessoal passou o telefone para as mãos de Careca. E ele não teve coragem de falar do rompimento da guia de Exu.

— E aí, então? — perguntou Careca.

— Chegou a tua hora, Careca. Tu tem que nos panhá aqui. Vembora! Vembora! — ordenou Juliano.

— Aqui onde? — perguntou Careca.

— Tamo cercado na subida do morro pela Mundo Novo. Temo que esperá a hora certa pra sair daqui.

— Vô descolá um carro, deixa comigo.

— Espera o nosso sinal. Só vem se tivé limpeza.

Perto da meia-noite, pela visão que eles tinham no alto, a situação parecia tranqüila no lado do acesso de Laranjeiras. Pelo celular eles informaram ao chefe que também não havia nenhuma invasão policial pelas laterais, nem pelo lado de Botafogo. Convencido de que a polícia tinha desistido da busca, Juliano telefonou a Careca para dar a ordem:

— Venha! Tamo atrás da amendoeira.

Careca desligou o telefone, abraçou Cristina dos Olhos já ao lado do carro emprestado por um birosqueiro do Cantão. Era um Fiesta, meio surrado, já bastante familiar pois tinha sido usado em outras missões do piloto da quadrilha.

Para evitar o forte ruído do motor, Careca iniciou a descida da ladeira com o câmbio em ponto morto, para levar socorro aos parceiros.

Minutos depois era inútil erguer os braços para se proteger dentro do Fiesta. Sentado no banco de trás, Paranóia, numa reação instintiva, tentou se defender levantando o fuzil. Uma das balas que vararam o carro bateu no cabo da arma. Paranóia viu o momento em que outro tiro jogou a cabeça de Careca para trás. O impacto do tiro de fuzil no rosto levou à morte instantânea o melhor motorista da favela.

Para Juliano, a morte de Careca representou também a perda do último amigo de infância que o acompanhava na trajetória do crime. Eles cresceram juntos, freqüentaram as mesmas igrejas e terreiros, estudaram na mesma escola e, na adolescência, se destacaram como integrantes de uma gangue de surfistas, a Turma da Xuxa.

■ ■ ■

Na madrugada, os primeiros curiosos que se aproximaram para ver o corpo no carro ouviram dos policiais um comentário:

— Liga, não. Tudo que é bandido acaba desse jeito.

CAPÍTULO 3 | TURMA DA XUXA

Desafiar um ao outro era a diversão predileta da dupla Careca e Juliano. Competiam nos campos de terra de futebol da favela, nas brincadeiras de guerra de ovo, no vôlei praticado sobre a cerca dos varais, nas salas de aula em dia de prova e até nas atitudes mais íntimas, como no concurso particular que promoviam para ver quem praticava sexo solitário com mais freqüência. Às vezes o irmão de Careca, Vico, participava das brincadeiras no salão do Terreiro da Maria Batuca.

Era Juliano quem anunciava o resultado dos desafios, para quem quisesse ouvir.

— Que viado, puto! Que viado, puto! — gritava, se fosse o perdedor. A vitória também era anunciada de forma não muito diferente. — Viu, seu viado, puto! Viu, seu viado, puto!

De tanto ouvi-lo repetir os palavrões, o amigo passou a chamá-lo pelas iniciais. VP, que aos poucos foram incorporadas ao nome: Juliano VP.

O apelido, embora fosse motivo de deboche entre os amigos, nunca o incomodou. Por maior que fosse a provocação, Juliano não ia muito além de uma resposta padrão:

— Já que tu me chama de viado, posso dormi com a tua mãe hoje?

Pelo menos uma mãe do morro aceitou a provocação. Embora casada, Maria Madalena, a Madá, aproveitava a ausência do marido Osmar, dono da maior birosca no beco das Maravilhas, para conversar na janela durante horas com o vizinho Juliano. Um dia o convidou para assistir à televisão na sala. O casal de filhos, Veridiana, de 10 anos, e Alen, de 15, estava na escola. Estrategicamente sintonizou o programa infantil *Xou da Xuxa*, apresentado pela modelo Xuxa Meneghel, que nos anos 80 fazia sucesso no Brasil. Madá aumentou o nível do volume da TV e foi desafiar Juliano no quarto.

— Me mostra que você não é VP, mostra?

Durante alguns dias Juliano trocou a escola pelas aulas secretas de Madá, a mulher de sua iniciação sexual. Um segredo só revelado na época ao amigo de infância Mentiroso, que era três anos mais velho e mesmo assim ficou impressionado com a aventura amorosa.

— Ela mesma tirô a minha bermuda, cara. Baixô até o chão e passô a mão nimim, assim, por cima da cueca — disse Juliano.

— E aí, o que você fez? — perguntou Mentiroso.

— Fiquei loucão, mas fiz nada, não. Ela foi fazendo tudo... Devagar enfiô a mão esquerda pelo lado da cueca e me pegô por baixo. A outra mão entrô por cima do elástico da cintura...

— E você falô o quê?

— Fiquei gemendo, sentindo um barato, um choque enquanto ela não parava um segundo e me beijava, me beijava... Eu já tava quase enlouquecendo quando, de repente, ela parô tudo e pediu que eu ficasse calmo.

— E você tava nervoso?

— Nervoso eu fiquei quando ela tirô a minha cueca. Começou tudo de novo, com mais liberdade. Você não vai acreditá, cara... Tava demais, demais, e de repente...

— Você gozô?

— Não, não. Ela parô de novo. Perguntô se eu tava mais calmo e se eu aceitava um presente diferente.

— Que presente?

— Eu tava na mão dela, sabia o que falá não! E nem precisô. Doidão, doidão.

— Que presente, cara?

— Que lábios. Que mulhé, mermão! É, parceiro. É uma coisa muito séria, dá para explicá, não.

A generosidade era uma outra virtude de Madá. Os carinhos, que tanto impressionaram Juliano, despertaram o interesse dos amigos adolescentes. Todos diariamente assistiam à televisão na casa dela e alguns, como Flavinho, Renan e Soni, também experimentaram as virtudes da Gostosa da Paraíba, como falavam. Com o tempo, Juliano encontrou outro forte motivo para freqüentar a casa de Madá. Tornou-se amigo do filho dela, Alen, já líder da maior gangue de adolescentes da favela. Os programas na casa de Madá deram ao grupo de adolescentes o apelido de Turma da Xuxa.

Eles gostavam de chamar atenção, de levar à favela os modismos de quem morava nas áreas nobres do Rio. No universo restrito da comunidade, a maioria deles podia se considerar um privilegiado, que morava na "zona sul" do morro, área mais próxima do asfalto, que dispunha de água potável, energia elétrica e esgoto parcialmente canalizado.

Os principais líderes, Alen e Flavinho, filhos de birosqueiros, se achavam de classe média. Freqüentavam academia de judô, iam ao cinema lá na cidade, tinham em casa aparelhos de som de boa qualidade. Viviam de mesada. Era pouco dinheiro, mas dava para comprar produtos falsificados de grifes famosas no comércio barato do centro da cidade, o que no morro era considerado um privilégio.

Alen e Flavinho traziam as novidades. Depois toda a Turma da Xuxa dava um jeito de usar uma camiseta da "Abidas" e uma bermuda ou tênis da "Nique", imitações das famosas marcas multinacionais.

Os que trabalhavam, como os *boys* Vico, Careca, Jocimar, Mendonça e Paulo Roberto, usavam a maior parte do salário para reforçar a renda da família. Quando sobrava dinheiro também compravam roupa e acessórios da moda que apareciam na televisão ou que observavam na rua. Menos Paulo Roberto, que não ligava para moda. Era um dos mais maduros do grupo e um dos mais pobres. Órfão de pai, morava em um barraco de madeira de três cômodos, na parte alta do morro, com quatro irmãos, três homens e uma mulher. A mãe sustentava os filhos lavando roupa por encomenda para o asfalto. Paulo Roberto tentou introduzir os irmãos Galego, Chiquinho e Germano na Turma da Xuxa, mas eles não foram aceitos porque viviam maltrapilhos.

Os estudantes Juliano, Mentiroso, Du, Claudinho estudavam na Escola México e faziam cursos profissionalizantes gratuitos.

As escolas técnicas tiveram pouco valor para Claudinho quando começou a procurar emprego. Só conseguiu vaga como faxineiro na empresa Mercúrio Conservadora e Administração, em Botafogo. Era um serviço pesado em troca de meio salário mínimo, algo como trinta dólares mensais, valor que o deixava ainda mais revoltado com as atitudes sovinas do pai, Zé Lima, dono de uma birosca bem "surtida" na esquina do Repente com o beco Padre Hélio. O pai se negava a dar mesada e o agredia com violência desmedida se houvesse algum pedido insistente de Claudinho. Juliano tinha problemas parecidos com o pai Romeu, nordestino como Zé Lima e igualmente duro e intransigente com os filhos. Muitas vezes Juliano foi surrado na frente dos amigos por se recusar a carregar sobre os ombros os sacos de mantimentos que o pai comprava no pé do morro e exigia que ele levasse pelas escadarias até a birosca no beco Padre Hélio, 200 metros acima.

Claudinho tinha uma certa inveja de Juliano porque desistiu de estudar bem antes dele. E por causa das disputas por namoradas, quase sempre vencidas pelo concorrente.

Dos 15 aos 16 anos Juliano fez um curso de desenho e ficou encantado com o que aprendeu. Mostrou o seu talento ao vencer o concurso promovido pelo grupo cultural ECO para a escolha de um ícone para o programa de colônia de férias da entidade. Juliano venceu com um desenho da família Smurf, personagens de programas infantis de televisão, reproduzido nas camisetas do ECO, entidade ligada à Associação de Moradores.

Animado pelo sucesso no concurso, tentou convencer os amigos a seguirem o seu exemplo. Apenas Carlos Eduardo Calazans, o Du, o acompanhou no curso e num projeto de arte e pintura que levou os alunos a colorirem as casas de alvenaria. O projeto foi um fracasso quase absoluto. Juliano escolheu o muro da casa de um cego muito conhecido no morro, seu Ananias, como base para a sua obra: o desenho de Nossa Senhora Aparecida, em vários tons de amarelo e azul. Apenas o cego elogiou a pintura.

Os artistas mais talentosos da turma, os irmãos Careca e Vico, também se destacavam por outras habilidades. Eram bem diferentes um do outro, mas tinham uma afinidade de almas gêmeas. Careca também era chamado de Abscesso por alguns amigos por causa de uma pequena perfuração que tinha na face, cicatriz de uma infecção mal curada. Usava um bigode fininho, tinha a pele sempre coberta por espinhas. Baixinho, um metro e sessenta e quatro centímetros, era extrovertido, bem-humorado, ao contrário de Vico.

Embora fosse gago, o que dificultava se aproximar com naturalidade das meninas, Vico fazia sucesso com elas. Era alto, tinha um metro e oitenta e oito centímetros de altura. Tímido e sério, seu raro sorriso mostrava dentes perfeitos. O corpo era de um atleta que jogava diariamente futebol e basquetebol, antes ou depois de "pegar onda" nas praias do Leme e do Arpoador. Como o irmão, gostava de samba, era o mestre-sala da escola Império de Botafogo. Mas o seu desempenho em todas as suas atividades dependia sempre da companhia do inseparável irmão Careca.

Numa tarde de sábado Vico atraiu a curiosidade dos moradores ao subir o morro carregando pendurado às costas um objeto que muita gente achou estranho. Ao lado dele, o irmão Careca respondia às perguntas dos curiosos que se aproximavam para vê-lo de perto. Era seguido pelo amigo Luís Carlos, o Doente Baubau, que anunciava a novidade aos grito para todo mundo ouvir.

— Na moral, olha aí!

Era uma prancha de surfe, de quatro cores, roubada nas areias do Arpoador.

A prancha de Vico, a primeira do morro, mudou a rotina da Turma da Xuxa. Nos fins de semana, surfe virou programa obrigatório e com todos os rituais dos praticantes do esporte das áreas nobres da cidade. Antes de descer para o mar, os integrantes da Turma passaram a descolorir os pêlos dos braços e das pernas com uma mistura de água oxigenada e Blondor, uma tintura química. Embora a maioria soubesse apenas deslizar sobre as ondas na beira da praia, brincadeira conhecida como "jacaré", eles queriam ganhar a aparência loira dos jovens de classe média que praticavam surfe nas praias da zona sul. E principalmente conquistar alguma garota deles.

Os morenos-loiros Du e Juliano VP eram os que mais abordavam as meninas das praias do Leme e de Copacabana. Vico era mais bonito que os dois. Mas, longe do ambiente que lhe era familiar, ficava mais gago e isso o intimidava. Preferia enterrar a ponta da prancha na areia e ficar em pé com os amigos em volta dela. A prancha representava uma espécie de troféu para o grupo. Dali observavam, com grande interesse, o desempenho da dupla Du-Juliano em suas investidas. Do sucesso dos mais ousados dependiam as futuras abordagens de cada um. Haveria regra para o favelado conquistar uma menina inacessível da sociedade?

A fórmula de Juliano era camuflar as diferenças de classe social. A abordagem, por exemplo, tinha que ser na praia, um raro espaço democrático da cidade. Na areia, as diferenças desapareciam se alguns detalhes estéticos não fossem esquecidos.

Modelos e marcas das bermudas, sungas, óculos ou qualquer outro acessório deveriam ser, de preferência, rigorosamente iguais aos usados pela maioria. Precisavam também reprimir qualquer comportamento mais extravagante. Gargalhadas, brincadeiras de luta, futebol, frescobol, ginástica, guerra de areia ou de água eram consideradas atitudes excludentes, coisas de favelado.

Era necessário senso de oportunidade. A primeira investida certeira de Juliano começou numa situação de emergência, com a praia do Leme lotada numa manhã de sábado.

A menina estava em apuros, sem conseguir vencer o "repuxo" das ondas, que a empurrava para longe da areia. O povo gritava pelo grupo de salva-vidas. No mar, surfistas deitados de bruços sobre as pranchas "remavam" com os braços para tentar socorrê-la o mais depressa possível. Mas eles estavam longe, a mais de 50 metros, quando Juliano saiu do meio da multidão e se jogou no mar.

— Segure firme no meu pescoço, princesa. Eu sô bom nisso!

Vencidas as ondas mais altas, Juliano recebeu o apoio de Du e de dois estranhos para levar a menina até a areia. Era uma filha de japoneses com cidadania brasileira. Da família, talvez devido ao desespero, apenas a irmã, Haruno, reconheceu o gesto e agradeceu o salvamento.

— Não sei nem como te agradecer.

Foi a primeira frase do namoro que durou pouco mais de um mês, sempre com encontros que começavam ao meio-dia nas areias do Leme. Haruno parecia apaixonada até o dia em que Juliano não conseguiu mais esconder onde morava.

— Santa Marta!

— Onde fica?

— Em Botafogo!

— Em Botafogo? Eu moro em Copacabana, como eu não conheço?

— Fica lá em cima, no morro.

— Então você mora na favela Dona Marta.

— Dona Marta é o nome do morro, onde tem o mirante, a floresta e a favela. A favela chama Santa Marta.

— Santa Marta ou Dona Marta... Não importa! Você é um favelado, entendeu? Minha mãe vai me matar!

As razões para querer o fim do namoro iam muito além da provável dura reprovação da mãe.

As melhores amigas condenaram antes dos pais. Sugeriram a Haruno evitar o namoro com um jovem que cometia erros de português. Algumas, as que o conheceram pessoalmente, riam de Juliano sempre que ele trocava a pronúncia de algumas letras ou quando convidava a namorada para passear:

— Haruno, vamo dá uma volta na avenida Atrântica?

— Atrântica?

Os erros de Juliano não eram o que mais a incomodava. Afinal, ela também quase nada sabia das gírias da favela. Um se divertia com a ignorância do outro e gostavam de trocar informações.

— Você disse que está bolado comigo. Bolado? O que significa?

— Adivinha!

— Gamado, apaixonado...

— Craro que não, Haruno. É bravo, incomodado.

— Não é craro. É claro, certo, Juriano?

— Sem caô.

— Caô?

— Sabe o que é caô não, aí. Já é demais. Tu nunca entrô numa favela na sua vida, não?

— Eu, não. Dizem que só tem bandido lá em cima...

— Apelá não vale!

Haruno estava sendo sincera. O medo de uma simples aproximação de alguém da favela superava qualquer preconceito. Ela escreveu numa carta as razões que a levaram a acabar com o namoro.

Querido Juliano:

Choro por ter tomado esta decisão. Estive pensando demais e não encontrei resposta para muitas perguntas:

Como namorar alguém que eu não posso visitar?

Como faríamos no dia do seu aniversário?

Festa no morro antes ou depois do tiroteio? Eu morreria de medo!

E para conhecer a sua mãe, o seu pai?

Que futuro teríamos? Casar? Ter filhos?

Você me disse que na favela não tem escola, não tem hospital, não tem pracinha, não tem cinema... Me perdoe, mas não seria um bom lugar para a gente viver.

Você mudaria de vida? Sairia do morro para ficar perto de mim? São tantas dúvidas. O certo é parar por aqui, antes que eu venha a te amar.

Talvez algum dia a gente se aproxime.

Hoje não dá nem para a gente ter uma amizade.

Seus "amigos", convenhamos, jamais seriam amigos dos meus.

Apenas dois quilômetros separam a minha casa da sua, mas a distância entre nós parece infinita, você não acha?

Haruno

Embora soubesse que o namoro não teria futuro, Juliano ficou triste ao receber a carta. Estava gostando de conviver algumas horas por dia com uma menina que, sem saber, estava apresentando a ele um mundo que desconhecia. Aprendeu a entrar num bar e pedir uma mesa ao garçom. Conheceu as filas para a compra de ingressos de shows de rock. Descobriu a graça de parar nos corredores dos shopping centers apenas para ver o movimento e ser visto.

Voltou para a favela com uma sensação de perda e foi direto para o barraco de Luz, a amiga confidente. Queria mostrar a carta que recebera. Com orgulho a leu em voz alta para observar a reação da amiga e pedir sua opinião. Luz ouviu atentamente. Depois pediu para Juliano reler a parte final, a que se referia aos amigos: "... Seus 'amigos', convenhamos, jamais seriam amigos dos meus."

Luz pediu para ver a carta e ter certeza do que tinha ouvido. Ficou revoltada ao constatar a palavra amigo entre aspas.

— Aí, saca a maldade, Juliano. Cafajestada. Tá esculachando teus amigos.

— Tem certeza? Deixa eu vê.

— Que bagulho é esse aí: essa palavra amigos com aspas. Quer dizê: tá nos chamando de ladrão, trombadinha, vagabundo, muquirana. E tu gostô dessa grã-fina?

— Não exagera, Luz.

— De onde é esta grã-fina?

— Copacabana.

— Tinha que sê de Copacabana. Porra, Copacabana, cumpadi? Juliano!?

Juliano sabia que Copacabana, para Luz, significava discriminação, violência, crueldade. Eles se conheceram no bairro, e ficaram amigos no dia em que ele foi preso pela primeira vez. Juliano era balconista de uma loja de jóias de prata. Luz viu quando os policiais o levaram, sob acusação de também vender trouxinhas — pequenos pacotes de maconha — à freguesia.

Luz avisou à família. E, com a mãe de Juliano, passou a noite no banco da delegacia para pressionar os policiais, numa tentativa de intimidar possíveis maus-tratos, tortura. Nos intervalos dos procedimentos burocráticos do inquérito sobre a prisão Luz conversou longamente com Juliano. Queria avisá-lo dos riscos que iria correr no xadrez. Passou a ele um pouco da experiência de quem já havia sofrido algumas vezes os horrores das detenções temporárias e prisões. Convenceu Juliano de que era absolutamente normal o nervosismo naquela situação, diante da iminência de entrar pela primeira vez num xadrez. Sugeriu que ele demonstrasse tranqüilidade e que ficasse atento aos movimentos dos parceiros de cela. Que não se deixasse surpreender diante de alguma agressão física ou moral.

Os conselhos da primeira conversa mais profunda que tiveram não chegaram a ser necessários naquele dia. Mas seriam bem aplicados por Juliano no futuro.

Como era menor, tinha 16 anos, Juliano não chegou a dividir cela com ninguém. Libertado na manhã seguinte, bem cedo, saiu da delegacia já amigo de Luz, que o convidou a caminhar em Copacabana. Para protelar a volta para casa, onde com certeza seria duramente criticado pelos pais, Juliano passou o dia conversando com Luz, que o levou para conhecer o primeiro lugar onde morou na rua, quando tinha nove anos, uma marquise da Hilário de Gouveia. Ali encontraram um velho conhecido, também morador de rua, Romerito, lutador de boxe aposentado. Os três fumaram um cigarro de maconha. E conversaram sobre o passado de Luz, que viveu parte da infância e adolescência nas ruas do bairro.

Os anos de infância vividos nas calçadas de Copacabana deixaram cicatrizes no corpo de Luz e ferimentos na alma. As piores marcas foram causadas pelos agressores disfarçados de gente civilizada, que se escondiam no escuro dos apartamentos, de onde lançavam pela janela o balde com água fervendo sobre o seu corpo e os das outras crianças que dormiam no chão.

Muitas madrugadas acordou com a dor das queimaduras e os gritos de horror das amiguinhas. A única vingança possível era tentar acordar alguém com um choro agudo de criança apavorada, a implorar socorro, alguma proteção contra o ódio que vinha lá de cima. Às vezes percebia que algum curioso espiava pela fresta da cortina o seu sofrimento. Alguns acendiam a luz e apareciam na janela. Eram os solidários. Luz descobriu logo que uma lâmpada que se acende no prédio às escuras é o máximo de atenção que uma criança de rua desperta nas madrugadas de Copacabana.

— Luz! Veja! Luz, luz!

De tanto as amigas chamarem a atenção para as luzes que eram acesas nos prédios, Luz virou o apelido da menina que odiava o nome de Cleonice, escolhido pelo pai de tristes lembranças.

Só quando alguém acendia a luz, Luz parava de chorar. E saía soluçando pelo meio da rua em busca de remédio para as feridas da queimadura. Quase sempre buscava a proteção de Romerito, o ex-lutador de boxe que virou morador de rua desde o dia em que foi nocauteado pelo alcoolismo. Embora invariavelmente bêbado, Romerito a acompanhava até o hospital. Se o ferimento não fosse grave, cedia a sua cama de papelão e oferecia o melhor remédio para as dores de Luz: promessas de vingança. Ela adormecia vendo o ex-lutador encenar e narrar uma luta imaginária contra quem a havia agredido.

— Um cruzado de esquerda no olho direito, um de direita no olho esquerdo. Direita, esquerda, direita, esquerda... Um direto no nariz, direto no queixo...

Pela manhã, parava na porta do prédio para tentar descobrir, pela intuição, quem era o agressor ou a agressora. Desconfiava de algumas pessoas. De um jovem, gordo, míope, que saía de casa uniformizado, pontualmente às sete horas da manhã, para aguardar o transporte escolar. Enquanto esperava, comia o sanduíche preparado pela mãe para a hora do lanche no colégio. Luz desconfiava dele porque era um sovina. Quando o transporte chegava, ele preferia jogar o resto do sanduíche no lixo a dá-lo para uma criança faminta da rua. Também desconfiava de uma mulher que aparentava mais de 70 anos e do marido, provavelmente aposentado. Tinha razões para não gostar do casal, que nunca respeitou o espaço que ela ocupava na calçada. Durante os quatro anos em que viveu ali ela procurava manter a área limpa. Varria, lavava, recolhia o lixo dos amigos de rua e dos passantes. Nunca um único morador do prédio a ajudou na limpeza. O casal, além de não colaborar, ainda sujava mais. Era dono de um cachorro de raça nobre. Diariamente o casal permitia, em seus passeios matinais, que o cão urinasse e defecasse justo no espaço onde as crianças dormiam. Luz contou para Juliano e Romerito que quando acordava com o mau cheiro ao lado, rogava uma praga:

— Um dia eu ainda vô assaltá a casa desses coroas só pra cagá na cama deles — dizia para si mesma.

CAPÍTULO 4 | **MALDADE, COVARDIA**

Já nas primeiras trocas de confidências, Luz e Juliano descobriram que tinham muita coisa em comum, além de cigarros de maconha. No ano de 1986 os dois buscavam nas ruas uma alternativa aos caminhos que a família esperava que seguissem. Embora suas histórias fossem diferentes, ambos romperam a habitual trajetória de pais trabalhadores pelo envolvimento com grupos de adolescentes infratores e jovens criminosos. Os dois eram de famílias migrantes, vindas do Nordeste, e foram criados num ambiente familiar abalado pelo alcoolismo.

Luz guardava más lembranças do pai, que pouco parava em casa, em Jacarepaguá, zona oeste do Rio de Janeiro, devido às freqüentes viagens de vendas pela Marinha Mercante. Quase sempre voltava bêbado e violento com a mulher e os cinco filhos. As brigas invariavelmente tinham uma causa: a implicância com o caçula, por causa da pele mais clara. O pai achava que não era seu filho. Batia na criança, tentava arrancar seus cabelos "não tão crespos" quanto os dele. A mãe, quando o socorria, também era surrada com extrema violência. Às vezes o pai parecia enlouquecido.

Numa noite de Páscoa, tentou explodir a família. Prendeu todos na cozinha e colocou fogo na mangueira do bujão de gás. Assustados com as labaredas, mulher e filhos reagiram a socos, pontapés, cadeiradas. Quase mataram o pai. A surra acabou com a interferência dos vizinhos, que o levaram para o hospital, onde ficou internado durante dois meses.

A mãe, empregada doméstica, aproveitou a internação do marido para se separar dele. Luz, com seis anos, foi morar com a avó num barraco de três cômodos que abrigava oito filhos e netos. Livrou-se do pai, mas continuou sofrendo agressões dos homens.

Uma noite Luz acordou com o peso do tio Benê sobre seu corpo de menina. Ele a tinha agredido de forma tão violenta que desmaiara por alguns minutos. Quando retornou à consciência, sentia dores e desespero. Tinha nove anos de idade, inocente para compreender o motivo da dor e do sangue entre as pernas, mas já madura o suficiente para saber que significavam maldade e covardia. Razões fortes o bastante para querer evitar para sempre a companhia de tios, sobrinhos, primos, qualquer parente que pudesse atacá-la novamente. A resposta de Luz para o estupro foi o silêncio.

Antes do amanhecer fugiu para não encarar o descaso da avó, que nunca soube protegê-la. Saiu de casa sem avisar ninguém, calada, só com a roupa do corpo e uma boneca. Seguiu pelas ruas escuras com a intenção de ir para bem longe de Jacarepaguá e o mais depressa possível. Logo percebeu que não seria fácil se livrar da família. Seus passos estavam sendo seguidos bem de perto. Tentou fingir indiferença e acelerou o passo. Não resolveu. O perseguidor andou mais depressa. Luz correu. Parou. Escondeu-se atrás de uma banca de jornal. Sem conseguir livrar-se, apelou para a briga, jogando pedras no cachorro, um velho vira-lata da família...

— Demônio!

Para não perder tempo, desistiu de brigar. Afinal, embora morasse na mesma casa, o cachorro nem nome tinha, não chegava a representar alguém da família que queria esquecer. Era tão maltratado quanto ela. Vivia abandonado no quintal, sem abrigo, à espera de restos de comida. Decidiu deixar que o cão a perseguisse de longe e seguiu viagem. Mas a distância entre eles foi diminuindo à medida que Luz ia perdendo o fôlego. No final do dia estavam amigos.

O vira-lata acabou passando a Luz os primeiros ensinamentos da vida de rua. Mostrou que o segredo para atravessar avenidas de grande movimento era ter calma, muita calma. Deixava o cão ir à sua frente e seguia os passos dele, estrategicamente lentos ou rápidos, dependendo do fluxo de carros. Descobriu também que, muitas vezes, parar no meio de uma avenida larga podia ser uma forma de evitar o atropelamento, facilitava para o motorista desviar o carro para um lado ou outro da pista.

Dois dias depois de fugirem de casa, o vira-lata ganhou um nome, Felicidade. E Luz já havia escolhido a rua Hilário Gouveia para morar em Copacabana.

Para Juliano, Copacabana, em 1986, também representava uma oportunidade de fuga da opressão paterna.

Os conflitos com o pai, Romeu, nunca foram explícitos. Juliano foi educado para não reclamar e não chorar mesmo quando era surrado. O filho obedecia. Ele tinha sete anos quando o pai o agrediu com um soco no peito, tão violento que o lançou contra a geladeira, amassando a porta. Em vez de choro, apenas um comentário com a mãe, Betinha, testemunha da cena:

— Papai mostrou que é forte mesmo, hein, mãe!

Desde criança era proibido de brincar fora dos limites de visão dos pais, que passavam o dia na birosca, um micromercado de bebidas e gêneros de primeira necessidade comprado com as economias de cinco anos de trabalho como chefe de cozinha de um restaurante de Botafogo e que funcionava no térreo do barraco de dois pavimentos. Desde que chegou do Ceará, Romeu forçava a clausura dos filhos por temer que eles sofressem influência dos malandros ou que fossem vítimas de algum ataque dos Irmãos Coragem, homens violentos, matadores, de uma família que mandava na favela no final dos anos 70 e começo dos 80, os Lino.

O domínio dos Lino afetava diretamente a família de Romeu. Os Irmãos Coragem costumavam violentar as mulheres e ele tinha três em casa, as filhas Zuleika e Zulá e a esposa Betinha. Um agravante era a condição de migrante. Os Lino discriminavam os forasteiros, odiavam os nordestinos, especialmente se fossem paraibanos. E Betinha viera da Paraíba.

Por causa dos Lino, Juliano era obrigado pelo pai, desde criança, a passar a maior parte do tempo no andar de cima da casa cuidando das duas irmãs mais jovens. Só depois que entrou para a escola, aos oito anos, passou a conhecer um pouco alguns vizinhos, mas sempre sob estreita vigilância. Estudava pela manhã. À tarde era obrigado a ajudar o pai e a mãe na birosca, sem receber pagamento algum.

Na birosca, Juliano assistia diariamente à transformação do pai. Pela manhã, quando estava sóbrio, Romeu era ativo, disciplinado, rigoroso com a higiene do bar e de pouca conversa com a mulher e os fregueses. À tarde, quando começava a beber rabo-de-galo, uma mistura de pinga com vermute, perdia a disposição para o trabalho e o bom humor.

Romeu não gostava que o freguês falasse com Betinha, tinha por ela um ciúme doentio. Não permitia que usasse batom ou qualquer maquiagem, nem que vestisse uma roupa nova em hora de trabalho. Muitas vezes, por desconfiar que ela gostara do assédio de algum homem, Romeu fechava a birosca mais cedo para surrá-la.

Durante a infância das crianças, Betinha suportou as agressões sem reclamar. Mesmo que o ferimento sangrasse, nunca foi ao hospital nem deu queixa à polícia ou pediu socorro aos vizinhos que acreditavam na harmonia do casal. Mas, em segredo, ela cultivou o desejo de libertar-se do marido. No começo da adolescência dos filhos, envolveu-se com o eletricista Edésio, que apareceu no morro para trabalhar na obra de expansão da Associação de Moradores. E não escondeu a paixão de ninguém.

O romance levou à separação imediata do casal e revolucionou a vida de Betinha. Os filhos foram morar com ela em um outro barraco no beco Padre Hélio. Separada, Betinha passou a visitar os amigos e a se divertir nos pagodes e festas do morro. Livre da opressão do marido, passou a freqüentar os bailes da quadra da escola de samba, onde chamava atenção pelo jeito extravagante de dançar. Gostava de imitar a cantora Gretchen, famosa por rebolar no palco de costas para o público. Era aplaudida pelos homens e repreendida pelo filho Juliano. Ele tentava convencê-la a ser mais discreta.

— Pára com isso, mãe. Isso pega mal — disse Juliano na primeira vez que assistiu ao show particular de Betinha na quadra.

— Mal por quê? — perguntou Betinha.

— Todo mundo comenta: olha lá o bumbum da mãe do Juliano!

— Já vi tudo. Me libertei do Romeu, mas fiquei com a cópia em casa...

Romeu se limitava a pagar uma pensão fixada pela Justiça num valor equivalente a cinco dólares. Para sustentar a casa, Betinha trabalhava como auxiliar de enfermagem na Casa de Saúde Dr. Eiras, em Botafogo. Nessa época, dos três filhos, só Juliano estava empregado. O serviço era na birosca do próprio pai, que continuava a não pagar salário. Ele tinha que transgredir as regras sovinas de Romeu para levar alguma coisa para casa.

Para compensar o trabalho não remunerado, Juliano roubava mantimentos da birosca com ajuda da irmã mais nova, Zuleika. Uma vez por semana os dois dormiam na casa de Romeu. Na hora em que ele saía para buscar pão lá embaixo, no asfalto, eles invadiam a birosca e recolhiam das prateleiras vários pacotes e latas de alimentos. Zuleika também tirava um pouco de dinheiro miúdo do caixa e levava tudo para a mãe. Enquanto isso, Juliano voltava para a cama e fingia dormir até a hora em que o pai o chamava para ir à escola.

A escola era o caminho da liberdade.

Du era o parceiro preferido nos estudos. Moravam no mesmo beco Padre Hélio e saíam dali juntos para a Escola Municipal México. Eram pontuais na chegada à escola, igualmente para fugir dela: às sete da manhã em ponto estavam na sala para assistir à primeira aula. Às oito horas já estavam pulando o muro para ir fumar maconha com os amigos da Turma da Xuxa.

Durante parte da adolescência, Juliano, Du e Mendonça foram estudantes que se ausentavam muito da escola, ocupavam-se em descobrir os caminhos que os levassem a uma vida mais interessante que a dos pais. Abandonaram os estudos na quinta série do antigo primeiro grau, depois de serem reprovados quatro vezes por excesso de faltas. Voltavam cada vez mais tarde para casa, apesar das críticas que ouviam de suas mães. Juliano ainda temia o pai violento e mal-humorado. Mas já não respeitava a autoridade dele.

O envolvimento com a Turma da Xuxa mostrou a Juliano o quanto ele estivera deslocado em relação aos outros adolescentes. Apesar dos pequenos espaços de lazer na favela, todos davam um jeito de praticar esportes e ele nem mesmo futebol sabia jogar. Nos bailes, como nunca dançara em público, limitava-se a observar os outros. De moda também entendia pouco. Era Flavinho quem o orientava sobre como se vestir. Era falante, mas tinha poucas histórias interessantes para contar. Os amigos o consideravam tímido com as moças. Namorava "firme" com a menina de uma família muito próxima dele e que conhecia desde criança, Marisa, sobrinha da sua segunda "namorada" no morro, Bety. Os amigos debochavam da escolha, mas nunca de forma explícita para evitar o risco de deixá-lo furioso. Juliano sempre protegeu a namorada das práticas promíscuas dos amigos. Um dos programas preferidos, quando havia dinheiro suficiente, era sair da praia em grupo para namorar num motel. Inseguro, com medo de não ter um bom desempenho, Juliano parava no caminho para tomar uma supervitamina: uma mistura de leite, banana, aveia, castanha, ovo, amendoim e açúcar. Nunca participou das brincadeiras de sexo grupal, e criticava quem trocasse de parceira ou mantivesse relações na frente dos amigos.

— Na Marisa ninguém toca — dizia.

Mas dentro da favela, Juliano e os amigos também tinham em comum preferências religiosas. Du, Adriano, Mendonça, Renan, Mentiroso e Doente Baubau freqüentavam diariamente à tarde o Terreiro da Maria Batuca para brincar com os irmãos Careca e Vico. Ficavam no salão até a noite, mesmo depois do início dos cultos da macumba, para ver os irmãos, percussionistas, tocarem os tambores do terreiro. Foram influenciados pela religião, embora não fossem fiéis seguidores. Paulo Roberto era a exceção, levava a sério a religião. Todos aprenderam com ele que Xangô simbolizava a Justiça. E que as crianças eram identificadas como Erês e Nossa Senhora Aparecida como Iansã.

Freqüentavam o terreiro, participavam dos cultos, acreditavam nos trabalhos dos orixás, mas todos se consideravam católicos, inclusive Careca e Vico, assim como o pai deles, Tibinha, e o avô João Bento. Tinham enorme respeito pelos padres, que chamavam de padrinhos da Santa Marta.

Eram crianças quando conheceram padre Velloso, que se tornou notório no meio eclesiástico pela liderança entre os seguidores da doutrina social da Igreja. No início da adolescência receberam das mãos do padre Velloso a hóstia da primeira comunhão e um livro sobre o papel libertador da trajetória de Jesus Cristo na Terra. E ouviram dele pregações revolucionárias.

— Jesus Cristo, se vivesse no interior do Brasil, seria filho de uma família sem-terra. Se fosse de uma grande cidade, seria um favelado como vocês. Num lugar ou no outro, seria um inconformado, um lutador.

Juliano e Du freqüentavam as capelas e adoravam ouvir histórias do catolicismo. Juliano aprendeu com os padres a venerar as gravuras, os "santinhos", as imagens em cerâmica de São Judas Tadeu, de São Benedito, Santo Expedito, de Santa Teresinha, Santa Gertrudes, do Arcanjo Jesus e a de Nossa Senhora Aparecida. Ouviu muitas histórias na igreja sobre os santos. Descobriu que São Judas Tadeu era um menino pobre da Palestina, primo e amigo de bairro de Jesus Cristo. E que virou santo por ter previsto as punições dos hereges, martirizados, queimados vivos. Aprendeu com os padres que ele deve ser evocado em situações de extremo risco, como durante as perseguições da polícia e nos tiroteios contra os inimigos. Nossa Senhora Aparecida, segundo os padres, era a santa protetora dos pobres e marginalizados.

A história que mais impressionou Juliano foi a de Santo Expedito, um guerreiro, legionário chefe de uma falange, que viveu em Roma três séculos depois de Cristo. Os padres contaram que as circunstâncias da morte dele foram semelhantes às de muitos jovens traficantes executados nas guerras do morro. Santo Expedito foi surrado durante vários dias e depois decapitado numa praça. Há três versões para o desaparecimento do corpo: teria sido jogado na rede de esgoto da cidade, dado como alimento aos animais ou ainda esquartejado e misteriosamente enterrado pelo povo catecúmeno.

Os padres tentaram convencê-los de que esses três santos, se fossem contemporâneos deles no Brasil, também seriam revoltados, mas que lutariam por motivação social. União virou palavra de ordem nesta fase de formação religiosa da Turma da Xuxa.

A proximidade com os religiosos da Igreja Católica durou parte da infância e adolescência. As famílias moravam na parte baixa do morro, bem perto da capela em que assistiam à missa, a de Nossa Senhora Auxiliadora. No caso de Juliano, vizinho da Associação de Moradores, a proximidade era ainda maior. Ele passava parte do dia no prédio da entidade, criada em 1964, seis anos antes dele nascer, por influência do padre Velloso e de seus colegas da Congregação Mariana Nossa Senhora das Vitórias.

Desde cedo, a mãe Betinha lhe contava que, sem os padres, a vida na favela teria sido bem pior. Falava com a experiência de quem enfrentara filas intermináveis para disputar água potável nas três fontes do morro. E que à noite acendia velas e lampiões a querosene para iluminar o barraco e o botequim de Romeu.

Na década de 1940, os barracos da Santa Marta abrigavam dezenas de famílias vindas do interior fluminense e de ex-escravos que migraram de Minas Gerais. Naquela época o Rio tinha menos de 100 favelas, abrigo de 140 mil pessoas, a maioria migrantes. Os pais de Juliano chegaram no final dos anos 50, quando começou a grande invasão nordestina no morro e em toda a cidade, então Distrito Federal. Em 60, o Rio já tinha perto de um milhão de pessoas em condição de extrema pobreza, um terço da população amontoada em 180 favelas. Os migrantes erguiam seus barracos na parte mais alta, para fugir da vigilância dos guardas-florestais que expulsavam quem derrubasse árvores para construir moradias. A perseguição dos guardas-florestais só acabou quando um vizinho poderoso se tornou aliado da favela.

O amigo de padre Velloso, o bispo auxiliar da Arquidiocese do Rio de Janeiro, Dom Hélder Câmara, muito antes de se tornar um cardeal famoso no Brasil, teve um papel importante na vitória dos moradores da Santa Marta. Notório defensor da Teologia da Libertação, em oposição à linha conservadora do Vaticano, Dom Hélder Câmara chegou ao Rio para morar no bairro de Botafogo nos anos 40, quando eram erguidos os primeiros barracos no meio da floresta do morro Dona Marta. Fixou moradia na rua São Clemente, no pé da montanha. Ajudou a construir os prédios das Universidades Católicas do Rio, base da futura PUC — Pontifícia Universidade Católica —, e das sedes da CNBB, a Conferência Nacional dos Bispos do Brasil, no Rio de Janeiro, e da entidade que primeiro levou o apostolado social para as favelas, a Cruzada São Sebastião.

Dom Hélder defendia a fixação das favelas, o que na prática significava levar os benefícios da urbanização aos seus moradores. Enfrentava a oposição dos lacerdistas e de parte da imprensa, que queriam expulsar os pobres dos morros da zona sul, território que pretendiam exclusivo dos ricos e da classe média.

Sua primeira vitória começou com uma transgressão da lei. Apesar das proibições ambientais, Dom Hélder mandou derrubar várias árvores do morro para a construção das capelas de Nossa Senhora Auxiliadora, bem perto da casa de Juliano, e a de Santa Marta, no pico do morro. As duas igrejas tornaram-se um marco de suas obras sociais. Transformou a favela na principal beneficiária do Pacto Nacional Populista, que fundia as ações do segmento progressista da Igreja às práticas da política de proteção aos pobres de Getúlio Vargas.

As capelas deram força para a fixação da favela, contra a campanha de remoção promovida por Carlos Lacerda desde os anos 40. Muitas vezes abrigaram trabalhadores sem teto, que chegavam em massa do Nordeste atraídos pela oferta de emprego nas obras da construção dos prédios de Copacabana. Também foram os padres progressistas da Igreja Católica que deram os primeiros passos na urbanização da Santa Marta.

O avô de Careca e Vico, João Bento, era um dos imigrantes que estiveram à frente das primeiras obras coletivas incentivadas pela Igreja Católica. Mestre-de-obras, João Bento inaugurou a pavimentação das escadarias escorregadias, que nos dias de chuva infernizavam a vida dos moradores. Tocou a obra com custo quase zero, usando pedaços de tijolos e o refugo de alvenaria das construções dos prédios de Copacabana, onde trabalhava mais de dez horas por dia.

Nos raros dias de folga, enchia uma carroça com o material que recolhia nas construções e levava para a favela. Os amigos que trabalhavam nas feiras de rua e nos mercados públicos contribuíam com caixotes de madeira usados para embalar frutas e legumes. Nas mãos de João Bento, caixotes de madeira fina e restos de tapumes viravam parede nova de um barraco, que não parava de se expandir para receber parentes e amigos. A base de estuque, uma mistura de barro e cimento, dava a sustentação ao barraco, que só podia crescer para o alto. A área de expansão possível da favela era um retângulo de 61 mil metros quadrados limitado nas laterais por terrenos particulares da Embaixada de Portugal e do "Fedorento", como era chamado o laboratório Forever. Na parte baixa, as divisas eram com os terrenos da sede da Prefeitura do Rio e dos prédios residenciais de Botafogo. E, no alto, a grande barreira eram as rochas com declive quase vertical. Restava para os pedreiros mais criativos, como João Bento, sobrepor os barracos para erguer tortuosos edifícios de alvenaria e madeira com três, quatro e até cinco pavimentos.

Os padres estimulavam a cópia das invenções arquitetônicas de João Bento. Aos poucos o terreno foi se transformando num emaranhado de barracos interligados por um labirinto de becos e escadarias pavimentadas.

A água potável da rede pública também só chegou à Santa Marta, em 1960, por influência de Dom Hélder Câmara. Ele buscou apoio externo e se envolveu pessoalmente na construção de um reservatório ao lado da capela do pico do morro. Financiou a compra de tijolos e cimento com o dinheiro de doações à paróquia São Sebastião. E para erguer a obra criou um sistema de mutirão administrado pelo seu seguidor, padre Hélio, para driblar as barreiras impostas por Carlos Lacerda, então governador do estado da Guanabara que mandava reprimir obras de alvenaria no morro.

Os pais de Juliano, Romeu e Betinha, nessa época um jovem casal em início de casamento, ajudaram a formar um dos grupos de mutirão com amigos também nordestinos, como o casal João Bento e Maria Batuca, baianos, e Zé Lima e Tiana, paraibanos, pais de Claudinho e Raimundinho. Eles participaram do esforço coletivo para carregar o material de construção no ombro e assentar tijolo por tijolo na grande obra do reservatório, uma caixa de alvenaria com capacidade para 200 mil litros d'água. Os empresários alemães da indústria Scania Vabis, amigos de

Dom Hélder, doaram uma bomba mecânica de 10 HP para fazer a captação de água das tubulações da Prefeitura no bairro Laranjeiras e impulsioná-la, morro acima, até a nova caixa.

Pronto o reservatório, num clima de euforia, os próprios favelados providenciaram a construção de uma rede de distribuição de água pioneira, numa ação coletiva que envolveu trabalhadores, desocupados, malandros e bandidos na obra de maior orgulho da história da Santa Marta.

CAPÍTULO 5 | CHUVEIRINHO

Os tiroteios faziam chover até em dia de sol forte na Santa Marta. Os "chuveirinhos", alegria das crianças, eram provocados pelos projéteis de vários calibres que sempre rompiam as tubulações de água potável devido a uma rara característica da velha rede de distribuição, criada nos tempos dos mutirões de Dom Hélder Câmara.

A rede era de autoria dos pais e avós dos jovens da terceira geração de traficantes. Mas também era considerada patrimônio dos criminosos de várias especialidades, herdeiros da bandidagem dos anos 60. Contam na favela que assaltantes, ladrões e desocupados trabalharam duro, como nunca haviam visto, nos mutirões que criaram o sistema pioneiro. Até o dono do morro na época, o banqueiro de jogo do bicho e integrante do Partido Comunista Procópio Túlio, se envolveu na obra, com o aval dos padres católicos.

A rede foi construída para tirar proveito da posição estratégica do grande reservatório, instalado no pico do morro. Os trabalhadores do mutirão criaram uma tubulação principal, com 20 centímetros de diâmetro, fixada no alto de postes ou de árvores, para conduzir a água por cima dos barracos. O declive acentuado da favela, acima de 60 graus em alguns pontos, garantia uma forte pressão em todo o percurso da água, do reservatório até o pé do morro.

Dessa tubulação aérea nasciam os ramais, canos de circunferência menor para desviar o curso d'água e abastecer os barracos sempre pelo alto, sem necessidade de nenhuma passagem subterrânea, como fazia a Prefeitura com as redes de distribuição pública nas outras áreas da cidade. Cada família se encarregou de instalar quantos ramais julgou necessários. Em fevereiro de 2003, quarenta anos depois de sua criação, a rede ainda era a mesma e as ligações dos cinco mil barracos contíguos formavam uma grade de canos que cobria toda a extensão da favela.

A manutenção também sempre foi tarefa dos próprios moradores, exceto nos dias de "chuveirinho", quando eram os atiradores que providenciavam o conserto das goteiras provocadas pelos tiroteios. Devido à freqüência das guerras, a recuperação dos canos virou atividade remunerada, incorporada às despesas corriqueiras da boca. Para o menino Pardal, o serviço de reparo da canalização representou o caminho de entrada para o tráfico.

Muito antes de trocar tiros com a polícia e assistir à morte do parceiro Careca em combate, Pardal ganhou esse apelido de tanto trabalhar no conserto das tubulações rompidas pelos tiros. Desde os sete anos de idade, minutos depois do fim do tiroteio, Pardal era visto grudado lá em cima na rede, com os dutos entre braços e pernas, como se fosse um bicho-preguiça. Usava cola, fita adesiva e uma pequena serra de aço para remover os pedaços mais danificados e instalar no lugar deles emendas e joelhos de plástico.

A função exigia que o menino fosse franzino como Pardal e como seu vizinho de porta, Nein. Os canos não suportavam o peso dos adultos. Além de magros, os dois tinham um problema comum nos pés que explicava o interesse deles em trabalhar longe do chão. Eles sofriam de uma inflamação crônica que deixava os pés e os tornozelos cobertos de pequenas feridas purulentas. No caso de Nein, os exames mostraram que ele tinha sido contaminado com sífilis.

As dores permanentes fizeram os dois perderem o ânimo pelas atividades mais comuns dos meninos da idade deles. Evitavam jogar futebol, taco, pingue-pongue, soltar pipa, brincar de esconde-esconde, qualquer brincadeira de corrida ou que os obrigasse a ficar muito tempo em pé. Preferiam assistir a desenhos na TV, jogar dominó, bafo-bafo. Em geral, eram os primeiros voluntários a subir nas árvores e nos postes para consertar a rede de água.

— Nasci para voar — dizia Nein quando os amigos o convidavam para brincar de correr pelas vielas.

As feridas nos pés de Pardal e Nein estavam associadas à contaminação dos terrenos do beco do Pecado e do beco da Tranqüilidade, descoberta dos médicos de uma campanha de vacinação na favela. A prevenção seria muito simples se a renda da família deles não fosse tão miserável, o equivalente a 70 dólares. Nein tinha três anos quando perdeu o pai assassinado por matadores da Baixada Fluminense. Embora o pai de Pardal fosse pedreiro, nunca ganhou dinheiro suficiente para comprar o material de construção e substituir as manilhas de esgoto quebradas, que vazaram a lama tóxica pelo pátio de dezenas de barracos. Na casa de Pardal, a contaminação vinha de uma infiltração no piso da cozinha, que era de terra batida.

A umidade era um problema ainda mais grave na casa da família de Nein, construída na base de um prédio de alvenaria que abrigava outras duas famílias. Era um barraco de três cômodos, com todas as paredes internas cobertas de mofo. A entrada dava num estreito corredor, de dois metros de comprimento por um de largura, que funcionava como cozinha e ao mesmo tempo lavanderia. Por falta de espaço, a mãe, Sueli, pôs uma máquina de lavar roupas no fundo do mesmo corredor, ao lado do velho fogão a gás.

O banheiro ficava à direita da cozinha, em um nível abaixo do assoalho. Um buraco no chão dava acesso às pequenas escadas de um cubículo sempre úmido devido à falta de janelas de ventilação. Mas a origem da doença de Nein estava na sala, sempre escura e fria, e que tinha as paredes cobertas de bolor por causa do tipo de construção. Ela foi feita dentro de uma escavação no barranco do morro. Era uma espécie de caverna, com as paredes forradas de alvenaria, que viviam sujas de barro por causa dos vazamentos causados pelas águas da chuva e do esgoto dos outros barracos. Era nesta sala que a mãe dele dormia com os quatro filhos, dois amontoados com ela no sofá-cama e dois em colchões estendidos no chão contaminado. Durante o dia as crianças brincavam descalças dentro e fora do barraco. Nein tinha onze anos quando conseguiu a proteção de um tênis, comprado com o dinheiro de seu envolvimento precoce no crime. A atividade na quadrilha, como especialista no conserto dos chuveirinhos, levou um benefício à saúde de toda a família. Sem nenhuma ajuda dos funcionários da Prefeitura, Pardal e Nein fizeram sozinhos toda a instalação hidráulica para levar água potável da rede pública até as casas deles. A iniciativa fez sucesso entre os vizinhos. E a dupla, cada vez mais envolvida no tráfico e nos mutirões comunitários, não daria conta das encomendas.

O sucesso dos mutirões de água levou os moradores a repetirem a experiência para levar a eletricidade aos barracos em 1964, novamente com o apoio dos padres progressistas. Um integrante da Congregação Mariana, que morava no morro e trabalhava na empresa fornecedora de energia, a Light, conseguiu convencer a empresa a instalar no acesso principal da favela uma cabine de força com capacidade para abastecer até 400 barracos. Os integrantes dos antigos Círculos Operários Católicos providenciaram as redes de ligação aos domicílios e se encarregaram dos primeiros serviços de manutenção.

Os pais de Juliano se juntaram novamente a seus conterrâneos nordestinos para reforçar os animados mutirões de ampliação da rede de eletricidade. O bicheiro Procópio Túlio, já com a experiência bem-sucedida do primeiro mutirão, teve o aval de padre Velloso para ingressar nos Círculos Operários Católicos e fazer parte da comissão de luz, que se encarregou de cobrar dos moradores uma taxa mensal, de valor equivalente a dois dólares, pelo fornecimento da energia. Devido a essa importância administrativa, a comissão de luz se transformaria, em 1964, na Associação de Moradores.

Toda a rede de distribuição de energia também foi feita pelos moradores, mas neste caso o resultado não foi motivo de orgulho. Os mutirões da eletricidade esqueceram os dispositivos de proteção contra sobrecarga de energia e curto-circuito. Dois anos depois, sem a manutenção adequada, parte da fiação já estava corroída, as caixas de cabeação estavam soltas e muitos postes ameaçados de cair, causas de um incêndio de triste memória. Sem nenhuma unidade do corpo de bombeiros na favela, o fogo destruiu dezenas de barracos na área do Lixão e matou um casal e duas crianças. A tragédia não foi maior porque os trabalhadores e os traficantes conseguiram conter o avanço do incêndio com baldes de água.

■ ■ ■

Vinte anos depois dos mutirões, quando a Associação fez um plebiscito para dar nomes aos logradouros da comunidade, todo o pessoal da Turma da Xuxa, então adolescente, concordou com a maioria que usou o voto para prestar uma homenagem aos benfeitores da favela. Escolheram os nomes de padre Velloso e padre Hélio para identificar as duas principais vias da Santa Marta.

Nessa época, a influência religiosa na Associação passou a ter um peso ainda maior na vida dos jovens da favela. A juventude mais politizada estava eufórica. A ditadura que durante 18 anos reprimira organizações comunitárias estava agonizando. Era o ano de 1982. Havia também o entusiasmo das primeiras eleições para o governo do estado durante o regime de exceção. O eleito seria um herdeiro do populismo de Getúlio Vargas, o engenheiro Leonel Brizola. Os moradores da Santa Marta votaram em peso nele, porque tinha sido o único candidato a visitar a favela e prometera voltar depois da vitória.

Quando Brizola, já eleito governador, desceu de helicóptero no campo do Tortinho dizendo que faria "chover areia e cimento na horta" deles, a maioria acreditou. Nessa visita foi decretada a morte da política de remoção das favelas no estado. E ela marcaria o início da fase de fixação dos barracos, segundo um projeto que previa a legalização de um lote para cada família de favelados, com a posterior urbanização das antigas áreas ilegais.

Depois da visita de Brizola, no começo dos anos 80, de fato "choveu" material de construção de alvenaria na Santa Marta. O apoio rendeu ao governador homenagens curiosas. Alguns moradores, como prova de agradecimento, puseram o nome dele no produto de maior valor vendido na favela. Acabou virando moda, em todos os morros do Rio, o vapor anunciar o nome do governador na fila do pó:

— Brizola a dez!

— Briza na cabeça!

— Vai uma brizola aí!

A força e a inspiração da Igreja, o apoio do governador populista e a organização da Associação de Moradores impuseram o fim do risco de remoção da favela e incentivaram, como nunca, as obras de mutirão comunitário.

Os netos de João Bento herdaram do avô o talento e a garra para construir barracos à beira dos penhascos. E passaram a arte para os amigos mais próximos da Turma da Xuxa, que trabalhavam sob a coordenação dos dirigentes da Associação de Moradores. Doente Baubau, Mendonça, Du, Flavinho e Jocimar gostavam de formar correntes humanas para levar, com menor esforço físico, pedras e tijolos para os pontos altos. Juliano, Careca e Vico tornaram-se "viradores" de lajes, faziam o enchimento de concreto na estrutura de ferros dos pisos e colunas dos barracos.

Em quatro anos, de 1982 a 1986, a maioria das paredes de madeira dos barracos foi substituída pelas de alvenaria. Todos os becos e vielas foram pavimentados para evitar desabamentos como os que tinham ocorrido em 1965, 1969 e que levaram à morte de cinco pessoas. Anos depois, em 1988, outro deslizamento de terra mataria mais sete pessoas. Construíram-se 12 pontes nas áreas onde as crianças e idosos tinham maior risco de cair nos penhascos. Cobriram-se de concreto o caminho das águas pluviais e as encostas dos valões do esgoto que levavam a sujeira até lá embaixo, no rio Banana Podre. Graças aos mutirões, a Santa Marta tornou-se um retângulo impermeável, protegido contra as infiltrações das chuvas.

A maioria dos jovens foi convencida a mudar o perfil da favela com um argumento infalível de Dom Hélder Câmara, repetido na Santa Marta à exaustão pelos seus seguidores:

— Seus pais ergueram Copacabana lá longe, para os outros. Cabe aos filhos construírem aqui uma boa casa para vocês.

Ensinar que a união pode levar os pobres a melhorarem de vida, para Juliano, era coisa de herói, de seus ídolos religiosos. Descobrir uma forma de proteção divina e ganhar muito dinheiro sem trabalhar, para Juliano, eram sabedorias de bandido.

Alguns bandidos da favela tiveram forte influência na vida de Juliano, que os conheceu bem cedo, quando começou a sair de casa em busca de alguma independência.

Nada o incomodava mais na adolescência do que a falta de dinheiro, principalmente depois que, aos 16 anos, engravidou a namorada Marisa, que tinha apenas 13. Todos os amigos ganhavam mesada da família, mas ele nem uns trocados recebia. Como não havia diálogo com o pai, Juliano nunca disse claramente que havia chegado a hora de ter alguma renda. Era orgulhoso demais para pedir. Preferiu batalhar fora de casa, e não precisou ir muito longe.

A oportunidade surgiu nas rodas de conversa da Turma da Xuxa na Escadaria, no final da rua Marechal Francisco de Moura, um dos dois acessos da favela pelo bairro de Botafogo. A Escadaria era um ponto de encontro, espécie de parada obrigatória para quem vinha da cidade. Os quatro botequins, principais fontes de abastecimento dos barracos, também serviam de central de recados e fofocas. Era sempre grande o movimento de crianças, que paravam ali para observar o movimento e prestar favores em troca de um presente ou moeda.

Alguns desempregados também faziam ponto na Escadaria à espera da chegada de carros com mercadoria. Eram candidatos a ajudante para subir com as compras até o barraco, o que não era fácil. A subida íngreme das vielas tinha em média um ângulo de 60 graus. Por isso, quem tinha dinheiro sobrando, como o "tio" de Juliano, o comerciante Carlos da Praça, nunca subia carregando peso:

— Aí, sobrinho, vai mandá essa?

A pergunta do "tio" era uma ordem para Juliano, que gostava da tarefa. Sentia-se útil e ao mesmo tempo gostava de conhecer as mercadorias que Da Praça trazia para casa, sobretudo quando eram novidades eletrônicas. Muitas vezes, entusiasmado, chegava a anunciar o conteúdo da carga aos amigos, como fez quando subiu as escadas levando o primeiro videocassete para a favela. Foi o maior sucesso. No meio do trajeto entre a Escadaria e a casa de Carlos da Praça já havia uma fila de curiosos atrás dele. A maioria acompanhou a demorada instalação do aparelho. E, graças a Juliano, os amigos da Turma da Xuxa tiveram o privilégio de assistir na sala da casa à festa de inauguração da novidade: a exibição do filme *O exterminador do futuro*, com o ator Arnold Schwarzenegger.

O pagamento pelos carretos era sem critério, não havia um valor fixo, e Juliano nem se preocupava com isso. Estava eufórico por ter conquistado a confiança do "tio". Os pedidos foram se tornando constantes e o material transportado passou a ser, muitas vezes, de alto valor, embora pesasse pouco, bem menos que um videocassete. Numa única semana, chegou a levar cinco pacotes retangulares com 200 gramas de algum produto, prensado como se fosse rapadura, para a casa do mais antigo bicheiro da comunidade, Pedro Ribeiro. A embalagem era de fita adesiva, que cobria todos os lados do retângulo. Para ficar com as mãos livres, Juliano punha na mochila e partia rápido, mas sem correr, e nunca parava no caminho. Nas viagens de volta levava o equivalente a mil dólares, em cédulas, para o barraco de Carlos da Praça. Apesar da freqüência dos pedidos, Juliano demorou dois meses para descobrir que os favores que fazia ao "tio" tinham outro nome. Precisou ouvir do velho bicheiro para entender:

— Você já é o melhor avião da Santa Marta.

CAPÍTULO 6 | ZACA E CABELUDO

A primeira coisa que Juliano comprou com o dinheiro ganho como avião da Escadaria foi uma dúzia de copos de vidro, presente para a mãe, que se tornou aliada do seu esforço para ficar independente do pai.

O dinheiro ganho por conta própria levou-o a reduzir aos poucos o tempo de trabalho na birosca. Depois de sair da escola, que pouco freqüentava, passeava nos shopping centers de Botafogo e da Gávea. Motéis depois da praia viraram programas mais assíduos. Só voltava para a favela depois das quatro horas da tarde, quando começava o movimento dos aviões nos pontos-de-venda de drogas de Pedro Ribeiro.

Durante alguns meses Juliano se dividia: nos intervalos das tarefas no tráfico corria até a birosca para ajudar o pai. Num primeiro momento Romeu não desconfiou do envolvimento do filho com os traficantes, porque Pedro Ribeiro era mais conhecido como banqueiro do jogo do bicho, contravenção aceita por todos na favela. O lado pacífico e generoso do velho chefão, que nunca mostrava suas armas à comunidade, também atraía a simpatia de muita gente sem ligações com o crime.

Ribeiro era respeitado no meio da malandragem, mas quase ninguém o temia. Nada ambicioso, fato incomum entre comandantes de tráfico, permitia a concorrência nas bocas-de-fumo, como fazia a família Lino. Durante os 15 anos em que mandou no morro, Ribeiro tinha a exclusividade na venda do "branco", a cocaína, e deixava o comércio do preto, a maconha, nas mãos dos Lino, que eram muito temidos pelos abusos e brutalidades que cometiam. Os Lino obrigavam todo novo morador a pagar um pedágio de entrada. Para os nordestinos, o preço era mais alto. No caso dos comerciantes, como o birosqueiro Romeu, a taxa era mensal. A recusa do pagamento podia representar agressão sexual contra as mulheres e a morte dos homens. Reações das vítimas eram raríssimas. As poucas famílias que ousaram enfrentar os Lino entraram para a história do morro, como os Gonçalves, recém-chegados da Paraíba.

O assassinato do birosqueiro Chico Gonçalves, no final de 1985, causou espanto não pelo crime em si — um homicídio à queima-roupa —, mas pela reação do irmão da vítima, Zacarias Gonçalves Rosa Neto, o Zaca. A notícia chegou a Romeu pelo filho Juliano.

— Sabe da novidade do ano, pai? O Zaca vingou a morte do irmão!

— Não é possível, você está brincando!

— O cadáver ainda está lá. E a quadrilha do Zaca não saiu de perto.

Eufórico, Romeu fechou a birosca e foi ver a cena. Fez questão de se aproximar de Zaca para cumprimentá-lo:

— Há muitos anos eles precisavam de uma lição dessas! — disse Romeu.

Expulso da Polícia Militar nove anos antes, por flagrante de roubo, Zaca chefiava a segunda maior quadrilha de assaltantes da Santa Marta. A primeira, além de maior, tinha como cabeça o homem mais conhecido do morro, Emílson dos Santos Fumero, o Cabeludo, que também tinha uma desavença com os Lino. Embora fosse primo do patriarca, seu Nerinho, Cabeludo estava revoltado com os parentes, que meses antes haviam assassinado o seu irmão, Darrena.

Os crimes contra os irmãos de Zaca e Cabeludo uniram as duas maiores quadrilhas. E com apoio em massa das famílias nordestinas, entraram em guerra contra a temida família dos traficantes estupradores.

O grande combate foi no carnaval de 1986 e durou uma semana. As quadrilhas unidas e os nordestinos formaram um grupo de matadores que executou, um por um, os homens da família Lino. Na ação de maior impacto, assassinaram, no mesmo dia, o patriarca Nerinho e seus dois filhos, os Irmãos Coragem, que eram dirigentes da tradicional escola de samba de Botafogo, a São Clemente. A chacina foi na área de ensaio. A quadra e os instrumentos da escola foram parcialmente destruídos. E quase todos os parentes dos antigos chefões que moravam na Santa Marta foram expulsos do morro.

A expulsão dos Lino foi festejada na favela e também repercutiu na cadeia onde estava o dono do morro, Pedro Ribeiro. Entusiasmado com a atitude da dupla, o velho bicheiro convocou Zaca e Cabeludo a assumirem o controle das bancas de jogo do bicho e dos pontos-de-vendas de drogas, que deixara sob a responsabilidade de seu filho, Pedro Ribeiro Jr., o Pererega. Era uma forma de garantir a segurança do filho de 22 anos, jovem demais para enfrentar sozinho uma tarefa tão dura.

A comemoração da posse da dupla mostrou, de imediato, qual seria a marca da gestão dos novos chefões. Cabeludo falou para todo mundo ouvir que iria financiar os pagodes, contrataria sambistas famosos para incentivá-los e, nos dias de festa, promoveria a distribuição gratuita de cocaína para os bandidos de sua confiança. Zaca também fez promessas, principalmente para agradar os migrantes. Jurou que iria criar no morro as festas preferidas dos nordestinos, os forrós, que até então só aconteciam dentro dos barracos.

Os dois combinaram assumir o comando provisoriamente, até a saída de Pedro Ribeiro da cadeia. Disso, ninguém duvidava. Tanto Zaca quanto Cabeludo não eram do ramo. Os assaltantes em geral não se adaptavam à chefia de tráfico de drogas. Os donos das bocas, os pontos-de-venda de pó e de maconha, eram essencialmente comerciantes que não pagavam impostos e que usavam armas para enfrentar a concorrência e, eventualmente, os policiais honestos. Tinham vida sedentária, tediosa, burocrática. Precisavam entender de contabilidade, a atividade exigia liquidez, ter sempre dinheiro à mão para comprar a matéria-prima. E ainda tinham que administrar a contratação e demissão dos vendedores. E a mais importante das tarefas, providenciar pagamento diário ou semanal dos olheiros, aviões e sentinelas; a mesada dos parentes dos parceiros que estivessem presos; a manutenção e renovação do armamento da quadrilha; a oferta de propinas atraentes aos policiais desonestos. O traficante ainda assumia os papéis de conselheiro, padre, delegado, carrasco e juiz das questões mais corriqueiras da comunidade.

Os assaltantes não gostavam de ter tanta "responsabilidade". Preferiam a vida incerta, no comando de quadrilhas formadas de improviso, de acordo com a necessidade da ação, e desfeitas logo depois da divisão do dinheiro faturado no crime. Ao contrário dos traficantes, assaltantes como Cabeludo viviam cercados de amigos, mas nem sempre gostavam de tê-los como companheiros de assalto.

O estilo de vida dos assaltantes também contrastava com o dos traficantes. Cabeludo sempre foi um nômade, que circulava por morros diferentes para dificultar a sua prisão ou morte. Quando faturava um bom dinheiro, dava-se ao luxo de viajar para mais longe, para outras cidades, outros estados ou para algum lugar que fosse impressionar a mulher da ocasião. Odiava fazer planos, para não correr o risco de ser delatado pelos parceiros. Preferia viver intensamente o presente, sempre em busca da oportunidade de tirar proveito do fator surpresa, a maior arma dos assaltantes. Nos roubos nas empresas e agências bancárias, na companhia de no máximo três homens armados, costumava dominar sempre um número maior de vigilantes, dezenas de funcionários e, às vezes, mais de cem clientes usando como principal arma a forma surpreendente de atacar com um grito de apenas três palavras: é um assalto! No comando do tráfico, a natureza da atividade era o avesso de coisas imprevisíveis.

Era a primeira vez que Cabeludo se obrigava a viver o dia-a-dia de uma comunidade. Passou a ter um esconderijo fixo além da base de referência da quadrilha e dos consumidores de drogas, a boca. A dificuldade do novo chefão só não estava sendo maior por causa do seu carisma. Cabeludo transformou a Santa Marta numa referência de abrigo para os assaltantes mais ativos da cidade. Alguns, como Luis Carlos Trindade, o Paulista, o ajudaram a organizar a direção da boca.

Físico forte, quase um metro e oitenta de altura, Paulista era um migrante nordestino, nascido em Natal, no Rio Grande do Norte, prestigiado na favela por ter sido acolhido na casa do velho chefão Pedro Ribeiro desde a sua chegada ao Rio de Janeiro. Foi parceiro dos maiores assaltos praticados por Cabeludo e sempre na função de planejador. Era um estrategista, que nunca partira para a ação sem a colaboração de um informante próximo da vítima ou sem antes ter feito um minucioso levantamento do alvo do roubo. Na direção da boca, não seria diferente. Paulista atuava na retaguarda de Cabeludo, orientava-o sobre a melhor maneira de dividir o poder com Zaca sem perder a voz de comando. Uma tarefa quase impossível, devido à instabilidade natural de Cabeludo.

Em vez de ele aprender a se enquadrar às regras do tráfico, eram os traficantes que tinham que se adaptar às leis de Cabeludo. Ganhar muito dinheiro e tentar sair fora no menor tempo possível era o objetivo de Cabeludo nos primeiros dias no comando. Contava com a orientação de Paulista, que achava o risco de morte muito alto entre os chefes do tráfico. O caminho para atingir a meta de enrique-cimento rápido fora definido por Paulista numa reunião com os gerentes do preto e do branco dos três pontos-de-venda de cocaína.

— Temo que ativá a quadra para os ensaios de carnaval, dá uma força para todos os grupos de pagode, reforçá as bancas de carteado, empurrá a juventude pros bailes. Agitá, agitá, agitá...

Em poucos meses Cabeludo transformou a favela numa festa quase perma-nente, o que fez aumentar o faturamento como nunca havia acontecido. Além de estimular bailes e festas, mandou os vapores oferecerem quantidades gene-rosas de pó aos consumidores. Segundo Cabeludo, fartura era indispensável para a "boa reputação" da boca, que ele próprio, voraz consumidor, freqüentava an-tes de virar chefe. Quando voltava dos assaltos bem-sucedidos ele sempre dei-xava com os vapores parte do dinheiro roubado. Em vez de comprar um sacolé, um saquinho de plástico com um grama, como faziam os compradores comuns, arrematava a carga do vendedor de plantão. Na Santa Marta a carga em geral tinha 70 sacolés de um grama, volume criticado por Cabeludo, que sempre queria mais.

Droga tinha que ser pura, outra prioridade de Cabeludo nos seus primeiros meses no poder. Nos barracos da endolação, onde a cocaína era preparada para a venda, ele proibia que muitos componentes fossem adicionados ao pó para au-mentar o volume e o lucro. Só liberava o uso de xilocaína, produto químico que aumentava a sensação anestésica nas narinas. A fórmula de Cabeludo levou a cocaína da Santa Marta a ficar conhecida naquele ano de 1986, entre os vicia-dos, como a mais "pura" da zona sul do Rio de Janeiro. Por causa disso, os usuários de classe média formavam fila no morro. Quem era da favela pagava a metade do preço ou, dependendo das circunstâncias, menos ainda.

A forma de poder de Cabeludo atraiu, entre outros jovens, o pessoal da Tur-ma da Xuxa para a boca. Ele sabia que a turma fazia sucesso com as mulheres. Por isso sempre os convidava para as festas que promovia, desde que garotas os acom-panhassem. Como forma de atraí-los, Cabeludo oferecia a oportunidade de chei-rar de graça, numa determinada hora da noite, a hora da bandeja.

O ritual da bandeja era a diversão predileta de Cabeludo desde seus tempos de consumidor. Ele cobria a bandeja com grossas fileiras paralelas de cocaína e esco-lhia alguém ou um grupo para compartilhar. Perambulava de festa em festa e adorava ser seguido e chamado de rei pelos grupos de usuários radicais, que o cortejavam para cheirar à vontade.

Doente Baubau, Soni e os dois parentes de Cabeludo, os sobrinhos Renan e Mendonça, se envolveram na "corte da bandeja". Era a única forma que tinham de se drogar sem gastar dinheiro. A novidade mudou a vida de todos eles. Renan e Mendonça usaram o pó como meio de se aproximar do tio, que admiravam como ídolo. Ao lado dele, conheceram alguns dos criminosos mais atuantes da cidade. Tempos depois passaram a receber os primeiros convites das quadrilhas para assaltos.

Os sobrinhos tornaram-se assíduos também na área da boca, onde prestavam serviços esporádicos como vapores, mas sempre desarmados. Desde os 12 anos, Renan vinha pedindo uma chance de ingressar numa das quadrilhas do tio. Nunca fora atendido. Ao contrário, Cabeludo o aconselhava a estudar, achava que ele não tinha jeito para se aventurar no crime. Parecido com Cabeludo, cultivava uma longa cabeleira, imitava-o no modo de se vestir. Sempre que tinha oportunidade, tentava convencer o tio a abandonar o tráfico para se dedicar ao que, na sua opinião, ele sabia fazer melhor: os grandes assaltos.

Mendonça já tinha praticado alguns furtos e pequenos roubos. Quando Cabeludo soube de suas façanhas o convidou para a função de soldado de sua segurança pessoal. Ele queria ver o filho de sua irmã Neusa, com quem tinha maior afinidade, sempre perto dele. Mendonça estava com 15 anos e já havia trabalhado como entregador de quentinhas nas áreas de classe média da zona sul. Às vezes aproveitava os descuidos dos clientes para levar alguma coisa das casas onde entrava. Sua primeira meta, no tráfico, era economizar dinheiro para comprar a primeira arma, principal ferramenta para a atividade que pretendia ter no futuro.

— Quando eu tivé um ferro na mão vô saí por aí e não volto nunca mais — costumava dizer aos amigos.

Mendonça iria esperar pela primeira grande guerra da Santa Marta para realizar o seu sonho.

Soni tornou-se um consumidor sistemático. Embora acompanhasse Cabeludo em todas as festas, nos salões não demonstrava interesse em encontrar e conversar com os amigos, nem em ouvir música, dançar, namorar. O que o atraía era a hora da bandeja, a chance de cheirar, encher o cérebro com as sensações de poder que a droga dava. Tornava-se mais falante, passava a achar importantes seus pensamentos, sensação que animava, mesmo solitário, suas noites sem dormir.

A maior transformação foi a de Luis Carlos, o Doente Baubau. Filho de uma família de cinco irmãos, durante a infância inteira raramente saía da favela. Só descia o morro para ir à escola, onde chamava a atenção das professoras pela apatia. Geralmente demorava mais que os outros para copiar as lições e sempre era o último a deixar a sala de aula. No final do período, ficava no pátio da escola enquanto houvesse alguém para conversar. Voltava para casa a passos lentos e, como se distraía pelo caminho, geralmente chegava no começo da noite. A marca da lentidão estava em todas as suas atividades.

Era uma figura de destaque nos mutirões, porque sempre era o último a sair da obra e o que mais se empenhava. Freqüentava a Igreja Católica do pé do morro e depois do fim da missa do domingo continuava rezando por mais uma hora, sozinho, de joelhos na frente do altar de Nossa Senhora Auxiliadora. Nas festas e nos bailes, gostava de acompanhar o fechamento do salão até a hora em que o pessoal dos serviços se despedia para ir embora.

Nos dias de chuva ficava em casa assistindo aos programas de esportes na televisão. Só desligava o aparelho depois que aparecia a imagem do "formigueiro", sinal de que a programação estava saindo do ar. Tinha dificuldades em acabar com o seu envolvimento nas histórias, mesmo as mais banais. Queria sempre mais. No começo da adolescência amanhecia na rua, acompanhando o movimento da boca. Depois de cheirar cocaína, essa tendência se acentuou. Passou a freqüentar as filas de compra da droga para observar o movimento dos consumidores, com a esperança de ser convidado para cheirar junto. Se não houvesse uma oferta espontânea, pedia. Tornou-se um mendigo do pó, a ponto de procurar no chão os saquinhos vazios de cocaína. Tudo para lamber os resíduos grudados na embalagem de plástico.

Abandonou os estudos e perdeu o interesse pelos programas dos amigos de fora e de dentro da comunidade. Em menos de meio ano engordou mais de 30 quilos, passou de 55 para 85, um exagero para os seu metro e setenta centímetros de altura. A obesidade o excluiu do serviço militar obrigatório, que havia planejado prestar junto com os amigos da Turma da Xuxa. Ele chegou a se apresentar no quartel da Escola de Educação Física do Exército ao lado de Vico, Juliano,

Jocimar, Soni e Alen. Foi o único dispensado por "incapacidade física". Nessa época os pais o internaram por três meses numa clínica para recuperação de dependentes químicos.

Voltaria da clínica ainda mais gordo e com sérios distúrbios mentais.

Du, Mentiroso e Claudinho passaram a ganhar dinheiro em volta da fila da cocaína que se formava diariamente na Escadaria. Tornaram-se olheiros prestadores de serviço, com a missão de criar grupos de bate-papo em pontos estratégicos, dissimulando a verdadeira função na Boca. Eram encarregados de avisar os vendedores sempre que a polícia entrasse na favela.

Claudinho era o que menos precisava de dinheiro, porque o pai, Zé Lima, era dono de uma birosca bem sortida. Mas tinha um péssimo relacionamento com o pai e, por isso, evitava ao máximo pedir dinheiro a ele. Prestar serviço para o tráfico representava o primeiro passo para quem desejava romper o elo com a família. Inclusive já pedira a Cabeludo uma vaga de olheiro também para o seu irmão caçula, Raimundinho. Ambos alimentavam um crescente desprezo pela mãe, Tiana, conhecida no morro pelas suas crises de alcoolismo nos fins de semana. Ela trabalhava cinco dias por semana na cozinha de uma escola, responsável pela preparação da merenda das crianças. Nos dias de folga, sábado e domingo, costumava beber de forma compulsiva, principalmente quando brigava com o marido Zé Lima. Bebia até perder as forças para andar. Claudinho e Raimundinho a carregavam no colo para casa. Os dois odiavam a cena, que consideravam constrangedora demais.

■ ■ ■

Os primeiros a entrar para o tráfico tentaram atrair os amigos. Mendonça, Juliano e Claudinho pressionaram sobretudo os irmãos Careca e Vico, com quem tinham grande afinidade. As primeiras propostas foram para atuar na função de vendedores do principal ponto da boca, com a promessa de ganhar o equivalente ao triplo do valor da pensão que o pai Tibinha, motorista de um deputado na Assembléia Legislativa, dava para a família depois da separação.

A oferta também representava muito mais que a renda do padrasto deles, feirante em Caxias, na Baixada Fluminense. E mais do que a mãe ganhava no Terreiro da Maria Batuca. Embora fosse herdeira do terreiro mais freqüentado da Santa

Marta, Dalva nada cobrava dos fiéis. Por tradição, em geral as pessoas deixavam uma oferenda em troca da bênção ou do passe recebido. A família deles sempre teve um papel de destaque na comunidade, mas não tirou proveito disso para ganhar dinheiro. A avó, dona do terreiro Maria Batuca, também era parteira. Assistiu ao parto de muitos de seus amigos e conhecidos. E o pagamento que recebia era na forma de amizade e presentes de agradecimento, nunca dinheiro. Sem nenhuma renda dentro do morro, para criar os filhos se obrigava a lavar roupa para as famílias de classe média em troca de um ganho médio equivalente a 100 dólares por mês. Juliano foi incisivo com os dois irmãos:

— Vocês precisam ajudá a dona Dalva. Ela faz um sacrifício do caralho em troca de uma mixaria, é ou não é?

Primos distantes dos temidos Irmãos Coragem, Careca e Vico a princípio não queriam envolvimento com a boca devido ao estigma da família. Preferiam ajudar a mãe com os trabalhos comuns. Careca era *office-boy* do hotel Novo Mundo, no bairro do Flamengo. E estava fazendo um curso técnico de bombeiro hidráulico, com esperança de trabalhar numa empresa desentupidora de rede de esgoto. Na época com 19 anos, já habilitado a dirigir, pretendia arranjar emprego na função de encanador motorizado.

— Isso é futuro, Careca? Seja realista, parceiro. O que essa porra desse hotel te deu até agora? — perguntou Mendonça.

— Experiência e a merreca, que tá quebrando o galho lá em casa.

O salário de Careca era equivalente a 80 dólares. Vico ganhava menos como auxiliar da empresa VS-Boy de Botafogo. Mas conseguia se manter, como fizera desde criança quando tinha uma "sociedade" de carrinhos de rolimã com Juliano. Dos 8 aos 12 anos, algumas vezes os dois faziam plantões no mercado da Cobal, uma das poucas atividades permitidas pelo pai de Juliano. Prestavam serviço de carregadores das compras e com o dinheiro dos "carretos" compravam pião, pipa e muito suspiro.

— Minha vocação é para aquele trabalho de otário que a gente fazia na infância — disse Vico para Juliano ao recusar a primeira proposta da boca.

— Sai dessa, parceiro. Tu é um puta artista, caralho! Mas tem que ganhá dinheiro. Tá na hora, Vico.

Assim como o irmão Careca, Vico era passista criativo, participava dos grandes espetáculos do carnaval. Alto e elegante, fora escolhido três anos antes para a função de mestre-sala, sambista de maior destaque da escola de samba Império de Botafogo, a preferida de sua família. A prima Rose, uma das morenas mais lindas do morro, era a sua parceira de desfile, a porta-bandeira. A mãe Dalva desfilava na ala das baianas da escola e o tio Zé Preto era o principal compositor. Nenhum deles jamais ganhara um único centavo com a festa do Carnaval, que atraía os dólares dos turistas do mundo inteiro, coisa que revoltava o amigo e ex-parceiro de samba Juliano. Careca, Vico e Juliano foram parceiros de Carnaval na infância, estrelas da ala mirim do Bloco da Onça, de Botafogo. Eram compositores e venceram o concurso de melhor samba no Carnaval de 82, com a letra *Menor abandonado neste mundo de ilusão*. Em vez de dinheiro, como desejava Juliano, na época com 12 anos, receberam um troféu, que deixaram exposto no terreiro ao lado da imagem do Preto-Velho.

Revoltado com a exclusão dos artistas das riquezas do Carnaval, Juliano deixou de desfilar e tentou convencer os irmãos a seguirem o seu exemplo.

— Prefeitura ganha dinheiro, televisão ganha dinheiro... dono de hotel, dono de avião, dono de cerveja, todos ganham, e a gente, por que não? Tu é o cara, tu é o sambista... e nada? Safadeza! Cai fora! — disse Juliano em uma tentativa de convencê-lo a entrar para o tráfico.

— É o samba, Juliano. O pagamento é a alegria de desfilar pros bacanas. Eles babam no meu pé, aí! — argumentou Vico.

— Nem tem idéia, Vico. É a maior festa do mundo, parceiro. A festa não é nossa? Por que o dinheiro não?

Mendonça, como sempre, sugeriu apelarem para o caminho das armas.

— Qué tomá dinheiro dos bacanas, Juliano? Tem que sê na mão grande. Eles só respeitam a lei do ferro, aí!

Vico e Careca não alteraram a trajetória de músicos e sambistas. Os dois continuaram na função de percussionistas do terreiro e todos os anos animavam a Folia de Reis, uma festa religiosa tradicional da favela. Seguiram a tradição da família. O avô e o pai deles também faziam parte do Termo de Reis os Penitentes da Santa Marta. E também nunca deixaram de freqüentar a laje do Helinho do Mira Bode, no beco dos Poetas, ponto de encontro preferido do tio Zé Preto e outros compositores do morro.

Vico também era bom de bola, o melhor jogador de futebol da turma. Foi atacante titular do Imperial nos dois anos em que o time participou dos campeonatos oficiais da federação carioca. O pai Tibinha e os amigos mais próximos, como Juliano, sonhavam com uma carreira profissional brilhante para Vico. Ele chegou a treinar algumas vezes nas categorias de base da equipe profissional do bairro, o Botafogo Futebol Clube. Mas não esperou por muito tempo a chance de ser contratado. Até 1986, ganhar dinheiro jogando bola ainda não havia passado de um sonho distante.

Carlos Eduardo Calazans, o Du, virou olheiro por influência e fidelidade ao seu melhor amigo, Juliano, que já era avião da boca. A amizade substituía a ausência do pai, que morreu de cirrose quando ele tinha 14 anos. Du não tinha grandes ambições, vivia conformado com o emprego numa ótica, onde ganhava um salário mínimo. Era pouco, mas achava bom poder ajudar a compor a renda da casa, com o trabalho da mãe, a passadeira Marlene. Ela estava com 40 anos e havia mais de 20 passava o dia em pé, com o ferro elétrico na mão, ao lado de uma montanha de roupa dos fregueses do asfalto. Du ajudava a buscar e levar as encomendas.

Du era um dos mais elegantes da Turma da Xuxa. Moreno, magro, um metro e oitenta e sete centímetros de altura. Influenciado por Juliano, já tentara seguir a carreira de modelo fotográfico. Na verdade, a pretensão era muito mais do amigo do que dele. Embora tivesse um metro e setenta e dois de altura, incompatível com a carreira, Juliano queria seguir a profissão de modelo fotográfico. Os dois chegaram a posar para uma fotógrafa, em um estúdio improvisado na sede da Associação de Moradores. Encaminharam um caderno com as fotos para o catálogo de uma agência especializada. Na época em que entraram para o tráfico, pelo menos Juliano ainda tinha esperança de algum dia ser chamado para desfilar nas passarelas.

O avião do tio Carlos da Praça e do velho Pedro Ribeiro logo virou vapor de Cabeludo. Se Juliano, na Turma da Xuxa, pouco chamava a atenção, no tráfico cedo começou a se destacar. Sentiu-se engrandecido ao assumir a tarefa de vapor. Era um cargo de maior responsabilidade e mostrava que o novo chefe confiava nele. Afinal, dependendo do movimento da boca, recebia várias cargas de cocaína para vender por dia. Cada carga com 70 sacolés valia o equivalente a 350 dólares. Nas noites de sexta-feira, pico de vendas, era comum o faturamento chegar a 1.500 dólares. A divisão do dinheiro obedecia a uma hierarquia: 10 por cento ficavam com o vapor, 30 por cento com o gerente e a maior parte, 60 por cento, com os donos da boca, Zaca e Cabeludo. Os dois se encarregavam de pagar pelos serviços dos soldados, dos olheiros e dos fogueteiros e por eventuais propinas e ajudas aos moradores.

Uma idéia prática de Juliano ajudou a superar ainda mais os recordes. Para evitar a ansiedade dos usuários, ele passava por toda a extensão da fila de espera com uma caixa de sapato cheia de pó.

— Qual é a boa? Olha aí, é pra cafungá aqui mesmo — gritava Juliano enquanto pegava o dinheiro ou devolvia o troco da venda.

No começo, Juliano escondeu sua atividade da família. Para justificar o dinheiro cada dia mais farto, disse que havia conseguido emprego na loja do tio Carlos da Praça, em Copacabana, como vendedor de jóias de prata. Os pais ficaram felizes, não sabiam que o tio era um dos maiores atacadistas de drogas da zona sul, a mais rica da cidade. De fato, durante parte do dia Juliano ficava na loja, mas sem compromisso de permanecer atrás do balcão. A principal função era incrementar as vendas de pó no asfalto. Entre os fregueses do ponto estavam Luz e seus parceiros de rua, que não eram poucos. A loja também era um ponto de receptação, que trocava as jóias que ela roubava dos motoristas no trânsito por cocaína ou maconha.

A loja virou referência para os encontros, fora do morro, dos amigos da Turma da Xuxa. A partir do meio-dia os grupos de Luz e Juliano, juntos, formavam grandes rodas de bate-papo, que atraíam outros adolescentes pobres do bairro. O cigarro de maconha, que passava de mão em mão, era um fator de identificação da maioria, que fumava escondida dos pais. Outra coisa que tinham em comum era a falta de dinheiro. As mesadas, que nem todos ganhavam, eram pequenas. Os filhos de pais de classe média não eram bem aceitos ali. Os que viviam por contra própria, como Luz e seus parceiros, eram os mais ouvidos na roda, mais admirados. Impressionavam porque, sem terem um emprego ou família provedora, já ganhavam o suficiente para pagar o próprio lanche, comprar um cigarro de maconha, jogar fliperama. Só não chegavam a exercer uma liderança maior devido aos riscos inerentes ao caminho que haviam escolhido, perigoso demais para atrair muita gente.

O primeiro roubo de Luz foi na calçada movimentada da avenida Nossa Senhora de Copacabana. Uma ação rápida, o chorri, provocada por um grupo de quatro, divididos em duas duplas. Escolhido o alvo, um parceiro trombava com ele. Enquanto um empurrava, Luz colocava a mão no bolso ou na bolsa da vítima. De forma simultânea a outra dupla de parceiros ajudava a fechar o cerco e a tumultuar a cena. Um deles simulava uma oferta de ajuda para confundir ainda mais a vítima. Com o dinheiro na mão de Luz, cada um corria para um lado, o que dificultava a perseguição.

No começo Luz gastava o dinheiro do chorri na compra da cola, uma goma química, o mais barato entorpecente de criança de rua, de fácil aquisição no comércio de venda de produtos de sapataria. Dentro de um saco plástico, um bocado de cola de couro de sapato emitia um vapor que provocava alucinações, náusea e perda de apetite.

Matava a fome e garantia a segurança. Um saquinho plástico de cola na mão sempre atraiu amigos famintos em volta de Luz. Amigos que a ajudavam a se defender de grupos rivais de outras ruas, outros bairros. Também a protegiam quando precisava usar o banheiro, lá nos fundos dos postos de gasolina, onde não era raro os frentistas tentarem abusar sexualmente dela.

Na hora da exaustão, depois das últimas aspiradas da cola, Luz e os parceiros de chorri dormiam amontoados, o que aumentava a chance de não serem atingidos pelos pontapés das pessoas que não gostavam de ver crianças sujas dormindo nas calçadas.

Para não ficar conhecida onde morava, Luz passou a agir longe da rua Hilário de Gouveia e mudou a prática de roubo. Em vez do chorri, passou a fazer a corriola, ações em grupo com mais de quatro componentes. Pegavam ônibus em direção a outro bairro e, no caminho, escolhiam suas vítimas, na rua ou dentro do próprio ônibus. Um deles ficava de olho no cobrador, outro junto à saída impedindo o fechamento da porta, mesmo com o carro em movimento. Aproveitavam o momento em que o cobrador estivesse envolvido com as cobranças para atacar os passageiros, com a mesma técnica de trombada do chorri. Na fuga, corriam em grupo pelo meio da rua, sempre pela contramão do trânsito para dificultar a perseguição de motoristas ou das viaturas da polícia. Depois do roubo, preferia dormir na marquise da Galeria Alaska para, na hipótese de ser descoberta, não sujar a área da Hilário de Gouveia.

Na época em que conheceu Juliano, Luz estava em outra escala do crime, já era adulta e começava a participar de assaltos a mão armada. O primeiro tinha sido a uma loja de artigos esportivos em Cascadura, uma escolha infeliz. O dono era um ex-jogador de futebol, volante famoso nos anos 70 justamente do time de sua paixão, o Flamengo. Cara a cara, Luz duvidou que estivesse realmente diante de um ídolo. Nervosa, chegou a vacilar na hora de apontar o revólver.

— Mermão! Tu é mesmo quem eu tô pensando? — perguntou Luz.

Assustado, o jogador nada respondeu. Procurou facilitar as coisas.

— Podem levar o que quiserem... Mas não atirem, não atirem.

— Preocupe, não. Só queremos grana e algumas coisinhas mais.

Enquanto o parceiro recolhia às pressas o dinheiro do caixa, Luz parecia desinteressada no roubo.

— Aí cara, tu vai me deixá na dúvida, não, hein? Faz isso comigo, não. Meio-campista! Era tu sim: grande número 5, aí!

O volante continuou sem responder.

— Tu é jogo duro, hein? Seguinte: vô levá aquela camiseta do Mengão ali. Mas tem que sê a 5.

— Não temos a número 5 na loja. Só a 10, a do Zico.

— Como não, cara. Tu era o 5 e agora não tem o 5. Panha alguma aí, rapá. Dá um jeito, mermão!

O parceiro já acelerava a moto, pronto para iniciar a fuga, quando Luz convenceu a vítima a atender a seu último pedido.

— Tá bem, eu levo qualqué uma. Mas se tu é quem eu tô pensando, quero um autógrafo.

Nem teve tempo de vestir a camisa número 10. Correndo, saltou na garupa da moto, com a camiseta na mão. Já estavam em alta velocidade quando Luz checou a assinatura e vibrou no meio do trânsito.

— É ele! É ele!

■ ■ ■

Naquela época, o ídolo de Juliano atuava em outros campos. Era alto, magro, moreno e tinha uma marca inconfundível mesmo a distância: os cabelos pretos, lisos, compridos até os ombros. De perto, chamava a atenção pelo uso exagerado de jóias de ouro nos dedos e no pescoço.

— Conheço um cara que vai adorá te conhecê, Luz — disse Juliano.

— Quem é ele? — perguntou Luz.

— Cabeludo é o nome dele. É fera, só vai na parada certa.

— O que ele faz?

— É assaltante, maravilhoso! Vai curtir esses bagulhos que tu apanha no sinal. Correntes, anéis.

— E ele paga bem?

— Mas tem que sê corrente daquelas grossas! Ou dedeira. Ouro 18!

Juliano levou Luz até a favela para conhecer Cabeludo, que se tornaria mais que seu receptador. Ela temia ser mal-recebida por causa do forte preconceito das quadrilhas do morro contra os homossexuais. Bem orientada por Juliano, ao ser apresentada ao chefe do tráfico, Luz mostrou o presente que trouxera para a pessoa que Cabeludo considerava a mais importante da sua vida, a sua mulher, Stela.

— Uma pulseira. A rainha vai adorá! E essa medalha? — perguntou Cabeludo.

— Nossa Senhora Aparecida. Pra protegê vocês aqui do morro — respondeu Luz.

Ficaram tão amigos, que Cabeludo superou o preconceito contra as lésbicas e a convidou para passar alguns dias em um dos barracos do pessoal da boca. Orgulhosa do convite, Luz aceitou. O que era para ser alguns dias virou semanas, meses, anos...

■ ■ ■

A mãe Betinha só teve certeza de que o filho estava envolvido com furtos e drogas quando Juliano foi preso pela segunda vez na loja do tio Carlos da Praça, devido à compra de uma moto roubada. Betinha foi à delegacia acompanhada de Marisa, que já estava no quarto mês de gravidez. Na conversa com o delegado, a mãe começou a conhecer o tratamento humilhante que a polícia oferecia aos parentes de criminosos.

— Eu queria saber se o meu filho está aqui na sua delegacia — disse Betinha.

— O que fez o seu filho? — respondeu o delegado.

— Não sei, ele é balconista de uma loja. O nome dele é Júlio Mário Figueira.

— Balconista! Você está falando de um bandido, o VP. Traficante, ladrão de moto...

— O senhor tem certeza disso que tá falando?

— Vem cá, vou te mostrar onde vou colocar o teu filho, pra comerem o rabo dele. É o que ele merece.

O delegado conduziu Betinha até o corredor da carceragem, de onde ela podia ver o xadrez superlotado. Havia dezenas de homens descalços, sem camisa, vestidos só com bermudas, amontoados num espaço sombrio, úmido, com capacidade para abrigar no máximo quatro pessoas. Para assustar ainda mais a mãe, o delegado disse que a maioria era estuprador.

— Sabe como que é, seu filho é garotão, carne nova, esse pessoal vai adorar! De volta ao gabinete, o delegado passou da ameaça ao assédio.

— Pois é, mulher, só tem um jeito de levar o teu filho pra casa...

— Que jeito, delegado?

— Já vou te mostrar. Vem cá.

— O que é isso que você está fazendo? Você não tem vergonha?

No momento em que o delegado levantou da poltrona com o pênis para fora da calça, Betinha ouviu o grito de Marisa, a namorada de Juliano, que estava sofrendo o mesmo tipo de constrangimento na sala ao lado, onde trabalhava o chefe dos investigadores. E reagiu:

— Grita socooooorro, Marisa! Grita!

O escândalo na delegacia, numa hora de grande movimento, intimidou os policiais, que desistiram do ataque. No dia seguinte, Juliano foi liberado por intervenção do advogado contratado por Carlos da Praça. Ainda abalada, Betinha disse a Juliano que a descoberta do envolvimento dele no crime tinha sido a maior decepção da sua vida. Queixou-se também da humilhação que ela e Marisa sofreram na delegacia.

— Que horror você me fez sentir, que safadeza! Que vergonha!

— Fala, me fala, mãe. Tu gritô daquele jeito na delegacia. Por quê?

— Aqueles canalhas! Culpa tua, culpa tua. Passar por vexame em delegacia!

— Me fala... se alguém te esculachô eu volto lá e quebro ao meio! Seja quem for!

A descoberta do real vínculo com o Carlos da Praça mostrou aos pais que, mesmo sem ter muita consciência do que fazia, Juliano estava envolvido demais com o tráfico. Além de atacadista de cocaína dos principais morros da zona sul da cidade, Carlos da Praça era o fornecedor da Santa Marta. A amizade com Cabeludo consolidou ainda mais essa condição em relação aos concorrentes. O fato de Juliano, aos 17 anos, já ter conquistado a confiança dos homens mais poderosos da comunidade provocou uma divisão dentro da família.

O pai Romeu tinha fortes razões para querer o filho longe de Cabeludo, uma espécie de herdeiro dos criminosos da velha-guarda. Como nunca gostou de bandido, Romeu justificava a sua simpatia por Zaca de uma forma simplista, considerando-o "menos bandido" do que Cabeludo. Na verdade, Romeu estava sendo beneficiado diretamente pelo poder de Zaca, com apoio financeiro e moral.

— Esse homem mudou nosso destino. Antes éramos tratados como bicho. Hoje, nordestino é gente aqui no morro — disse Romeu às filhas Zuleika e Zulá.

Desde os primeiros dias no poder, o comandante paraibano se preocupou em agradar as famílias nordestinas. Romeu e os colegas birosqueiros receberam de Zaca o apoio em dinheiro para criar vários bailes de forró na favela, um estímulo ao lazer e ao faturamento dos botequins.

Além de acabar com a perseguição aos nordestinos, Zaca aos poucos também mostrou que sabia administrar conflitos. Promovia assembléias para discutir questões de interesse coletivo — como os mutirões para a construção de um campo de futebol no pico do morro. Envolvia-se em assuntos tão particulares quanto uma briga de casal. Diferente de Cabeludo, que contava os dias para voltar a ser apenas assaltante, Zaca queria ficar no poder para sempre. As diferenças de estilo entre Zaca e Cabeludo geraram algumas desavenças já nos primeiros meses de gestão da dupla. E depois de um ano viraram uma crise de poder e provocaram uma divisão no morro. A exemplo do que aconteceu na casa de Juliano, muitas famílias também ficaram divididas. Em geral, os jovens apoiavam o estilo festivo e desprendido de Cabeludo. Os mais velhos sentiam-se mais seguros com o jeito que consideravam ponderado do rival. Negociador hábil, Zaca promoveu um acordo polêmico para garantir o funcionamento da boca, mediante pagamento de propina. Estabeleceu uma convivência pacífica com os policiais. Graças ao acordo, mesmo num cenário de constantes operações de caça aos traficantes, os moradores viviam a euforia das festas e vendas recordes de drogas, quase sem sofrer espancamentos, prisões ou mortes em conseqüência de repressão policial.

Na família de Juliano, o fato de Zaca ter se aliado à polícia era motivo de grandes discussões. O pai Romeu e a irmã mais velha, Zulá, apoiavam-no sem restrições. Achavam que Zaca representava garantia de prosperidade no comércio dos birosqueiros. Para a irmã mais nova, Zuleika, e Juliano, o acordo promovido por ele era vergonhoso. A mãe, Betinha, apesar de Juliano fazer campanha contra Zaca por causa de sua profissão no passado, manteve-se neutra.

— O Cabeludo é o cara, mãe. O Zaca era sargento da PM, sabe como é. Uma vez polícia, nunca vai deixá de ter aquela mentalidade de cana — disse Juliano.

A neutralidade de Betinha era estratégica. Desde a separação dela, Zaca vinha demonstrando interesse por ela. Mandava recado pelas vizinhas, forçava encontros casuais quando ela saía para o trabalho ou voltava para casa. Chegou a escrever uma carta em que manifestava o desejo de um dia, "quem sabe", pedi-la em casamento. Betinha gostava da forma elegante de Zaca assediá-la, mas não demonstrava isso em respeito ao namoro com o eletricista Edésio, um homem ciumento. Também mantinha sigilo em casa, embora Juliano, alertado por Cabeludo, já estivesse desconfiado.

— Que bagulho é esse do Zaca pra cima de ti, mãe? Ó, dá um chega pra lá nesse alemão. Senão, já é, ó!

Os negócios com Carlos da Praça levaram Cabeludo a se aproximar da família, o que representava mais um impedimento a um possível romance de Betinha e Zaca. Cabeludo tinha outra motivação para freqüentar o barraco da família, estava apaixonado pela filha de 17 anos, Zulá. Mas as chances de romance eram nulas. Zulá tinha namorado e, assim como o pai, não gostava do estilo extravagante dele. Anos depois, Zulá também seria assediada por Zaca e teve um caso com ele, o que foi considerado um insulto ao irmão. A repercussão do episódio aumentaria o ódio entre as duas principais quadrilhas do morro e dividiria ainda mais a família de Juliano.

■ ■ ■

As extravagâncias de Cabeludo eram derivadas do consumo de cocaína. Longe das drogas, no universo restrito do crime, era um homem generoso e solidário. Já antes de virar o chefe do tráfico, transferiu parte do dinheiro roubado no assalto milionário à Casa da Moeda para os parentes dos parceiros que morreram em combate. Sempre manteve o compromisso de enviar dinheiro e drogas aos que estavam presos. Quando não cheirava, gostava de passear pela favela na companhia de crianças e de contar histórias curiosas de assaltos aos aposentados, que passavam horas ouvindo sentados em frente aos barracos.

Uma grossa linha branca sobre o bigode mal raspado sinalizava quando Cabeludo estava sob efeito de cocaína. Nesses dias ele virava outro homem.

As pessoas mais próximas sabiam disso e muitos o evitavam para se proteger de suas atitudes imprevisíveis. Não era raro Cabeludo ficar até três dias seguidos sem dormir, período em que tinha alucinações e crises de desconfiança.

— Cuidado! O Cabeludo está doidão.

O aviso era uma espécie de senha dos jovens da quadrilha para evitarem alguma agressão gratuita do chefe. Ele jamais se afastava da pistola automática Eagle ou de sua "baby", uma minimetralhadora Uzi sempre escondida sob a camisa que usava para fora da calça.

Nos primeiros dias de serviço na boca, os jovens da Turma da Xuxa perceberam o risco que a proximidade com Cabeludo podia representar.

Um dia sumiu o tênis que Cabeludo deixara tomando sol na janela do barraco enquanto cheirava cocaína. Era um Nique, um falso Nike importado, idêntico aos que estavam nos pés de parte da Turma da Xuxa, que conversava perto da boca.

Descalço, duas pistolas seguras em uma só mão, Cabeludo saiu do barraco furioso e foi direto interrogar o grupo, convicto de que o ladrão do tênis era um deles.

— Aí, é melhó confessando logo! — ameaçou Cabeludo.

O pessoal, assustado, pediu calma.

— Qualé que é, chefe. Na moral, aí! Nós somos da Turma da Xuxa.

— Turma da Xuxa é o caralho! Quero vê o pé de cada um. Levanta aí!

Todos levantaram o pé. Por sorte, a maioria não usava tênis com a mesma numeração de Cabeludo, que calçava 42.

— Caralho. Só tem pé de moça e de boiola. E tu aí, negão?

A pergunta era dirigida a Du, o único que calçava 42. Embora naquele dia estivesse usando chinelo, Cabeludo desconfiou dele.

— Tu roubô e levô pra casa. Estica o pé aí... Tá vendo, tá vendo? É do tamanho do meu.

— Quê isso, Cabeludo. Aqui todo mundo é amigo, é a Turma...

— Turma da Xuxa é o caralho!

Cabeludo alternava momentos de extrema alegria e de profunda depressão. Um simples sumiço de tênis num dia em que estava deprimido podia conduzi-lo a crises extremamente graves.

Era véspera do dia das mães, o segundo em que Cabeludo passara a noite cheirando pó. Ele já parecia conformado com a perda do tênis quando voltou para casa, onde a mulher o esperava. Stela tentou convencê-lo a parar de cheirar, mas não conseguiu. Ele continuou aspirando fileiras de pó madrugada adentro e, pior, por várias dias seguidos. Apenas uma grande amiga sua, Maria Brava, mulher do principal parceiro de quadrilha, Paulista, era aceita no barraco onde se confinava. Um dia Juliano tirou proveito da sua função de confiança da quadrilha para acompanhar a visita de Brava e pedir de volta a pistola que emprestara a Cabeludo.

Era um dos dias de cheiração de Cabeludo, que estava havia quatro dias sem dormir. Juliano o encontrou trêmulo, deitado num sofá, com duas armas nas mãos e sem condições de conversar por causa da língua travada pela coca. Cabeludo aceitou um copo de água, servido por Brava, que dava conselhos. Embora tentasse continuar cheirando, não tinha forças nem para aspirar o pó espalhado numa bandeja sobre a mesa. Mesmo assim, Juliano teve medo de uma possível reação de Cabeludo se pedisse a ele a pistola de volta. Ficou tão impressionado com a decadência física de seu ídolo, que decidiu, naquele dia, nunca se envolver com o consumo das drogas que vendia, com exceção da maconha.

Juliano foi embora e deixou de presente para Cabeludo um cigarro grosso de maconha, com a esperança de que a droga o ajudasse a sair da crise de overdose de pó.

■ ■ ■

O dia amanhecia quando Cabeludo saiu de casa aos prantos, carregando no colo uma loira de cabelos longos, que quase encostavam no chão. Desceu o beco das Promessas e parou no largo do Cruzeiro com Stela nos braços, com três tiros no peito, morta. Ninguém ousou perguntar o que havia acontecido com a "rainha", como ele costumava chamá-la. Nem precisava.

— Stela, Stela. Te matei, meu amor, te matei! — gritava Cabeludo com a mulher nos seus braços.

Depois da morte de Stela as crises depressivas de Cabeludo, agravadas pelas desavenças com Zaca, se tornaram mais freqüentes. Zaca aproveitou para conquistar adeptos ao seu comando. Passou a agir para expulsá-lo do morro. A campanha durou meses e culminou com uma assembléia para Zaca discutir com a comunidade o afastamento dele.

Cabeludo não fora avisado. Da Turma da Xuxa, apenas Du e Juliano estavam presentes à assembléia desde o seu início, quando a maioria dos participantes era pessoal do Zaca. Já em plena discussão, todos foram surpreendidos pela chegada imprevista de Cabeludo.

A assembléia imediatamente virou um debate entre Zaca e Cabeludo, que começou agressivo:

— Aí, tu é cachorrão! — disse Cabeludo.

— Manera, Cabeludo — respondeu Zaca.

— Tu é viado, cuzão, arrombado!

— Manera, Cabeludo. Tem mulhé na área.

— Então é o seguinte: madames fora. Só quero dá uma idéia pra bicho homem. — As mulheres se retiraram. — Vamo vê quem é bandido bom aqui, rapá — afirmou Cabeludo.

— Quem é bandido não fala que é bandido. É otário — provocou Zaca.

— Ofende a malandragem, não. Tu é amigo de polícia, rapá!

— Sô mais assaltante que você.

— O quê? Enquanto eu mandava hotel de luxo, mansão da Barra, restaurante de bacana, tu dirigia Patamo da PM. A tua é camburão, rapá.

— Quem gosta de polícia é você... Quem é que te salvô do linchamento naquele assalto da Atlântica? Pediu por amor de Deus para não sê morto, qual é? Pensa que sô otário?

— E o dinheiro da cadeia? Tu faz o acerto com os canas e esquece os parceiros que tão lá no sofrimento...

— Tu só pensa na bandidagem... Enquanto a gente batalha pra vendê, tu fica aí curtindo uma, distribuindo pó de graça...

— E o movimento quem faz? Esse morro tava morto! E agora vende mais de um quilo por dia. Tá reclamando do quê?

A discussão acabou quase numa declaração de guerra. Por interferência dos adeptos de cada lado, depois de muita insistência, Zaca e Cabeludo concordaram em pedir a mediação do antigo dono do morro, Pedro Ribeiro, que continuava preso.

Da cadeia, depois de ouvir os dois lados, Pedro Ribeiro escreveu uma carta em que propunha a divisão do poder: cada um ficaria responsável pela gerência de dois pontos do morro. Lembrou aos dois que o comando deles era provisório, não passava de um reforço ao verdadeiro dono do morro na sua ausência temporária, o seu herdeiro Pereréca. Nenhum dos dois gostou das ordens de Ribeiro. E as diferenças se radicalizaram quando Cabeludo sofreu uma emboscada.

Um tiro no peito, dois na barriga, uma semana na UTI, dois meses de recuperação na enfermaria. Muitas pessoas viram Perereca atirar em Cabeludo durante uma discussão motivada pelas ordens de Ribeiro que ele não queria obedecer.

A vingança veio em dobro. No mesmo dia em que saiu do hospital, embora ainda debilitado pelas cirurgias e perda de muito sangue, Cabeludo avisou ao seu grupo que voltara para se vingar.

— Espera um pouco mais, Cabeludo. Tu ainda tá fraco, perdeu muito sangue — aconselhou Luz.

— Pra apertá o gatilho ninguém precisa de força — respondeu Cabeludo.

Ele esperou uma ocasião em que Perereca estivesse próximo de Zaca. Foram duas rajadas de metralhadora a menos de três metros. O inimigo caiu morto ao lado de seu rival, que apenas observou a cena, sem nada comentar. Cabeludo se afastou ainda furioso e declarou guerra.

— Voltei pra mostrá quem é o cara deste morro! Quem vai encará? — disse ele numa afronta a Zaca, que ficou em silêncio. Na mesma semana, em novo ataque de fúria, Cabeludo resolveu acertar as antigas desavenças com os policiais que circulavam pela favela em busca das propinas oferecidas por Zaca. O primeiro "acerto" foi com um policial civil, o Chuvisco, que fora matador de criminosos e integrante do grupo de um conhecido investigador da polícia do Rio, Mariel Mariscot.

Flavinho assistiu ao ataque bem de perto. É que o pai dele, ZéMeuFi, era o dono do Barraco da Ronda, um dos dois tradicionais pontos de jogos de cartas do morro. O policial estava sentado à mesa, participando do jogo, quando Cabeludo chegou ao barraco decidido a desafiá-lo.

— Aí, Chuvisco, lembra de mim? — perguntou Cabeludo.

— Emilson dos Santos Fumero, o Cabeludo! Beleza? — respondeu Chuvisco.

— Ganhando todas?

— Só diversão, só diversão!

— Ué? Tu não gosta de dinheiro, Chuvisco? Tô na parada, quanto vai?

— Dinheiro pouco, já estou de partida...

— Está aqui, não quero nem sabê quanto é... eu quero é dobrá. Dobro!

Diante da aposta de Cabeludo, alguns homens levantaram da mesa. Chuvisco também ameaçou ir embora.

— Tu, não. Tu tem que ficá... Tu gosta de dinheiro que eu sei... Lembra quando tu me prendeu? — perguntou Cabeludo.

— Te livrei de uma cana dura, você tá reclamando do quê? Vou apostá mais uma rodada só — disse Chuvisco.

— Vou recuperá aquela grana que tu pegô de mim. Mas na aposta, aí!

A primeira aposta foi vencida por Chuvisco, assim como a segunda, a terceira... Na quarta, Cabeludo, já sem dinheiro, colocou uma corrente de ouro sobre a mesa.

— Pra mim chega, Cabeludo. Fica com teus amigos aí — disse Chuvisco.

— Que negócio é esse, Chuvisco... Tu vai me respeitá não?

— Acabou! Tu tá sem dinheiro, acabou.

— Tu tá vendo a corrente aqui, rapá... Isso aqui é ouro puro, rapá!

— Fica com ela...

— Isso aqui roubei de um bacana, um ricaço. Tu tem que levá isso de mim. Tu é polícia ou não é polícia?

Forçado a mais uma aposta, Chuvisco venceu de novo e antes de pegar a corrente da mesa tentou convencer Cabeludo a parar de jogar.

— Sem essa de jóia. Me paga a dívida depois. Amanhã eu volto e a gente continua, não é, pessoal?

Silêncio no barraco. Apenas ZéMeuFi continuava ali perto dos dois quando Cabeludo fez o último desafio. Pôs a pistola automática sobre a mesa.

— Tu acha que eu sou homem de levá dívida pra casa?

— Qualé que é, Cabeludo?

— Seguinte, Chuvisco. Tu tá ganhando todas... Acho bom tu ganhá a pistola também, aí!

Chuvisco perdeu.

■ ■ ■

A notícia do assassinato de Chuvisco chegou ao amigo dos policiais, Zaca, como se fosse uma declaração de guerra de Cabeludo. Os combates só iriam começar depois de dois meses, período em que se dedicaram a reforçar as quadrilhas com armas e munição. O velho Pedro Ribeiro ainda tentou evitar o pior, mas ele próprio desistiu ao ser informado de que Cabeludo, que tinha 32 anos, estava assediando uma sobrinha de Zaca, uma menina de 13 anos. Já cercados por seus bandos armados, os dois tiveram um último bate-boca no meio da favela.

— Você é estuprador de criança, Cabeludo — acusou Zaca.

— De adulto também! E agora vou comê o teu rabo, Zaca! — respondeu Cabeludo.

Ninguém soube quem deu o primeiro tiro de AR-15 na maior guerra urbana da história do Rio de Janeiro.

CAPÍTULO 7 | BONDE SINISTRO

O bonde é do espelho,

o gato é preto,

a chapa é quente

e o Comando é vermelho!

Mas se o gato passar,

não se assuste, não.

Se a chapa esquentar,

é pra dançar, meu irmão!

| **Funk proibido** |

A preparação do bonde de guerra foi um momento de orgulho para os homens convocados por Cabeludo, prova de que ele estava prestigiado entre os criminosos de peso do Rio de Janeiro. O ponto de encontro foi o sítio emprestado por um pagodeiro rico, no Recreio dos Bandeirantes. Os convidados eram antigos parceiros de assalto, que ao longo do ano freqüentaram as bocas da Santa Marta em busca da cocaína pura e farta e da oportunidade de cruzar com sambistas famosos nas festas que pareciam sem fim.

A guerra declarada contra Zaca poderia representar o fim do ponto de encontro que se tornara obrigatório, uma referência de diversão na vida deles. O pessoal da velha-guarda sabia que o risco era enorme. Havia meses o inimigo vinha se armando para ser o único dono do morro. Então, em 1987, tinha o apoio de parte da comunidade, além de alianças com os policiais militares, acusados de receberem propinas diárias. Alguns policiais civis também estavam do lado de Zaca para vingar o assassinato de Chuvisco.

Os jovens que nunca haviam participado de um bonde não escondiam a ansiedade. Da Turma da Xuxa, se apresentaram no sítio Mentiroso, Juliano, Mendonça, Claudinho, Flavinho e Du. O grupo passara a tarde discutindo se deveria ou não se envolver na guerra. A maioria preferiu ficar de fora.

Soni alegou que a mãe doente estava precisando de companhia. Tentou convencer o amigo Flavinho a desistir também, mas não conseguiu por causa da pressão de Juliano, que demonstrava entusiasmo com a convocação e começava a tomar para si o papel de liderança numa área que era novidade para todos.

— De todos, você é o mais esperto, Flavinho. É o mais inteligente do nosso grupo — disse Juliano.

Flavinho estava com vinte anos, havia dois que trabalhava como taxista. Tinha fama de bom piloto porque era um dos únicos que sabia dirigir, num morro onde carro não circulava. Ele ensinou as primeiras técnicas de direção ao amigo Careca, que estava fazendo teste para ingressar numa empresa transportadora no Engenho de Dentro.

A decisão mais difícil foi a de Renan. Nos últimos dois dias passara horas treinando tiro dentro das valas de esgoto do morro. O seu instrutor era também um iniciante, Juliano, que acabara de comprar uma pistola semi-automática de Carlos da Praça. Para reforçar o exército de Cabeludo, Da Praça entregou a Juliano algumas armas para serem distribuídas aos amigos da Turma da Xuxa.

— Um trezoitão! É o bicho! — disse Renan ao receber o revólver calibre 38 das mãos de Juliano.

Renan manifestara o desejo de mudar de vida pelas armas. Tinha grande respeito pelo pai, mas não queria repetir a sua trajetória de honestidade. O pai, marceneiro, trabalhava numa fábrica de brinquedos em troca de um salário que o condenou a 20 anos de vida no morro, sem possibilidade de comprar uma casa, um carro nem propiciar lazer para a família. Passou toda a infância sem poder ir ao cinema ou freqüentar um clube, nem conhecer um parque ou qualquer cidade fora do Rio de Janeiro. Tornara-se muito amigo de Paulo Roberto e seus irmãos, que naquele ano de 1987 estavam praticando assaltos longe do morro. E o convidaram a fazer parte da quadrilha.

Embora os amigos tivessem tido uma realidade semelhante, Renan demonstrava maior frustração porque aprendera a ser ambicioso com o tio. Depois de anos de insistência, Cabeludo finalmente lhe dera uma chance de entrar para a vida do crime. Mas ao ganhar o primeiro revólver a insegurança do adolescente de 17 anos o levou a recuar. Queria usar uma arma sim, mas em assalto, como fazia o tio Cabeludo, e não numa guerra, onde poderia matar ou morrer. Por isso, na hora de ir para o encontro no sítio do Recreio dos Bandeirantes, Renan sumiu do morro sem explicar que o motivo era medo.

Du também estava amedrontado, mas não tivera coragem de assumir a insegurança no meio da turma. Muito menos agora à meia-noite, na casa do Recreio dos Bandeirantes, onde os homens de várias quadrilhas não paravam de chegar. Os únicos que pareciam à vontade eram Juliano, Mendonça e Claudinho. Manifestavam orgulho por conhecer histórias de outras quadrilhas e mostravam isso ao amigos, que ainda não sabiam quem era quem entre os criminosos veteranos.

Uma caravana de Monzas e Santanas entrou em velocidade e levantou poeira na pequena rua de terra. Alguns brecaram, arrastaram os pneus em frente ao sítio, onde o pessoal estava reunido.

— Caralho! Cada carrão... são do morro da Mineira reforçando o Cabeludo! — disse Juliano aos amigos Careca e Du.

Em seguida as atenções se voltaram para a chegada de um carro de luxo, um Miura vermelho, com uma loira ao volante. Ao lado dela, uma surpresa da noite.

— Caralho! O Ronaldo Maldição, não acredito! Ele acabou de mandá a Casa da Moeda... está forrado na grana — disse Mendonça.

O Miura era, em 1987, o carro preferido dos jogadores de futebol e de playboys, e custava o equivalente a 50 mil dólares. Era o primeiro investimento de Maldição com o dinheiro roubado no assalto à Casa da Moeda do Rio de Janeiro. Mantivera as cédulas enterradas durante meses e, por coincidência, no dia em que usou o dinheiro para comprar um carro zero quilômetro o parceiro de assalto Cabeludo precisava de ajuda para a guerra. Maldição passeara à tarde com o carro novo, em companhia da loira, a mulher com quem tinha dois filhos. À noite, na hora da despedida, todos ouviram Maldição combinar um programa com a mulher.

— Leva para a garagem. Quando acabá esse rolo aqui, a gente passeia com a família.

A cada homem que chegava, Juliano se entusiasmava.

— Olha só quem acaba de chegar! Orlando Jogador, frente do Complexo do Alemão. Esse é rei!

Chamou a atenção de Juliano o estojo de couro preto pendurado ao ombro de Orlando.

— É a mala da famosa 762 do Jogador, parceiro! — disse Juliano, se referindo ao fuzil K-762, então uma novidade nos morros do Rio de Janeiro.

Mais um fuzil ainda estava por chegar. Era aguardado com grande expectativa não só pelo seu poder de fogo. Quem recebeu a missão de buscá-lo foi Mentiroso, por ordem do patrão Carlos da Praça, que usou sua influência como atacadista de pó para atrair ajuda dos morros amigos. No começo da noite, ainda na Santa Marta,

Da Praça mandara Mentiroso em missão secreta para a Rocinha, favela de 200 mil moradores, a maior da América Latina.

— O Bolado te espera exatamente às nove da noite. Vai atrasá um minuto, não, aí!

— O Bolado, o chefão da Rocinha? Tem certeza que ele vai me recebê?

Mentiroso obedeceu a todas as recomendações para ser bem recebido pelos traficantes da Rocinha. Chegou de táxi, com as lanternas e as luzes internas acesas e os faróis apagados. Parou na rua 2, perto do largo do Boiadeiro, o centro do comércio da comunidade. Dali seguiu a pé pelas vielas, acompanhado por um cicerone. Um menino de uns 13 anos o levou à parte alta do morro, onde estava a cúpula formada pelos traficantes mais conhecidos do Rio em 1987: Naldo, Cassiano, Brasileirinho e Bolado. A imagem dos donos da Rocinha era familiar a Mentiroso. Por isso, foi direto falar com Bolado, já o conhecia pelas fotos dos jornais.

— Aí, comandante. Estou na missão do Carlos da Praça — disse Mentiroso.

— Avião do Da Praça?

— Avião, olheiro, depende do dia.

— Aí, conhece esse bichão aqui? — perguntou Bolado, mostrando uma arma com aspecto de nova.

Era um fuzil de fabricação americana, versão civil do fuzil de guerra M-16, a coqueluche dos soldados do tráfico, o AR-15. Mentiroso nunca tinha visto nada igual nem parecido, mas para mostrar que era merecedor de confiança, tangenciou a resposta.

— Lá no quartel eu vi muita coisa parecida. Servi um ano e meio.

— Então tu sabe atirá de fuzil?

Mentiroso novamente nada respondeu. Atento à demonstração feita por Bolado, não teve dificuldades para repetir os procedimentos básicos. Primeiro, o engate de uma barra de ferro retangular, o carregador de munição com vinte cartuchos. Depois, um movimento brusco, o puxa-empurra de uma manivela, para levar a bala até a agulha que desencadeia o disparo.

— É isso, não é? Tá engatilhada — disse Mentiroso.

— É isso. É isso. Tem um pouco de munição aqui também. No automático tem que maneirá. Melhor usá essa posição aqui, disparo.

— E munição pesa demais na mochila — complementou Mentiroso.

— Avisa lá no Recreio que vô mandá a carga grande de munição direto para o pico do morro, numa Kombi. Vai chegá lá pela subida de Laranjeiras. Não esqueça, Kombi branca.

Juliano estava ansioso com a demora, quando Mentiroso chegou de volta ao sítio do Recreio dos Bandeirantes. De repente, os jovens que até então só eram notados por causa dos pêlos pintados de loiro tornaram-se o centro das atenções por causa do AR-15. Queriam conhecer a novidade e alguns homens, impressionados, perguntavam se eles eram chefes de algum morro. Mentiroso e Juliano aproveitaram para ganhar pontos com os veteranos. Apresentaram a arma aos curiosos como se fosse de uso rotineiro deles.

— Setenta e cinco disparos por minuto — disse Mentiroso.

Juliano exagerou ainda mais.

— Por minuto, não. No automático bate 300 por minuto!

O sucesso da apresentação do AR-15 entusiasmou Juliano, que não desgrudou dela até a hora em que o chefão chegou ao sítio para organizar a partida do bonde.

O visual de Cabeludo era especial para a guerra. Os cabelos foram cortados, mas continuavam longos, cobrindo as orelhas e parte do pescoço. Vestia jeans, bota de cano curto e duas faixas de couro cruzadas sobre o peito nu, carregadas de projéteis. Levava a minimetralhadora presa ao cinto. Desceu apressado de uma Brasília e imediatamente foi cercado pelos homens que estavam aglomerados em frente à entrada do sítio. Ele abriu o capô dianteiro do carro para mostrar o material de ferro enviado pelos amigos dos morros Turano, Salgueiro e Borel.

Juliano percebeu que as armas começariam a ser distribuídas e se aproximou de Cabeludo com o AR-15 nas mãos, manifestando sua pretensão.

— Eu já tô com a minha pronta, chefe. Pode sê?

— Aí ô cara, ó! Tu ainda tem que comê muito feijão, moleque. Me dá esta jóia aqui!

Juliano não teve tempo de se lamentar. Logo que tirou o AR-15 de suas mãos, Cabeludo prestou uma homenagem aos traficantes que enviaram a arma, disparando com o novo fuzil para o alto.

— Viva a Rocinha!

Cabeludo passou o AR-15 para um guerreiro experiente, parceiro inseparável de seus grandes assaltos, o mulato de cabelos castanhos encaracolados, que era nordestino, mas tinha o apelido de Paulista.

— Conheço melhor guerreiro, não. Senta o pipoco neles, Paulista. É a arma secreta, caralho!

Uma espingarda calibre 12, cano curto, duplo, foi parar nas mãos suadas de Mendonça, que jamais havia empunhado, sequer visto, arma tão pesada. O suor frio das mãos e do rosto revelaram o seu desespero.

— Aí, Juliano, vê se descola um revólver. Qualqué um, vô me adaptá melhor.

Juliano compreendeu o desespero de Mendonça, e ofereceu a ele sua pistola em troca da espingarda.

— Pega essa aqui. Sem arma não dá para ficá. E se cruzá com os homi?

Du e Claudinho receberam um revólver. Flavinho ganhou quatro cilindros.

— Manjam? Granada americana. É só puxá este pino e atirá no meio do Zaca — explicou Cabeludo.

Os homens estavam posicionados nos carros enquanto aguardavam a ordem de partida do comandante, que na última hora resolveu reunir alguns deles atrás da casa de alvenaria do sítio, à margem de uma piscina, para os rituais religiosos de guerra. Cabeludo acendeu três velas e rezou para pedir proteção a São Jorge, o santo dos guerreiros.

— Vambora. Deus nos espera lá no morro!

Eles partiram em fila, mantiveram uma distância não superior a cinco metros entre os veículos. Eram dez carros e duas Kombis, com mais de 50 homens armados. No mínimo um fuzil ou metralhadora estava com o parceiro sentado no banco da frente de cada veículo. Eram duas da madrugada. Avançaram devagar pela avenida à beira-mar. "Puxava" o bonde o carro onde estava Mendonça, na função de escudo do chefe Cabeludo, sentado no meio deles, no banco traseiro. O segundo carro era chefiado por Paulista, que tinha Du em sua companhia. No terceiro, estavam Mentiroso e Juliano, sentados no banco traseiro, com Flavinho ao volante e, ao lado dele, Orlando Jogador. No carro de trás, Claudinho era o auxiliar de Maldição. Todos estavam tensos, preocupados com a possibilidade de cruzar com a polícia no caminho. Entraram no viaduto construído junto ao paredão da montanha, sobre o oceano Atlântico, cenário que impressionou Juliano.

— O Rio de Janeiro à noite é a segunda cidade mais linda do mundo! — ele disse.

— Qual é a primeira? — perguntou Jogador.

— O Rio de Janeiro em dia de sol!

Passaram pelo lado da Rocinha. Seguiram pela avenida Niemeyer, um caminho estreito e sinuoso que cortava a beirada do morro do Vidigal a 50 metros do nível do mar. Chegando ao mirante, eles viram lá embaixo uma viatura da polícia, na calçada da praia do Leblon. Embora de mão dupla, a avenida era estreita para uma manobra de retorno. Era provável que a caravana já tivesse sido vista. O jeito era seguir em frente e se preparar para um possível confront. Jogador pôs o bico do fuzil para fora da janela. O primeiro carro, o de Cabeludo, também mostrou o cano da metralhadora. Atrás dele, estava Paulista, já com o alvo inimigo, um fusca azul e branco, na mira da sua AR-15. Flavinho reduziu a marcha do Santana para ganhar maior aderência no asfalto.

O fusca da Polícia Militar estava estacionado sobre a calçada, à esquerda de quem estivesse descendo a avenida Niemeyer. Dentro dele, a dupla de soldados que observava a aproximação da caravana armada ligou o motor do carro, e se afastou de ré, para não enfrentar o bando com muito mais homens e armas. Deu uma ré para se proteger atrás de um paredão do posto, na área de lavagem de carros. Com o caminho livre, oi bonde passou direto e aumentou a velocidade rumo à guerra.

— É o bonde sinistro! — grito juliano ao perceber que o perigo havia passado.

■ ■ ■

No barraco da família de Juliano, a mãe, Betinha, e as duas irmãs, Zuleika e Zulá, estavam preparadas para a guerra. Foram instruídas por ele a reforçar com móveis a segurança da porta e das duas janelas de madeira, e à noite apagar as luzes, ficar em silêncio. As irmãs não deram importância às recomendações. Assistiam televisão enquanto discutiam a opção que Juliano fizera na guerra, a de lutar no exército de Cabeludo.

— Ele está certo. O morro está bem graças ao Cabeludo — disse Zuleika.

— Bem por quê? Só tem festa cheia de bandido. O resto é a mesma miséria, um lixo só, rato, piolho, mosquito... — protestou Zulá.

— Pelo menos o dinheiro está começando a chegar. Não só nas festas, não. Veja o movimento na birosca do papai.

— Graças ao Zaca, que está dando a maior força aos nordestinos. E agora vem o Juliano e vai lutar logo contra quem, o Zaca! Papai vai ficar uma fera!

A discussão acabou quando as irmãs ouviram o som dos primeiros tiros.

— Meu Deus! Será que acertaram o meu irmão? — perguntou Zuleika pra mãe.

— Se acertaram, melhor. É bom para aprender a não se meter onde não deve — retrucou Zulá.

A mãe também ouviu os tiros, mas não acreditou que a guerra estivesse começando.

— Pra mim, isso é barulho de fogos. Tem alguém comemorando atrasado a festa de São João.

O grupo de Juliano tinha acabado de sofrer uma emboscada quando avançava em direção ao pico.

O exército de Cabeludo dividiu-se em dois. Uma parte chegou à Santa Marta pelo bairro de Laranjeiras, subindo de carro a rua de paralelepípedos que levava direto ao pico sem passar pela favela. Os outros invadiram por baixo, pelo lado de Botafogo, espalhados em cinco bondes com dez homens ou mais.

No comando de cada grupo, guerreiros experientes. Os voluntários que vieram de outros lugares eram conduzidos pelos becos escuros da Santa Marta por um cria, adolescentes e jovens que nasceram ou se criaram na favela, como Juliano VP, Mentiroso, Du, Mendonça e Claudinho.

Era o cria que puxava o bonde.

Mentiroso seguiu à frente do grupo de Paulista. Além de orientar quais os melhores becos de subida, levava uma mochila cheia de carregadores de AR-15. Também era dele a tarefa de abastecer Paulista de munição na hora dos combates.

Juliano era o cria do bonde de Orlando Jogador.

Além de Jogador, estavam com ele Du e mais sete voluntários da Rocinha. Entraram na favela pela escadaria, pelo lado de Botafogo, e seguiram pelas vielas. Avançaram devagar para não serem surpreendidos pelo inimigo.

Os caminhos da favela eram íngremes, cheios de curvas e em alguns pontos tão estreitos que não dava para passar mais de duas pessoas lado a lado. Por isso, na maioria dos becos, durante o dia, o campo de visão não ia além de cinco metros. À noite a visibilidade era quase zero. Naquele ano de 1987 havia apenas doze pontos de iluminação pública na favela de 10 mil habitantes. Menos de um ponto de luz para cada mil moradores. Numa madrugada de guerra, esses raros pontos iluminados, como no botequim Salgadinho, eram vulneráveis para quem parasse embaixo deles. Juliano ainda tentou se prevenir. Atirou-se ao chão para cruzar a área se arrastando. Todos do seu bonde fizeram a mesma coisa. Mas no meio da travessia foram surpreendidos por uma rajada de metralhadora, seguida de tiros de muitas armas diferentes. Era a emboscada de Zaca.

— Acerta a lâmpada, a lâmpada!

A ordem veio de Orlando Jogador, que conseguiu se arrastar até a escada de alvenaria de um barraco. Juliano, que estava a uns três metros do poste de iluminação, tentou acertar a lâmpada com tiros de espingarda. Errou, trocou de arma, pediu ajuda a Du, que estava paralisado, de bruços, tentando proteger a cabeça com as mãos.

— Atira também, Du, senta o dedo! — gritou Juliano.

Juliano girou duas vezes o corpo e parou junto ao poste. De costas para o chão, com os dois braços esticados à frente para melhorar a pontaria, ele disparou a pistola com as duas mãos. Conseguiu quebrar o vidro da lâmpada de mercúrio, mas ela continuou acesa, com o miolo intacto. Claudinho, que já estava ao lado da grande pedra, tentou dar cobertura. Disparou o revólver para cima, pois não tinha a menor idéia de onde vinham os tiros. Ao ver Juliano em apuros, Du se arrastou para o lado dele, com a pistola automática. Mesmo disparando juntos não conseguiram atingir o miolo da lâmpada, que acabou estraçalhado pelo tiro de Orlando Jogador.

A área do Salgadinho, a birosca que em dias normais vendia refrigerantes e salgados, ficou finalmente às escuras, o que animou os homens de Cabeludo.

— Põe a cara pra morrê, Zaca! — gritou Jogador.

— Vem me apanhá, otário. Pega essa — respondeu alguém, que disparou lá do alto.

Havia tiros vindos também da esquerda do Salgadinho. Impossível avançar naquele momento.

— Caralho, temo que vazá daqui. Eles vão pegá a gente, desse jeito vão quebrá a gente! — reclamou Juliano a Orlando Jogador.

— Manda uma granada. Manda uma granada — gritou Jogador.

— Granada é contigo, Flavinho. Atira neles, atira!

A peça de aço que Flavinho carregava no bolso da bermuda parecia um pequeno extintor de combate ao fogo. Era uma granada americana, igual às dos filmes que a Turma da Xuxa assistia sobre a guerra do Vietnã. Flavinho nunca prestara atenção na técnica dos soldados do cinema para fazer o lançamento da granada. Teve que aprender sozinho que o procedimento era a retirada do pino de segurança, que fazia detonar automaticamente a explosão depois de exatos 15 segundos. Uma vez extraído o pino, o lançamento deveria ser feito o mais rápido possível. Como ninguém o orientou, logo que ouviu as ordens de Jogador e Juliano, Flavinho lançou a granada contra o inimigo como se fosse uma pedra, sem retirar o pino de segurança. Acertou o alvo, a laje de um barraco, de onde alguém disparava a metralhadora. Mas como a granada estava com o pino de segurança, não houve a explosão.

— Obrigado pela granada. Presentão! — gritou um homem, que poderia ser Zaca, debochando da falha de Flavinho.

Minutos depois, o voluntário Henrique, que veio da Rocinha, foi atingido com um tiro no joelho e desesperou-se:

— Aí, aí, minha perna. Acertaram minha perna, pelo amor de Deus!

Juliano estava encostado na parede de alvenaria de um barraco, sem saber o que fazer. Tentou recuar, talvez fugir, mas os tiros vinham de todos os lados. Não dava para saber qual caminho era o mais seguro. Queria ajudar o amigo ferido, que estava a três metros de distância, caído na bifurcação de vielas, um lugar vulnerável aos tiros que não paravam. Juliano gritou para Henrique se arrastar até a parede, mas ele não conseguiu. Ficou parado e implorou por socorro.

— Pelo amor de Deus, me tirem daqui!

Mentiroso e Flavinho estavam ali perto e ficaram paralisados pela cena de horror.

— Pelo amor de Deus, parem de atirá que o cara tá morrendo — gritou Flavinho.

O apelo foi motivo de mais deboche do pessoal do Zaca:

— Tá pensando que isso aqui é jogo de peteca, moleque?

Juliano interferiu para não deixar o moral do grupo cair.

— Flavinho! Melhó tu vazá daqui. O Mentiroso também. Essa não é a praia de vocês. Rapa fora, rápido!

Um segundo tiro acertou Henrique, desta vez na barriga.

— Eu vou morrê! Eu vou morrê! Me tirem daquiiiii!

Juliano quebrou o sarrafo da cerca de um barraco e se arrastou para chegar mais perto de Henrique. A menos de dois metros, sempre junto à parede, ele lançou uma das pontas do sarrafo para o lado do amigo ferido. Mas o sarrafo era pequeno. Lembrou de um pedaço de corda de náilon guardado na mochila. A corda era um pouco maior, e alcançou Henrique.

— Segura firme, que eu vou arrastar você!

Henrique segurou a corda com as duas mãos, e Juliano conseguiu puxá-lo aos poucos.

— Vamo saí dessa! — gritou Juliano.

Orlando Jogador, que estava na mesma viela, mais abaixo, correu para ajudar a socorrer Henrique. Juliano tentava erguê-lo para carregá-lo apoiado ao seu ombro. Desse jeito, com o corpo na posição vertical, o peso ficou mais bem distribuído, facilitava ser levado por uma única pessoa. O problema eram os ferimentos, a pressão circulatória de cima para baixo poderia aumentar a hemorragia, sobretudo do ferimento da barriga.

— Tem que carregar com o corpo na horizontal. Senão vai perder todo o sangue pelo buraco da bala — alertou Jogador.

— Me ajuda, me ajuda — pediu Juliano, com dificuldade para o carregar no colo.

— Vamos descer que o caminho está livre. O apoio está lá no Guerreiro.

Era tudo o que Juliano queria. Socorrer um amigo era um bom motivo para sair da linha de fogo sem demonstrar que estava horrorizado com a guerra. O apoio de Orlando Jogador amenizou o medo. Eles desceram o morro até o ponto onde dois homens ofereciam ajuda. Jogador aproveitou o apoio para voltar ao combate, Juliano preferiu continuar na operação de socorro a Henrique até a base do grupo no pé do morro, o Bar do Guerreiro.

Mentiroso e Flavinho continuaram traumatizados com o impacto das primeiras cenas de violência em que se envolveram na vida. Já haviam assistido antes a algumas brigas, tentativas de homicídio e até tiroteios, mas sempre como observadores. Conheciam muitas histórias de extrema brutalidade, mas pelos relatos muitas vezes fantasiosos dos amigos ou malandros mais velhos. Ao entrar para o tráfico, haviam idealizado uma vida emocionante, com muitas namoradas e conquistas materiais que os levassem a uma mudança de classe social, por um caminho menos penoso que o dos trabalhadores comuns do morro. Precisaram se envolver no primeiro tiroteio para descobrir que o caminho mais fácil era também extremamente perigoso.

— Aí, tô na maió tremedeira, caralho! — disse Mentiroso.

— Porra, tu viu? A bala tirô um naco do joelho do Henrique. Meu Deus — disse Flavinho.

— É foda. Eu tô fora — confessou.

— Essa parada não é a minha, mesmo. O Juliano tem razão, Flavinho.

— E tu viu o Juliano, aí. Tu viu a transformação dele? Virô o bicho. Caiu dentro com tudo.

— O cara vai longe nessa.

— Tomara que tenha vida longa.

— Aí, Flavinho, qué sabê? Caí fora mesmo! Vamo caí fora já já, antes que seja tarde.

Henrique era o quinto ferido a chegar no botequim, a única conquista do exército de Cabeludo no primeiro dia de combate. O Bar do Guerreiro, à margem da Escadaria, era o mais antigo ponto-de-venda de drogas da Santa Marta e estava sob controle do inimigo desde o início da crise. Na madrugada da invasão, foi cenário do primeiro confronto. A desvantagem em número de homens e armas levou a turma de Zaca a recuar para a parte alta. Manteve os seus homens entrincheirados no Terreirão, um concentrado de barracos de madeira, a leste, com boa visão de toda a área da montanha.

De manhã a favela estava dividida, com vantagem estratégica para Zaca. Ele dominava a região do pico e a divisa leste, enquanto o pessoal de Cabeludo controlava o sopé e a região central, de maior concentração de moradores. A maioria das vítimas era do lado de Cabeludo, cinco feridos e um morto, Júlio, filho do Zeca Açougueiro.

A notícia da morte do filho de Zeca Açougueiro causou um grande susto na casa de Juliano. A primeira a saber foi Zuleika, que estava exausta. Ela passara a noite acordada, atenta aos movimentos lá de fora. Espiava pelas frestas da parede para tentar ver o irmão no meio daqueles homens que passavam em frente ao barraco, às vezes correndo, às vezes devagar, cochichando, disparando suas armas. Menos preocupadas, Zulá e Betinha dormiram parte da madrugada. De manhã, quando cessaram os tiroteios, as duas foram acordadas por Zuleika, assim que ela soube que um homem chamado Júlio havia sido morto.

— Acorda, acorda. Acho que mataram o VP!

Zulá não quis sair da cama.

— Quem mandou se meter onde não deve — disse Zulá.

Betinha colocou o vestido de Zulá, que estava pendurado ao lado da cama, e correu com Zuleika em direção ao local da morte. Não precisaram chegar lá. No caminho encontraram Juliano. Ele estava descalço, com a bermuda suja de barro, sem camisa. Tinha a espingarda em uma das mãos e na outra a camiseta suja de sangue.

— Que sangue é esse, Juliano?

— É de um amigo. Mas está tudo bem.

— Como, tudo bem? Falaram que Júlio foi morto. Pensei que fosse você, meu filho.

— Está tudo bem, mãe. Mas vaza já pra casa com a Zuleika. E não sai mais de lá, que vai ficá muito perigoso.

— Mais perigoso, impossível! — disse Betinha.

— Mãe, a guerra tá só começando — avisou Juliano.

— Vim te buscá, vambora!

— Tenho que ficá, mãe. Tenho que fazê isso.

A ocupação da parte baixa do morro deixou os dois principais acessos sob total controle do exército de Cabeludo. Ele tentou tirar vantagem disso, impondo restrições ao trânsito dos simpatizantes de Zaca. Era uma espécie de bloqueio, para evitar qualquer tipo de ajuda ao inimigo. Por isso, enquanto durou a guerra, a maioria das pessoas teve que faltar ao trabalho, com medo de passar pelas barreiras dos traficantes de Cabeludo. O medo teve uma forte justificativa a partir do dia em que Ronaldo Maldição passou a prender e a interrogar.

Perto do asfalto da rua São Clemente, a mais de 50 metros dos limites da favela, Maldição usou uma falsa carteira de policial para abordar quem considerava suspeito de colaborar com Zaca. No terceiro dia de combate, Maldição chegou a invadir um ônibus para prender um adolescente que saíra do morro para buscar mantimentos para a quadrilha inimiga.

Pressionado por Maldição, César, o adolescente, confessou que era da quadrilha de Zaca. Pouca gente o viu entrar à força num carro, que o levou até o sítio do Recreio dos Bandeirantes, onde foi submetido a um interrogatório dentro de um casarão abandonado. O vizinho mais próximo estava a quase meio quilômetro dali, longe demais para ouvir os gritos. Maldição e alguns homens sob o seu comando continuaram o interrogatório à beira da piscina de água suja. Eles queriam saber qual era o barraco que Zaca usava como esconderijo e onde ficava o depósito de armas dele.

— Agora você vai saber por que eu tenho este nome — avisou Maldição.

A brutalidade chegou à tortura. Enrolaram uma corda no corpo de César, da cabeça até a cintura, prendendo os braços rente ao corpo, e o empurraram para dentro da piscina de água suja.

— Bate os pés ou solta a língua, moleque. Parece que tu qué morrê! — gritou Maldição.

Mesmo depois de ouvir o nome da família que supostamente dava proteção a Zaca, Maldição levou as agressões adiante. Usou como instrumento de tortura a longa vara de alumínio, que tinha na extremidade uma rede presa por um aro. Era um equipamento usado para retirar sujeira da piscina. Como o rapaz ainda se debatia, Maldição usou a rede para manter à força a cabeça de César no fundo até o completo afogamento. Antes de voltar para a guerra Maldição "desovou" o corpo em um terreno da avenida Sernambetiba.

As informações de Maldição sobre o esconderijo de Zaca levaram Cabeludo a formar, em sigilo, um grupo com a missão de atacá-lo de surpresa pela manhã, período em que os homens costumavam descansar. Da Turma da Xuxa, apenas Juliano ficou sabendo do plano porque o chefe do seu bonde foi convocado. Orlando Jogador não revelou muitos detalhes. Disse apenas que a missão exigia o uso de armas menores, de precisão para curtas distâncias, pois era provável que o confronto fosse interno, dentro de algum barraco. Para orgulho de Juliano, Jogador deixou o 762 sob sua guarda.

— Mantenha a posição no Bar do Guerreiro. Monta essa arma para impor respeito ali na entrada — disse Jogador.

Mentiroso, cada vez mais impressionado com as atitudes e o desempenho de Juliano na guerra, ao vê-lo armado com um fuzil, não conteve a curiosidade.

— Você matou alguém? Onde conseguiu esse troço? — perguntou.

— É do Jogador, ele me emprestô pra segurá a barra aqui.

— Aí o cara, ó. Segurando a barra! Teu negócio não é no Leme, não. A tua praia é aqui, Juliano!

Estava tudo certo para o ataque ao esconderijo de Zaca, não fosse a linha branca sob o nariz de Cabeludo. O sinal de que o chefe estava drogado preocupava aqueles que o conheciam na intimidade. Os aliados que vieram de fora, sem saber das costumeiras extravagâncias de Cabeludo, estranharam a ordem que ele deu na hora de partir para a missão.

— Minha mina também vai ficá aqui na contenção do QG. Segura aí, Carlinha.

A namorada de Cabeludo tinha apenas 14 anos, mas parecia ter 10. Era uma adolescente franzina, a Carlinha do Rodo. Os dois passaram a madrugada de vigília no quartel-general, o Bar do Guerreiro. Cheiraram três gramas de pó enquanto passavam óleo de máquina de costura nas armas de combate. Uma delas, um rifle Winchester, Cabeludo deu de presente a Carlinha. E ao meio-dia, hora de partir, escalou-a para o plantão de segurança do QG. Juliano tentou convencê-lo a mudar de idéia, pois em pé a arma alcançava o ombro de Carlinha.

— Precisa não, Cabeludo — disse Juliano.

— Tu tá duvidando da capacidade da minha mina, rapá.

— É que tem gente sobrando. A Turma da Xuxa está aqui.

— Turma da Xuxa é o caralho!

Mentiroso interferiu para tentar, sem sucesso, acabar com a discussão.

— Está tudo certo, Cabeludo. A gente reforça a segurança e cuida também da Carlinha.

— Que papo é esse de cuidá da minha mulher, rapá?

— Deixa pra lá, Cabeludo...

— Vou te mostrá quem é essa mina. Senta o dedo nessa porra, Carlinha. Manda bala!

Dum! Dum! Dum!

Tiroteio era coisa da noite ou da madrugada. Os disparos do rifle de Carlinha pela manhã no sopé do morro, respondidos lá no alto pelos guerreiros inimigos, levaram ao pânico os moradores da Santa Marta. E acabaram com a possibilidade de um ataque surpresa ao esconderijo de Zaca. Depois de uma confusa reunião de planejamento, movida a cocaína, Cabeludo resolveu que iria atacar durante a próxima trégua.

Foram duas horas de tiroteio ininterrupto. Com o cessar dos tiros, Cabeludo, Orlando Jogador e Ronaldo Maldição, à frente de 15 homens, partiram para o ataque certos de que iriam acabar de vez com o poder de Zaca. Ao partir, Cabeludo resolveu levar o rifle e deixou uma pistola automática com Carlinha. Na hora, chamou sua atenção um grande movimento de carros da imprensa nas ruas de acesso.

— Ih, os carniceiros tão chegando! Deixa chegá perto, não! Caralho, aí! — disse Juliano aos que ficaram de guarda na base do Bar do Guerreiro.

A partir deste momento a repercussão da guerra ultrapassaria os limites de Botafogo e do Rio de Janeiro. Pardal e Nein teriam que consertar muito "chuveirinho" na favela.

Os combates de Zaca e Cabeludo virariam notícia no Brasil e no mundo.

CAPÍTULO 8 | A GUERRA

Tem um AR-15, outro de 12 na mão.
Tem mais um de pistola e outro com dois-oitão.
Um vai de Uru na frente, escoltando o camburão,
tem mais dois na retarguarda, mas tão de Glock na mão.
Amigos, eu não esqueço, nem deixo pra depois,
lá vem dois irmãozinho de 762.
Dando tiro pro alto, só pra fazer teste.

| **Funk proibido** |

Os homens que podiam mudar a vida miserável dos moradores da Santa Marta naquele ano de 1987 eram seus vizinhos mais próximos.

Os muros do Palácio da Cidade faziam divisa com a favela. Os barracos de alvenaria e madeira, que cobriam o morro de cima a baixo, eram a única vista do gabinete do prefeito, que podia vê-los a toda hora, mas que parecia nunca lembrar de trabalhar por eles. Ao lado da Prefeitura estavam as duas ruas de acesso ao morro pelo bairro de Botafogo. Os servidores poderiam levar a pé ou de carro algum benefício aos favelados. Mas o morro sempre pareceu longe demais para os homens e as máquinas do município.

Escondidos no coração da região mais rica da cidade, a zona sul, os moradores da Santa Marta viviam há 53 anos sem uma única escola ou hospital e sem ter nenhum dos 84 becos pavimentado pela Prefeitura. Toda a cobertura de concreto dos becos era obra dos mutirões. Desde 1935, início da ocupação, o esgoto corria em grandes valas a céu aberto e não havia coleta de lixo eficaz. O trabalho de varredura era feito por dez garis, selecionados pela Associação de Moradores. Mas no ano de 1987 eles não davam conta da limpeza porque mais de 70 por cento das famílias de 1.560 barracos jogavam o lixo em qualquer área livre ou dentro dos valões, formando dezenas de pontos de acúmulo de sujeira na favela. As outras acumulavam o lixo na frente de suas casas em latões descobertos, fonte de insetos. A circulação do ar nos labirintos era difícil, e gerava um fedor permanente que vinha da mistura letal nas valas de esgoto, lixo e água das chuvas. Por isso, as chuvas eram desejadas e indesejadas ao mesmo tempo, pois de um lado empurravam a sujeira para baixo, mas, de outro, espalhavam a contaminação do solo.

Sem qualquer tipo de combate, ratos e baratas conduziam mais sujeira, mais doença. Por causa da falta de higiene, os idosos tinham diarréia crônica e as crianças sofriam das mesmas doenças dos vira-latas: eram atacadas por piolhos e pela epidemia de sarna. A mortalidade infantil era duas vezes maior que a vergonhosa média nacional. Morte de bebês subnutridos parecia não preocupar quem não morava no morro. As crianças da Santa Marta, como Carlinha do Rodo, precisaram mostrar que podiam matar para atrair a atenção da cidade.

A cena de Carlinha do Rodo, uma menina de 14 anos, franzina, um metro e meio de altura, com uma pistola automática na mão, teve grande destaque na imprensa e causou espanto no país em 1987. Karla Rose Milor Satyro deixara a casa da mãe, costureira, e do pai, motorista desempregado, em Santa Teresa, havia pouco mais de um ano, quando ainda brincava de boneca e falava que um dia iria entrar para a Marinha, como uma de suas quatro irmãs. Ela foi levada para o morro quando conheceu um irmão de Cabeludo numa transação de maconha. A família, quando soube do envolvimento dela com os traficantes, procurou ajuda de terapeutas, mas não adiantou.

Na favela, a exposição da foto de Carlinha nos jornais revoltou Cabeludo. O jornal, com a foto na primeira página, chegou a suas mãos no dia seguinte ao ataque contra o esconderijo de Zaca, que levou à morte seu antigo parceiro de assalto, Ronaldo Maldição. Cabeludo estava especialmente bravo porque o corpo do amigo tinha desaparecido. Ele mandou comprar um jornal lá na banca do asfalto, para saber se o Instituto Médico Legal já havia tirado o cadáver do morro. Não encontrou nenhuma informação, a morte sequer havia sido noticiada. O destaque era para as fotografias de homens com armas de guerra. Afinal, nunca os jornalistas haviam visto arsenal tão poderoso nas mãos de criminosos comuns, de um lugar tão pobre e esquecido. Ao ver a imagem de Carlinha do Rodo em destaque no jornal, Cabeludo achou que tinha sido traído.

— Quero sabê quem deixô fotografá a Carlinha aqui?

— Ninguém deixô, Cabeludo. Nenhum repórter chegou aqui perto — respondeu Juliano, que continuava de plantão no Bar do Guerreiro.

— Como não? E esta foto aqui, pistola e o caralho?!

— Os viados tão usando umas lentes enormes. É um canhão. Parece um binóculo aquela porra.

— Ah, é? Então vou mostrá pra esses putos que canhão é o caralho! Manda lá, Paulista.

Paulista, que descansava sentado no banco do bar, não entendeu que a ordem era disparar o AR-15 em direção aos repórteres. O chefe teve que insistir para ele apontar o fuzil. Mesmo assim Paulista mudou o alvo na hora de acionar o gatilho. Levantou a arma e atirou para o alto. Todos os jornalistas se jogaram ao chão, enquanto Cabeludo gritava, revoltado.

— Canhão é o caralho!

A chegada da irmã de Juliano, esbaforida, desviou a atenção de Cabeludo dos jornalistas. Zuleika veio contar que sabia onde estava o corpo de Maldição, mas teve medo de dar a notícia na frente de todo mundo. Preferiu falar reservadamente com o irmão, sobretudo porque a história era mais grave do que eles imaginavam.

— Tem dois corpos lá pra cima da Pedra. Um é o do Maldição...

— E o outro?

— O outro é o do Paulo Henrique...

— Que Paulo Henrique?

— O Henrique do Seu João, aleijado da perna, a mãe lava roupa pra fora, lembra?

— Sei, sei, cego de um olho. E o Maldição?

— Ele foi baleado perto da Mina... A turma do Zaca barbarizou. Furaram o corpo com faca. Arrancaram um olho dele e jogaram lá dentro do chiqueiro.

— O quê?

— Os porcos estão comendo o corpo dele.

— Meu Deus! Como o Cabeludo vai dá essa notícia pra família?

Juliano levou a informação ao pessoal da Turma da Xuxa e pediu conselhos a sua confidente Luz, que também estava ali no Bar do Guerreiro.

— O que fazê, Luz? O Cabeludo tá doidão de pó, dá pra dá uma notícia dessa não, aí! — disse Juliano.

— Claro que não. Porcos, é demais! E o cara nem teve tempo de curti o Miura! — disse Luz.

— Porra, é mesmo! Carrão zero, eu vi.

Dois dias depois da morte o corpo foi levado para o Instituto Médico Legal. Só na manhã do dia seguinte a família tiraria o Miura da garagem para acompanhar os funerais de Maldição.

Júlio, Paulo Henrique, Ronaldo Maldição, todos os mortos da primeira semana de guerra eram do exército de Cabeludo. Os correspondentes de guerra mostravam que a violência era brutal sem explicar direito de que lado estavam os mortos, nem qual das duas quadrilhas levava vantagem nos combates. Para os moradores do morro, sobretudo os envolvidos com o tráfico, a impressão era a de que os jornalistas simpatizavam com Zaca. Raramente os seus homens eram filmados ou criticados por usar armas de grande porte. Na verdade, os repórteres registravam a ação de quem estava mais próximo deles. Salvo exceções, eles conseguiam chegar no máximo até o final do pavimento das duas ruas de Botafogo que levam à favela. A Escadaria era o limite. Por isso, como dominavam a parte baixa do morro, os homens de Cabeludo ficavam mais expostos às câmeras e apareciam nos noticiários da TV e dos jornais. Preocupado com a imagem negativa de seu grupo, Cabeludo tirou um homem do combate e o transformou em assessor de imprensa, em porta-voz.

— Aí! O chefe qué tirá uma chinfra, mandá uma letra manera!

A voz não era das mais potentes, mas ele compensava com o assovio agudo para anunciar a hora da entrevista. Os repórteres de TV reclamavam que o visual não era dos mais adequados. Francisco de Paula Moura, o Chico Boca Mole, tinha apenas dois dentes inteiros na arcada superior. Usava um pequeno chapéu branco de uma escola de samba. Adotara a Santa Marta para viver, mas não era "cria" da favela. Foragido da polícia, viera do Turano e tinha um abrigo provisório na casa do velho Pedro Ribeiro, onde convivia com Paulista e fez amizade com ele e seus três filhos. No morro e fora dele, junto com Paulista, fazia parte do grupo de confiança pessoal de Cabeludo. E dividia com os dois o consumo exagerado de pó. Os efeitos da droga dificultaram o seu papel como porta-voz do chefe na guerra.

Chico Boca Mole gesticulava muito. Rangia os dentes o tempo todo. Na hora das gravações, como nunca largava a pistola das mãos, os cinegrafistas precisavam recuar a câmera para que ele não batesse com a arma na lente. O mais difícil era ouvir uma frase de Chico Boca Mole sem palavrão.

— Manda aí na manchete: Zaca é um chifrudo arrombado!

Os repórteres tinham que implorar para que ele gravasse pelo menos algumas palavras do linguajar comum.

— Tá bem, nova manchete: retira o chifrudo arrombado. Coloca aí: Zaca, tu vai morrê, mané!

Dum! Dum! Dum!... Dum! Dum!... Dum!

Os disparos do AR-15 de Paulista anunciaram a primeira entrevista "coletiva" de Cabeludo. Ao lado dele, na frente do Bar do Guerreiro, Chico Boca Mole gesticulava e assobiava para o grupo de repórteres, que estava a cem metros dali. Muitos viram os sinais do porta-voz convidando para subir, mas por causa dos tiros todos acharam prudente não se aproximar. Era um dia tenso por causa da chegada da Polícia Militar, que ocupou alguns pontos estratégicos na parte baixa do morro. Alguns soldados reagiram e houve grande correria. Minutos depois do fim do tiroteio, Chico Boca Mole reapareceu gesticulando com o chapéu branco na mão.

— Eu vou ver o que esse maluco está querendo! — disse um repórter aos colegas.

Radialista veterano, Ivo Leite saiu do meio do grupo com os dois braços erguidos e o gravador em uma das mãos. Avançou devagar, passo a passo, favela adentro, sob o olhar apreensivo de colegas repórteres, policiais, traficantes. Dos dois lados, homens apontavam as armas na direção de Ivo Leite, que encontrou Chico Boca Mole ao pé da Escadaria. Dali ele viu o aceno de Cabeludo, que estava no Bar do Guerreiro, naquela hora cheio de homens armados, jovens sem armas, mulheres, algumas crianças, todos em volta do chefe. A experiência em coberturas de violência ajudou Ivo a conquistar a confiança de Cabeludo, embora ele declarasse sua antipatia pela imprensa. Convidado a conhecer o QG, Ivo ficou impressionado com a precariedade. No botequim de um único cômodo havia um balcão refrigerador, uma pequena mesa de bilhar e três prateleiras com algumas latas de atum em conserva, uns dez pacotes de biscoito, uma panela com restos de macarrão, alguns sacolés de cocaína e cartuchos dos projéteis de guerra. Na parede sem pintura, a frase: "O lado certo da vida errada!"

— Gostei de ver, Cabeça Branca. Tu é fera. Tu podia levá bala da polícia, cara. Olha só lá embaixo. Tá infestado de mané! E os teus colegas? — perguntou Cabeludo.

— Ficaram lá, a barra está pesada — respondeu Ivo Leite.

— Que nada. Tudo carniceiro de favela. Eles só sobem aqui para vê sangue, morto, carniça.

— Não exagere.

— Já que você é bicho homem, tô a sua disposição.

— Vamos gravar uma entrevista com você para o rádio?

— Que programa?

— *Amarelinho de Ouro*, só de notícias quentes, manja?

— Aí o cara, ó! Manda aí, manda aí!

Antes da gravação, Cabeludo cheirou uma fileira de pó e reclamou de Chico Boca Mole, que prometera reunir todos os repórteres para uma entrevista coletiva.

— Coletiva é o caralho! Cadê os microfone? Cadê as câmera? Se não fosse o Cabeça Branca vir até aqui...

■ ■ ■

A entrevista começou objetiva:

— O Zaca diz que você é estuprador. Que você atacou a sobrinha dele, por isso começou a guerra. É verdade? — perguntou Ivo.

— Estupradô? As mulheres é que querem dá pra mim. Tu faria o quê, Cabeça Branca? Tu comia ou não comia? — respondeu Cabeludo.

— Por que a guerra, então? — perguntou o repórter.

— Ganância do Zaca. Qué o morro inteiro pra ele. Por que não faz uma pesquisa, Cabeça Branca? O povo me adora.

— E a guerra vai até quando?

— Até quando eu matá o Zaca. Ou até quando ele me matá!

A entrevista de Cabeludo obrigou Zaca a também ter um porta-voz. O encarregado de levar seus recados aos repórteres era um jovem franzino, que quase morreu na infância por causa da subnutrição. Da doença de criança, que provocava sangramento pelo ânus, ficou o apelido, Caga Sangue. Para evitar o palavrão, a maioria da imprensa não citava o nome do porta-voz de Zaca. Alguns repórteres inventaram um outro apelido para ele, Cospe Sangue.

De todos os guerreiros de Zaca, Caga Sangue era o que mais desejava vingar-se. Quina, a sobrinha do chefe, que teria sido violentada por Cabeludo, era sua namorada. O caso teve grande repercussão no morro. Na casa de Juliano, levou a uma briga entre as duas irmãs, que chegaram à agressão física. É que Caga Sangue era muito próximo da família devido à amizade com Zulá desde a infância.

— Estuprar uma menina de 13 anos. Isso é coisa de monstro! — acusou Zulá.

— Bem feito! O Caga Sangue merece. Ele também gosta de estuprar garotas novinhas. Você lembra muito bem o que ele tentou fazer comigo! — respondeu Zuleika.

Quando tinha 12 anos, Zuleika foi atacada por Caga Sangue. Zulá estava em casa, mas nada fez quando ouviu a irmã se debater e gritar. Era uma forma de se vingar. Zuleika também já tinha sido omissa quando Zulá sofrera uma agressão parecida. As duas irmãs de Juliano temiam ser violentadas. Eram morenas bonitas, faziam sucesso com os jovens, mas desde o início da adolescência muitas vezes precisaram da ação de Juliano e dos amigos dele para se proteger dos assédios indesejados como o de Caga Sangue. Zuleika foi pega nos fundos do barraco onde morava e empurrada para dentro de casa. Por sorte os gritos dela atraíram a atenção de um jovem assaltante que passava pela viela e resolveu socorrê-la. O jovem era Cabeludo. Ele deu uma surra em Caga Sangue e por muito pouco não o matou. Quatro anos depois, um episódio da guerra alimentou ainda mais a antiga inimizade entre os dois. Episódio que iria representar a recuperação do exército de Cabeludo.

Os homens de Cabeludo estavam no meio do fogo cruzado. Por cima, enfrentavam os ataques dos traficantes inimigos. Do lado oposto, os tiros vinham das armas da polícia, que ameaçava invadir o morro a qualquer momento. Mas por ordem do chefe evitaram trocar tiros com a polícia.

— Se tu mata cinco, surgem dez. Se tu atira em duzentos, mandam chamar outros duzentos, trezentos. É jogar munição fora — disse Cabeludo ao pessoal mais afoito.

Juliano seguia rigorosamente todos os conselhos de Cabeludo, sobretudo durante a movimentação noturna. Para não se confundirem na escuridão, os diversos bondes adotavam uma mesma senha de identificação, que mudava todo dia. Na madrugada do sétimo dia de combate, a tática começou a dar resultado. Ao perceber a aproximação de um vulto, um homem gritou.

— Madureira!

Se o vulto fosse de amigo a resposta deveria ser: Salgueiro.

— Portela!

O vulto acabou iluminado pelas luzes dos projéteis de fuzis e metralhadoras disparados simultaneamente. Era um homem bem conhecido de todos, Pedro Paulo dos Santos Olímpio, o Porquinho, de 33 anos.

— Matamos o irmão do Caga Sangue!

Pela manhã, o desejo de vingança fez Zaca sair da defensiva. Mas, no ataque, a situação de seu exército piorou ainda mais em conseqüência da perda de dois homens num único tiroteio. Como ninguém se arriscava a sair às ruas durante os combates, poucos ficaram sabendo das derrotas de Zaca. Para esconder o fracasso, pagou uma propina extra aos policiais para que eles dessem um sumiço nos corpos dos dois mortos do seu bando. Os cadáveres foram levados ensacados morro abaixo e depois deixados dentro do porta-malas de um carro abandonado numa rua de Botafogo.

As mortes e os tiroteios diários provocaram muitas críticas da imprensa à polícia, que se limitava a acompanhar a guerra fora dos limites da favela. Depois de uma semana, as imagens dos combates já estavam no noticiário das televisões européias e americanas. A agência Reuters, da Europa, deslocou um enviado especial ao Rio de Janeiro, o repórter inglês Stephen Power, de 40 anos, que no morro ganhou o apelido de Maifrendi.

Embora tarimbado em coberturas de guerras, era a primeira vez que Power cobria um conflito entre moradores de uma mesma comunidade. Na tentativa de descobrir a causa, ele procurou ouvir os dois lados. Zaca não quis saber de conversa. Ao contrário de Cabeludo, que mandou Chico Boca Mole oferecer uma entrevista exclusiva.

— Aí, Maifrendi, o chefe quer mandá uma sinistra para os gringos — disse Chico Boca Mole ao repórter inglês.

Cabeludo afastou-se meia hora da guerra para dar entrevista. E o repórter, que falava apenas algumas palavras em português, perdeu horas tentando traduzir as gírias e palavrões, com a ajuda do "assessor" Chico Boca Mole. Eram muitas as dúvidas em cada frase:

— Caga Sangue é Vacilão? *What means?* Que significa? — perguntou o repórter.

— Vacilão ou bundão, ou mané, ou otário, o que tem que morrê! — respondeu Chico Boca Mole.

— *Oh, Yes. The one who must die.* Tem que morrer! *And* Caga? *And* Sangue?

— É o nome do cara, Maifrendi.

— *Oh yes, the guy.*

— Isso aí, viado, cuzão.

— E o que significa o Paulista deu uns tecos?

— Aí tu já está querendo demais. Vai estudar, Maifrendi.

No dia em que a polícia do Rio de Janeiro resolveu fazer uma grande operação na Santa Marta para calar as críticas da opinião pública, o repórter inglês estava no morro no meio do batalhão de jornalistas que acompanharam todas as cenas, algumas delas absurdas.

A operação da Polícia Militar fracassou antes de começar. Fora planejada durante 48 horas para ser executada ao amanhecer do oitavo dia de combate. Mas seus eternos rivais — os policiais civis — estragaram tudo. Marcaram outra operação para o mesmo dia e, por esperteza, quase na mesma hora, sem avisar os colegas da PM. Eles entraram na favela duas horas antes do amanhecer, acompanhados por um grupo seleto de jornalistas de confiança deles, avisados do plano na noite anterior.

Ainda estava escuro quando as luzes da imprensa iluminaram os becos tomados por mais de cem delegados e inspetores das duas delegacias de Botafogo, além de policiais da DRE, a Delegacia de Repressão a Entorpecentes, da DRF, Delegacia de Roubos e Furtos, e da DVSul, a Divisão de Capturas da região sul da cidade. Havia também um bando de policiais voluntários, policiais que queriam vingar o assassinato do colega Chuvisco, acontecido havia menos de um mês. Policiais desonestos, interessados na apreensão para si das melhores armas dos traficantes, completavam a operação.

A ordem de uma operação conjunta partira do governador do Estado, que considerava prioritária a missão de prender Zaca e Cabeludo. Os rivais sabiam que também havia entre os policiais um objetivo não assumido publicamente: a apreensão das armas de guerra, cotadas a peso de ouro no mercado negro. Os primeiros moradores suspeitos, detidos para averiguação, descobriram nos interrogatórios que o mais caçado não era nenhum dos dois chefões rivais.

— Eu quero o Paulista, porra! Me dá o barraco dele — gritou o delegado Hélio Vígio.

No morro, os assaltantes mais experientes, como Cabeludo, diziam que Hélio Vígio era violento com os malandros e criminosos de baixa renda, mas generoso com os corruptos e grandes contraventores. Na época fora acusado de liderar um grupo de policiais que dava pouca importância às ações de segurança de interesse coletivo para privilegiar as ações repressivas encomendadas pelos ricos vítimas de assaltantes e ladrões.

No ano de 1987, todos os dias dez pessoas eram assassinadas e mais de vinte sofriam assaltos na cidade do Rio de Janeiro. Quando soube que Vígio estava na operação, Cabeludo alertou o seu grupo.

— Cuidado. Esse Vígio é puxa-saco de rico.

Mas a maior motivação de Vígio para se empenhar nessa operação era a possibilidade de ganhar prestígio com a possível prisão de Cabeludo. Ele adorava ver o seu nome envolvido em notícias de destaque na imprensa, mesmo se a sua ação resultasse na morte de alguém. Outro fator era a chance de conquistar para a polícia o então cobiçado fuzil AR-15 usado pelos traficantes.

Dias antes da operação, Vígio fora informado pelo diretor de uma agência de publicidade que Cabeludo era o assaltante metido a Robin Hood que invadira sua casa e roubara uma pequena fortuna em jóias e dólares. No assalto, como sempre fazia, Cabeludo disse aos empregados que não tirava nada dos trabalhadores e tentou convencê-los a facilitar o roubo contra o patrão. No depoimento sobre o assalto, eles contaram em detalhes o que ouviram de Cabeludo:

— Aí, fica frio. Só roubo de bacana. Mas se não colaborá o bicho pega, hein! Vamo aí. Vamo pegá as jóia do patrão. Onde tão os dólar? — teria dito Cabeludo.

Boné escuro com a aba virada para trás, jeans e jaqueta de couro preta, com a marca John Player escrita em amarelo nas costas, metralhadora pendurada no ombro, sempre à frente de um grupo de dez policiais, Vígio passou a manhã espalhando o terror nos barracos que invadia. Assustado com a busca "pente fino" do delegado, o principal aliado de Cabeludo, Orlando Jogador, conseguiu se embrenhar na floresta e fugir com o seu AK-762. Os outros esconderam suas armas pessoais e enterraram o estoque de trezentos gramas de cocaína e o AR-15 de Paulista nos fundos da capela, no beco da Paz. Inventaram um novo apelido para o portador da arma. Paulista passou a ser chamado de Índio.

— Tô ferrado, os homi só perguntam por mim!

A perseguição se intensificou com a chegada simultânea dos soldados do Núcleo de Operações Especiais e de dois Batalhões da PM, o Décimo Terceiro de Bonsucesso e o da área vizinha à favela, o Segundo de Botafogo, onde trabalhavam pelo menos vinte soldados acusados de receber propinas semanais de Zaca. Eles invadiram o morro pela parte baixa dominada por Cabeludo dando tiros para cima, provocando grande correria, acompanhados a distância por dois helicópteros e bem de perto pelos repórteres. Ao meio-dia, havia seis policiais para cada homem dos dois grupos. O número exagerado gerou grandes confusões.

— Vamo entregá o AR-15 e livrá nossa cara — sugeriu Juliano a Paulista quando viu o grupo do temido Hélio Vígio se aproximando do barraco do pedreiro Zé do Bem, onde os dois estavam escondidos.

— Eu virei Índio, lembra? Segura aí — cochichou Paulista instantes antes de estar sob a mira da arma de Vígio, que quebrou a porta da cozinha com um pontapé.

— Eu sabia, eu sabia! Te achei, coisa ruim!

— Aqui é casa de trabalhadô — defendeu-se o pedreiro Zé do Bem.

— Trabalhador? O que três vagabundos fazem em casa a essa hora?

— A favela está em guerra, dotô. Não dá pra descê pro trabalho. O Juliano é menor, tá indo pro quartel. E o Índio...

— Índio? Índio sarará? Cabelo ruim! — gritou Vígio, já puxando Paulista pelos cabelos para derrubá-lo no chão.

Caído de costas, com o pé do delegado o pressionando contra o chão, Paulista manteve-se calado, enquanto os outros policiais ameaçavam e exigiam que ele falasse onde escondera o AR-15.

— Entrega logo esse fuzil! — ameaçava Vígio.

— Por amor de Deus, dotô, eu sô o Índio. O Paulista saiu de pinote!

— Pinote, isso é gíria de bandido. Tá pensando que eu sou mané, rapá?

Enquanto Paulista e Juliano eram conduzidos presos para o pé do morro, os policiais militares gritavam nervosamente pelos walkie-talkie que um repórter tinha sido ferido.

— Atenção, atenção todas as equipes. Acionar socorro. Repórter ferido aqui perto da creche. Atenção todas as equipes...

— Aqui base do morro, câmbio. É tiro de fuzil ou de revólver? Precisa de reforço, câmbio?

Como nenhuma ambulância conseguiria entrar nas vielas da Santa Marta, o repórter Álvaro Miranda, do jornal *O Dia*, foi enrolado em um lençol e levado pelos soldados, viela abaixo, até a Escadaria. Grande quantidade de sangue escorria do rosto, ferido logo abaixo do olho direito.

— Foi o Zaca ou o Cabeludo? — perguntou um PM.

— Não é nada disso. Fui agredido por um colega, um fotógrafo — explicou Miranda, tentando estancar o sangue com uma das mãos.

Uma discussão por um motivo banal. Desentenderam-se por causa da escolha do melhor ângulo para fotografar os detidos sendo algemados pelos policiais. Miranda tentou aproximar-se para entrevistar um dos menores, sentados sobre um pequeno monte de terra, vigiados por três PMs armados. O fotógrafo Aníbal Philot, de *O Globo*, logo atrás, tentava registrar a cena e reclamou da interferência de Miranda.

— Você estragou. Era a foto! Se cuida, seja profissional, porra!

— Quer me ensinar a trabalhar? Vá se fuder. Cuide da sua, que eu cuido da minha.

Durante a discussão Miranda empurrou Philot, que viera falar bem perto dele e devolveu o empurrão com uma pancada no rosto do repórter, usando a máquina fotográfica como arma. A agressão abriu um corte de 10 centímetros abaixo do olho direito. O sangue, que cobriu o rosto inteiro, assustou colegas e policiais, que acreditaram que fosse ferimento de bala. Três ambulâncias foram enviadas de bairros diferentes para socorrê-lo assim que chegasse ao pé do morro.

Miranda foi o único ferido nas primeiras dez horas de operação. No final do dia, os policiais lamentavam o fracasso — todas as detenções eram de pessoas sem importância na estrutura do tráfico. Dos sete presos — Paulista, Juliano e outros cinco homens do exército de Cabeludo —, apenas um tinha importância estratégica na guerra por causa do AR-15. Mesmo descoberto pelo delegado Hélio Vígio, Paulista não entregou o esconderijo do fuzil. Como ninguém conseguiu identificá-lo, o escrivão que registrou a prisão escreveu o nome dele assim: José Carlos Pereira, vulgo Índio.

Na carteira de identidade de Paulista, que ficara escondida na casa do velho Pedro Ribeiro, o nome era bem diferente, Luis Carlos Trindade, mas igualmente falso. Desde a sua chegada ao Rio, Paulista não revelara a ninguém o seu verdadeiro nome.

Paulista ficou preso vários dias, mas Juliano foi liberado horas depois. Aproveitou a trégua na guerra — devido à presença da polícia no morro — para voltar para a casa da mãe. Os civis já tinham ido embora, mas os policiais militares mantiveram o cerco com barreiras em todos os acessos. Não perceberam a passagem de Juliano, que estava acompanhado de Betinha e da irmã, Zuleika.

Alguns amigos da Turma da Xuxa, que haviam se afastado dele no início dos combates mas continuavam morando em seus barracos, foram ao encontro de Juliano na casa de Betinha. Todos estavam preocupados com o futuro, já que a vitória sobre Zaca parecia cada dia mais distante. Outra preocupação era o destino de Cabeludo, que estava escondido numa caixa-d'água desde o início da ocupação policial.

No dia seguinte o morro continuava ocupado pela polícia, o que levou muita gente a sair às ruas para acompanhar as diligências. Os primeiros jornais que chegaram à favela destacavam o fracasso do primeiro dia de operação e as informações sobre o ferido e os presos. Um jornal popular omitiu na lista dos detidos o nome de Juliano. Escreveu apenas as iniciais e a idade: J. M. F., 17 anos. Quem descobriu a notícia foi Mentiroso, que aproveitou a oportunidade para debochar de Juliano.

— J.M.F., 17, tá vendo? Você é quase nada, Juliano.

— Melhor se não tivessem escrito nada. Isso pode queimá o filme com todo mundo.

— Se preocupa não, VP. Um dia tu ainda vai sê famoso. Tua mãe vai ligá a TV na sala e vai dizê pro pessoal: venham vê, o meu filho virô artista!

— Artista eu vô sê mesmo. Tá com inveja, Mentiroso?

Mentiroso continuou com a brincadeira.

— Aí, dona Betinha vai percebê um detalhe na imagem, uma pulserona prateada nos punho do filhão sendo levado pelos homi de preto.

— Qual que é, Mentiroso?

— Do jeito que eu te vi, na guerra... Um dia você chega lá, chefão!

— Chega de brincadeira, temo que ajudá Cabeludo e o Chico Boca Mole a vazá do morro antes que seja tarde.

A tática para garantir a fuga de Chico Boca Mole era atrair a atenção dos policiais com o objeto que todos cobiçavam: o AR-15. Na hora da pausa para o almoço, os guerreiros aproveitaram para desenterrá-lo. Dali mesmo, do beco da Paz, apertaram o gatilho na posição intermitente: Dum. Dum. Dum. Dum. Dum. Dum. Dum. Dum. Dum.

A correria dos policiais em direção ao beco da Paz deixou a Escadaria aparentemente sem nenhuma barreira para a fuga de Chico Boca Mole, que estava escondido a duzentos metros, na casa de dona Marlene, mãe de Du.

Para disfarçar, ele tirou o chapéu branco, escondeu a pistola sob a camisa e desceu os degraus devagar, cumprimentando naturalmente as pessoas. Pretendia seguir direto em direção à rua Francisco de Moura. Poucos metros à frente, percebeu que o QG de Cabeludo tinha sido ocupado pela polícia. Pelo menos um soldado estava lá dentro do Bar do Guerreiro, e percebeu a fuga por um detalhe inconfundível: Chico Boca Mole tinha o hábito de andar com o ombro direito rebaixado, mania herdada de assaltantes da velha-guarda.

— Onde tu pensa que vai, malandragem? — gritou o soldado, já saindo do bar com a metralhadora na posição de tiro.

— A casa caiu, Chico Boca Mole! Chama a imprensa agora, chama! — disse outro soldado que chegava ali com mais um suspeito preso.

Sob protesto, Chico Boca Mole foi algemado com as mãos para trás e imediatamente colocado no "chiqueirinho", o compartimento de presos de uma Veraneio da PM. Ficou parte da tarde dentro da viatura, aguardando para ser levado à delegacia, período em que deu várias entrevistas através das frestas de ventilação da porta traseira.

— Cana dura só do nosso lado, qual que é, rapá? Põe na manchete: e o cuzão do Zaca, vai sê preso não? Aí, governador! Explica essa!

Aos poucos os repórteres foram perdendo o interesse nas declarações de Chico Boca Mole, que não parava de falar. Os soldados que voltavam da busca ao AR-15 trouxeram vários suspeitos presos. Algemados uns aos outros, eles foram postos em fila indiana em frente ao Bar do Guerreiro. A Escadaria virou ponto de concentração de curiosos e de namoradas, amigas, mães que chegavam até ali para pedir informação sobre algum parente detido.

A maioria das mulheres que se queixava das prisões era amiga de uma morena, que chorava muito sem se queixar de ninguém. Chamavam-na de Olga. Ela usava um vestido verde-escuro justo, um lenço azul-marinho na cabeça e um sapato preto, salto baixo, mais confortável para quem planejara andar muito. Quando uma das amigas, a pretexto de consolá-la, saiu de braços dados com a morena morro abaixo, nenhum policial percebeu a encenação. No Camburão, Chico Boca Mole ainda ofendia o governador do estado enquanto Cabeludo fugia travestido de Olga.

CAPÍTULO 9 | MEU QUERIDO PAULISTA!

A favela que virou notícia no Brasil e no mundo nunca teve uma única banca de jornal. Ninguém costumava gastar dinheiro para comprar informação. As pessoas se informavam pelos meios de comunicação gratuitos, o rádio, a TV, o alto-falante da Associação de Moradores e pelo sistema boca a boca das crianças mensageiras, como o menino Paranóia, de sete anos de idade.

Em 1987, 12 anos antes de enfrentar a polícia a tiros e de assistir ao momento da morte do amigo Careca, Paranóia era o mensageiro de maior credibilidade da Santa Marta. Como os rádios e as TVs pouco divulgavam assuntos de interesse dos moradores do morro, Paranóia assumiu esse papel. Ele descia até o asfalto para ler nos jornais sensacionalistas as notícias sobre violência na Santa Marta e levava as novidades para o morro. Assim espalhou a notícia da prisão de Pedro Ribeiro, meses antes da guerra. Foi ele quem avisou, nos dias de combate, que a polícia planejava uma operação. Também por ele muitos ficaram sabendo do sucesso da fuga de Cabeludo. Só depois de ouvirem a notícia da boca de Paranóia as pessoas saíram de suas casas para voltar a trabalhar na cidade. Estavam certas de que a guerra havia acabado.

Ninguém duvidava de Paranóia quando ele passava correndo pelos becos anunciando a novidade.

— Mataram Cabeludo!

O assassinato foi a 15 quilômetros da Santa Marta. Houve duas versões sobre as circunstâncias da morte. Desde a derrota na guerra contra Zaca, Cabeludo estava morando na Rocinha. E saiu de lá acompanhado de um amigo, para um encontro com o suposto assassino, o banqueiro do jogo do bicho Evilásio Macedo, o Macedão. Segundo o amigo, iriam combinar o acerto do pagamento da dívida de 600 gramas de pó comprados da boca e distribuídos nas bancas de jogo de Macedão.

O bicheiro chegou ao local combinado, na praça Saens Peña, na Tijuca, num Gol, acompanhado de um soldado do Serviço Reservado da Polícia Militar. Era uma manhã ensolarada de sábado e, a uma distância de 50 metros, Cabeludo viu os dois estacionarem o carro. Avisou ao amigo que iria sozinho ao encontro deles, com duas pistolas na cintura.

— Vou lá, o Mané tá chegando — disse Cabeludo.

O amigo o acompanhou a distância e viu quando Cabeludo se aproximou pelo lado do motorista, onde estava Macedão. Foi testemunha do momento em que ele inclinou o corpo para conversar pela janela e recebeu um tiro, no pescoço, à queima-roupa. Cabeludo recuou, e mesmo desequilibrado sacou a pistola da cintura e disparou alguns tiros sem direção, tentando atingir o Gol que fugia em alta velocidade. Quando o amigo, que dava cobertura, chegou para socorrê-lo, já não havia o que fazer.

Para a polícia, prevaleceu a história contada por Macedão e o soldado da P-2: a de que Cabeludo se aproximou do carro deles com uma pistola na mão para assaltá-los. Eles teriam reagido em legítima defesa.

Na favela, ficou a certeza de que Cabeludo foi morto numa emboscada planejada pela polícia. Como a quadrilha havia sido expulsa na guerra, o corpo não pôde ser levado para o morro, na época controlado pelos inimigos. Mas os parentes e amigos não esqueceram de fazer o que ele havia um dia pedido.

— Quando me matarem, deixem a polícia me levá para longe de vocês não — pediu à amiga Luz.

Poucos jovens da quadrilha tiveram coragem de acompanhar o velório no cemitério São João Batista, por causa da presença de figuras estranhas, provavelmente policiais em investigação. Também no enterro poucos homens apareceram, menos de cinqüenta. O pessoal da Turma da Xuxa, que estava exilado nos morros vizinhos, chegou em cima da hora, preocupado em dar um amparo aos sobrinhos Renan e Mendonça, que perderam a referência deles no crime.

— Ele não podia nos deixar agora. A gente tinha tudo pra fazer a melhor quadrilha do Rio de Janeiro — disse Mendonça, que passou todo o tempo abraçado à amiga Luz, como se fosse seu namorado. O primo Renan, que acompanhou o enterro no meio do grupo dos amigos homens, teve que dar explicações aos policiais e só não foi levado preso para fora do cemitério porque as mulheres interferiram e ameaçaram fazer um tumulto.

As mulheres lotaram o cemitério. Eram cerca de 300 e muitas se consideravam viúvas de Cabeludo. Uma delas, a secretária Renata, de uma família de classe média, deu uma entrevista coletiva como se fosse a preferida, a substituta da "rainha" morta. Disse que não se incomodava de saber que Cabeludo a dividia com tantas. E, com as outras mulheres, improvisou um cerco ao caixão, para evitar a aproximação dos policiais e esconder o conteúdo de algumas homenagens.

Na hora em que a tampa foi aberta para o ritual de despedida dos parentes, a amiga Luz, discretamente, tirou uma pequena jóia do pequeno bolso de moedas da calça jeans e se aproximou do caixão. Beijou a testa de Cabeludo e cochichou:

— Obrigado por ter confiado em mim, cara.

Antes de se despedir, Luz pôs um anel de ouro, com uma pedra de rubi, no dedo médio da mão esquerda de Cabeludo.

— Era de um bacana. Você tinha encomendado, lembra?

Luz abraçou a irmã de Cabeludo e se afastou para dar lugar a uma das ex-namoradas. Era uma mulher de óculos escuros, que se aproximou do caixão e pôs sobre o peito de Cabeludo um ramalhete de margaridas e de rosas vermelhas. No meio das flores estava a única herança que ele deixara na favela: uma enferrujada minimetralhadora, a Baby.

Embora a família Fumero fosse católica, não houve orações em respeito a Cabeludo. Ele era umbandista, freqüentador assíduo do Terreiro de Maria Batuca e adorava os ritos da religião. Todo sábado à noite, ou sempre que julgava precisar de proteção, ele acendia velas, ofertava aos "deuses do além" milho com pedaços de frango assado e sangrava um bode para beber gotas de sangue. Jurava que tinha um pacto com o animal, que se chamava Jorge e vivia amarrado a uma cerca no limite da favela com a floresta.

Ninguém sabe quem levou Jorge ao cemitério amarrado por uma corda.

Já começava a escurecer. Justamente na hora em que os coveiros jogavam terra sobre o caixão, o bode se livrou da corda e correu para o meio das pessoas, saltando, dando coices para o ar.

— É Satanás! É Satanás! — gritou Luz. Parte da multidão assustada correu para fora do cemitério.

■ ■ ■

A morte de Cabeludo atingiu diretamente a família de Juliano. Na mesma semana, Zaca, que havia vencido a guerra, assumiu o controle ostensivo do morro e decretou a morte ou a expulsão de quem fosse da quadrilha inimiga. Da Turma da Xuxa, embora a maioria não tenha se envolvido na guerra, todos receberam ameaças. Mentiroso, os sobrinhos Renan e Mendonça, Alen e Claudinho foram pressionados a abandonar o morro no prazo de três dias.

Carlos da Praça nem esperou as ameaças. No mesmo dia da morte de Cabeludo, abandonou tudo o que tinha no barraco de alvenaria e foi morar na Ilha do Governador com a mulher e as duas filhas.

O pai de Juliano não teve tempo de fugir. Na hora em que desceu para buscar mantimentos, um grupo de Zaca aproveitou para invadir a birosca. Levaram tudo o que estava nas prateleiras e no estoque. Destruíram o que restou. Na volta, Romeu tinha nas mãos sacolas cheias de sacos de leite e tabletes de margarina. Sobre a cabeça equilibrava um pacote retangular com mantimentos pesados. As crianças o interceptaram para avisar da invasão. Mas Romeu não acreditou:

— O Zaca me respeita. Vocês estão enganados.

Ao chegar no beco padre Hélio, Romeu percebeu que era verdade. Havia muitas garrafas vazias e coisas destruídas espalhadas pelo chão em frente ao seu comércio.

— Bandidos! Bandidos! — gritou Romeu, falando consigo mesmo ao constatar que dentro da birosca a destruição era total. — São trinta anos de trabalho, trinta anos!

Os gritos foram interrompidos pela chegada de um jovem, que carregava um fuzil pendurado no ombro.

— Aí, coroa. Tu é o pai do Juliano?

Romeu tentou argumentar.

— Vocês é que fizeram isso comigo? Eu sou trabalhador, não me meto em briga de ninguém.

— O Juliano é teu filho, né? Tu é o pai dele ou tá querendo se fingi de salame? O Zaca mandô passá o rodo, coroa. Melhor saí fora logo, hein!

— O Zaca tinha que ter mais consideração. Não tenho a ver com as coisas que meu filho anda fazendo por aí...

Romeu começou a catar do chão alguns pedaços de documentos rasgados e a recolher das paredes três quadros com fotografias de seus pais, do time de futebol do Botafogo e de um personagem idolatrado no nordeste, o Padre Cícero. Queria pôr tudo numa velha sacola de plástico, mas foi surpreendido pela chegada de cinco homens de Zaca.

— Esse coroa tá pensando o quê? — disse o mais exaltado deles. — Ou tu vaza já ou vamo passá o rodo!

Eles confiscaram até o pacote de mantimentos. Ofendido, humilhado, Romeu desceu o morro levando apenas a sacola de plástico com o pouco que conseguira recuperar. No caminho encontrou os irmãos Vico e Careca, da Turma da Xuxa, e desabafou:

— Viu o que vocês fizeram com a minha vida? Vocês tinham que ter morrido. Vocês todos!

Os irmãos se mantiveram calados.

— E o Juliano, sabem dele? Se eu encontrar, mato aquele filho da puta.

— Que é isso, tio! Seu filho teve culpa, não. É a guerra.

— Meu filho, não. Digam pra ele que a partir de hoje ele morreu pra mim.

Romeu continuou a descida, esbravejando. No caminho parou para conversar com alguns fregueses da birosca, que o interceptaram para saber o motivo da expulsão dele. Para todos falou da sua decisão de romper com o filho Juliano, a quem atribuiu toda a responsabilidade pelo maior fracasso de seus 44 anos de vida. Já fora da favela, na praça Corumbá, Romeu tomou um ônibus com destino à zona norte, morro da Mangueira.

As filhas Zuleika e Zulá ficaram sabendo da expulsão de Romeu pelos homens de Zaca, que horas depois chegaram à casa delas à procura de Juliano.

O grupo era liderado por Caga Sangue. Trazia junto um homem do exército de Cabeludo preso por uma corrente amarrada ao pescoço. Ameaçaram invadir o barraco, mas encontraram a resistência de Betinha.

— Aí, Juliano, chegô a tua hora, cara. A casa tá cercada, é bom saí na moral — gritou Caga Sangue.

— Que negócio é esse de bater aqui na minha casa? Onde está o respeito? — reagiu Betinha.

— Se mete não, Betinha. A parada é com o Juliano. Ou ele sai na moral ou vamo invadi.

— Isso é absurdo! O meu filho não está. Ninguém vai pôr o pé na minha casa. O Zaca tá sabendo dessa história? Duvido, duvido — esbravejou Betinha.

Diante dos argumentos convincentes de Betinha, Caga Sangue acreditou que Juliano realmente não estivesse em casa. Aceitou levar Betinha para uma conversa particular com o chefão Zaca. A conversa foi próxima ao Cruzeiro, na antiga base de Cabeludo, agora ocupada pelos seus inimigos.

— O que você quer fazer com o meu filho, Zaca? Nunca esperava isso de você!

— E eu também nunca esperava isso do seu filho. Lutô contra mim e agora tá fazendo concorrência, vendendo cocaína lá embaixo na boca da praça. Você qué o quê?

— Quero meu filho vivo. Ele só tem 17 anos.

— Então tá ficando velho. Traficante bom morre com 15.

— Você vai se arrepender... Se tocar o dedo no meu filho vou atrás de você até no inferno.

— Eu não disse que vô matá o Juliano. Mas só digo isso em consideração a você. Dessa arma ele não morre, mas das outras aí.....

— E o Caga Sangue? Ele queria invadir a minha casa.

— Não dá para segurá a turma. Eles tão mordido com o Juliano. Ele é muito abusado. O jeito é você convencê o seu filho a sumi da praça, senão o bicho vai pegá.

A perda da guerra provocou o rompimento definitivo de Juliano com o pai e o levou a se afastar das pessoas de que mais gostava: a mãe, as irmãs, os amigos, a namorada. Foi uma decisão involuntária e num momento especialmente difícil. Marisa acabara de dar à luz seu primeiro filho. Os combates o impediram de acompanhar o parto na maternidade. Pressionado por todos a sumir do morro, Juliano marcou um encontro para se despedir da família num cartório, onde aproveitou para conhecer o bebê e registrar seu nascimento. Marisa escolheu o primeiro nome, Juliano, e ele, o segundo, William, em homenagem ao irmão de Carlos da Praça assassinado pela quadrilha de Zaca meses antes da guerra. Betinha não gostou da motivação.

— Não sei por que dar tanta importância a este homem, Juliano.

— Ele tá me ensinando a conhecê a vida.

— Que vida é essa, que destrói a vida do seu pai, te obriga a se afastar de nós e agora até do teu filho...

— Se preocupe, não. Tá tudo certo. Vamo panhá uns ferro aí e dá o troco no Zaca. Esse morro é nosso, mãe. Muita gente deu o sangue por ele. Vamo deixá barato não.

Perdeu a convivência com a família, mas ganhou um segundo pai e uma segunda mãe: o casal Paulista e Maria Brava. Respeitado pela velha-guarda do crime, logo depois da derrota na guerra o casal comprou uma casa no morro do Cantagalo, em Copacabana, com dinheiro que havia lucrado em alguns assaltos. Era um sobrado grande para os padrões dos barracos na principal rua de acesso à favela. Tinha cinco quartos, o suficiente para convidar Juliano a morar com eles e os quatro filhos, Difé, Santo, Diva e Leda. Paulista ainda ofereceu abrigo para outros quatro jovens também expulsos da Santa Marta: Mendonça, Du e Claudinho, que levou junto seu irmão Raimundinho.

Acolher Juliano em casa representava mais do que retribuir a generosidade de Ribeiro. Paulista lutara em duas ocasiões no mesmo bonde de Juliano. Impressionaram-no a desenvoltura e a firmeza de um jovem de 17 anos em momentos críticos, como na prisão em que resistiram juntos à pressão do grupo do delegado Vígio. O fato de Juliano ter enfrentado a situação difícil sem delatar o parceiro também contou pontos a seu favor para conviver numa família formada por bandidos de primeira. Paulista o acolheu convencido de que estava trazendo para casa um exemplo de forte personalidade para os seus dois filhos homens, Difé e Santo.

Durante as conversas com Brava sobre o novo integrante da família, os dois concordaram num ponto.

— Me preocupa o futuro desse moleque, Brava — disse Paulista.

— É, ele já tem 17 anos e ainda não passô da quinta série — constatou Brava.

— Não é disso que tô falando, Brava. Escola, trabalho... nunca vão sê o caminho dele. Acho que ele nasceu para sê bandido.

— Sei, não. Essa molecada de hoje tá vindo muito frouxa. Acho melhor cuidá dos estudos, prepará pra um outro tipo de vida.

— O tempo vai mostrá.

Em poucos meses, os filhos de Paulista e os amigos da Santa Marta se envolveram com os traficantes do Cantagalo, que também eram do Comando Vermelho. Apenas Mendonça mudou de ramo. Ele formou uma quadrilha de assalto, embora mantivesse vínculos com o tráfico para o empréstimo e troca de armas.

Juliano, Claudinho, Raimundinho e Du assumiram a função de vapor do Cantagalo, mas continuaram ligados a Carlos da Praça em outras atividades do tráfico fora dos morros.

Paulista orientava a distância as atividades dos amigos na boca, que ficava bem longe de casa para ninguém associá-la ao tráfico. Cultivava uma vida discreta e clandestina. Adotou um terceiro nome falso: Charles de Souza, com o qual tinha carteira de identidade e carteira profissional com registro de emprego numa firma de pinturas. Providenciou documentos falsos porque era um foragido da justiça, condenado por assalto a mão armada, tentativa de homicídio e porte ilegal de arma.

Pela aparência do sobrado de dois pisos e o comportamento discreto do casal, parecia uma família de trabalhadores de baixa renda. Diziam aos vizinhos que Paulista era motorista de uma empresa e por isso passava o dia na cidade, enquanto Brava cuidava da administração da casa. Preocupavam-se em esconder qualquer sinal de prosperidade. Nem os filhos participavam de todos os segredos de seus crimes. Eles só sabiam que as atividades dos pais foram bem-sucedidas quando a família viajava para fora do Rio de Janeiro.

Sempre viajavam em carros legalizados, comprados com o dinheiro de roubo. Freqüentavam hotéis quatro estrelas nas praias do litoral do Rio e dos estados do Nordeste, onde podiam esbanjar sem chamar a atenção de ninguém. Paulista procurava dar conforto à família, mantê-la unida até nos momentos mais difíceis de suas aventuras no crime. Nunca roubou perto de casa ou levou algum parceiro de quadrilha para conhecer a mulher e os filhos. Eram regras de segurança que respeitava com rigor. Desde os tempos de assaltos a banco na quadrilha de Cabeludo e Ronaldo Maldição.

Eles sempre estiveram à frente das ondas de delinqüência no Rio de Janeiro. Foram alguns dos primeiros, por exemplo, a usarem arma de guerra nos assaltos a banco, em 1986, motivo de traumas na cidade. Três anos depois, os seguidores da quadrilha multiplicariam os ataques às agências bancárias. Assaltaram 420 agências no Rio em 1989, o que obrigou os bancos a reformularem seus sistemas de segurança e reduzirem as reservas de dinheiro nos caixas.

No período de convivência na casa do Cantagalo, Juliano foi muito influenciado pela experiência de Paulista no crime. Adorava ouvir o pai adotivo contar histórias do passado, para conhecer os segredos de ações de roubo, em que a quadrilha dele fora bem-sucedida, contra carros de transporte de valores, postos de gasolina, escritórios de empresas em dia de pagamento, salões de festas e hotéis. Eram ações inusitadas na época — começo dos anos 80 — e que levaram Paulista, Maldição e Cabeludo para a lista dos procurados com prioridade pela polícia.

■ ■ ■

Os turistas hospedados no Hotel Paissandu, no Flamengo, conheceram os métodos de Cabeludo, Paulista e seus parceiros. Eles reservaram por telefone dois apartamentos e foram de táxi ao hotel no começo da noite. Chegaram com duas malas à recepção, preencheram a ficha de registro de hóspedes e, quando os funcionários entregaram a chave, anunciaram calmamente o assalto.

— Se preocupem, não, aí. Nossa estadia será curta. Mas se alguém não quisé colaborá podemos ficá aqui pra sempre.

Dois parceiros assumiram a segurança na portaria, com armas escondidas na cintura. Cada hóspede que chegava era acompanhado até a recepção, onde Cabeludo, atrás do balcão, anunciava o assalto e o obrigava a acompanhá-lo até o restaurante, uma área mais reservada. Ali Paulista recolhia dinheiro e os objetos de valor dos turistas.

Paulista conhecia bem o funcionamento do hotel. Semanas antes estivera no prédio para pintar as paredes dos corredores de acesso aos apartamentos e à saída de emergência. Era pintor profissional desde os 16 anos, quando saiu de Natal para morar em São Paulo, motivo do seu apelido. No Rio, onde chegou em 1979, Paulista trabalhou como faxineiro e ajudante geral de algumas lojas de moda feminina, até ser contratado, três anos depois, pela empresa Engemp (Engenharia e Emprendimentos), da Lapa, especializada em pinturas de prédios e que prestava serviços ao Hotel Paissandu.

Como pintor de paredes, em 1984, Paulista teve o seu mais alto salário: ganhava o equivalente a 3 dólares por hora. Antes, nos anos de 1982 e 1983, havia trabalhado como auxiliar de escritório da Doviane Modas, em Ipanema, e como faxineiro da G.B. Assessoria e Planejamento, no Centro, em troca de 50 centavos de dólar por hora, um salário que considerava humilhante, e que dava apenas para alimentar precariamente a mulher e os quatro filhos. Brava ajudava a complementar a renda da família costurando sob encomenda para algumas confecções e vendendo "salgadinhos" nas feiras de artesanato nos fins de semana. Uma equação simplista levou Paulista para o crime, apesar da oposição da mulher.

Certo dia seu anfitrião na Santa Marta, Pedro Ribeiro, pegou a sua carteira profissional para comparar o seu salário com a renda média dos assaltos a banco no Rio de Janeiro, que era de 60 mil dólares em 1984. O salário de pintor de paredes representava um por cento da renda de uma única ação criminosa. Paulista gostou do cálculo de equivalência roubo-trabalho e passou a adotá-lo em casa, nas conversas com Brava sobre os futuros investimentos da família. Nas vésperas de um assalto e, sobretudo depois do roubo, a equivalência era motivo de cálculos intermináveis do casal.

No dia do assalto ao hotel, a carteira profissional de Paulista marcava 60 mil cruzeiros de salário, o preço da caneta-tinteiro roubada do juiz paulistano José Roberto Escutari Tomé de Almeida, que passava o fim de semana no Rio com a mulher e duas filhas. O juiz, uma das quarenta vítimas do assalto, também foi obrigado a passar às mãos de Paulista um relógio Omega, um anel de ouro da colação de grau, cravejado de brilhantes, um par de alianças e dois talões de cheque da Caixa Econômica Federal e do Banco do Estado de São Paulo. Uma descoberta de Paulista ao revirar a bolsa de couro do juiz acabou em agressão. Além de uma pistola automática, ele descobriu a carteira funcional de José Roberto, magistrado do Tribunal de Justiça de São Paulo.

— É um juiz de direito? — perguntou Paulista.

— Sou magistrado! — respondeu o juiz.

— Pra mim dá na mesma, é tudo igual, da mesma raça dos homis! — disse Paulista, dando em seguida um soco que atingiu as costas do juiz.

Paulista ainda arrancou do pescoço de José Roberto um cordão de ouro em forma de argolas ovais, que prendia uma plaqueta dourada com uma pequena pedra de rubi, avaliado em 240 mil cruzeiros, equivalentes a 480 dias de pintura de parede. Apenas com os pertences do juiz, Paulista faturou 1,7 milhão de cruzeiros, conforme avaliação dos peritos criminais do Rio de Janeiro. Para Paulista ganhar este montante de dinheiro honestamente seria necessário passar 4.250 dias, ou 11 anos, pintando paredes.

O casal aplicava o dinheiro do crime na compra de pequenos estabelecimentos comerciais nos morros e de pontos em algumas feiras de artesanato da zona sul. Também compravam carros, mas sempre usados e de modelos simples, para não chamar atenção de algum delator. E nunca esqueciam de fazer a poupança do acerto. Achavam importante ter uma reserva para ser usada, caso fosse preso, na contratação de advogados ou no pagamento de propinas aos policiais desonestos, para o relaxamento do flagrante.

Paulista também mostrou a Juliano a importância do apoio da família nos momentos mais difíceis da vida dos bandidos. No caso específico dele, atribuía a longevidade no crime à lealdade unilateral da sua mulher, Maria Brava Aguiar, que, a partir da convivência no Cantagalo, Juliano passou a chamar de Mãe Brava.

A mulher o ajudou a escapar das situações mais difíceis nos seus 15 anos de crimes. Era parceira de assalto, se houvesse necessidade, e nunca deixava de atuar na retaguarda da ação. Na hora do fracasso, era sempre a primeira a tentar minimizar as conseqüências dos ferimentos ou das prisões em flagrante. De 1979 a 1988, Paulista fora sido preso meia dúzia de vezes e nunca havia passado mais de 72 horas sem receber uma visita ou tentativa de visita de Brava Aguiar. Até nos presídios chamados de segurança máxima dava um jeito de driblar as proibições, como aconteceu no presídio Evaristo de Morais, o barracão da Quinta da Boa Vista, na zona norte. Distante 20 quilômetros do Cantagalo, Brava tinha que tomar dois ônibus para chegar ao presídio e nunca deixava de levar os filhos, tanto na visita de quarta, quanto na de domingo.

Sempre providenciava mantimentos para Paulista cozinhar na própria cela, além de frutas, biscoitos, pacotes de cigarro e alguns materiais que ele pedia para o trabalho de "terapia ocupacional" na marcenaria da cadeia. Isso o ajudou muito a enfrentar as horas de isolamento. No caso do presídio de segurança máxima, o desempenho dele como artesão de brinquedos de madeira mereceu elogios da direção e a conquista do benefício legal de redução de pena, na proporção de dois para um: dois de trabalho, um de perdão.

Nessa proporção, em vez de cumprir os trinta anos de cadeia, período máximo da pena privativa de liberdade no Brasil, poderia reduzir pela metade ou até mais, dependendo de outros recursos a que um prisioneiro de bom comportamento tem direito. Graças à ajuda da mulher, Paulista entusiasmou-se com as perspectivas do trabalho e se dedicou ao artesanato e ao trabalho de gráfico como nunca fizera em sua vida. Participava de todas as fases de criação de brinquedos e de revistas e aos poucos foi se especializando na produção das caixas de embalagem.

Paulista merecia a fama de perfeccionista entre os colegas de marcenaria por ter desenvolvido um modelo de embalagem especial para o transporte dos brinquedos ou de revistas produzidos na cadeia. Era uma caixa de madeira reforçada, de um metro de altura por um metro e meio de comprimento, tamanho adequado às dimensões do caminhão que toda quarta-feira recolhia a produção da marcenaria e da gráfica. Para evitar danos durante o transporte, Paulista forrava a parte interna do caixote com isopor e protegia os brinquedos e as revistas em pacotes individuais de papelão. Cada caixa suportava 80 quilos de peso ou até mais, pois era amarrada com cintas de aço para reforçar a segurança.

Numa quarta-feira fria de inverno, ninguém deu muita bola para a brincadeira que Paulista inventou para testar a resistência da caixa. Perto da hora do "recolhe", quando os presos são obrigados a voltar às celas, ele entrou em uma caixa nova e ficou lá como se fosse brinquedo de madeira.

— Tá vendo como não quebra? E cabe muito mais aqui dentro — comentou com um parceiro de marcenaria.

O parceiro completou o serviço. Fechou com pregos todas as paredes do caixote, passou a cinta de aço para reforçar a segurança e colou o adesivo com a palavra frágil escrita em vermelho. No escuro do caixote, encolhido em posição fetal, Paulista concentrou os pensamentos nos prazeres da vida em liberdade para não entrar em desespero. Em condições normais, a restrição de ar poderia levá-lo à agonia e à morte em menos de duas horas. Por isso, a demora do caminhão, que sempre fora pontual, pareceu uma eternidade.

Em uma hora de espera a umidade do suor de Paulista já aparecia pelo lado de fora da embalagem. Um amigo cúmplice, preocupado com o risco da morte por asfixia, bateu com o martelo em um dos pregos da caixa e ouviu como resposta três batidas na madeira, sinal de que Paulista estava resistindo ao sufoco.

Os carregadores empilharam a caixa por baixo das outras, numa posição que deixou Paulista de bruços, aumentando ainda mais o sofrimento. Para não gastar energia e não fazer ruído, permaneceu na mesma posição enquanto o caminhão passava pelos portões de ferro. Nenhum carcereiro desconfiou. No grande portão da saída, os funcionários do presídio exigiram a apresentação da nota fiscal da carga.

Um soldado subiu à carroceria para examinar de perto os caixotes. Uma vistoria de menos de dois minutos, que acabou com um pontapé justamente na caixa em que estava Paulista, para avisar aos homens da portaria que a vistoria tinha acabado.

— Liberaaaaado!!!

O caminhão chegou ao seu destino, uma fábrica de brinquedos, com uma hora e meia de atraso. Brava e o filho mais velho, Difé, que aguardavam num Fusca estacionado na esquina mais próxima, saíram do carro e foram a pé até a fábrica, como se fossem comprar alguma coisa. O motorista do trator, subornado semanas antes, providenciou rapidamente a retirada da carga e a abertura da caixa onde estava Paulista.

Encolhido de bruços, paralisado, parecia desmaiado ou morto. Paulista esperou ouvir a voz de Brava para mostrar que estava vivo e bem disposto. Levantou-se com os olhos semicerrados por causa do impacto da súbita luminosidade e saltou para fora do caixote, com pressa de sair dali. O filho Difé, com uma pistola escondida na cintura, não tirava os olhos de dois funcionários da empresa que estavam no pátio. Um deles estranhou a cena e se aproximou por curiosidade.

— Muito prazê, sô o mais novo funcionário da fábrica — se antecipou Paulista enquanto trocava a camiseta do uniforme da cadeia pela camisa que Brava trouxera.

— Será que eu estou ficando louco ou você saiu mesmo daquela caixa?

Antes de Paulista responder, Difé se aproximou, com arma em punho, sem muita disposição de explicar o que estava acontecendo.

— Você não tá louco, não. Ele tava naquela caixa sim, a mesma onde eu vô colocá você agora. Vamo logo...

Ameaçado de ser trancado na caixa, o funcionário não esboçou qualquer reação e conseguiu convencê-los a sair dali sem violência.

— Tá bem, enfia a cabeça dentro da caixa e se olhá para a rua leva bala — ordenou Difé.

Enquanto Paulista, Brava e Difé saíam rápido do pátio da fábrica, o funcionário descobriu como foi possível um homem ser transportado dentro daquele cubículo quase sem brechas de respiração. No fundo da caixa, no meio de pedaços de isopor, estavam uma máscara e um cilindro de oxigênio, que ventilaram os pulmões de Paulista durante as três horas da fuga do Presídio.

— Que idéia, Brava, que idéia! — vibrava Paulista nos primeiros momentos de liberdade.

— Te falei. Eu faria tudo pra te trazê de volta.

■ ■ ■

A nova família mostrou a Juliano o caminho do crime como meio de vida, mesmo quando virou recruta do Exército, em 1988. No primeiro ano longe da Santa Marta, ele e os amigos Alen, Soni, Vico, Du e Jocimar prestaram o serviço militar na mesma unidade, a Escola de Educação Física do Exército, na Urca. E nas horas de folga vendiam drogas nos pontos de Carlos da Praça fora do morro ou na boca do Cantagalo, onde alguns deles continuavam morando.

Outro jovem da Turma da Xuxa, Adriano, também serviu junto no mesmo ano e unidade. Era o único amigo de infância que não se envolvera com drogas, e por isso nem todos o consideravam do grupo. Ele também se recusava a descolorir o cabelo das pernas. Filho de pais evangélicos, Adriano fazia campanha sistemática contra o envolvimento dele no tráfico. Embora não seguisse seus conselhos, Juliano o respeitava e gostava de formar dupla com ele nas atividades de recruta. A solidariedade entre eles era tanta, que quando um dos dois cometia uma indisciplina e era punido com cadeia, o outro pedia para ser penalizado junto.

— Soldado Juliano, com todo respeito, tenente. Me apresento pra puxá cadeia com meu amigo Adriano, tenente.

Os dois também gostavam de passear juntos no final do expediente do exército. Tinham orgulho do uniforme que os ajudava a conquistar garotas que trabalhavam no centro da cidade. Geralmente abordavam duas amigas e as acompanhavam de ônibus até o bairro onde elas moravam. Depois voltavam juntos para casa, mas só até Botafogo. Dali Juliano seguia para o Cantagalo e Adriano, que não se envolvera na guerra contra Zaca, subia para a Santa Marta.

No final da tarde de uma sexta-feira o plano de paquera da dupla não deu certo e acabou afastando-os. Eles abordaram duas irmãs, filhas de um sargento que tinham ido visitar o pai no quartel. A escolhida por Juliano tinha um namorado mineiro e havia marcado um encontro com ele na Cinelândia, centro do Rio. Não quis envolvimento com Juliano. Já a irmã gostou de Adriano e aceitou o convite para passear. Para facilitar o programa, em seguida Juliano despediu-se do casal, batendo continência ao amigo fardado:

— Bom divertimento, comandante.

Adriano e a garota foram namorar no mirante da Pedra da Gávea, no alto de uma montanha onde, no passado, muita gente gostava de admirar uma das vistas mais bonitas do Rio de Janeiro. Abraçados, deitados na pedra, eles não perceberam a aproximação de um grupo de jovens armados com facas e pedaços de pau.

— É assalto! É assalto! É assalto! — gritaram, nervosamente.

— Que isso? Que isso? — reagiu, assustada, a namorada.

— Cala a boca! Você qué morrê? Tá vendo esse punhal aqui? — disse um deles, ameaçando com um canivete junto ao pescoço de Adriano.

A namorada ficou paralisada. Entregou dinheiro, relógio, bolsa e não reagiu nem mesmo na hora em que um dos assaltantes a puxou para longe de Adriano.

— Vem cá, gracinha. Vamo lá para o alto, vamo! — disse o assaltante, apontando o punhal.

Ao perceber que a namorada seria violentada, Adriano empurrou o assaltante e puxou a moça para perto dele. A reação irritou todo o grupo, que o cercou e passou a agredi-lo a pauladas. Adriano resistiu algum tempo, até ser atingido por duas facadas nas costas. O grupo soltou a namorada, fugiu sem pressa e o deixou agonizando no chão.

Juliano estava num pagode quando soube da morte do amigo. De manhã bem cedo, ainda sem dormir, teve que fazer o reconhecimento do corpo no Instituto Médico Legal. Ficou revoltado ao perceber as marcas da brutalidade no corpo do amigo e jurou descobrir os assassinos para dar o troco. O crime foi em 1988, mas até fevereiro de 2003 Juliano ainda não tinha conseguido se vingar.

■ ■ ■

No quartel, Juliano adquiriu conhecimento sobre armas, apreendeu a usá-las melhor e a gostar mais delas. O uniforme com boné servia quase como disfarce para se encontrar com a irmã, a mãe e a mulher, Marisa, nas ruas próximas da Santa Marta. Eram encontros para matar a saudade e oportunidade para a família cobrar alguma ajuda dele no sustento do filho Juliano William. Enquanto era recruta, Juliano ajudava com uma mesada equivalente a 100 dólares, dinheiro que ganhava na loja de Carlos da Praça, em Copacabana e na boca do Cantagalo.

O dinheiro só começou a sobrar nos últimos meses como recruta. Mesmo perdendo a guerra na Santa Marta, Carlos da Praça continuou crescendo como fornecedor de cocaína nos morros da zona sul da cidade. Ele se fortaleceu ainda mais ao se aproximar do Toninho Turco, um dos maiores banqueiros de jogo do bicho do Rio de Janeiro e um dos primeiros a estender o seu poder ao tráfico de cocaína.

Levado por Carlos da Praça, Juliano entrou duas vezes na fortaleza de Toninho Turco. Numa delas, quando soube que Juliano era recruta, o bicheiro manifestou vontade de ajudá-lo a deixar o crime. Prometeu usar de sua influência com alguns homens do governo para garantir o seu acesso à carreira militar.

— Tenho muitos amigos na brigada pára-quedista. Posso falar para você fazer um curso na selva com eles.

Mas foi a influência de Toninho Turco no universo dos criminosos que levaria Juliano e Carlos da Praça a sonharem mais alto, em 1989, com a venda de cocaína em outros estados. Eles criaram uma transportadora de pó para fazer o chamado serviço de matuto: levar carregamentos de drogas do Rio para Minas, Espírito Santo e Bahia.

Nos primeiros meses, tiveram Paulista como sócio para o fornecimento de matéria-prima. Um ano antes, Paulista havia criado um esquema próprio para buscar cocaína diretamente na Bolívia e entregá-la em alguns morros controlados pelo Comando Vermelho.

Os maiores lucros do esquema de Paulista vinham do Cantagalo, pois em 1989 seus dois filhos, Difé e Santo, já haviam assumido o posto de "frente", principais gerentes da boca. A eliminação do fornecedor intermediário do pó levaria à multiplicação dos lucros por dez, em relação ao faturamento de uma boca que dependia de fornecimento externo.

O esquema independente de Paulista envolveu toda a família, mas não deu certo por muito tempo. Enquanto os filhos homens Santo e Difé cuidavam com afinco da gerência dos pontos de venda no Cantagalo, a mulher, Brava, e a filha, Diva, o acompanhavam na compra do pó, direto na fonte, em uma aldeia de índios na Bolívia.

Paulista conheceu os índios durante uma de suas fugas cinematográficas da cadeia, no fim de 1988. Preso como traficante em Corumbá, fronteira do Brasil com a Bolívia, ele liderou uma rebelião para escapar. Recebeu uma Kombi, como havia exigido nas negociações com a polícia, para o seu grupo de sete homens rebelados sair do presídio levando um padre e dois advogados reféns, sob a mira de armas. Durante as negociações, ele exigira, em troca da libertação dos reféns, um pequeno avião para levá-los para bem longe da fronteira. Mas na fuga, já bem perto do aeroporto, Paulista percebeu uma grande movimentação de policiais na pista. Agarrou-se ao padre e o obrigou a saltar com ele para a estrada com o carro em movimento. Na queda, quebrou os dois pés. Mas, com ajuda do padre, conseguiu se arrastar para fora da estrada e entrar num matagal. Minutos depois os dois ouviram os tiros do fuzilamento de seus sete parceiros de fuga, na entrada do aeroporto de Corumbá. Os dois advogados também foram mortos.

Sempre com a ajuda do padre, Paulista arrastou-se pelo mato até chegar às margens de um rio, na fronteira com a Bolívia. Como as fraturas dos pés sangravam, evitou cruzar o rio com medo de ser atacado pelas piranhas.

Uma semana depois da fuga, Paulista foi considerado oficialmente morto pelas autoridades de Corumbá. Brava Aguiar chegou a fazer o "reconhecimento" do corpo de um homem encontrado às margens de um rio, bem perto da fronteira. Ela não teve dúvidas para responder à pergunta dos policiais no Instituto Médico Legal.

— É ele. É o meu querido Paulista — disse Brava, aos prantos.

Naquela hora do falso reconhecimento de Brava, Paulista, na verdade, estava na região da cidade de Quijarro, numa aldeia de índios, que o descobriram à beira do rio em situação crítica, com febre, faminto e com risco de morrer por causa das infecções das fraturas expostas dos pés.

Os curandeiros da tribo salvaram a vida de Paulista com ervas medicinais. E os caciques, donos de fazendas plantadoras de epadu, deram a ele a chance de abrir seu novo segmento no crime, o tráfico internacional.

A ambição do grande lucro e a garantia de sigilo o levaram a envolver toda a família nas duas pontas do esquema. As mulheres viraram "mulas", encarregadas de buscar o pó direto na fonte. Ele ensinou o caminho da aldeia para a mulher Brava e para a filha Diva, que viajavam a cada dois meses do Brasil para a Bolívia para comprar coca dos índios.

Compravam em média 15 quilos em cada viagem. O peso nunca era exato. As unidades de medida dos índios eram uma colher de chá, para a venda de um grama, e uma caixa de fósforo, para dez. A compra era feita diretamente no local da plantação.

Brava e Diva faziam o "batimento" do volume comprado para deixá-lo o mais compacto possível, no formato de uma massa de pastel. Depois cobriam os tabletes com várias folhas de plástico, para evitar a exalação do cheiro. Na hora de voltar ao Brasil amarravam a massa de pó em várias partes do corpo com fita adesiva, que colavam diretamente na pele. Geralmente voltavam de ônibus. Não gostavam de envolver ninguém no transporte. Só usavam carro ou caminhão se a rodoviária estivesse sob a vigilância da polícia.

Depois de vinte horas ou mais de viagem, ao descolarem as fitas do corpo a pele ficava em carne viva. Para evitar esses ferimentos, causados pelas viagens tão longas, passaram a usar aviões, até serem flagradas no aeroporto de Corumbá por agentes da polícia.

As duas foram surradas durante cinco dias. Os policiais suspeitavam que elas fossem "mulas" a serviço de uma grande quadrilha e queriam que elas entregassem os nomes dos chefes. Depois foram transferidas para o Rio de Janeiro, onde ficaram presas.

Na delegacia, mãe e filha foram torturadas uma em frente à outra. Por ser mais jovem, Diva sofreu mais. Passou por várias sessões de "submarino", a submersão forçada da cabeça dentro de uma lata d'água. E conheceu uma das sevícias mais cruéis, a "cirurgia elétrica". Teve os pulsos e tornozelos amarrados com fios para não se debater enquanto o policial aplicava choques elétricos como se fosse anestesia e usava um alicate para arrancar as unhas de seus pés e de suas mãos.

Condenadas a seis anos de cadeia, Brava e Diva ficaram presas durante um ano e seis meses. A prisão das duas representou um trauma para Paulista, que se sentiu culpado por envolvê-las em um esquema de alto risco. Por causa disso, abandonou o esquema do tráfico internacional e foi morar num esconderijo na zona norte do Rio, onde conheceu o parceiro de sua nova atividade criminosa, na época rara no Brasil: o seqüestro.

A quadrilha liderada por Paulista e Carlos Alberto Fidélios, o Calunga, ainda estava em formação quando ele foi preso por porte ilegal de uma metralhadora, em junho de 1989. Como usava o nome falso de Laerson Garrido Moura, os policiais que o prenderam numa blitz de trânsito não sabiam que se tratava de um homem condenado, foragido da justiça.

Só no dia seguinte o identificaram como o famoso Luís Carlos Trindade, que também era outro de seus falsos nomes. Por ordem da alta cúpula da polícia do Rio, Paulista foi levado para um complexo de presídios de segurança máxima, que havia sido parcialmente inaugurado, havia quase um ano, no subúrbio de Bangu, para confinar exclusivamente os homens do crime organizado.

Paulista foi um dos primeiros presos da unidade Bangu 1, que no futuro teria uma triste fama. Dezenove dias depois vieram Escadinha e seu irmão Paulo Maluco, William, Apache, Professor, Isaias, Rogério Lengruber, Gregório, Gordo, Japonês, Pianinho, Celsinho da Vila Vintém, e todos os dirigentes do Comando Vermelho que estavam espalhados pelos presídios do estado.

No dia da inauguração, em 14 de julho de 1988, as autoridades da época afirmaram que a estrutura da cadeia de Bangu 1 fora planejada para assegurar o isolamento total dos prisioneiros. Eram quatro galerias, com 48 pequenas celas individuais, apenas com um buraco sanitário no chão, uma cama de concreto e uma prateleira, também de concreto, para as roupas e para servir de base ao aparelho de televisão.

Os presos ficariam vigiados por um número de carcereiros sempre maior que o deles. Um muro eletrificado de cinco metros de altura e com a base a mais de dois metros da superfície era considerado um modelo de segurança máxima. Até fevereiro de 2003, pelo menos, nenhum preso conseguiu escapar de Bangu 1.

A rígida vigilância, porém, não impediria Paulista de se comunicar com os parceiros da quadrilha de seqüestro, tanto dentro do novo presídio quanto fora dele. As histórias dos "fundadores" do presídio, como Paulista, iriam contribuir para Bangu 1 se tornar conhecido em poucos anos como o maior "escritório do crime organizado do Brasil", um QG do Comando Vermelho fora do controle da justiça, como foi denunciado pelos próprios promotores do Ministério Público do Rio, em 2002.

■ ■ ■

A mudança de "ramo" de Paulista abriria caminho para outros dirigentes do Comando Vermelho se candidatarem ao controle do tráfico no Cantagalo. A boca mudaria de dono várias vezes, mas, por causa do prestígio interno do pai, os filhos Santo e Difé se mantiveram na gerência. E Juliano seguiria como parceiro inseparável de Carlos da Praça, na nova função de traficante interestadual, matutos que faziam a ponte do pó Rio—Bahia.

CAPÍTULO 10 | MATUTO

Eram cinco quilos de cocaína, padrão Santa Marta de qualidade. Metade prensada no tamanho da brochura do livro *Barra pesada*, de Octávio Ribeiro. Os outros dois quilos e meio prensados no formato de *Malagueta, perus e bacanaço*, romance de João Antônio. Eles chegaram ao Aeroporto do Galeão como se fossem um casal de estudantes, com dois livros nas mãos, um deles embalado com papel-presente de uma livraria. Juliano com o livro de Octávio Ribeiro e a irmã Zuleika com o de João Antonio. Carlos da Praça, que iria viajar junto, providenciou o check-in para os dois, que nunca haviam voado, nem mesmo saído do Rio de Janeiro.

Depois do check-in, Juliano e Zuleika puseram os livros verdadeiros e os de cocaína dentro de duas sacolas de plástico da livraria do aeroporto. Na hora de passar as bagagens pela máquina detectora de metais, as sacolas foram colocadas junto às mochilas e dois casacos de algodão que levavam pendurados nos braços. Carlos da Praça, que passara pela esteira sem nenhum miligrama de pó, ficou observando a distância, fumando um cigarro atrás do outro. Já estava combinado entre Juliano e Carlos da Praça que o risco da missão era todo do casal. Se a polícia descobrisse, eles assumiriam integralmente a responsabilidade pelo tráfico, conforme previsto no contrato verbal.

— Mil dólares livres de despesas para cada mula. Mas tudo por conta e risco de vocês, certo? — disse Da Praça a Juliano no dia do acerto do serviço.

A responsabilidade e o risco eram de Juliano e Zuleika, mas a preocupação deles era bem diferente. Passaram pelos seguranças com naturalidade. Chegaram a ser observados pelos agentes da Polícia Federal que fiscalizavam a movimentação de passageiros no Galeão, sem demonstrar nenhum sinal de nervosismo. Eles só sentiram medo quando duas moças uniformizadas, sorridentes e gentis os chamaram para entrar no avião e escolher os assentos.

Zuleika sentou na poltrona próxima à janela, com Da Praça ao lado. Juliano ficou na poltrona de trás, também junto à janela. Precisou de orientação da comissária de bordo para ajustar o cinto de segurança. Já acomodada, Zuleika assustou-se quando a mulher apontou para a sacola onde estava o livro de cocaína, que ela havia deixado sobre o colo.

— Você quer me dar? Eu posso guardar aqui em cima, no bagageiro — disse a aeromoça.

— Me dar o quê? — perguntou Zuleika.

— A sacola. Ficará melhor aqui em cima.

— Não, não. Eu vou pôr aqui embaixo do banco.

— Aí não pode. Você está sentada no lugar da saída de emergência. Tem que ficar desimpedida.

Da Praça interferiu.

— São livros. Nós vamos ler durante a viagem. Eu ponho aqui, no canto do banco.

Juliano chegou a suar frio. Pusera a sacola sobre o banco do lado, que estava vago. Quando a aeromoça se afastou, cutucou o ombro de Da Praça e pediu um conselho, cochichando.

— O que eu faço se a mulher quisé a minha sacola também?

— Não dê, a sacola é sua. Não entre na conversa dela.

— Sente o cheiro aí na frente?

— Que cheiro?

— Sei lá, parece que todo o avião tá sentindo.

Juliano só ficou mais tranqüilo depois da decolagem. Pela janela tentou identificar os morros que via lá embaixo, com ajuda de Da Praça.

— Aquele é o da Mineira? — perguntou Juliano.

— Providência, do Rogerinho — corrigiu Da Praça.

— Será que vamos passá em cima da Mangueira?

— Fica pro outro lado. Mas dá pra ver aquela torre do relógio, conhece?

— Claro! Central do Brasil.

Os dois mudaram do assento da esquerda para ocupar dois lugares no lado direito, onde podiam ver mais favelas próximas à área central do Rio.

— Turano do PC, tá vendo? No lado, o Escondidinho do My Thor — disse Da Praça, bem informado sobre o comando de cada morro.

— Caralho! Um morro grudado no outro. Por isso somos unidos, Da Praça. União à força. Não sobra espaço nem pra um mosquito — disse Juliano, impressionado com o amontoado de barracos vistos já de uma altura de 500 metros.

A voz de uma mulher anunciando o nome completo de Juliano no alto-falante do avião desviou a atenção dos três.

— Senhor Júlio Mário Figueira. Queira se identificar à comissária de bordo, por gentileza.

— Fudeu! Fudeu! E agora? — perguntou Zuleika.

— Foi o cheiro. Falei, caralho! — disse Juliano.

— Calma, calma! — ponderou Da Praça.

— Calma, um caralho! Ouviu? A comissária tá chamando: é polícia. É polícia! — retrucou Juliano

— É polícia, nada. Comissária é a mulher, a aeromoça. Calma, porra! — disse Da Praça.

— Dá pra desistir? Quero sair desse troço! — queixou-se Zuleika.

Para evitar surpresas, Da Praça orientou Juliano para a hipótese de um flagrante da polícia.

— Vá até o banheiro com a sacola na mão, para conhecer o ambiente. Não esqueça o canivete.

— Canivete?

— É, se pintar sujeira, você tem que dar um jeito de enfiar todo o pó dentro do sanitário e apertar a descarga.

— Mas são dois quilos e meio, Da Praça — avisou Juliano.

— Por isso o canivete. Abre rápido a embalagem e joga tudo no buraco. A descarga é violenta, num segundo engole todo o pó.

— E vamo perdê tudo? Pra onde a descarga manda o material?

— Fica lá dentro, embaixo do vaso tem uma caixa com produtos químicos que dissolvem tudo — explicou Da Praça.

— Pensei que tivesse um buraco no fundo do avião.

— Tá louco. Choveria merda e urina lá embaixo.

— Que nada, os bagulhos iam ficá em órbita, vagando.

— Deixe de falar merda, cara. Vamos falar de flagrante. Tu tem que aprender.

— Como vou sabê lá dentro do banheiro se pintô sujeira ou não?

— Eles devem bater na porta, te apressar. Aí, joga tudo fora rápido, sem vacilo.

A comissária anunciou o nome de Juliano de novo, desta vez informando o motivo da chamada.

— O senhor perdeu o seu bilhete da passagem. Queira procurar algum de nossos tripulantes.

■ ■ ■

O único contato em Salvador era o caxangueiro Álvaro, um assaltante de residência que passou uma temporada no Rio, em atividade com uma quadrilha ligada a Toninho Turco.

De Álvaro, só sabiam o primeiro nome e o endereço, um conjunto de prédios populares no bairro de Ondina. Chegaram lá perto da meia-noite e foram recebidos por duas jovens, a namorada de Álvaro, Ester, e a irmã dela, Estela.

— Faz três dias que a casa caiu. Álvaro está preso no Presídio de Salvador — disse Ester.

Eles ficaram algumas semanas na casa, período em que Da Praça ficou com a namorada de Álvaro e Juliano com a irmã dela. O envolvimento foi além do romance. As duas mulheres os ajudaram a distribuir em Salvador os cinco primeiros quilos de cocaína que levaram do Rio.

O plano de Carlos da Praça e de Juliano era criar uma rede de compradores de grandes cargas de cocaína, de no mínimo 500 gramas por encomenda. Juliano segeriu que os pais adotivos Paulista e Brava também fossem seus fornecedores de pó, que traziam diretamente da Bolívia por um custo menor em relação ao preço dos matutos internacionais. Mas Da Praça preferiu manter o seu esquema, ele próprio encarregado de fazer os contatos com os fornecedores fora do Brasil.

Sem intermediários no transporte do pó do Rio para a Bahia, os planos de Da Praça podiam não dar certo em um primeiro momento. Por falta de contatos na cidade, Juliano teve que sair pelas ruas como um vapor comum. Vendia pó no sistema boca a boca, nos pontos de encontro de jovens e nas áreas de maior movimento da noite de Salvador.

Juliano precisou da ajuda da irmã Zuleika. Eles ofereciam pó nas rodas de conversa e Zuleika ficava a distância com os sacolés numa pochete. Feita a encomenda, o comprador andava um quarteirão a pé ou de carro para receber a droga das mãos de Zuleika. Juliano estava com 19 anos e envolveu a irmã para evitar, na hipótese de ser preso, uma possível penalidade. Zuleika tinha 16 anos e, por ser menor, embora podesse ser indiciada em inquérito policial, era inimputável, ou seja, não poderia ser presa em cadeia de adultos.

A venda rápida e lucrativa convenceu Carlos da Praça a formar uma base em Salvador. Antes de voltar para o Rio de Janeiro com Zuleika ele deixou um quarto em hotel-residência alugado para Juliano, na Praia do Farol. Casa nova e um emprego numa agência de assessoria de imprensa e promoções de eventos eram a fachada ideal para Juliano vender cocaína. A oportunidade de emprego surgiu com as novas amizades, conquistadas nas festas que freqüentava. Durante o ano e meio em que morou na Bahia, nunca saiu do mesmo hotel, que mantinha alugado até quando precisava viajar ao Rio de Janeiro em busca de novas cargas.

Por intermédio do pó, Juliano passou a freqüentar na Bahia um meio social que desconhecia. À tarde, circulava pelas agências de publicidade e redações da imprensa para divulgar o lançamento de discos. À noite, por força do trabalho lícito e da atividade ilícita tornou-se assíduo freqüentador de shows e festas. Tentava ser um traficante discreto, característica de um matuto. Tinha o cuidado de jamais se apresentar ostensivamente. Primeiro oferecia, sem cobrar nada, generosas fileiras de pó para consumo nos banheiros das casas de espetáculo ou nas áreas reservadas das festas. Só depois que alguém pedisse, falava da possibilidade de venda, mas nunca de pequenas quantidades.

— Posso ver, Cláudia. Tenho um amigo que traz do Rio, mas só acima de 100 gramas, interessa?

A bela morena de cabelos longos encaracolados, Cláudia, fez a encomenda para os companheiros da banda de axé Fruta Tropical, da qual era dançarina e cantora.

— Sou *backing, backing vocal.*

— *Beque vocal,* o que é isso? Parece posição de jogador de futebol!

— *Backing,* cantora. Tenho uma banda, Fruta Tropical, conhece?

— Claro. É uma dessas que tão fazendo o maior sucesso.

— Você gosta?

— Sinceramente? Gosto de todas, mas não sei diferenciá. Vocês aqui na Bahia falam, cantam, dançam, fazem tudo do mesmo jeito. Maió barato.

— Não é não, meu rei.

— Taí, vocês chamam todos de meu rei. Chamam, não?

— Todos, não! Quase todos.

Cláudia foi a primeira amiga de Juliano na Bahia. Freqüentavam as mesmas praias, bares, festas. Ele assistia a todos os shows da Fruta Tropical e ela esporadicamente o visitava no hotel-residência do Farol. Cláudia morava com o namorado, guitarrista da própria banda, mas mantinha encontros amorosos com Juliano. Desde o início do romance, a conversa preferida deles era uma tentativa de definir o tipo de relacionamento.

— Tesão Rio Bahia — arriscou Juliano.

— Prefiro amor tropical — disse Cláudia.

— Veneno baiano, que acha?

— Carioca abusado!

— Abusado, eu? Coitado de mim!

— Chora no ombro da menina rica, chora, meu rei.

— Quando você fô ao Rio vô te mostrá a favela onde eu moro.

— Favela cinco estrelas!

— Que é linda, é!

— E este hotel, Juliano? Vida dura, hein?

— Tu não vai acreditá, Cláudia. Mas é a primeira vez que entro num hotel em toda a minha vida.

— É a primeira vez que come pizza, também?

— É, juro que é.

A novidade virou hábito. Todas as madrugadas, antes de ir para a cama, Juliano encomendava uma pizza calabresa grande, ou duas, se estivesse acompanhado. Era generoso em gorjetas aos motoqueiros que faziam a entrega a domicílio. Depois de um certo tempo, a rotina dos pedidos levou os funcionários da recepção a deixarem de anunciar pelo interfone a chegada do serviço.

Quando os agentes da Polícia Federal entraram no hotel com a mochila do serviço 24 horas do telepizza, nem precisaram pedir autorização aos recepcionistas. Subiram direto ao sexto andar e bateram na porta do quarto de Juliano. Ele assistia a televisão e vestia só uma cueca. Espiou pelo olho mágico para saber se era o homem da pizza e em seguida abriu a porta.

— Tá quente ou gelada como a de ontem? — perguntou Juliano em tom de brincadeira.

— Quentíssima. Só que você vai comer na cadeia. É a Polícia Federal!

— Perdi! Perdi!

CAPÍTULO 11 | BANDIDO DO CRIME OU BANDEIDE DO CREME?

O Terceiro tá subindo.

Ponto 50 ou tão de Ponto 30.

O CV bota pra descer.

AR-15 na mão, metralha no tripé.

Detona, tá mandado.

| Funk proibido |

— Você é bandido do Rio? Essa é a porrada da Bahia.

Uma cotovelada na nuca, um pontapé entre as pernas, vários socos no rosto, duas joelhadas no estômago. Os agressores eram cinco agentes da polícia, um deles assíduo freqüentador das festas abastecidas com a cocaína de Juliano, que agora apanhava calado. O sangue escorreu pelo nariz e boca. Um hematoma fechou o olho direito. Eles não paravam de bater e repetir uma única pergunta:

— Quem é o teu chefe no Comando Vermelho?

Nos primeiros minutos de pancadaria, Juliano estava atordoado pelas dores nos testículos. Mesmo se quisesse confessar algum nome não conseguiria, mal dava para respirar. Tentou manter-se em pé para evitar os chutes na área dos rins, que destruíam sua resistência. Involuntariamente se abraçou a um dos agentes e o sujou do sangue que escorria das feridas do corpo.

Aos poucos Juliano foi descobrindo um meio de resistir às agressões. Começou a exagerar nas reações ao sofrer o impacto de cada soco ou pontapé. Era uma forma de forçar o aquecimento dos músculos e adquirir forças para um possível ataque de fúria e loucura. De repente, passou a gritar como se tivesse dando ordens aos carrascos.

— Bate, porra! Tá demorando pra me matar, caralho!

Tapas simultâneos com as duas mãos nos ouvidos de Juliano provocaram cusparadas de sangue. Era o que os carrascos chamavam de telefone. Cada sessão durava o tempo em que o policial conseguia bater sem trégua. Os zumbidos, as dores agudas e a surdez indicaram a Juliano alguma coisa de familiar. Por instantes lembrou-se do que um dia a amiga Luz havia lhe falado.

— Nunca se esqueça, Juliano: o telefone é sinal de que eles já estão cansados de bater.

No intervalo da primeira sessão de tortura Juliano se esforçou para lembrar de histórias semelhantes contadas pela amiga Luz. Em muitas conversas na favela, ela falara da sua experiência como vítima de espancamento. E explicara que tortura era uma espécie de iniciação, batismo da vida do crime. Sabia que o amigo inevitavelmente passaria pelas mãos dos carrascos. Fazia parte do jogo de polícia e bandido, era uma questão de tempo. Por isso, Luz contou a Juliano tudo que sofrera, como forma de ajudá-lo a resistir a futuros sofrimentos. Os conselhos de Luz serviram como um roteiro dos horrores que ainda teria que enfrentar.

— Não fale de imediato, Juliano. O carrasco nunca acredita se você confessa já na primeira porrada. Tente se segurar — cochicha Juliano para si mesmo, reproduzindo os conselhos de Luz.

Jogaram dois baldes de água fria sobre o seu corpo para limpar o excesso de sangue. Em seguida mandaram ele vestir uma camiseta e uma bermuda e sair da cela para ser transferido antes do amanhecer para uma delegacia da polícia civil.

Desde o começo dos espancamentos, era a primeira pausa nas agressões dos torturadores. Enquanto recuperava um pouco das energias, Juliano aproveitou a distância dos torturadores para pensar em sua situação. Embora já tivesse sido preso outras duas vezes no Rio, agora tudo parecia mais duro e difícil, porque não havia a cobertura de Carlinhos da Praça. Estava enfrentando tudo sem a proteção dos amigos ou de um advogado, e ainda longe de uma possível ajuda da família.

Nas duas prisões anteriores no Rio, Juliano escapara dos espancamentos porque o patrão pagara propina aos policiais. Longe da sua cidade, sem alguém para subornar a seu favor, ele sabia que receberia da polícia o tratamento reservado aos acusados de pequenos roubos e furtos, como acontecera com Luz.

Nas cinco vezes em que foi presa, Luz sofreu as agressões brutais praticadas nas delegacias brasileiras. A primeira foi na delegacia de Copacabana, aos 17 anos. Ela deveria ter sido recolhida a um abrigo para jovens infratores, como manda o Estatuto da Criança e do Adolescente. Mas os policiais não registraram sua prisão, mantiveram-na numa cadeia de adultos, escondida numa sala do segundo andar da delegacia, na sala do pau-de-arara.

Quando os policiais mandaram Juliano ficar nu numa pequena sala com divisórias de madeira, ele logo identificou os instrumentos de tortura. Eram duas mesas colocadas lado a lado, apoio de uma barra de ferro de mais de dois metros. Os policiais amarraram os pés e as mãos de Juliano com uma corda de náilon bem apertada. Atravessaram a barra de ferro entre os punhos e a dobra do joelho e a deixaram apoiada sobre as duas mesas, para o corpo ficar pendurado para baixo a uma altura de 30 centímetros do chão.

Cada sessão do pau-de-arara durou perto de uma hora. Tempo em que os carrascos o espancaram com cassetete de madeira na planta dos pés e com palmatória de borracha nas costas e pernas. Queriam forçá-lo a falar nomes de fornecedores de cocaína do Rio e de consumidores da Bahia. Era quase insuportável a pressão sangüínea na cabeça pendurada para baixo. Mas Juliano não confessou nada e não parou de repetir um nome:

— Luz! Luz!

Irritados com os gritos, os policiais tiraram Juliano do pau-de-arara e mergulharam o rosto dele, com a boca aberta, num tonel cheio de água. Deixaram-no submerso até o limite da resistência dos pulmões, entre dois e três minutos. As sessões se repetiam de hora em hora durante todo o primeiro dia de prisão. A cada troca de turno os carrascos também mudavam as técnicas de tortura.

Nos intervalos, Juliano falava sozinho, repetia o que ouvira dos relatos de Luz:

— Na hora do choque você deve começá a falá. Invente qualquer nome. Depois comece a entregá os amigos que já morreram. Só por último...

No segundo dia de prisão Juliano estava com o rosto avermelhado, inchaços cobriam totalmente a visão de um dos olhos e parcialmente a do outro. Mal conseguia ver os carrascos, ou mesmo o próprio sangue que escorria das feridas do pulso e da parte posterior do joelho. Os pés doíam, estavam enormes e roxos por causa da hemorragia interna. Não conseguia levantá-los para andar ou para manter o corpo ereto. Curvado, se arrastando pelo chão de cimento, ele desistiu de chegar ao banheiro e urinou no chão mesmo.

— Está urinando fora do boi! Que desrespeito é esse? — disse um policial.

O flagrante de Juliano urinando fora do banheiro, que chamam de boi, foi motivo para o uso da "ardida", que no Rio era conhecida como "nervosa" e em

São Paulo como "pimentinha". Era uma máquina de eletrochoque, acionada pela manivela de um velho telefone de campanha. Ela conduzia a corrente elétrica por dois fios que estavam sendo presos a uma área muito específica do corpo de Juliano, como preveniu Luz. A voz da amiga não saía dos pensamentos de Juliano.

— Todo torturador é um viado enrustido. Se prepare, eles não vão deixá seu caralho em paz.

Três torturadores disputavam a tarefa de enrolar o fio no pênis de Juliano. Um pegou os testículos entre os dedos e fechou a mão com força crescente.

— Luz! — gritou Juliano para si mesmo.

— Não precisa falar, Carioca. Não temos pressa — disse o torturador.

O outro fio foi amarrado na língua. A cada giro da manivela Juliano recebia o choque de uma corrente de 10 ampères, que fazia estremecer o corpo encolhido no chão de cimento. Ele tentou proteger o pênis com uma das mãos, mas o anel de metal em contato com o fio provocou faísca e queimadura entre as pernas. A máquina tinha três níveis diferentes de potência. Em geral os policiais usavam o grau menor para torturar os idosos e a média para todos os prisioneiros com idade inferior a 40 anos. A potência máxima era aplicada em jovens como Juliano.

— Me dêem água que eu falo — pediu Juliano.

Uma mangueira de borracha ligada à torneira do banheiro foi introduzida na boca de Juliano. A força do jato de água impediu que ele respirasse e potencializou a intensidade dos choques elétricos. Um dos torturadores passou sal no pênis, nos olhos, nas fissuras e nos cortes da pele. Além da ardência, esse banho fez aumentar a condutividade de energia no corpo.

As cargas brutais de choque provocaram espasmos em todos os músculos. Durante as convulsões Juliano perdeu o controle da urina e das fezes. Fase em que os torturadores ainda não estavam interessados em ouvir qualquer confissão, mas sim em exercitar ao máximo a crueldade.

— Carioca cagão? O Rio não é a escola do crime, Carioca? — debochou o torturador.

Juliano não conseguiu responder.

— O Rio é a escola e a Bahia é a faculdade, Carioca. Agora você vai aprender o que se faz aqui com os bandidos — disse o torturador.

Os choques elétricos prosseguiram com intervalos de uma hora para sevícias sexuais promovidas por uma dupla de torturadores encapuzados. A arma deles era um cigarro acesso, que usaram inicialmente para queimar os pêlos em volta do pênis. Em seguida provocaram queimaduras nos testículos.

— Eu falo. Eu falo — rendeu-se Juliano.

— Quem disse que queremos ouvir?

O desinteresse dos policiais no interrogatório levou Juliano ao pânico. Embora já estivesse desesperado pela dor, acreditava ainda ter um certo controle da situação. Achava que bastava começar a confessar qualquer coisa para reduzir progressivamente a brutalidade. A postura surpreendente dos torturadores podia significar algo ainda mais grave, como eles mesmos ameaçavam.

— Teu cadáver vai servir de exemplo. Nunca mais um bandido carioca vai pisar aqui na Bahia. Está entendendo, meu rei?

A tortura culminou com uma sessão de "enforcamento". Os torturadores usaram uma toalha molhada para conter a respiração de Juliano, enquanto a manivela do eletrochoque era acionada em velocidade máxima. Passaram uma corda em volta do pescoço e apertaram cada vez mais para sufocá-lo aos poucos até o completo desfalecimento.

Desmaiado, Juliano foi arrastado até um cubículo fétido, onde ficavam as lixeiras com restos de comida da carceragem. Ao ficar consciente, percebeu que estava no meio da sujeira. O cubículo fedia, o chão estava coberto de moscas e de baratas grandes e pequenas que se movimentavam por todo lado. Tentou espanar os insetos, mas desistiu: a dor era tamanha que preferiu ficar assim mesmo, encolhido no chão, imóvel. Observou uma barata em seu braço e não fez nada. Ela parou em cima do ferimento do pulso que ainda sangrava, mas ele não reagiu. Delirou:

— Te invejo, menina. Aproveita, que é sangue bom!

Havia dois dias que não comia e não bebia, não sabia mais distinguir a origem das dores na área do estômago, barriga, quadril. Estava quase totalmente surdo. Precisava de apoio de alguém para levantar e se manter em pé. Sem nenhum senso de direção, ele pôs os braços sobre os ombros de dois carcereiros que o levaram, com os pés arrastando, até a sala do escrivão da delegacia. O funcionário já o aguardava com um texto redigido de sua suposta confissão. Ele usava as duas mãos para conseguir assinar o documento, sem nenhuma leitura prévia.

Em seguida foi arrastado pelos carcereiros até o camburão que o aguardava para a transferência para o presídio de Salvador. Foi jogado de bruços no chiqueirinho, a gaiola de ferro onde ficavam os presos em remoção. Ficou na mesma posição em que caiu e adormeceu quase instantaneamente.

Só acordou quando jogaram água no seu rosto, já na área de recepção dos novos presos da cadeia. Ainda atordoado, ele não conseguia responder o questionário, uma peça importante da principal documentação dos detentos, o prontuário. Foi três vezes ao banheiro, mas não conseguiu aliviar as dores da bexiga por causa da contenção urinária. Pediu para ir à enfermaria e a resposta do funcionário foi padrão.

— Seu pedido entrou na fila!

— Preciso ir já! — insistiu Juliano.

— Que pressa é essa, Carioca? Estamos em agosto, talvez em novembro a gente te libere uma aspirina — debochou o funcionário.

— Chame um médico, um enfermeiro.

— É problema grave? Onde?

— É, na bexiga. Ela vai explodir.

— Grave é coração. A ordem é perguntar: parou de bater? Se o preso responder sim, então eu devo chamar um médico, entendeu, Carioca? — ironizou um funcionário.

Enquanto aguardava o funcionário escolher o número de sua cela, Juliano tentou encontrar um jeito de se livrar do líquido retido. Sentou num banco de concreto sob o sol do meio-dia e logo começou a transpirar por todo o corpo. Baixou a cabeça para proteger o rosto dos raios solares e viu o suor escorrer dos braços e das pernas. Isso o tranqüilizou e aliviou um pouco a tensão da bexiga.

— Parabéns, Carioca. Você vai ter um xadrez especial. O Havaí — avisou um carcereiro.

Era a cela mais quente do presídio, daí o apelido Havaí. Um retângulo de oito metros quadrados, com dois de largura e quatro de comprimento, onde estavam amontoados 28 detentos, 29 com Juliano. A única ventilação vinha de uma abertura estreita e gradeada no alto da parede do fundo. Antes do carcereiro abrir a porta feita de barras de ferro paralelas, ele sentiu o cheiro de suor e urina que vinha lá de dentro. Mesmo assim se animou: qualquer coisa agora era melhor do que ser o alvo das barbáries dos carrascos.

Já sabia que a chegada ao xadrez era sempre um momento tenso, imprevisível, cheio de ameaças subliminares, mas Juliano estava confiante na receptividade.

Sempre ouviu dizer que quem era odiado pela polícia tinha respeito redobrado na cadeia. Por isso acreditava que as marcas de tortura por todo o corpo seriam a melhor credencial, dispensariam outra forma de apresentação. Nos códigos dos prisioneiros, garantiriam solidariedade imediata.

A porta formada por barras paralelas de ferro foi aberta pelo carcereiro e Juliano avançou três passos à frente, dois à direita e parou. Era estratégico se acomodar na "praia", a área mais próxima da saída e a das mais indesejadas. A pior de todas era a do banheiro, o "boi", usado em caso de extrema lotação do xadrez.

Resolveu esperar o final do dia para ver como o pessoal se organizava na distribuição do espaço exíguo. Eram 29 homens num lugar planejado para acomodar no máximo oito. Lá no fundo alguns descansavam deitados lado a lado na forma de valete, em posições invertidas, a cabeça de um próxima aos pés do que estava deitado ao lado.

A parte alta das grades da porta era o guarda-roupa do xadrez, onde eram amarradas as calças, as camisas, as toalhas e pendurados os calçados. Impossível saber, nos primeiros momentos, onde guardavam ou escondiam as coisas mais valorizadas, como cigarro, material de higiene, papel de carta, dinheiro, drogas. Se estivessem à vista, de imediato Juliano saberia quem mandava na cela. Outra pista para identificar o chefe era descobrir quem estava ocupando as áreas tidas como nobres do xadrez, que eram as mais próximas das paredes.

Dormir encostado na parede era um "privilégio". Quem conquistava esse espaço dormia com alguém encostado em apenas um lado do corpo. E durante a madrugada não era pisoteado por aqueles que se obrigavam a caminhar sobre os companheiros para chegar até o banheiro. Por isso, a parede era sempre reservada ao chefão. Ele esperou a hora do jantar para mostrar ao novato Juliano quem mandava ali dentro.

Ainda com as mãos trêmulas, Juliano tinha dificuldade em equilibrar o prato de alumínio quente. Estava agachado com as costas apoiadas nas grades da porta e ansioso para comer depois de um jejum de 50 horas. Ele abriu o prato e aspirou com prazer o vapor da comida aquecida, uma mistura de arroz, feijão, macarrão e pedaços de carne assada com molho de tomate. Ele dobrou ao meio a tampa redonda de alumínio para a usar como talher.

— Gostei disso aí que você tá usando — disse um homem de bermudas, baixo, musculoso, que estava em pé ao lado de Juliano, e tão próximo que nem dava para ver o rosto dele.

Juliano olhou para a tampa de alumínio acreditando que a sua colher improvisada estivesse despertando curiosidade. Não estava. O segundo comentário soou como uma ordem.

— Gostei desse teu cordão. Vô curti esse bagulho no meu pescoço — disse o suposto chefe do xadrez.

— Bacana mesmo! — respondeu Juliano sem levantar a cabeça, demonstrando maior interesse na comida que ainda não havia provado.

— Qualé, você ainda não entendeu? Passa logo esse cordão, cara — gritou o estranho, já irritado.

Juliano pôs o prato de comida no chão e tão logo se levantou ficou cara a cara com o estranho, que já imaginava ser o chefão do xadrez ou alguém sob as ordens dele. Os outros presos se afastaram para assistir à briga que parecia inevitável.

— Seguinte, cara. Você não acha melhor a gente queimar um baseado e mudar de assunto? — sugeriu Juliano.

— Olha só, isso aí é a marca de paz e amor, não é? Tu é chegado, malandro? Põe no meu pescoço, põe.

— Posso tirar do meu pescoço, não, cara. Eu fiz uma promessa, tá entendendo? — disse Juliano, ainda procurando convencê-lo a mudar de idéia.

— Que promessa, caralho?

— Uma mina, uma gata. Ela fez eu jurar que só daria esse cordão pra quem chupar meu pau melhor do que ela chupou. Vai encarar?

A ousadia de Juliano surpreendeu o provocador, que se calou, e provocou gargalhadas gerais, inclusive do chefão. Ele afastou os dois que se posicionavam para a troca de socos e se apresentou ao novato.

— Gostei de ver, na moral! Eu sou o responsa, Bira do 37.

— Juliano, com todo o respeito.

— Tu aprontou legal, hein? Os homens te arrebentaram, cara... Tu parece um monstro. — À medida que as horas foram passando, os efeitos das pancadas apareciam pelo corpo. Os pés inchados pela hemorragia pareciam duas botas escuras de cano longo. As feridas nas juntas do joelho estavam inflamadas. Havia três machucados ainda em carne viva nas costas. Mas o que mais impressionava era o rosto, que parecia o de um lutador de boxe surrado do primeiro ao último round. Os olhos e as faces inflaram em duas bolhas roxas, que cobriam da sobrancelha até a linha do nariz. Os lábios normalmente grossos dobraram de tamanho e tremiam, assim como as mãos e os braços. Sentia fortes dores nos rins, estava febril e faminto.

— O faxina vai cuidá de você, cara. Qual é o teu artigo, 157? — perguntou Bira.

— Doze! — respondeu Juliano.

— Com tudo em cima?

— Cento e cinqüenta gramas, por aí. Mas apresentaram só 50.

— Melhor!

— Melhor nada, não faz diferença. É flagrante igual.

— Quem é o teu povo lá no Rio?

Juliano falou de Pedro Ribeiro, Carlos da Praça e quando começou a falar da já famosa guerra da Santa Marta, virou o centro das atenções. Todos queriam saber como foram os combates e muitos detalhes sobre a quadrilha de Cabeludo. Ficaram impressionados com a atuação dele no bonde de Orlando Jogador. Juliano começou a conquistar solidariedade espontânea. O próprio Bira ofereceu o seu pequeno banco para que ele jantasse numa posição menos desconfortável. E bateu com a caneca de alumínio nas grades, um código que anunciava novidades na cela.

O preso responsável pelo recolhimento do lixo das celas era o único que tinha livre circulação pelos corredores. Ele aproveitou suas andanças para informar da chegada de um homem do Rio à cadeia. Muitos já sabiam das péssimas condições físicas de Juliano, pois o viram chegar arrastado pelos carcereiros. Alguns usaram-no para enviar mensagens de apoio e algumas coisas para amenizar o sofrimento.

Da cela onde estavam os presos primários vieram várias camisetas, que agora, amarradas umas às outras, viraram a almofada de Juliano. O pessoal do xadrez ao lado mandou o "aquecedor", dois metros de fio de cobre. Uma extremidade foi presa à fiação elétrica e a outra, mergulhada na única panela de alumínio, aqueceu a água que foi usada para a limpeza dos ferimentos. Analgésicos e antitérmicos foram enviados da cela em frente, mas foram educadamente recusados por Juliano.

— Guardem para quando a situação piorar. Por enquanto, preciso de outro tipo de remédio.

Bira realizou o desejo de Juliano logo depois da passagem do carcereiro que fazia a contagem dos presos nas celas. Nesse dia, a checagem funcionou como toque de recolher. A maioria ficou em silêncio para ouvir as histórias do novo companheiro de cela, que à noite ganhou um cobertor de lã e uma raridade que estava no esconderijo de Bira.

— Obrigado, meu pai, por mais um dia em sua terra maravilhosa, meu pai. Minhas treze almas benditas, sabidas, entendidas...

Juliano rezou enquanto Bira preparava o cigarro de maconha. Finalizado o ritual, o chefe da cadeia acendeu o baseado e sem aspirar a fumaça o ofereceu a Juliano.

— A primeira tragada é sua, campeão — disse Bira.

Juliano novamente agradeceu com orações improvisadas para agradar os parceiros de cela.

— Obrigado, Nosso Senhor do Bonfim, obrigado pela paz e mordomia. Obrigado, São Jorge...

Enquanto o baseado passava de mão em mão, Juliano falou de seus planos de guerra para o dia em que voltasse ao Rio de Janeiro. O efeito da maconha estimulou o exagero na explicação do plano, como se tivesse formando um grupo e uma estratégia de ação para eles. Na verdade, Juliano falava de um sonho, um desejo de vingança que veio alimentando, com apoio de Carlos da Praça, desde a morte de Cabeludo e de sua conseqüente expulsão da Santa Marta.

— Jurei voltar para tomar o morro! O povo me espera — exagerou Juliano, enquanto alguns presos já bocejavam de sono. Passado o efeito da maconha, ele começou a demonstrar cansaço. Alguns presos sugeriram que descansasse e ofereceram seus lugares perto da parede. Mas ele só aceitou depois de muita insistência de Bira, que quase o obrigou a deitar-se no melhor espaço da cela, junto à parede, que já estava forrado com um cobertor de lã.

Juliano só acordaria 15 horas depois, com a chamada do carcereiro.

— Júlio Mário Figueira? Vem comigo até a sala dos prontuários.

Ele foi levado até uma sala do prédio da direção da cadeia. Recebeu água, comida, curativos nos ferimentos. Mas ninguém explicou os motivos do isolamento. Ele ficaria mais de uma semana sozinho em uma cela na área administrativa, até ser informado da chegada de um "alvará de soltura" em seu nome, assinado por um juiz corregedor da Justiça da Bahia. Na manhã do dia seguinte, um advogado, o "Dr. Marcos", o aguardava na portaria.

— Caralho! É você, Marcão? Como você sabia que eu tava aqui, cara? — perguntou Juliano ao "advogado" Marcos.

— Você tá irreconhecível, Juliano! Botaram pra arrebentá! — respondeu Marcão.

— Os tiras daqui são foda, cara!

A única exigência que fizeram foi a troca do uniforme da cadeia pela roupa normal. Juliano teve que deixar a calça cinza e a camiseta bege na portaria e nada mais. Como ele chegara sem nenhum objeto pessoal de valor, nada precisava ser recolhido na cela. Para ir embora, bastou assinar o alvará ali mesmo e o amigo Marcão pegar de volta na recepção da portaria a carteira falsa da Ordem dos Advogados do Brasil.

Eles passaram devagar pelos portões de ferro que foram se abrindo. Juliano ainda tinha parte do rosto coberto pelas manchas escuras das hemorragias internas, mas já não sentia tantas dores. Ainda tinha os pés inchados. Teve dificuldades de pisar descalço no piso de asfalto, que estava quente por causa do sol do meio-dia. Os ferimentos já estavam cobertos por uma casca grossa, inflamada em alguns pontos.

A caminho do estacionamento, ele chorou e riu ao mesmo tempo e rezou em voz alta.

— Obrigado, meu Pai, que essa liberdade seja eterna. Vós sois meu advogado na vida e na morte. Siga meus inimigos para que os olhos do mal não me vejam...

O carro do amigo o impressionou.

— Lindão, zerinho, cara. Onde tu roubô esse bagulho? — perguntou Juliano.

— No aeroporto, o dono deve estar viajando. Gostou? — respondeu Marcão.

— Carro de dotô mesmo, Dotô Marcos!

— Vamo precisá muito dele. O Da Praça mandô a gente rapá fora logo pela estrada.

— Vambora já!

— Já, não. Preciso acertá as contas com o cagüeta.

— Deixa pra lá, cara.

— Ordens são ordens. Ele entregô você e ainda deu o prejuízo pro Da Praça.

— Vambora, cara, vambora!

— Pode dá mole, não, Juliano. É território novo. Tem que se impô na moral.

Não adiantou Juliano insistir. O contrato de Marcão com Carlos da Praça previa duas tarefas, resgatar Juliano da cadeia com documentos falsos e dar uma lição no homem que delatou à polícia a localização de sua primeira base de venda de cocaína na Bahia.

No final da tarde do mesmo sábado da fuga de Juliano, a segunda parte da missão começou a ser cumprida. Marcão e dois mercenários se apresentaram ao delator como agentes da Polícia Federal e o convidaram a participar de uma missão de busca de traficantes no litoral de Salvador. No barco, a uns 500 metros da praia, o delator foi algemado e lançado ao mar com um saco de areia amarrado ao corpo.

■ ■ ■

Na manhã de domingo, bem cedo, Marcão e Juliano estavam na estrada rumo ao Rio de Janeiro.

— Em que praia a gente pára primeiro? — perguntou Juliano.

— Que praia, cara. Vamos, tocá direto, no pau! — respondeu Marcão.

— Preciso dá um mergulho pra tirar essa zica, cara!

— Tá louco. A guerra é segunda-feira.

— Então! Preciso pedi proteção aos deuses do mar, cara.

— A quadrilha já tá te esperando.

— Vai esperá mais um pouco. Toca pra praia!

Mergulhos rápidos, e para não perder tempo, voltaram para a estrada. Decidiram viajar à noite e durante a madrugada, mas não resistiram. Exaustos, pararam num hotel às margens da estrada para descansar e telefonar para o Rio.

— Alô, Carlos, como vai meu tio? — perguntou Juliano

— Onde vocês estão? — perguntou Carlos da Praça.

— Perto, no Espírito Santo — respondeu Juliano.

— E a guerra, cacete! O Zaca foi preso. Temos que aproveitar para atacar logo, não pode passar desta segunda-feira, porra!

— Segura essa guerra, Carlos. Posso perdê, não. Já tamo chegando, segura aí!

No final da tarde de segunda-feira, o carro dirigido por Marcão avançava pela ponte Rio—Niterói. Ele viu no horizonte à esquerda a montanha da guerra iluminada pelos últimos raios de sol e a pedido do amigo acelerou forte. Era março de 1991, exatamente três anos e sete meses depois de ser expulso. Juliano estava perto de cumprir a promessa que fizera aos amigos e à família: tomar de volta o poder da Santa Marta.

CAPÍTULO 12 | A RETOMADA

Mas pra você formar no bonde tem
que ter disposição.
Porque de dia e de noite,
pode crer, a chapa é quente.
É melhor pensar direito,
se tu quer formar com a gente.
Na onda da madrugada o bonde já
tá formado.
| **Funk proibido** |

O reencontro no morro Cerro Corá provocou euforia, mas eles combinaram que só haveria festa se houvesse vitória. Eram mais de 50 homens em preparativos para a guerra, mas o pessoal da antiga Turma da Xuxa estava mais preocupado em pôr em dia as histórias vividas durante os quase quatro anos de separação. O grupo se desfez quando a maioria foi expulsa do morro na guerra de 1987. Alguns mantiveram contato através dos parentes que continuaram morando na Santa Marta.

Do grupo original de 16 jovens, cinco estavam ali para ingressar no bonde que iria atacar a Santa Marta a qualquer momento: Mendonça, Alen, Juliano, Du e Claudinho. Nenhum deles mantivera os cabelos descoloridos como no passado. Mudaram de visual e de atividade.

— Você ficou sabendo do Renan, Juliano? — perguntou Du, que continuava morando na casa da família de Paulista.

— Grande Renan. Um dia sumiu com a pistola automática do Da Praça, lembra, no bonde do Cabeludo? — disse Juliano.

— Pois é, depois da morte do Cabeludo, ele e o Mendonça queriam assumi o lugar do tio, sabe cumé? Chegou a formá uma quadrilha, um dia apareceu com um carro novo lá no pé do morro...

— Onde ele teve morando nesse tempo? — perguntou Juliano.

— Passou um tempo na Tabajara, depois foi pro Azul e por último no Vidigal.

— Vidigal do Patrick, amigão. O Renan tava fechando com os irmãos de lá?

— Sei não. O certo é que passaram o rodo nele lá.

— Brinca, não? Dívida?

— Ninguém sabe. Tem muito matadô por aí, tem muita mineira.

— Mas o pessoal do Vidigal, o que fala?

— Fala coisas diferentes. Não foi dentro da favela, foi na entrada, o Renan tava a caminho. Quebraram. Acharam o corpo cheio de azeitona sete meia cinco. Quebraram também um moleque junto, parece que avião do Vidigal, mas talvez fosse amigo, parceiro de assalto. Ele andava roubando de moto, com um parceiro na garupa.

— Caralho! Primeiro o Adriano, depois o Renan. Já morreram dois da nossa turma — comentou Juliano.

No mesmo dia, Juliano procurou os melhores amigos do passado para tentar convencê-los a reforçar o bonde, mas não teve sucesso. Mentiroso não aceitou o convite porque abanadora o crime desde o dia em que foi preso quando passava de carro pela praia do Leblon na companhia de amigos armados, que carregavam 50 gramas de pó. Acusado de formação de quadrilha, passara meses na cadeia. Depois que saiu da prisão, voltou a estudar e a morar na favela, mesmo sob o domínio de Zaca, mas nunca mais se envolveu com drogas. Estava cursando a faculdade de comunicação social e esperava trabalhar em jornal, desejo que tinha desde a infância e que estava relacionado com o seu apelido. Nas cadeias do Rio de Janeiro, os presos costumavam chamar os jornais de "mentiroso". Ele explicou a Juliano que torceria por uma vitória dele na guerra, mas que não iria acompanhá-lo.

Juliano também procurou Flavinho, apesar de ele próprio ter recomendado o seu afastamento do tráfico na guerra de 1987. Sabia que o amigo tinha virado taxista, mas o procurou mesmo assim porque soube do envolvimento dele em um assalto a banco no centro da cidade. Julgou que ele pudesse ainda estar envolvido em ações criminosas, mas se enganou.

De fato, Flavinho e o falecido Renan, acompanhados de mais quatro assaltantes armados, invadiram uma agência bancária e recolheram dos caixas um valor equivalente a 50 mil dólares, dinheiro que pretendia usar na compra de seu próprio táxi. O carro em que trabalhava era de uma empresa particular que cobrava dele 50 dólares por dia de aluguel. Flavinho precisava trabalhar entre oito e dez horas para faturar o valor do pagamento da diária. Só depois da décima segunda hora de trabalho começava a ganhar para si mesmo. Vivia revoltado, achava que era explorado pela empresa. Por isso, resolveu assaltar banco para montar a sua própria frota e poder explorar os outros também. Mas Flavinho não chegaria nem a aplicar o dinheiro do primeiro roubo, por causa de um erro primário durante a fuga. Ele, Renan e os quatro parceiros usaram apenas um carro para fugir. O carro cheio de homens nervosos chamou a atenção da polícia. Tiveram que entregar todo o dinheiro do roubo. E Flavinho, para se livrar da prisão em flagrante, teve de arranjar mais 10 mil dólares com os seus parentes, para a honrar o acerto com os policiais. Chegara a pedir dinheiro emprestado a Juliano e nunca pagaria a dívida. Por vergonha do episódio, Flavinho foi morar em outra favela, onde recebeu a visita de Juliano.

— Eu sou um fracassado, parceiro. Acho que meu destino é morrer dirigindo táxi — disse Flavinho ao recusar o convite do amigo.

Careca tinha saudades da mãe e das irmãs gêmeas que continuaram morando na Santa Marta apesar da expulsão deles em 1987. Ele e o irmão Vico adoravam a mãe carinhosa e batalhadora, que os criou sozinha desde a separação do marido Tibinha. Nos últimos anos Careca trabalhava como motorista de um líder comunitário no Engenho de Dentro. E antes da irmã de criação de Juliano ser presa na fronteira da Bolívia, ele ajudava Diva a vender cachorro-quente nas ruas, em um carro improvisado como lanchonete. Morava com o irmão Vico na casa de um primo no Méier. Os dois queriam voltar ao convívio da mãe Dalva, no Terreiro de Maria Batuca, mas ambos tiveram medo de aceitar a proposta de guerra. Eles nunca haviam empunhado uma arma. Mas Careca prometeu, se houvesse a retomada do morro, entrar para a quadrilha na condição de piloto. Andava revoltado com o baixo salário de motorista, que o obrigava a fazer bicos para sustentar os filhos que tinha com mulheres diferentes e para bancar o seu consumo de pó.

Vico também queria muito que o morro voltasse ao controle dos amigos, mas deixou claro que sob nenhuma hipótese poderiam contar com a sua participação na guerra. No bairro do Méier, continuava envolvido com samba e futebol, mas sem o prestígio que tinha na Santa Marta. Enquanto aguardava uma chance de ser músico profissional, ainda trabalhava como auxiliar geral da empresa VS-Boy. No reencontro com Juliano, os dois discutiram sobre as opções de cada um.

— Até quando tu vai dá uma de otário, parceiro? O que a empresa te paga não é salário, é condenação à miséria.

— Na boa, Juliano, tô na idéia de ficá na minha, esperando uma chance, aí.

— A chance tá no morro, Vico. Vamo tomá, parceiro. Tu pode ficá com a área do samba, do funk, do baile do sábado... é tua área, cara!

— Mas não pego em arma, Juliano... Minha arma é percussão, cavaquinho, não tem jeito.

— Careca tá pegado, Vico. Agora tu tem que reforçá a do teu irmão, parceiro.

— Ele tem que se cuidá sozinho. Você também, Juliano... Vocês tão cheios de vida, bagulho não é só dinheiro...

Vico só concordaria em acompanhar o ataque a distância. Ficaria no asfalto dando um reforço de retaguarda.

■ ■ ■

Juliano nem tentou fazer contato com Jocimar e Soni por dois motivos. Ambos continuavam morando na Santa Marta. Soni dificilmente entraria para o bonde porque estava envolvido na contravenção, era apontador de jogo do bicho. Jocimar nunca deixou de ser amigo, mas Juliano nem pensou em convidá-lo porque desde os tempos da Turma da Xuxa nunca deixara de ser trabalhador, era vigilante de uma empresa de segurança. Também não foi atrás de Paulo Roberto porque ele fora preso em 1988, acusado de ter praticado um latrocínio. Os três irmãos dele, Germano, Galego e Chiquinho, estavam ativos no crime e em liberdade. Mas Juliano não gostava deles desde os tempos de infância.

No final do dia da convocação geral, Juliano conquistara a adesão de cinco dos antigos parceiros de turma. E eles tinham motivos diferentes para aderir ao bonde da retomada.

O motivo do envolvimento de Du tinha um nome: Juliano. O companheirismo era ainda forte, mantido pela proximidade dele com a família dos pais adotivos de Juliano. Como morava de favor na casa deles no Cantagalo, tornou-se muito amigo dos seus "irmãos de criação", Santo e Difé, e nunca perdeu o contato com Juliano, com quem viajou algumas vezes para o Nordeste.

— Um ano e meio na Bahia, Juliano. Comeu quantas? — perguntou Du ao reencontrar Juliano.

— As mulheres baianas são maravilhosas, cada morena! Mas os homens... — respondeu Juliano.

Logo que o amigo chegou da Bahia, Du quis saber dos planos dele e se ofereceu para lutar, embora não gostasse de guerra nem de se envolver na disputa de poder no tráfico. Não gostava de Zaca por motivos óbvios. Mas também não tinha grandes simpatias pelo seu principal oponente em 1991, Carlos da Praça. Por ser duas gerações mais velho, o "tio" de Juliano nunca se aproximou do pessoal da Turma da Xuxa. Por isso, antes de querer voltar à Santa Marta, Du estava indo à luta para ter o amigo por perto.

A vida de Du nos últimos tempos vinha preocupando seu pai. Ele deixara de ser *office boy* para prestar o serviço militar. Cinco anos depois ainda não tinha conseguido emprego. De 1987 a 1991, fez apenas trabalhos temporários, às vésperas do Natal. Primeiro como vendedor autônomo de uma loja de sapatos em Copacabana. Depois virou camelô de ferramentas contrabandeadas do Paraguai na banca de um amigo no Largo do Machado.

Cansou de esperar resposta das agências de emprego, onde preencheu dezenas de questionários para se candidatar a uma vaga em qualquer tipo de trabalho no comércio, no turismo, na indústria. Enquanto aguardava uma oportunidade, era avião dos pontos-de-venda de cocaína gerenciados por Santo e Difé no Cantagalo.

A trajetória de Du como avião tinha sido problemática. Ele se tornara um consumidor voraz de cocaína, prejudicando seu desempenho na boca. Tinha dificuldades em manter a necessária disciplina de vendedor de drogas porque costumava cheirar com a freguesia. A maioria o tratava como companheiro das baladas de pó e não o respeitava como homem da quadrilha do tráfico.

Du também se envolvera em confusões por causa de dívidas de consumo sem limites. Freqüentemente os fregueses tiravam proveito disso para lesar a boca. Muitos se sentiam prejudicados na hora de pagar a cocaína, que Du também cheirava, e acabavam reclamando com os chefes do tráfico ou mudando de fonte. Du só não fora expulso do Cantagalo porque a boca era protegida por Brava, que gostava dele e o considerava um jovem solitário e tímido, merecedor de uma atenção maior dos amigos.

Juliano estava ajudando a organizar a estratégia de guerra e de imediato designou uma função que considerou adequada para o amigo Du. Como não havia armamento para todo mundo, combinou de deixá-lo desarmado, apenas para fazer número, impressionar o adversário com um grupo maior do que realmente era.

■ ■ ■

Mendonça aderiu ao grupo pelo desejo de retomar o morro, que considerava patrimônio da família Fumero. O pai, Luizão, motorista de ônibus, era amigo do velho Pedro Ribeiro, cunhado de Cabeludo, e lutou secretamente ao lado dele na guerra de 1987. Por causa da derrota, Luizão fugiu da Santa Marta, voltando dois anos depois com a mulher Neusa para trabalhar como gari. Mas o filho, já assaltante conhecido, Mendonça, continuaria jurado de morte no morro sob comando de Zaca.

Nesse intervalo de quatro anos Mendonça tentou formar uma "quadrilha de nome", com a esperança de ocupar o espaço deixado por Cabeludo. Desejara ser elegante como o tio. Depois de um assalto bem-sucedido, gostava de usar um terno de linho branco para comemorar. Franzino, estatura média, tinha o nariz avantajado, mas o que mais chamava a atenção nele eram as cáries que haviam destruído metade dos dentes da arcada superior. Costumava sorrir sem abrir a boca, pois sabia que isso dificultava o sucesso dele com as mulheres. Sonhava ascender socialmente, conquistar amizades no meio da classe média e dos ricos. Mas nesse tempo só conquistou um amigo "bacana", Axel, graças ao vínculo dele com sua namorada Adriana. Jogador de futebol profissional, Axel era casado com a irmã de sua namorada. Quando tinha dinheiro, Mendonça adorava convidá-lo para almoçar em alguma churrascaria, onde sempre tirava muitas fotos da família reunida em volta do craque.

Ganhara mais de 10 mil dólares com a primeira quadrilha que criou em parceria com o primo Renan. Usavam moto para assaltar, no meio do trânsito, motoristas donos de carros de luxo. Com a morte do primo, virou sócio de outro assaltante nômade como ele, My Thor, que comandava um bando de "clínica geral".

Desde 1989, Mendonça e My Thor vinham planejando seus crimes de uma maneira que evitasse chamar a atenção da polícia. Começaram roubando lugares não muito ricos, mas que renderam dinheiro suficiente para reforçar as armas da quadrilha. As primeiras vítimas foram escritórios de firmas de serviço da zona sul. Depois passaram a atacar postos de gasolina e estacionamentos na área do Catete, onde tinham amigos que ofereciam a casa para refúgio rápido no próprio bairro. Por idéia de My Thor, aplicaram parte do que roubaram no tráfico. Chegaram a gerenciar juntos os morros Azul, no Flamengo, e o Santo Amaro, na Glória.

Juliano pretendia usar essa experiência de Mendonça na administração das bocas de cocaína que pretendiam ocupar na Santa Marta. O plano era convidá-lo para a gerência da endolação. Mendonça também tinha a intenção de fixar moradia na favela, era uma de suas prioridades voltar a viver perto da mãe, Neusa, e da avó, Antonia, mãe de Cabeludo. E ficar mais próximo da amiga Luz e dos adolescentes da nova geração, como Tucano, Tênis e Tá Manero, que começavam a se destacar nas ações de assalto e de "caxanga", a invasão de residências. Na véspera do ataque, Mendonça convidou um antigo parceiro da Turma da Xuxa, Rico, a reforçar o bonde da guerra, embora ele estivesse debilitado pela tuberculose.

Entre os voluntários, só um, Claudinho, não era muito bem-vindo por Juliano ao bonde, devido à rivalidade dos tempos da adolescência. Apesar de terem percorrido caminhos diferentes, nos últimos quatro anos haviam mantido um vínculo involuntário por causa do envolvimento dos dois com Carlos da Praça. Disputavam uma posição de confiança do atacadista de pó por caminhos diferentes. Enquanto Juliano tentara expandir a distribuição na Bahia, Claudinho não saíra do Rio e aproveitara a influência do chefe para aos poucos assumir o controle parcial dos pontos-de-venda de drogas de um morro de Copacabana, a ladeira do Tabajara.

A condição de frente do Tabajara levou Claudinho a reivindicar com o chefe Carlos da Praça o posto de comandante do bonde. Sabia que Juliano levava vantagem sobre ele por causa de seu desempenho ousado em tiroteios do passado. Por isso, para reforçar sua posição no grupo, trouxe o seu irmão Raimundinho, que, aos 14 anos, já era afoito com uma arma na mão.

Mas quem estava no centro das atenções do chefe Carlos da Praça era o guerreiro Alen, que levou ao encontro uma proposta que poderia mudar os planos da guerra. Em vez do uso de armas, Alen achava que o melhor caminho para retomar o morro era o da diplomacia. Por isso, nos primeiros dias após a prisão de

Zaca em Americana, interior de São Paulo, ele manteve contato telefônico com o novo homem forte da Santa Marta, Pituca. Antigo gerente-geral do chefe preso, Pituca fora promovido por Zaca à função de frente do morro.

Alen vinha tentando convencer Pituca a realizar uma operação inédita na história do tráfico de drogas do Rio até 1991. Queria convencê-lo a arrendar a boca, vender o controle de todos os pontos, uma prática comum entre contraventores do jogo do bicho, mas até então nunca adotada pelos narcotraficantes.

A favor dos argumentos de Alen havia a insatisfação dos moradores com a quadrilha de Zaca, evidenciada pelos trabalhos de macumba encomendados contra ele no Terreiro de Maria Batuca. Zaca chegara a recorrer à proteção espiritual de um pai-de-santo da cidade de Americana, no interior de São Paulo. Foi preso justamente quando tentava se proteger das energias negativas emanadas do povo da Santa Marta contra ele.

As negociações de Alen eram feitas por telefone e carregadas de ameaças. Ele vinha alertando Pituca sobre o poderio dos guerreiros de Carlos da Praça, que tinham o apoio de morros amigos. Avisou que a ajuda estava chegando na forma de armas e de muitos voluntários do Comando Vermelho. Alertou, como se fosse um conselheiro, que diante de qualquer resistência, a guerra seria sangrenta e a vitória de Da Praça, inevitável. Por isso, Alen insistia que a decisão mais inteligente de Pituca seria admitir a desvantagem e realizar o negócio, ou seja, sair do morro o quanto antes.

A maioria não gostava do plano de Alen. Achava que a vitória pelas armas elevaria o moral na hora de assumir o controle da favela. Estavam seguros de suas forças, devido ao apoio dos homens do Comando Vermelho, que não paravam de chegar para a guerra.

Os jovens que chegavam dos morros vizinhos tinham em comum um fator de motivação representado por uma sigla de duas letras, CV, da qual todos se orgulhavam. A organização criminosa mais conhecida do Brasil, o Comando Vermelho, vinha recebendo nos últimos anos a adesão em massa de adolescentes. Nenhum deles tinha algum vínculo formal com o CV, que desde a sua criação em 1979 nunca teve organização burocrática, mesmo clandestina.

Alguns traziam consigo pequenos pedaços de papel usados como embalagem das porções de cocaína postas à venda nas bocas, com a sigla e o nome da favela carimbados em vermelho. Usavam como se fossem figurinhas de coleção infantil. Era comum, nos encontros das quadrilhas, a prática do troca-troca dos papelotes para guardar de lembrança como se fossem figurinhas.

Nesta reunião no Cerro Corá, estavam sendo trocados papelotes carimbados do "CV Borel", "CV Vidigal", "CV Turano", "CV Cantagalo", "CV Rocinha" e "CV Complexo", marcas das favelas que enviaram seus representantes. A maioria era formada por jovens ou adolescentes na faixa dos 15 aos 22 anos. Eram da terceira geração CV. Foram seus pais, tios, irmãos e amigos mais velhos que levaram o Comando Vermelho a conquistar ao longo dos anos 80 o domínio do tráfico de drogas no Rio de Janeiro.

O pessoal da Turma da Xuxa já conhecia muitas histórias sobre o poder do Comando Vermelho nas cadeias do Rio. Desde crianças, todas foram testemunhas da obediência dos criminosos do morro à antiga regra do CV, a de enviar aos amigos presos parte do lucro dos roubos e a de providenciar a contratação de advogados para a defesa deles.

Para Juliano, o Comando representava algo mais próximo. Os adultos que mais o influenciaram na adolescência, Pedro Ribeiro, Paulista, Cabeludo e Orlando Jogador, tinham orgulho de dizer que ingressaram no CV quando passaram pela cadeia. Foi Cabeludo quem pela primeira vez falou a Juliano da existência das duas faces do Comando Vermelho, a de fora e a de dentro dos presídios.

— Nas cadeias, o CV luta por paz, justiça e liberdade. Nas ruas, quem é do CV tá no lado certo da vida errada — um dia lhe explicara Cabeludo durante a guerra, prometendo no futuro apresentá-lo aos chefes da organização.

Os fundadores eram assaltantes experientes, que roubavam bancos, caminhões de transporte de valores, grandes empresas. Mas a partir de 1982 as primeiras pichações das letras CV sinalizavam a chegada da organização aos morros para controlar o tráfico de drogas. Durante toda a década de 1980, não parou de crescer também em outras áreas lucrativas do crime, como a do seqüestro. Mas foi no comando das drogas no Rio que se tornou conhecida em todo o país.

Havia uma euforia juvenil na formação do bonde, parecida com a dos jovens das torcidas organizadas de futebol antes de um grande jogo. Fora do universo de cada comunidade, apenas os líderes de cada morro eram conhecidos dos demais. Os soldados do tráfico formavam uma legião de jovens anônimos que tinha em comum a mesma origem de pobreza e a veneração pela sigla CV, a única organização criminosa formada exclusivamente por favelados no Brasil. A maioria sabia pouco sobre a estrutura do CV. Mas todos se valiam do impacto e do medo que ela despertava, quando numa ação armada alguém da quadrilha gritava a palavra de ordem:

— É o Comando Vermelho!

A adesão de dezenas de voluntários de seis morros diferentes era o resultado dos contatos de Carlos da Praça, que já tinha se consolidado como o principal fornecedor de cocaína dos morros da zona sul, controlados precariamente pelos homens do Comando Vermelho. Para dar provas de sua força, tentava convencer os voluntários de que os aliados da Santa Marta, facção do CV, sempre estiverem unidos e organizados, apesar de terem sido expulsos da favela. Por isso, nesses momentos decisivos da formação do bonde, Da Praça impôs uma regra básica da guerra nos morros, a de que os homens da comunidade mandavam e os de fora obedeciam. No comando, um único nome:

— Chegou a tua hora, Juliano. Você vai comandá o bonde — disse Carlos da Praça assim que reencontrou Juliano no Rio de Janeiro.

Juliano ficou orgulhoso com a missão, mas reagiu como se não desse muita importância ao papel de líder.

— A verdadeira liderança será a nossa união! — respondeu, sem deixar muito claro que estava concordando com a tarefa.

Mas na hora de decidir a formação do bonde e a tática do ataque, aos poucos a voz de Juliano foi naturalmente se impondo.

— Vamo nos dividi em três grupos e assumi posição no alto e no lado direito e esquerdo da floresta — disse Juliano no tom de quem estava dando uma ordem.

— E a parte de baixo vai ficá sem ninguém? — perguntou Claudinho.

— Vai ficá livre, sim. Para facilitá a fuga dos alemão — respondeu Juliano.

— Mas se a polícia invadi por ali? — perguntou Claudinho.

— Deixa subi, nossos inimigos não são os cana, são os alemão.

— E como vai sê a invasão? — perguntou Du.

— Quem vai respondê isso é o Alen.

— Como assim?

— O plano dele tá dando resultado. O Pituca topô vendê o morro.

— Nunca ninguém vendeu um morro. Isso é caô do Pituca! — disse Claudinho.

— Se fô um caô, aí a gente invade — respondeu Juliano.

Enquanto Juliano fazia a preleção do bonde, Alen, que havia se deslocado de táxi para a Santa Marta, já negociava diretamente com Pituca. Passava da meia-noite quando os dois chegaram a um acordo, a venda dos três pontos da boca por um valor equivalente a 30 mil dólares. Como prova da boa intenção nos negócios, Alen pagou adiantado uma "entrada" de 3 mil dólares ali mesmo na favela e combinou efetuar a quitação pela manhã, condicionada à saída de toda a quadrilha de Zaca do morro.

Um telefonema de Alen anunciando o fechamento do acordo de venda foi o sinal para o bonde partir para a Santa Marta, numa caravana de cinco Kombis abarrotadas de homens.

Chegaram ao alto ainda durante a madrugada, divididos em três grupos. O grupo de Juliano ficou ali mesmo e os outros dois entraram na floresta. Um avançou não mais de dez metros, até a Cerquinha, de onde podiam ver a movimentação no lado leste da favela. Os outros se posicionaram no lado oposto, no Beirute. Do alto, a cada meia hora Juliano acendia e apagava uma lanterna com luz vermelha para manter uma comunicação visual com seus comandados e deixá-los atentos, aguardando o desfecho das negociações. Estavam prontos para atacar se Pituca não cumprisse o acordo.

Às seis da manhã, Juliano deu o sinal de que o prazo para a saída de Pituca havia se esgotado. Mandou disparar simultaneamente todas as armas que estavam no alto. Em seguida, ainda com os tiros ecoando, os grupos do Beirute e da Cerquinha também dispararam para o alto, iniciando a invasão pelas laterais. Quem acordou com o barulho não saiu do barraco. Os que estavam na rua, mas perto de casa, procuraram voltar. Muitos seguiram rumo ao trabalho, descendo os becos com cautela para não serem confundidos com o inimigo em fuga.

O primeiro amigo dos velhos tempos que encontraram estava quase irreconhecível de tão gordo. Era o Doente Baubau, que já pesava mais de 100 quilos, embora mantivesse as pernas magras. A enorme barriga, com a gordura caída sobre o cinto da bermuda, dificultava os movimentos. Precisava levantá-la com a mão para poder andar mais depressa atrás dos invasores amigos e anunciar a novidade.

— É o Comando Vermelho, aí! E o novo dono é o Da Praça — gritava Doente Baubau pelo meio da rua.

Na primeira hora de invasão não houve uma única resistência, mas Juliano ainda avançava pelo beco do Jabuti com extrema atenção. O destino era um velho barraco verde da Cerquinha, o único lugar de onde era possível ter uma visão do DPO, o destacamento da PM. Dali teve a certeza de que tudo estava aparentemente calmo, sem nenhum sinal de resistência do inimigo, nem movimentação da polícia.

A repetição de dois breves assovios era a senha. Juliano encostou-se à parede para aguardar a contra-senha.

— Minha paixão, você voltou? — gritou uma mulher de dentro do pequeno barraco de madeira e alvenaria.

— Eu não avisei? Eu não disse que eu ia voltá, mulhé — respondeu Juliano sem esperar que Luz abrisse a porta para recebê-lo.

Luz demorou alguns minutos para vestir a bermuda, uma blusa de moletom com capuz e abrir as três fechaduras da porta do barraco. Juliano já a aguardava dentro da pequena varanda com os braços abertos, sorridente. O abraço longo, apertado, emocionou Luz, que chorou intensamente, causando estranheza ao amigo.

— Tudo isso é saudade, minha querida? — perguntou Juliano.

— Tu voltô na hora certa, Juliano. Tô sozinha, doente, fodida. Andei levando uma surra, cara — disse Luz.

— Como foi isso, mulhé? — perguntou Juliano.

— Alemão, alemão...

— Caralho, caralho! Eu quebro esses putos!

— Deixa quieto, por enquanto... Precisamo falá de outra parada. Como é que é, sentaram o dedo neles? Ouvi pipoco pra caramba!

— Na chinfra, Luz. Ninguém trocô, saíram de pinote. Mas deve tê nego entocado aí.

— Vambora... vamo atrás. Posso achá as tocas deles, aí — entusiasmou-se Luz.

Nos quase quatro anos de afastamento de Juliano, Luz continuou morando na favela, dividindo o aluguel de um barraco com a sua namorada, Índia. Mantinha-se com o dinheiro que ganhava como guardadora de carros nas ruas de Botafogo próximas ao morro.

Tinha poucos amigos, porque a maioria dos homens fora expulsa em 1987. Também ficara ainda mais isolada da família com a perda da mãe, morta em circunstâncias terríveis havia mais de um ano. No dia do crime, Luz foi avisada pela avó, que saiu de Jacarepaguá, distante 30 quilômetros do morro, para procurá-la e dar a triste notícia. As duas foram juntas fazer o reconhecimento do corpo no local da execução, na favela de Rio das Pedras. Encontraram o corpo desfigurado por espancamento e sevícia, a língua cortada antes do fuzilamento. A mutilação era um sinal de que os matadores foram motivados por vingança. Eles invadiram a casa atrás do pai de Luz, que teria prestado um depoimento contra eles na justiça. Como o pai não estava na casa, mataram a mãe. Ela mandou um recado aos matadores pelos moradores da favela.

— Diga pra esses covardes que não vou morrê antes de matá um por um deles!

Zaca sabia que Luz fora da quadrilha de Cabeludo, mas por ser mulher nunca a perseguiu. Também nunca desconfiou que ela fosse espiã inimiga, que iria ajudar no planejamento da invasão. Nem que na hora da retomada do morro pudesse ter um papel importante nas buscas aos esconderijos de seu grupo.

Luz pôs o capuz e uma sandália de borracha e partiu com o grupo de Juliano em direção ao barraco do homem de maior confiança de Zaca, Caga Sangue. Ninguém estava em casa. Em seguida, ela e os parceiros seguiram em direção ao provável esconderijo das armas do inimigo, num casebre do beco do Sossego. Como havia movimento lá dentro, cercaram o barraco antes de serem notados. Alguém percebeu a movimentação e saiu para a rua, sem esconder a curiosidade. Eram três crianças sob os cuidados da irmã mais velha, de 13 anos.

Juliano, constrangido, passou a mão na cabeça da menor, de cinco anos, que chorava assustada.

— Que fria, hein, Juliano? — comentou um dos homens.

— Fria uma porra! Pode invadi que tem! — interferiu Luz, revoltada com a indecisão dos homens parados à porta.

— Vamo entrá, sim, mas cuidado com as crianças. Cadê a tua mãe? — perguntou Juliano para a chefe da casa.

— Está trabalhando, só volta à noite — respondeu a menina.

— Tem que perguntá cadê o pai, Juliano. Ele é o bicho! — disse Luz, inconformada.

— Tá bem, Luz, tá bem — repetiu Juliano, procurando acalmar a amiga.

— Essas crianças tão se fazendo de mané, cara! Dá uma geral na casa que acha, eu sei do que eu tô falando — insistiu Luz.

Era o barraco de um soldado de Zaca, que abandonara o morro de madrugada, junto com o pessoal do Pituca. Não havia muito o que procurar no espaço de três metros quadrados. Revistaram sem sucesso os dois velhos armários usados como divisórias entre o quarto, a sala e a cozinha. Também nada encontraram no meio da montanha de roupas amontoadas no chão. Já desistiam de procurar quando um guerreiro desconfiou do peso de uma lata de mantimentos. Estava cheia de feijão preto, aparentemente. Luz jogou o conteúdo da lata sobre a mesa. O barulho do impacto de pedaços de aço na madeira mostrou que embaixo do feijão havia dezenas de projéteis de fuzil.

— Não falei, porra? Ele saiu de pinote e deixô o bagulho aí.

Recolhida a munição, o grupo partiu mais confiante, seguindo os passos de Luz, para vasculhar um a um os barracos da quadrilha de Zaca, na parte alta do morro. Pelo aparelho radiotransmissor, Juliano orientava seus comandados a ostentar armas pelo caminho, mas evitou disparos para não despertar a atenção dos policiais da Escadaria. Desde a última guerra a PM manteve a ocupação do antigo QG de Cabeludo, o Bar do Guerreiro, agora conhecido como DPO, a Delegacia de Patrulhamento Ostensivo.

Por cautela, concentraram-se na parte alta do morro enquanto confirmavam se todos os inimigos haviam fugido. As primeiras notícias vindas pelo rádio confirmaram a troca de comando do morro. A voz era de Carlos da Praça:

— Alô, comandante, alô, comandante? Câmbio!

— Fale, patrão. É Juliano! Câmbio!

— Novidades por aí? Qual é a posição? Câmbio!

— Tudo manero, dentro do previsto. Ocupando terreno. Câmbio.

— Vai com cautela. Pituca já fez contato pra receber o dinheiro. O morro já é nosso! Câmbio.

Confirmada a saída de Pituca, Juliano deu continuidade à busca de algum retardatário e percorreu alguns barracos para exigir pessoalmente que os parentes dos inimigos abandonassem o morro antes do anoitecer. Também marcou para a noite a ocupação de uma área de valor afetivo e estratégico: o Cantão, onde nasceu a primeira boca-de-fumo da Santa Marta. Até lá ninguém poderia ceder à tentação de visitar parentes, amigos, namoradas.

— Sem essa de procurá o colo da mamãe, tô avisando! Guerra é guerra, sem vacilo, rapaziada — alertou Juliano.

Só obedeceram às ordens de Juliano os voluntários que não tinham parentes e amigos no morro. A desobediência dos outros foi involuntária, pois não precisaram sair à procura de ninguém. Foram os pais, irmãos, amigos e namoradas que saíram de seus barracos para encontrar os homens pelas ruas. Durante toda a tarde, cada passo deles era acompanhado por dezenas de pessoas, que queriam conhecer os novos donos da favela. O próprio Juliano deixou de cobrar obediência à regra criada por ele mesmo quando uma criança o segurou pela perna e o questionou com uma voz frágil:

— Você é o meu pai? Você é o meu pai?

Júlio William tinha de idade o tempo que Juliano passou afastado dele e da mãe Marisa, que foi levá-lo de surpresa ao encontro do pai. Num primeiro momento Juliano não reconheceu o filho. Como Marisa estava ali, logo Juliano se deu conta de que estava diante da família que nunca teve por perto e abraçou o filho. Conversaram e trocaram abraços, mas não por muito tempo. Ainda se sentia inseguro, temia alguma reação do inimigo. Por precaução, Juliano mandou mulher e filho para casa. Despediu-se deles com a promessa de chamá-los à noite para dormirem juntos em algum barraco a ser escolhido como esconderijo.

No começo da noite os contatos de Juliano com Carlos da Praça pelo radiotransmissor se intensificaram. De Copacabana, o chefe providenciava a convocação de mais voluntários para enfrentar uma provável retaliação do grupo de Pituca, que reclamava do desrespeito ao acordo. Da Praça deixara de quitar a dívida de 27 mil dólares como havia sido tratado, e estava disposto a manter o calote. No morro, num primeiro momento, ninguém foi informado do golpe, com exceção de Juliano.

A ocupação de todos os pontos estratégicos e a chegada de mais voluntários trouxeram a certeza de que a favela fora retomada. À noite, quando eram reduzidas as chances de uma invasão policial, os mais exaustos aproveitaram a chegada do reforço para beber e lanchar nos botequins. Alguns amigos da Turma da Xuxa que não participaram do bonde —, Soni Jocimar e Mentiroso — foram encontrar Juliano no Cantão para dar os parabéns pela vitória. Os três gostaram de saber que os amigos estavam assumindo o controle da boca, mas, como todos, também ficaram preocupados com o tipo de negociação encaminhada por Alen.

— Esse Pituca enlouqueceu. Imagine o que vai acontecê quando Zaca soubé que ele vendeu o morro? — disse Mentiroso no meio da roda de amigos.

Juliano aproveitou o comentário para revelar aos amigos que o desfecho da negociação era o calote.

— Precisamo ficá atento porque o Pituca tá levando um banho do Carlos da Praça, que decidiu não pagá porra nenhuma.

A confissão assustou Alen.

— É foda, Juliano. Isso é caozada, aí. Como vai ficá minha responsa? Os cara vão dá o troco em cima de mim — reclamou Alen, preocupado com uma provável represália do inimigo.

— Eu também fui apanhado de surpresa. Loucura do Carlos da Praça. Mas vai dá tudo certo — tentou acalmar Juliano.

— Tô gostando disso, não. Mais cedo ou mais tarde os caras vão querê se vingá. Aí já é — disse Alen.

Juliano gostou de rever os amigos, mas não pôde dar muita atenção a eles por causa da pressão exercida por Carlos da Praça, que não parava de dar ordens pelo radiotransmissor.

— Como estão as coisas aí no Cantão? — perguntou Da Praça.

— Sob controle. O reforço tá chegando, mas ainda falta gente. As laterais tão descobertas — reclamou Juliano.

— Segura o pessoal aí no Cantão pra mostrar força na entrada principal. Sacumé! Os alemão podem voltar a qualquer momento. E a polícia, tá na área?

— Por enquanto nada. É até estranho. Não saíram lá da Escadaria, os mesmos de sempre, soldados do DPO.

— Cuidado, devem está armando alguma.

— Ninguém vai dormi, vamo ficá na atividade, patrão. E essa história do dinheiro do Pituca? Isso não vai dá merda, não?

— Esse desenrole é meu, não se mete.

Claudinho e o irmão Raimundinho ficaram encarregados de proteger o acesso oeste do morro, pelo lado do Cruzeiro e do Cantão, e de vigiarem a parte mais alta, que abrangia as áreas da Pedra da Boa Fé e o Beirute, lugares muito íngremes e desertos em alguns pontos por causa dos rochedos. Havia também ali montanhas de lixo, que cobriam a área onde dezenas de barracos foram destruídos no incêndio de 1969.

Sobrou para Juliano o patrulhamento da região central, de maior concentração de barracos, becos e vielas. Era a parte de moradias mais precárias, porque ficava ao mesmo tempo distante do pé e do alto. Os moradores tinham enorme dificuldade para subir com material de construção para suas casas. E se fossem depender de entrega, tinham que sempre pagar pelos carretos mais caros do morro. Na cobertura dessa área mais populosa ficaram com Juliano os mais experientes: Mendonça e Luz.

A primeira providência estratégica foi distribuir o maior número de olheiros pelo ponto mais vulnerável, o acesso leste, lado da Escadaria, onde o fica o plantão da Polícia Militar. O menino Paranóia, conhecido dos guerreiros desde o tempo em que era o principal mensageiro do morro, foi escolhido por Juliano para a função de informante exclusivo dele. A função prioritária era informá-lo pessoalmente sempre que algum estranho entrasse na favela. Já com a segurança dos levantamentos de Paranóia, Juliano passaria a noite circulando de beco em beco à frente de um bonde de 15 homens. Abandonou o patrulhamento uma única vez, quando Du trouxe um recado urgente da família: a mãe Betinha e as duas irmãs estavam à espera dele na casa da paraibana Madá, no beco das Maravilhas. Para não chamar atenção, Juliano foi até lá sozinho.

— Te disse, não, mãe, que o morro voltaria a sê nosso? — falou Juliano ao trocar o primeiro abraço com a mãe.

— Isso é uma loucura, meu filho. O Zaca já está sabendo disso? — perguntou Betinha.

— Tem mais volta, não, mãe. O Comando Vermelho tá do nosso lado.

As irmãs estavam ali por motivos diferentes. Zulá veio criticá-lo. Ela estava namorando um soldado da quadrilha de Pituca que teve que fugir do morro de madrugada para não morrer. Zuleika tinha saudades, não o via desde a viagem a Salvador. Queria saber das novidades e estava entusiasmada com a ocupação da favela.

— Estava na hora de expulsar aquele bando de babaca — disse Zuleika, com a intenção de atingir a irmã Zulá.

— Você está é com inveja, Zuleika. Claro, nenhum deles quis saber de você e aí só te resta apelar mesmo — rebateu Zulá.

— Na moral, Zulá, namorá com um alemão? Aproveita que ele fugiu e tira esse cara da tua vida — sugeriu Juliano.

— O quê? Eles vão voltar ainda mais fortes. Você é que vai dançar se não sair fora dessa, Juliano — falou Zulá.

— Você devia sentir vergonha, Zulá, vergonha! — criticou Zuleika.

— Eu quero é que vocês se fodam!

— Você precisa se internar numa clínica psiquiátrica, Zulá. Você faz tudo para ferrar o seu irmão, já notou isso? — disse Zuleika.

— Eu? É ruim, hein! Vocês dois é que tão sempre do lado errado...

— O tempo vai mostrá que eu tô do lado certo, irmã. Vou mudá a vida de vocês todas... — Juliano tentou apaziguar a irmã.

— Sei, o Cabeludo vivia falando a mesma coisa... — retrucou Zulá.

A discussão acabou com a chegada de Du, que estava ofegante, tenso.

— O pessoal do Cantão tá pedindo reforço, Juliano. Tem uma ameaça de invasão lá embaixo.

— Qual é? São os cana?

— É um movimento estranho, ninguém sabe direito.

Não havia tempo para despedidas. Mas Zuleika ainda conseguiu abraçá-lo e atrair a atenção de Juliano para pôr no cordão preto que ele usava no pescoço uma medalha da protetora Nossa Senhora Aparecida. Irritada, Zulá foi embora sem falar com ninguém. Betinha pediu desculpas à dona da casa e, ao se despedir do filho, tirou de dentro de uma sacola de plástico o presente que trouxera, uma camiseta do Botafogo Futebol e Regatas. A essa altura, Juliano já tinha sua atenção voltada para a adolescente Veridiana, de 15 anos. Ele a conheceu cinco anos antes, no tempo das experiências sexuais com a mãe dela, Madá.

— Menina, tu virou mulher! Vamo dá uma volta aí, tu tem que me mostrá esse morro, que eu não conheço mais nada.

Apesar da insistência de Du, Juliano sumiu com Veridiana e só voltou depois de quase uma hora e ainda mais impressionado com a beleza dela.

— Você é linda demais pra sê de outro cara. Vai sê minha pra sempre. Pode avisá sua mãe — disse Juliano ao ser forçado por Du a se despedir de Veridiana.

— Caralho, Juliano. Vambora, caralho!

— Dá pra resistir a essa menina, não, Du.

Juliano e Du correram pelas vielas escuras em direção ao local da provável invasão. No caminho encontraram Paranóia, que estava ofegante e parecia assustado.

— Tu sumiu, comandante! Tá a maior confusão lá no Cantão.

Juliano mandou o menino Paranóia avisar Raimundinho do perigo de invasão e desceu pelo beco do Jabuti em direção ao Cantão. Com Du à frente para sondar os perigos do caminho, seguiram em silêncio, atentos aos movimentos, ainda sem saber quem era o inimigo que os ameaçava. Se fossem os inimigos, quem atiraria primeiro? E se fossem os policiais, a tática seria de ataque ou de recuo?

Os olheiros do Cantão viram com nitidez, e os que estavam no paredão do beco do Jabuti confirmaram: um motoqueiro entrou na rua de acesso ao morro, chegou às proximidades da favela e retornou pelo mesmo caminho. Minutos depois três carros particulares fizeram o mesmo percurso da moto. Saíram da rua São Clemente, contornaram a praça Corumbá e entraram na Marechal Francisco de Moura, uma pequena ladeira sinuosa que levava até a Escadaria. Cem metros à frente apagaram os faróis e saíram do campo de visão dos olheiros, provavelmente estacionaram.

Pouco à frente havia uma bifurcação: se os carros seguissem à direita, muito provavelmente seriam da polícia, pois era o caminho do posto policial da Escadaria. À esquerda era a pequena rua Jupira, pouco mais de cem metros de paralelepípedos, que também acabava no pé do morro, no lado oeste, em frente à quadra da Escola de Samba, para onde estavam apontadas todas as armas dos homens sob o comando de Claudinho.

Minutos depois, dois dos carros apareceram na bifurcação e entraram devagar à esquerda, causando movimentação e nervosismo entre os homens, parte deles novatos no crime. Alen estava sobre uma laje, como auxiliar de Mendonça, o único armado do grupo. E ele tinha dificuldade em manusear uma velha espingarda calibre 12. Do alto, eles viram na retaguarda a chegada do bonde de Juliano e mandaram um breve assovio como saudação.

Juliano jogou-se ao chão e, deitado, apontou o fuzil em direção aos possíveis inimigos. Claudinho também estava atento ao movimento dos dois carros que avançavam pela Jupira, na curva com formato de meia-lua. Vários parceiros deitaram-se ao lado dele e se posicionaram para o combate. Dali dava para ver que os carros estavam cheios de homens e que alguns mostravam o bico da arma pelas janelas. Apagavam e acendiam os faróis, como se estivessem avisando que estavam em missão de paz. Ainda era cedo para saber.

Juliano arrastou-se para ficar ao lado de Claudinho. Os dois estavam nervosos devido à incerteza. Não tiravam os olhos dos carros e combinaram uma ação para barrar a entrada daqueles estranhos armados. O medo deles era de que o bonde fosse formado por policiais civis ou PMs que trabalhavam à paisana, os do Serviço Reservado.

— Se forem os homi vamo dispará pro alto — sugeriu Juliano.

— Mas se eles não recuá? — perguntou Claudinho.

— Nesse caso a gente vaza pro alto.

— E se eles cercarem pelo alto?

— O Raimundinho segura o pipoco lá em cima. Vamo ouvi os tiros dele também.

Os carros avançavam bem devagar, enquanto os homens abriam a porta para sair depressa. Um deles acionou um objeto escuro que tinha nas mãos. Era uma lanterna que emitia uma luz alaranjada, muito usada para sinalizar perigo de acidente nas estradas. O movimento circular da luz cor de laranja chamou a atenção dos homens de Juliano, que continuaram paralisados, tensos, com as armas apontadas para a Jupira.

— Maracanã! — gritou Juliano para testar se os homens do bonde conheciam a senha do dia.

— Garrincha! — respondeu alguém do grupo, que estava na frente da quadra da Escola de Samba.

A contra-senha correta acalmou Juliano.

— Caralho! É gente nossa!

— Deve sê do Comando. Aquele sinal de lanterna é coisa do CV — disse Claudinho.

O último dos três carros se aproximou e estacionou na frente dos outros, bem perto do fim da rua. Os homens da linha de frente estavam escondidos sobre as lajes a uns 50 metros dali. O olheiro Paranóia foi o primeiro a reconhecer os visitantes que saíram pelas portas traseiras do Tempra.

— Olha lá, o Santo e o Difé — avisou Paranóia.

A chegada à favela dos dois irmãos de criação de Juliano, Santo e Difé, logo ficaria esclarecida. Era o primeiro bonde de reforço do Comando Vermelho, providenciado pelo pai Paulista, que continuava preso em Bangu I com os principais dirigentes da organização. Eles trouxeram de empréstimo uma dúzia de revólveres, centenas de balas calibre 38 e duas caixas de projéteis de alta velocidade. A visita era o reconhecimento de que o morro teria, a partir daquele dia, uma nova administração, com um trio de gerentes formado por Raimundinho, Claudinho e Juliano, escolhidos pelo dono, Carlos da Praça, e aprovados pela cúpula do CV.

Como a função exigia armamento adequado, a aquisição de uma arma de guerra virou prioridade dos novos gerentes e marcaria a primeira demonstração de poder de Juliano na Santa Marta.

CAPÍTULO 13 | **JOVELINA!**

Alemão, mané, otário.

Melhor sair voado.

Ou toma de ponto 50.

Pra sair detonado.

Já é cevê! Cevê!

| **Funk** |

A primeira prova de poder de Juliano no trio de gerência representou um desafio pessoal de grande risco. Sem dinheiro para importar uma arma de alta potência, teve de negociar com os vendedores do mercado negro, que oferecem armas roubadas ou já usadas em algum crime.

A oferta que mais o agradou era uma arma muitas vezes disparada contra os barracos da Santa Marta. Um fuzil de uso pessoal de um homem temido até pelos traficantes. No bilhete enviado pelo vendedor a Juliano havia apenas a indentificação alfanumérica AK-47.

O bilhete não tinha assinatura, mas todos sabiam que era de Peninha. A rejeição à proposta só não foi unânime por causa da teimosia de Juliano.

— Alguém tem que avisá lá o Peninha que tô interessado. Mas quero dá uns pipocos antes de fechá o negócio — disse Juliano, já à procura de um avião para a tarefa. Um adolescente e dois meninos se candidataram. Tênis, Pardal e Nein. Desde a retomada do morro pelo CV, os três vinham pedindo uma oportunidade de prestar serviço à boca, como Pardal e Nein faziam no passado, quando consertavam os chuveirinhos da rede de água. Tênis tinha 17 anos, era muito velho para a tarefa. Conformou-se ao ouvir o não de Juliano. Os outros dois, ao contrário, fizeram pressão. Nein estava com 13 anos. Pardal, com 11. Os dois calçavam chinelos de borracha e juraram que poderiam levar a mensagem em alta velocidade.

— O bagulho de vocês é tampá cano aí. Moleque doente do pé não pode sê avião, não. De que jeito? — perguntou Juliano.

— Já tô bom das ferida, Juliano. Aí, posso corrê no avião, posso mesmo — disse Pardal.

— Podemo fazê em dupla, um protege o outro — sugeriu Nein.

— Tá bom, tá bom, mas tem que voá, caralho.

Os dois meninos jogaram os chinelos num canto e partiram correndo descalços com o bilhete nas mãos para entregar a Peninha.

O soldado da Polícia Militar recusou a proposta de Juliano, com o pedido de experimentar a arma. E mandou um novo bilhete pelos meninos aviões: "Vem buscar na minha mão."

Apesar da reprovação de toda a quadrilha, Juliano aceitou a primeira exigência de Peninha. Acompanhado de Raimundinho e Mendonça, desceu até as proximidades do posto policial da PM. Parou a uns vinte barracos da Escadaria e mandou Pardal e Nein de volta, com novo recado a Peninha, que aguardava a resposta com impaciência.

Depois de quase uma hora, Peninha apareceu de surpresa sobre uma laje, pelas costas do grupo de Juliano.

— Aí, vacilão! Vai querer ou não vai querer essa porra?! — disse Peninha.

Juliano tentou esconder o susto ao ouvir a voz de Peninha às suas costas.

— Falô, tô ligado. Vamo conversá, vamo conversá — disse Juliano.

— Eu, conversar? Tu acha que tô a fim de conversa mole, rapá?

— Onde tá a bichona?

— Qual é, rapá, tu mostra o dinheiro aí primeiro!

— Tá na mão, tá na mão! Mas tá lá no alto.

Frases de efeito de lado a lado não impediram o avanço das negociações. Marcaram um encontro para fechar negócio para mais tarde no Tortinho, o pequeno campo de futebol, no alto. Na hora marcada, Peninha subiu o morro de carro pelo acesso de Laranjeiras, por trás da favela.

Levou com ele um grupo de soldados em mais dois carros. Juliano já esperava no alto de um barranco, de onde tinha uma grande visão da zona sul do Rio. Junto dele, estavam dois homens de sua confiança, Mendonça e Raimundinho, além de um grupo de vinte jovens espalhados na área próxima, alguns escondidos, prevenidos contra uma possível cilada.

Os soldados estacionaram os carros mas ficaram em volta deles, escudos improvisados. Cem metros separavam os dois grupos.

— Chega aí, na moral, Peninha! — disse Juliano.

— Que moral, rapá? Tu já viu bandido dar ordem pra polícia? Vem tu aqui! — respondeu Peninha.

— Mostra aí a mercadoria — insistiu Juliano.

— Quer ver mesmo? Posso mostrar daqui pra vocês todos, com um tiro só.

— Vou até aí vê esse barato de perto.

Raimundinho quis acompanhar Juliano, mas foi impedido.

— Tu fica. Os homis querem a tua cabeça, cara! Segue com a rapaziada aqui que eu vô sozinho.

Juliano avançou na escuridão com os dois braços esticados para baixo, com as duas mãos apoiadas nas pernas, uma delas segurando a pistola automática Eagle. Não percebeu que estava sendo seguido por Rebelde, adolescente recém-integrado à quadrilha, que queria ajudar na cobertura ao chefe.

Rebelde segurava o revólver com as duas mãos, apontadas para o chão.

Os dois se aproximaram do grupo de policiais, que estavam em silêncio. No meio dos soldados, Peninha apoiou uma das mãos no cano do fuzil, como se a arma fosse uma bengala. Para demonstrar tranquilidade e confiança, Juliano se aproximou cantando uma música de sua banda preferida, Legião Urbana.

"Que país é esse? Que país é esse?..."

Perto o suficiente para reconhecê-lo, Juliano parou e chamou Peninha para a negociação. O soldado tentou impôr regras.

— Que história é essa de vir pra cá armado? Assim não tem conversa — disse Peninha.

— Agora já tô aqui. Tem mais volta, não, rapá! — respondeu Juliano.

— E se eu resolver te quebrar agora?

— Tem problema, não, aí. A rapaziada já tá preparada. Olha lá no barranco. Que atirá? Eu vô, mas levo alguns de vocês comigo!

— E esse moleque aí?

Só neste momento Juliano percebeu que Rebelde estava atrás dele, na cobertura, mas escondeu a surpresa. Tentou tirar proveito da situação.

— Meu time só joga no ataque!

— Deixa disso, rapá, tu nunca disparou nenhum tiro em ninguém.

— Então vô te mostrá... Me passa esse fuzil...

Peninha finalmente entrou na conversa de Juliano e concordou em fazer alguns disparos contra o barranco, atrás do campo de futebol. O alvo era uma lata de cerveja pendurada num arbusto, que voou ao ser atingida pelo disparo do fuzil.

— Está vendo o que eu posso fazer com isso, moleque? — disse Peninha.

A resposta de Juliano foi com a pistola automática. Um único tiro certeiro no que restou da lata de cerveja no chão. Peninha propôs outro desafio, agora com o AK-47. Juliano não se desviou de seus objetivos. Pegou a arma e não disfarçou o seu encanto. Era considerado o melhor fuzil de assalto do mundo, o que mais matou na última metade do século XX. Foi projetado pelo general comunista russo Mikhail Kalashinikov, para enfrentar, na Segunda Guerra Mundial, o exército nazista de Hitler, até então equipado com armas de melhor poder de fogo e qualidade. Mas como só ficou pronto depois do final da guerra, em 1947, Kalashinikov incorporou o ano da sua invenção e a sua característica automática ao nome: AK-47. É uma arma patente, espécie de metralhadora de longo alcance. Enquanto as metralhadoras disparam rajadas num raio de 15 metros, o fuzil AK-47 pode disparar até 600 projéteis por minuto e contra um alvo a 400 metros de distância.

Cinqüenta e cinco anos depois de sua criação, ao constatar que o AK-47 se tornara a arma preferida dos terroristas e bandidos do mundo inteiro, o general confessou o seu arrependimento.

"Não quis inventar uma máquina de fazer viúvas. Se soubesse deste destino preferia ter inventado uma máquina de cortar grama de jardim", declarou Kalashinikov em 2002.

A primeira coisa que chamou a atenção de Juliano foi o cano de passagem do projétil de alta velocidade, um cilindro de 60 centímetros de comprimento, com perfurações laterais que emitiam um som abafado durante o disparo. Juliano fez pontaria em direção a Peninha e disse, sorrindo:

— É minha. Pago mil e quatrocentos já. Sem conversa.

Juliano baixou a arma e tirou as cédulas do bolso da jaqueta e entregou a Peninha, que contou uma por uma. Em seguida, os soldados entraram em seus carros, arrancaram de forma brusca, derrapando os pneus no chão de areia, e partiram, deixando atrás de si uma linha de poeira.

Os homens gritaram, correram, cercaram Rebelde e Juliano, que ergueram com a mão o AK-47, como se o fuzil fosse um troféu.

— Vamo descê pra base! — disse Juliano.

Eles seguiram para o Cantão a fim de encontrar Claudinho e os vinte jovens de plantão na boca. Nas primeiras horas da madrugada, quase todos estavam acordados, animadíssimos com a aquisição. Formaram um grande círculo em volta da arma. Como todos queriam matar a curiosidade, o AK-47 passou de mão em mão. E parou nas mãos de seu dono. Ele festejou do jeito que eles gostavam: dum, dum, dum, dum, dum, dum, dum, dum, dum, dum, dum!

O som dos disparos também provocou euforia na casa de Juliano, onde Betinha, Zuleika e Zulá recebiam a visita da segunda mãe de Juliano, a Mãe Brava.

— Agora ninguém tira o morro de nós — disse Brava, sem esconder a satisfação.

Só Zulá não gostou de saber que o irmão se tornara o dono da arma mais poderosa da quadrilha. Ela ainda lamentava a perda do namorado, recém-expulso da favela. E torcia pela volta dele, mesmo que isso representasse uma guerra contra o irmão.

— Logo, logo ele dá troco. Uma arma só não é nada pro pessoal do Zaca — disse Zulá.

Mãe Betinha estava dividida. Em alguns momentos vibrava com a ascensão do filho na hierarquia da boca e, em outras, temia as conseqüências de sua ousadia.

Mãe Brava, que vinha conversando muito sobre Juliano durante as visitas ao marido na cadeia, estava convencida de que o filho adotivo estava num caminho sem volta.

— Nunca vou esquecê o que o Paulista me disse sobre o Juliano, Betinha. Falô assim: esse moleque nasceu pra isso, é bandido dos bons — disse Mãe Brava, e continuou: — Meu marido sabe das coisas. Ele diz que nosso filho é o bicho e vai tê vida longa!

Pela manhã, os homens de Juliano, ainda insones, circulavam pelas principais vielas para mostrar a aquisição à comunidade. Os mais atentos observavam na cena a existência de um novo comando no morro, o trio que estava sempre à frente dos demais, os irmãos Claudinho e Raimundinho, e o que mais estava despertando a atenção, Juliano, o dono do AK-47.

A enorme curiosidade provocada pela arma fez a quadrilha parar algumas horas ao lado da sede da Associação de Moradores. Improvisaram uma espécie de exposição para todos que queriam vê-la de perto.

No começo da tarde, uma ligação para o telefone público do beco Padre Hélio fez Juliano interromper a demonstração que fazia a duas jovens encantadas com o fuzil.

— É pra você, Juliano. É o Peninha — disse o homem que atendera o telefone.

Sem largar a arma, Juliano atendeu o telefonema ainda eufórico, elogiando a arma, sem perguntar o motivo do contato.

— Manero, manero, Peninha. Essa arma é dez, cara!

— É. Dei mole. Mas vou pegar ela de volta! — retrucou Peninha.

Sem perceber as intenções de Peninha, Juliano propôs outras compras.

— Pode mandá mais que a gente compra. Quero botá vinte fuzil nesse morro.

— Você não está entendendo, Juliano. Essa arma é minha. E você vai me entregar ela de volta.

— Como assim?

— Manda teu avião me devolver ainda hoje aqui embaixo, na praça Corumbá.

— O quê? Tu tá louco? Eu já te paguei e tu qué o quê?

— Isso mesmo, rapá, estou esperando no fim da tarde, na hora da Ave-Maria.

— Tá doidão, Peninha! Qual é? Essa arma não sai mais do morro!

— Tu manda já ou eu vou aí buscar essa porra!

— Tu vai perdê a viagem, Peninha.

— Eu sou polícia, rapá. Tu é dedo mole, é?

A armação do golpe de Peninha assustou Juliano, que desligou o telefone e foi depressa avisar os amigos.

— Os homis tão subindo. Eles querem o fuzil de volta, na marra!

Claudinho reagiu com preocupação. Sugeriu que o grupo consultasse o patrão Da Praça, para saber qual deveria ser a melhor atitude. Raimundinho discordou. Achou que não havia tempo para consultas, dada a ameaça de um ataque imediato.

— Não temo escolha: vamo pra guerra!

— Podemo devolvê a arma e pegá o dinheiro de volta — sugeriu Claudinho.

— Isso é coisa de mané. Tu acha que o tira vai devolvê dinheiro, rapá? — retrucou Raimundinho, já irritado com a postura do irmão.

A discussão causou um alvoroço diante do prédio da Associação. Algumas pessoas não ligadas à quadrilha fizeram sugestões, outros manifestaram indignação. Juliano conversou com os amigos dos tempos da Turma da Xuxa, sobretudo com os de sua maior confiança, como Luz.

— É o grande teste, Juliano. O Peninha entrou nessa para faturá em cima de nós — disse Luz.

— E se ele oferecê o dinheiro de volta? — perguntou Juliano.

— Esquece. Ele tá vindo pra nos robá... ou pra nos engoli!

O primeiro tiro pegou a quadrilha ainda indecisa. Mais de dez PMs invadiram a favela pelo largo da rua Jupira, já perto do beco principal onde os homens de Juliano estavam concentrados. Avançaram devagar, encostados às paredes dos barracos, com as armas apontadas para o alto à procura do inimigo. Dispararam ainda sem alvo, apenas para impor o medo.

A imediata reação de Doente Baubau sinalizou o perigo. Ele dormia sentado nos degraus da porta de um barraco. Levantou-se assim que ouviu o tiro, ergueu com as duas mãos a barriga para correr mais depressa. Minutos depois, por ser o mais gordo e o mais ingênuo, era usado como escudo de uma fila de homens à procura de algum lugar estratégico de combate.

Claudinho tentou assumir a liderança, com a sugestão de um recuo.

— São os homis! Vamo corrê pra cima.

Alguns guerreiros se aproximaram de Claudinho, decididos a apoiá-lo, atitude que irritou Raimundinho. Ele se obrigou a recuar também.

— Espera, caralho!

O adolescente Rebelde interferiu na discussão, com uma atitude imprevisível. Sem esperar nenhuma ordem, disparou a sua pistola automática até acabar a munição contra o primeiro soldado que apareceu para o combate.

— É contigo, Juliano — gritou Rebelde, enquanto recarregava a pistola.

A reação de Rebelde paralisou os companheiros que recuavam e impediu, por momentos, o avanço dos soldados. Crianças e adultos correram para se proteger nos barracos, fecharam portas e janelas. Claudinho gritou com Juliano, tentou convencê-lo a empurrar os guerreiros para a fuga.

— Enfrentá a polícia é loucura, vambora! Joga essa arma no chão, porra!

Antes de Juliano se manifestar, Raimundinho respondeu com uma atitude que mostrava a sua preferência. Pegou duas granadas que estavam no bolso e gritou com o irmão.

— Vamo encará, cacete!

Uma rajada de metralhadora acabou com a gritaria dos homens de Juliano, que se jogaram no chão. Ficaram paralisados em silêncio por alguns minutos. Os primeiros que se levantaram para fugir provocaram uma nova rajada, desta vez seguida de um grito de terror. A voz era conhecida.

— Cheguei pra quebrar — gritou Peninha, protegido atrás de um poste de concreto, a 50 metros dos homens. Dali, não tinha ângulo para ver a posição do trio que comandava seus inimigos. Claudinho, que estava numa posição mais acima, conseguiu se arrastar e retomou a fuga, acompanhado de vários homens. Raimundinho estava sobre uma laje, de onde conseguia ver o movimento de alguns soldados que ainda estavam no pé do morro.

Rebelde e Juliano se arrastaram até o porão de um barraco, atendendo a um chamado de Luz. Dali os três fizeram sinais com o dedo indicador cruzado sobre os lábios para pedir silêncio ao pequeno grupo de homens deitados no chão, desprotegidos. Aos poucos alguns buscaram melhor posição nos barracos cujos donos ofereciam abrigo.

— Aí, vou buscar o fuzil! — gritou Peninha.

Luz sugeriu, cochichando, uma atitude firme. A resposta de Juliano foi o primeiro disparo do AK-47 numa guerra do morro, seguido de uma provocação.

— Vem buscá, Peninha, vem! — gritou Juliano.

Os soldados reagiram com dezenas de disparos simultâneos. E avançaram lentamente, passo a passo, com muito bate-boca.

— Tu é cuzão, Juliano — gritou Peninha.

— Aqui é o crime! Não é o creme, rapá! — respondeu Juliano.

— Vou botar o Batalhão na tua cola, otário.

— Tô te esperando. Sô bandido, respeita, rapá!

A proximidade dos soldados obrigou o grupo de Juliano a recuar morro acima, com a cobertura dos tiros do AK-47. Mas Raimundinho manteve-se quieto sobre a laje, de onde observava os soldados se aproximando de seu esconderijo, em fila indiana. Um dos últimos da fila, Peninha descobriu a posição de Raimundinho. Da viela, a menos de 10 metros, disparou a metralhadora para o alto. As rajadas perfuraram a mureta de proteção da laje, deixando Raimundinho vulnerável e sem munição.

— Tu já morreu e não sabe, cuzão — debochou Peninha.

De repente, Raimundinho levantou da laje e de propósito expôs seu corpo com algo nas mãos. Todos viram que eram duas granadas. Um detalhe os apavorou ainda mais. Do alto da laje, Raimudinho mostrou as duas granadas e avisou que havia tirado fora os pinos de segurança delas. Bastava caírem no chão para explodirem.

— Atira! Atira, seu babaca, que vai explodi na cabeça de vocês — gritou Raimundinho.

Os soldados não sabiam o que fazer. Foi o próprio Raimundinho quem apontou a saída, ameaçador.

— Eu vou soltá essa porra na cabeça de vocês! Cai fora, porra!

O grupo de cinco soldados recuou correndo pelas ladeiras. Peninha, que assistiu a cena à distância, ameaçou Juliano:

— Aí, bandaide, se matar um dos nossos eu acabo com esse morro.

— Cai fora, Peninha. Aqui ninguém dá mole, não — respondeu Juliano.

— Tu é bandaide do creme, cuzão! — provocou Peninha.

— Bandaide do creme? Com a tua arma, otário, virei bandido do crime! Vô te sentá o prego!

A desistência dos soldados foi festejada com disparos de AK-47, que seria muito usado nas semanas seguintes. Mas o grupo de Peninha ainda faria vários ataques na tentativa de recuperar a "fábrica de viúva", sem sucesso.

A história da compra do AK-47 teve uma marca negativa para Claudinho. Por ter fugido do combate contra Peninha, passou a ser chamado de bandaide do creme pelo pessoal mais ligado a Juliano, inclusive por seu irmão Raimundinho. A própria arma, o AK-47, ajudaria a mostrar para os moradores do morro quem entre os gerentes era o mais poderoso.

Mas para o dono da boca, Claudinho continuava seu homem de confiança. E sem dar importância às desavenças, Da Praça financiou uma grande festa para comemorar, embora com um mês de atraso, a retomada do morro.

■ ■ ■

Raimundinho e Juliano passaram a exercer grande influência entre os jovens. Herdaram o estilo extravagante de Cabeludo, mas com uma disciplina rígida de guerra, que copiaram da quadrilha de Calunga e Paulista. A dupla multiplicou por três o grupo base que era de 35 jovens. Para não ter que comprar mais armas, Juliano criou o esquema de plantão, jornadas de dois ou três turnos, dependendo da movimentação das bocas.

— Nosso pó tem que mantê a fama de melhor do Rio de Janeiro — ordenou Juliano.

Para comemorar a conquista do poder, uma controvérsia. Claudinho queria promover distribuição gratuita de pó na noite de sábado, para estimular o consumo. Mas não convenceu muita gente. A maioria preferiu a idéia de Juliano, que concordava com a distribuição de cocaína, mas ele também queria ressuscitar o antigo pagode e criar um baile funk, que pretendia deixar sob o controle do amigo Vico. Embora não tivessem chegado a um acordo, não deixaram de promover a festa da vitória.

■ ■ ■

A quadra da Escola de Samba começou a encher já antes das nove horas, embora a grande atração fosse se apresentar depois da meia-noite. Entrada livre sem qualquer tipo de restrição — só as crianças foram barradas. Mas os meninos mais novos da boca, como Pardal, Nein e Nego Pretinho puderam pela primeira vez participar da festa dos parceiros adultos. O baile atraiu jovens também dos morros vizinhos e muita gente estranha. Por isso, no momento mais animado da festa era impossível ter algum controle de alguma ação dos inimigos da boca.

Quando Raimundinho subiu ao palco para anunciar a distribuição gratuita de pó, ninguém percebeu que entre os convidados havia um grupo formado por vários casais, agentes secretos da PM, que levantava informações a pedido de Peninha. O soldado queria surpreender Juliano no meio do salão.

Às duas horas da madrugada, no momento em que a sambista Jovelina Pérola Negra subia ao palco, Juliano ainda discutia com Claudinho os detalhes da festa, escondido num botequim próximo ao salão. Ao ouvir a voz de Jovelina, imediatamente pendurou o fuzil no ombro, acendeu um baseado, atravessou o largo do Cantão ao lado de Rebelde e entrou na quadra, já sob o olhar atento dos agentes secretos da PM.

No palco, Raimundinho percebeu o movimento estranho dos policiais e suspendeu a distribuição de pó. No intervalo das músicas, pegou o microfone para transmitir um recado provocativo aos policiais.

— Tu tá pensando o quê, mané? Aqui é o CV, tu qué morrê?

Neste momento uma viatura entrou em alta velocidade na rua de acesso à favela, com os soldados disparando suas armas para o alto. Parou para a descida de Peninha, que correu para dentro da quadra enquanto muitas pessoas, assustadas com os tiros, tentavam se proteger. Algumas chegaram a correr para a rua, apesar do risco de serem baleadas. Mas a confusão foi controlada pela experiência de Jovelina. Ela continuou cantando com vigor e sugeriu que ninguém saísse do salão.

Juliano escondeu o AK-47 por algum tempo embaixo do palco e foi proteger-se no meio da multidão. Chegou a conversar com Peninha e o convenceu de que a arma já tinha saído do morro. Sem chance de prendê-lo com o fuzil, Peninha resolveu ir embora com seus colegas.

Eram quatro horas da madrugada quando Juliano subiu ao palco para anunciar o início da distribuição gratuita de cocaína. Passou a bandeja do pó a Raimundinho, com a ordem de fazer a primeira oferta à convidada especial do baile, Jovelina. A sambista recusou e, com um sorriso, indicou a sua preferência, a maconha de Juliano.

Eles partilharam alguns baseados após o show, quando a festa já tinha virado um grande pagode. Amanheceram juntos fumando, conversando. Na hora de ir embora, Juliano a acompanhou, sem esquecer de levar junto o fuzil.

Um longo beijo marcou a despedida, motivo para despertar uma reação exagerada de Juliano. O táxi já descia a rua Jupira levando a sambista de volta à cidade quando ele apontou o fuzil para o alto, fez três disparos e falou para si mesmo:

— Jovelina, meu amor!

Desde aquele beijo os homens passaram a chamar o AK-47 de Jovelina.

CAPÍTULO 14 | **COBRA-CEGA**

> Bate o tambor, bate forte, faz barulho.
> Pra levar a boca à falência,
> tem X-9 no bagulho.
> Vem de bate-bola de gorila, de carrasco
> apontar pros irmãozinho.
> Isso pra mim é esculacho.
> | **Funk proibido** |

Usou as duas mãos para levantar o peso da barriga e poder correr em direção contrária à do perigo. Por instinto, como sempre, Doente Baubau escolheu à sua direita o beco do Passa Quem Quer. Ninguém ousou duvidar do seu grito de alerta.

— Pintô sujeira, aí!

Os homens que estavam perto imediatamente seguiram atrás de Baubau. Acreditavam que ele dava sorte à quadrilha. Testemunha de quase todos os tiroteios do morro, até fevereiro de 2003 ele nunca havia sido ferido e quem o usou como escudo também não.

Dessa vez a intuição de Baubau indicou uma invasão da polícia para um tipo de investigação que espalhava o terror entre os moradores. O grupo de policiais que subia pelo lado da Escadaria trazia junto uma figura ao mesmo tempo odiada e temida nos morros do Rio.

— Cobra-cega! Cobra-cega! — gritou várias vezes o menino Paranóia pelo caminho que levava ao chefe Juliano.

Cobra-cega, X-9, Bate-bola, Coisa Ruim era como os moradores chamavam o informante, voluntário ou involuntário, que acompanhava as operações policiais na função de delator. Sempre usava máscara, em geral modelo "ninja", para não ser identificado e perseguido depois. Em 1991, tinha virado moda entre os policiais cobrirem a cabeça do colaborador com máscaras de monstro, como fizeram dessa vez para esconder a identidade de um jovem da Turma da Xuxa, muito popular na Santa Marta.

Pela fresta da janela de seu barraco na Cerquinha, Luz viu que a máscara era de um monstro de nariz imenso e torto, com só um olho na meio da testa. A amiga Diva, que a visitava, observou que o informante tinha cerca de um metro e oitenta de altura, mas não conseguiu saber se era gordo ou magro porque os policiais o vestiram com roupas bem largas.

De dentro de seu esconderijo, não dava para Mendonça ouvir a voz dele, mas achou que era um traidor.

— Quem será esse filho da puta? — cochichou com Juliano no momento em que, pela fresta do esconderijo, os dois viram um dos seus homens ser abordado pelo grupo de policiais.

— Olha lá, Juliano! Pegaram o Du — disse Mendonça.

Posto contra a parede de alvenaria de um barraco, Du ergueu os braços, levou alguns chutes para abrir as pernas como os policiais queriam e ficou aguardando o veredicto do informante, que deveria dizer se ele era ou não um traficante da quadrilha de Juliano.

Frente a frente com Du, o mascarado respondeu em silêncio, com movimentos de cabeça para os dois lados, sinal de negativo.

— Olha lá o cara, aí. Livrou a barra do Du, mermão! — vibrou Juliano.

O mascarado foi conduzido até o botequim de Claudinho e Raimundinho, mas continuou em silêncio. Também parou na frente do barraco da endolação do pó. Marco Ferrô e Cássio Laranjeira estavam de plantão lá dentro, preparando as embalagens das cargas de cocaína, mas o mascarado não falou nada. Esteve muito perto das casas do gerente da maconha e de vários vapores sem nada informar. Os policiais perderam a paciência quando pediram, sem sucesso, para ele apontar o barraco de uma das namoradas de Juliano.

— O cara come todas e tu não conhece nenhuma. Tu tá de sacanagem, rapá!

O mascarado começou a ser agredido quando os policiais pararam em frente ao Terreiro da Maria Batuca. Os meninos Pardal e Nein estavam no meio das crianças, que havia meia hora acompanhavam de perto a investigação. Eles ouviram os policiais perguntarem ao informante sobre um dos moradores da casa, o Careca. Viram o mascarado receber o primeiro golpe de cassetete na cabeça e ouviram qual tinha sido a resposta dele:

— Meu irmão sumiu. Não mora mais aqui. Não sei nada dele, juro!

A voz, os gritos e a informação de que era irmão de Careca não deixaram dúvidas sobre a identificação do mascarado. Os meninos Nein e Pardal cochicharam entre si, já se afastando do grupo de policiais.

— É o Vico, cara! — disse Pardal.

— Tu ouviu? Os homi querem pegar o irmão dele, o Careca — disse Nein.

— Temo que voá pra avisá o pessoal da boca.

Os policiais haviam prendido Vico porque desconfiaram do fato de ele e o irmão Careca terem voltado a morar no morro justamente na mesma época em que a quadrilha formada por seus amigos estava assumindo o comando do tráfico. Também despertara suspeita o ferimento que ele tinha na barriga. Havia menos de um mês Vico tinha sido baleado ao reagir a um assalto dentro de um ônibus na avenida Brasil.

— Qual foi a parada? Entrega, que a gente alivia, rapá! — exigiu o policial.

— Não devo. Vocês não vão conseguir nada comigo, nada. Nada — respondeu Vico.

— Papo de vagabundo, rapá. Alguém te perguntou se deve ou não deve?

A atividade de Vico no morro também despertara suspeitas. Logo que assumiu a gerência, Juliano convidou Vico a criar um baile de "funk romântico" no barracão Ases da Lua, que fora abandonado pela quadrilha de Zaca. E também ofereceu a ele a administração dos tradicionais bailes de sexta-feira à noite na quadra da Escola de Samba. Tudo para convencê-lo a se tornar uma espécie de gerente cultural da boca.

— Tu é o cara, Vico. Tu tem que apoiá a cultura do morro. A rapaziada precisa desse agito. E tu precisa aprendê a ganhá dinheiro com isso aí — disse Juliano no dia em que conseguiu convencê-lo a fazer parte da quadrilha, sem o compromisso de pegar em armas. O irmão Careca também voltou a morar na Santa Marta e passou a fazer esporadicamente tarefas de "avião" fora do morro, como motorista.

Careca estava com Cristina dos Olhos na casa da namorada de Vico, Marilene, quando ouviu os gritos do espancamento vindos da área de venda dos vapores, o corredor do beco da Dona Virgínia. Só teve certeza de que a vítima era o seu irmão quando os meninos aviões levaram a notícia aos principais esconderijos da quadrilha. Quis sair às ruas para socorrê-lo, mas foi convencido a ficar em casa. A pressão das crianças e de Marilene seria mais eficaz.

O namoro tinha o tempo do retorno de Vico ao morro, oito meses de muita diversão, com encontros diários nas ruas e nas festas que ele preparava nos fins de semana. O romance sem compromisso só se tornou mais sério porque os dois foram surpreendidos pela gravidez, descoberta havia cinco meses. A barriga de Marilene já estava saliente e ela achou que pudesse convencer os policiais a não baterem no futuro pai de seu filho. As vizinhas de Marilene seguiram atrás e levaram as crianças pequenas para ajudar a pressionar. No caminho, passaram na casa da madrinha de Vico, Tia Eda, mãe do falecido Renan, que estava na cozinha preparando o jantar. Tia Eda deixou a comida no fogo, saiu apressada, descalça, e se juntou ao grupo para pedir clemência ao afilhado.

Ninguém passaria da barreira policial, que mantinha as pessoas afastadas mais de 100 metros dos que levavam Vico morro acima, na direção do Tortinho. Os meninos olheiros Nein e Pardal, quando conseguiam driblar as barreiras, traziam notícias cada vez piores para quem acompanhava de longe.

— Tão arrastando, tão arrastando.

— Tem rastro de sangue no caminho!

— Tão falando em quebrá!

Já era noite quando uma testemunha viu os policiais mandarem Vico arriar as calças e, em seguida, obrigá-lo a correr para escapar dos tiros, prática muito comum entre matadores profissionais.

— Foge, rapá. Foge.

Os policiais sumiram com Vico pela mata do lado direito da floresta, perto da rua Mundo Novo. Um menino encontrou o corpo no dia seguinte, quando procurava a bola de futebol perdida. Tinha parte dos dentes quebrados, fratura no pescoço, afundamento na cabeça. Estava ao lado de um latão furado de bala. O presidente da Associação de Moradores, Zé Luis, e Juliano impediram que Marilene chegasse perto para protegê-la de ver o namorado naquele estado. Ela concordou, para evitar um trauma ainda maior. Pela primeira vez Marilene pensou com tristeza no futuro de Andrezza, nome escolhido por Vico no dia em que soube que ela estava grávida de uma menina.

No início de 2003, Marilene continuava morando na Santa Marta com a filha. Aos 10 anos de idade, Andrezza tinha um sorriso idêntico ao do pai que não chegou a conhecer.

Juliano e Zé Luis também tentaram impedir que Careca chegasse perto, mas não teve jeito. Mendonça, Du, Rico, os amigos mais antigos da Turma da Xuxa, já estavam ao lado dele na hora. Revoltado por ter constatado o que o irmão havia sofrido, Careca fez uma exigência, aos prantos, falando alto para todo mundo ouvir.

— Vocês me botaram nessa. Agora vão pô um fuzil na minha mão, que eu quero me vingá!

A execução de Vico assustou os meninos mais novos. Espinho e PC, dois dos três irmãos de Nein que já prestavam eventuais serviços de venda de drogas, sumiram algumas semanas da área da boca. E a mãe, Sueli, doméstica diarista na Barra da Tijuca, passou a pressioná-lo a procurar emprego no asfalto.

Aos 13 anos de idade, a única experiência profissional de Nein tinha sido na função de entregador de remédios de uma farmácia de Botafogo. O patrão pagava meio salário, o equivalente a 30 dólares mensais, e se negava a assinar a carteira do Ministério do Trabalho, o que poderia lhe garantir uma pequena poupança por tempo de serviço. Só depois de virar olheiro conseguiria ganhar o suficiente para comprar uma cafeteira elétrica, que deu de presente para a mãe.

Naquele ano de 1991, Nein estava batalhando uma vaga em duas das maiores empresas de Botafogo, ambas estatais. Em uma delas, na Furnas Centrais Elétricas, chegou a se candidatar a uma vaga de auxiliar de escritório. Ele disse para a mãe que fora reprovado por ter tirado nota baixa no índice moradia.

— Quando eu respondi na entrevista que era favelado, fudeu, aí.

Mas o que Nein mais desejava era trabalhar na Associação Atlética Banco do Brasil, que já dera as boas-vindas para outros meninos favelados. Ele queria seguir os passos do amigo Rogério, que no morro era conhecido por Tênis. Era três anos mais velho e desde os 10 trabalhava como gandula das quadras de esporte da Associação.

— Quebra essa pra mim. Vou falá pra tu: eu nunca saí do morro pra trabalhar num lugar bacana. Ruma um trampo lá no Banco do Brasil. Ruma? — pediu Nein.

— Catá bolinha é foda, tem que corrê o tempo todo. E tu com esse problema de feridas no pé... E o salário, se compará com a grana que tu ganha no tráfico, é brincadeira, aí — explicou Tênis, na primeira vez em que Nein pediu que ele o ajudasse a conseguir uma vaga na Associação.

Nein queria ser catador de bolinha de tênis, sem saber dos problemas que o amigo enfrentava. Durante dez hora por dia, Rogério carregava um balde cheio de bolas de camurça, recolhidas ao redor das quadras. Sua função era correr atrás delas e devolvê-las aos atletas funcionários do banco.

Com 17 anos, para reforçar o salário ridículo, depois do expediente na Associação, Tênis corria no final de tarde para pegar bolinhas também no clube Lobinho, de Botafogo. Nos intervalos dos jogos, de tanto praticar com as raquetes emprestadas, tornou-se um jogador dos mais brilhantes do Banco do Brasil.

— O pessoal baba na minha raquete — costumava dizer Rogério na roda dos amigos.

Ganhou o apelido de Tênis quando virou office-boy da empresa Eternelle. Ao descobrir suas habilidades com a raquete, o patrão contratou-o também como professor particular, exclusivo. Mas o salário...

Nessa época, Tênis já estava sendo influenciado pelos amigos mais velhos da favela a buscar uma renda maior pela via do crime.

No ano de 1991, os dois mudariam suas vidas. Tênis entrou para uma quadrilha de assaltantes, liderada por Tá Manero. E Nein, com apoio do amigo, conseguiu uma curta experiência como catador de bolinhas do Banco do Brasil. Ambos não deixariam de imediato as suas atividades anteriores.

Meses depois, no verão de 1992, um episódio na área do Congresso Mundial do Meio Ambiente mudaria o destino da dupla. Sem ser informado de que o Rio de Janeiro estava policiado como nunca para garantir a segurança da ECO-92, Tênis recebeu um convite para fazer parte do bonde de Tá Manero.

— A parada é um banco no Centro, que tá dando mole, aí. É chegá e levá. Vai ou não vai?

Aceitou no ato. Além de Tênis e Tá Manero, mais dois homens estavam no bonde quando o carro foi abordado pelos policiais que faziam uma das operações preventivas do Congresso Mundial.

— Senta o dedo, Tênis. Senta o dedo — gritou Tá Manero quando percebeu que os policiais deram ordens para parar o carro.

— É comigo, aí — gritou Tênis, já disparando a pistola automática.

No tiroteio, um dos homens do bonde foi morto e um policial ficou ferido com gravidade. Tá Manero e Tênis foram presos em flagrante, acusados por formação de quadrilha, porte de arma e tentativa de homicídio.

Tá Manero conseguiria fugir da cadeia dois anos depois e voltaria a viver clandestinamente na Santa Marta. Mas Tênis, na época com 18 anos de idade, passaria toda a sua juventude atrás das grades.

— Essa porra da ECO-92 me levou para a faculdade do crime, aí. Passei pelas cadeias da décima, décima quarta, Bangu, Polinter, Piragibe e quando eu completei cinco anos de sofrimento falei assim: tô formado — disse Tênis quando voltou à liberdade em 1998.

Sem o apoio do amigo, meses depois, Nein desistiria da sua "fase de experiência" nas quadras de tênis, sua última tentativa de conquistar a assinatura de um patrão na sua carteira de trabalho profissional. Nein voltaria ao tráfico e para ficar para sempre.

CAPÍTULO 15 | **DOUTOR OBSÉQUIO**

O relógio de Juliano circulava na favela com a confiança do crédito de um cheque administrativo. Era um modelo redondo de fabricação japonesa, à prova d'água e de choque, com função de cronômetro e que acendia uma luz verde se um pequeno botão de aço da borda fosse pressionado. Sem dinheiro, mas com o relógio nas mãos, as crianças pagavam lanche e refrigerante nos botequins e as mulheres trocavam por mantimentos nos pequenos mercados. Também era garantia de empréstimo ao portador para a compra de qualquer objeto de casa. Para o credor fazer a cobrança, bastava procurar a boca e apresentar o relógio ao seu dono. Juliano liquidava a dívida.

No primeiro ano na gerência da boca, além de fiador, Juliano foi uma espécie de diplomata. Dialogava com as lideranças do morro, ouvia as queixas dos jovens do samba, contava longas histórias para os mais idosos, brincava de empinar pipa com as crianças, visitava as creches, rezava nas duas igrejas católicas, freqüentava terreiros de umbanda, participava de algumas mesas de carteado e adorava estar disponível para atender aos diversos pedidos da comunidade, sobretudo quando eles vinham das mulheres a quem confiava com mais freqüência o relógio que ele dizia ser idêntico ao de Che Guevara.

A função de Claudinho na gerência era logística. Apesar de eventuais confrontos com a polícia, mantinha de forma tranqüila o esquema de corrupção, que garantia o movimento dos pontos-de-venda e a convivência relativamente pacífica com os soldados da PM. Praticava a teoria do dono do morro, que orientava seus comandados a não combaterem a polícia, mas sim tentarem comprá-la. Claudinho também chamava atenção por causa do grande número de namoradas. Costumava chamá-las pelo mesmo nome, "Única", para não correr o risco de errar seus nomes. Era generoso com elas. Os objetos que os consumidores trocavam por cocaína na boca geralmente mandava guardar para sempre nas casas de suas únicas namoradas.

O irmão de Claudinho, Raimundinho, era o feio e o malvado da gerência. Adorava expor as armas em público como forma de impor um poder mais ostensivo. Interferia com violência nas brigas e nas desavenças que encontrava nas ruas e nos botequins. Dentro da quadrilha, se responsabilizava pelo controle da disciplina imposta pelo trio da gerência. Dos três, era o que mais executava as ordens do patrão Da Praça, que morava longe da favela, na Região dos Lagos, litoral norte do estado. Era Raimundinho quem aplicava o sistema perverso de punição, os temíveis tribunais CV.

Os tribunais do Comando Vermelho eram, nos anos 90, uma prática comum em várias favelas do Rio de Janeiro, mas nunca haviam sido aplicados na Santa Marta. O primeiro julgamento teve como palco uma área movimentada, no lado oeste da parte baixa do morro, o altar do Cruzeiro, que Juliano mandou reformar em memória do amigo assassinado, Vico. Em dia de sol forte, muita gente de passagem parava ali para aproveitar o ar fresco da sombra do pé de manga. Também era ponto de encontro de religiosos, que rezavam à frente de uma cruz branca de madeira de três metros de altura, coberta com duas linhas de lâmpadas. Ao pé da cruz havia um canteiro de flores e um pequeno e estreito palco de alvenaria, cercado por grades de ferro, inicialmente reservado para as velas e oferendas dedicadas a Vico. A única parede do altar, encostada a um barranco, era de mármore branco, onde Juliano mandara gravar em baixo-relevo a oração das 13 almas benditas. Se um dos três gerentes estivesse na área era recomendável aos passantes cumprir o ritual de reverência: olhar para o altar e fazer o sinal-da-cruz no peito ou na testa, sob pena de levar uma bronca e, às vezes, até ameaça de agressão.

— Aí, fiquei bolado com o desrespeito. Que que há, não vai pedi a bênção? Então sai de pinote, sai de pinote... — ameaçava Raimundinho quando flagrava alguém passando pelo Cruzeiro sem cumprir o ritual religioso.

O piso de concreto, construído à frente da grande cruz, estava tomado pelos curiosos para ver as cenas do tribunal. A acusação era de roubo de parte do estoque de cocaína do barraco da endolação durante a produção das embalagem dos sacolés. Um fato considerado grave, pois não havia hipótese de que o ladrão fosse de fora do morro. Não houvera invasão do barraco do responsável pela endolação, Marco Ferrô. Raimundinho fizera pessoalmente uma vistoria. Como encontrara portas e janelas intactas, deduzira que os suspeitos eram os jovens da própria quadrilha.

A desconfiança se concentrou em Fabrício e Jairzinho, que passaram a madrugada preparando o pó amontoado sobre a mesa, com uma minúscula colher de aço, para a produção de sacolés de um grama de volume. Eram 400 gramas de cocaína, conferidos no início do plantão pelo gerente da endolação, Marco Ferrô, que também estava sob suspeita. Raimundinho começou o interrogatório pressionando-o a confessar.

— Aí, tava na tua responsa. Ó! Tu deu mole e eles te fizeram de otário ou foi tu mesmo, mermão. Por uma ou por outra, tá contigo, Ferrô. Confessa que eu alivio a tua. Senão, aí, tu vai tê que pagá!

O trabalho deveria gerar 400 sacolés, quase seis cargas completas, e não cinco, como produziram. Alguém teria que explicar o sumiço de 50 gramas, a quebra da produção de 50 papelotes.

O primeiro acusado, Jairzinho, assumiu diante de Raimundinho parte da culpa. Confessou ter desviado duas colheradas de pó, do monte da mesa direto para as narinas. Jurou que isso fora tudo que desviara. E que não se afastara nem um minuto do trabalho. Evitou acusar os outros parceiros de endolação. Em sua defesa, pediu para ser ouvida uma testemunha de grande credibilidade na boca, a amiga confidente de Juliano, Luz, que tinha livre circulação por todos os pontos reservados, inclusive a área ultra-secreta da endolação.

O depoimento de Luz foi ouvido em silêncio pela platéia, que sabia da importância que tinha para a definição da sentença. Atraídos pela gritaria ameaçadora de Raimundinho com os réus, cada vez mais curiosos paravam para saber o que estava acontecendo ou para ajudar os acusados a provarem inocência. Apesar de provocar a irritação de Raimundinho, Luz defendeu Jairzinho e Fabrício.

— Eles tramparam sem pará, na maior responsa. Eu tava colada, de olho, não dei mole. Firmeza essa rapaziada, podes crê! Pergunte pro irmão Kevin. Ele tava lá evangelizando a endolação.

Ao chegar ao morro em fevereiro de 1992, o missionário evangélico Kevin Vargas acreditava que a falta de uma religiosidade empurrava os jovens da favela para o tráfico. Criado numa família de classe média, aos 21 anos, acabara de prestar o serviço militar na Academia dos Fuzileiros Navais. Influenciado pelo avô, militar aposentado, pretendia seguir carreira de pára-quedista e atuar nos grupos especializados em missões de selva. Por três anos levou a sério os treinamentos de guerra, chegou a se especializar em tiro de alta precisão e sonhava em um dia usar seus conhecimentos bélicos para guerrear em defesa do país ou de uma causa.

A vida monótona de caserna o decepcionou. Influenciado pelos amigos da Jocum, a entidade evangélica Jovens Com Uma Missão, Kevin descobriu que a carreira militar o isolava da realidade, representava distanciamento das questões sociais do Brasil. De repente os evangélicos o convenceram de que, para quem convivia com a violência da guerra de classe social, não havia sentido tornar-se um fuzileiro especialista em batalha militar convencional. Em vez de esperar o futuro, como morava no bairro do Maracanã, bastava andar alguns quarteirões e subir algum morro para começar a viver em missões de guerra, de uma guerra de classe. Foi o que Kevin fez ao deixar o exército. Virou socorrista voluntário da Cruz Vermelha Internacional nas áreas de conflitos da cidade. Passou a entrar nas favelas vestindo uma camiseta que tinha uma enorme cruz vermelha nas costas. Salvou a vida de muitas pessoas feridas, entre elas alguns criminosos. Um ano de missão o deixou marcado pelos matadores, que o ameaçaram de morte. Kevin deixaria de usar a camiseta da entidade por medo de que a cruz nas costas virasse alvo de alguma arma, mas continuaria socorrista voluntário até virar missionário da igreja evangélica.

Com 22 anos, Kevin trocou o apartamento confortável onde morava com a mãe pelo barraco alugado pela Jocum na área do Cruzeiro, onde estavam acontecendo os primeiros tribunais da Santa Marta.

A prioridade da Jocum na favela era levar mensagens de fé aos jovens que haviam entrado para o tráfico. Para facilitar a aproximação e serem aceitos na comunidade, os evangélicos criaram no morro um serviço de extrema necessidade. Transformaram o barraco do bar "Os Caídos" no setor Cruzeiro, em um ambulatório de primeiros socorros médicos. Logo nos primeiros dias de funcionamento, o plantonista Kevin Vargas — que apreendera as técnicas de enfermagem na Academia de Fuzileiros — foi chamado às pressas pela gerência da boca.

Juliano o recebeu com o fuzil Jovelina atravessado no peito. Os dois andaram pelos becos até sentarem sobre a raiz de uma árvore na área da Pedra de Xangô.

— Aí, tu que é o tal de irmão? — perguntou Juliano ao recebê-lo na boca.

— Sou eu mesmo, sou da Jocum — respondeu Kevin Vargas.

— Que barato é esse? Parece torcida organizada de futebol... Qual é a de vocês? — perguntou Juliano.

— Jovens Com Uma Missão. Queremos levar o evangelho para quem mais precisa de Jesus, para quem não tem motivo para ter fé na vida e que corre risco de morte, como vocês — respondeu Kevin.

— Que palavra feia. Fale isso aqui, não. Nosso desenrole é pra vivê na boa, uma vida invocada mesmo. E que igreja é essa, mermão? Tu abre o olho que esse morro é de padre católico. Põe na idéia o padre Hélio, põe na idéia o padre Velloso, põe na idéia Dom Hélder Câmara... eles brigaram muito, muito contra quem gosta de esculachá favelado — disse Juliano.

— Nossa missão é de paz, queremos somar, é o evangelho com preocupação social, essa é a nossa.

— Tá manero. Vamo trocá uma idéia... o povo aí já queria te enquadrá, sabê qualé a de vocês... E aí?... e o teu pensamento sobre drogas? — perguntou Juliano.

— Não acho que seja a única saída pra quem é marginalizado como vocês. Acho que há outros caminhos... — respondeu Kevin.

— Já sei, tu vai falá na palavra de Deus pra rapaziada rapá fora e assim, aí, tu não vai fortalecê lado nenhum.

— Mas você sinceramente acha que o tráfico é a solução?

— Acho não. Mas tu qué o quê? Convencê essa molecada a sê pedreiro, encanador, lixeiro, porteiro, tapete pra bacana pisá em cima? No tráfico, parceiro, já dá pra tirá uma chinfra com as mina, pôr um pisante legal, tirá uma onda...

— Respeito a tua posição. Mas sou contra, é risco demais pra molecada. Nós temos que oferecer algo melhor, uma palavra de amizade, de fé num Criador que um dia vai trazer a justiça pra Terra...

— Vai na tua, irmão, sem idéia sinistra pra ficá no conceito aí da rapaziada.

Depois do entendimento com a gerência, Kevin Vargas foi aos poucos conquistando a confiança do pessoal da boca. Meses depois, as constantes conversas com Juliano o habilitaram a ter livre circulação para levar a leitura da Bíblia aos homens com atividade armada. Passava boa parte da madrugada em companhia dos olheiros de plantão nos pontos estratégicos de observação. Demorava-se mais nas áreas secretas e mais visadas da quadrilha, como o esconderijo da endolação, onde o pessoal trabalhava sob tensão e medo permanentes.

Kevin dedicara especial atenção à evangelização de Marco Ferrô, o chefe da endolação, parceiro e seguidor do estilo truculento de Raimundinho. O principal auxiliar de Ferrô, Cássio Laranjeira, também era considerado caso preocupante pelo pequeno respeito à vida que já revelara durante os confrontos armados de que participara. Os dois já começavam a ganhar fama de matadores pela voracidade com que lutavam contra os inimigos. Para surpresa de Kevin, ambos tornaram-se fiéis colaboradores dos cultos no barraco da endolação.

Era um velho barraco de madeira de um único cômodo, o que os obrigava a usar a cama para sentar diante de uma mesa baixa, com menos de meio metro de altura. Os outros sentavam em latas de mantimentos e em pequenos montes de tijolos improvisados como bancos. Eram em média cinco endoladores, incluindo Ferrô e Laranjeira. Sempre que a boca fazia um pedido, passavam a madrugada fazendo a pesagem e a separação de cada sacolé de cocaína. Vestiam-se apenas com bermudas, porque o ventilador barulhento, ligado em cima do guarda-roupa para não espalhar o pó de cima da mesa, não dava conta do calor e da sensação de abafamento no ar. Durante o dia, os meninos Nein e Pardal eram os olheiros na varanda destelhada do barraco. E à noite, às vezes de madrugada, se revezavam na vigilância. Mantinham-se acordados à base de café preparado no fogão enferrujado, já sem porta no forno e com um vazamento no bico do botijão, que exalava um forte cheiro de gás. Alguns não resistiam à tentação de desviar para as narinas a matéria-prima da linha de produção, que só era interrompida com a chegada do missionário Kevin, anunciada com entusiasmo por Ferrô:

— Aí, vamo metê uma camisa para recebê a palavra de Jesus. Manda daí, Kevin.

Kevin estava sempre acompanhado por dois jovens missionários da Jocum, que levavam um violão para animar os cânticos.

— Aí, pessoal, viemos aqui falar do amor de Deus por vocês! — dizia Kevin para introduzir o momento das orações. Com o tempo Ferrô aprendeu a orientar os detalhes dos rituais.

— Agora todo mundo fecha o olho aí, que o irmão Kevin vai mandá aquela canção invocada — dizia Ferrô, enquanto os evangélicos tocavam violão e oravam:

"Quero que valorize o que você tem, você é um ser.
Você é alguém tão importante para Deus.
Nada de ficar sofrendo, angústia e dor
Neste seu complexo de inferior dizendo às vezes que não és ninguém.
Eu venho falar do valor que você tem.
O Espírito Santo está em você."

A dedicação e envolvimento de Ferrô e Laranjeira com o evangelho levaram Kevin a acreditar na conversão da dupla e a se empenhar num trabalho de conscientização dos valores humanitários perdidos. Na época dos tribunais, os dois davam sinais de envolvimento com a pregação do missionário.

— Aí, irmão, tô interado na tua: eu aceito Jesus no meu coração, tá ligado, na moral mesmo! — disse Ferrô a Kevin pouco antes de o missionário ser interrogado no tribunal de Raimundinho.

Kevin acreditou nas palavras do chefe da endolação. Mas, mesmo que soubesse alguma coisa que o incriminasse, jamais revelaria, pois já conhecia muito bem, pela experiência dos tribunais de outros morros, que isso poderia significar uma sentença fatal. Pior, no caso da Santa Marta, era o fato de Raimundinho ter escolhido para o julgamento a área do Cruzeiro, justamente onde estava o ambulatório da Jocum. Era impossível não ter algum tipo de envolvimento, pelo menos era inevitável a condição de testemunha. Ao ser chamado para depor, os acusados Ferrô, Fabrício, Jairzinho e Nego Pretinho estavam sentados no chão, lado a lado, de cabeça baixa.

— Aí, irmão. É tua vez de falá contra esses cuzão modorrentos. Eles deram um banho na boca, não foi, irmão, diz aí com todo o respeito a Deus e o caralho! — provocou Raimundinho.

— Não percebi nada disso, não. Eu estive várias vezes na endolação. Li para eles um trecho da Bíblia e depois oramos, oramos... — respondeu Kevin.

— Qual que é, irmão. Olha aí a cara deles. Estão lombrados até agora e tu não viu nada, irmão? Em vez de endolá, eles cafungam a noite inteira e, aí, como tu não vê isso? Deus vai ficá cabrero contigo, irmão. Sinceramente!

Embora fosse novato no morro, o depoimento de Kevin tinha peso no tribunal devido à notória relação de confiança e amizade com o gerente Juliano.

Depois de prestar seu testemunho, Kevin voltou para as atividades do ambulatório, de onde podia ouvir a gritaria do julgamento, que parecia sem fim. Era a vez de Ferrô iniciar o seu depoimento, já com a certeza de que a condenação era iminente. Seu próprio estado físico era quase uma confissão. Estava trêmulo, desfigurado e tinha dificuldades de pronunciar as palavras por causa da língua travada pelo efeito do consumo de pó em excesso. As narinas úmidas também indicavam que passara a noite aspirando o volume desaparecido. Como ele nada falava, Raimundinho mandou que levantasse e ficasse ao lado de Jairzinho que já havia confessado parte da culpa pelo sumiço do pó.

— Levantem a mão, moleques — gritou Raimundinho para os dois adolescentes de 14 e 15 anos.

O sinal de condenação dos dois meninos surpreendeu a platéia e teve o protesto de Luz:

— Qualé, Raimundo? Eles deram um peguinha de nada... Tu tá bolado como se eles fosse um aspirador de pó! Não é justo, Raimundo. Porra!

— O desenrole não é contigo, Luz. Tu é mamão com açúcar, mulhé. Não quero nem sabê! Os dois vacilaram. Tão pensando o quê?... Alguém vai me desafiá, me pô na idéia de otário... Levanta essa porra da mão já!

A pistola automática engatilhada indicava que Raimundinho estava decidido. O único absolvido era Cássio Laranjeira. Para evitar algo pior, Jairzinho levantou o braço, oferecendo a mão, mas se arrependeu. Abaixou o braço, aumentando a irritação do carrasco.

— Deixa essa mão levantada, porra! Vou sentá o dedo! — gritou Raimundinho.

— Está bem, atira, atira!

Jairzinho parecia decidido, mas não estava. Frações de segundos antes de Raimundinho disparar a pistola, ele conseguiu desviar a mão do tiro. Os ajudantes tiveram que segurar o braço dele para a sentença ser executada. O único tiro disparado no meio da palma da mão provocou fraturas, destruição dos nervos e o choro de dor e de pânico.

Jairzinho foi socorrido pela mãe, que o encontrou a caminho de casa em estado de choque, com os olhos arregalados, fixos na mão destroçada.

— Isto é o CV, mané! — gritou Raimundinho.

Luz continuou protestando para si mesma, falando sozinha.

— Porra, o cara é do movimento. Imagina se fosse um alemão, um inimigo. O Raimundo tá boladaço, tá boladaço.

O tribunal foi interrompido com a súbita interferência do Doente Baubau. Ele estava acompanhando o julgamento em silêncio, mas na hora da execução da sentença reagiu como se fosse um torcedor de futebol na arquibancada.

— É sangue bom, obá! É sangue bom, obá!

O entusiasmo de Baubau irritou Raimundinho, que o calou com um violento tapa no rosto. Em seguida mandou Ferrô levantar o braço.

O primeiro disparo falhou. O segundo também. Raimundinho mandou o avião Pardal providenciar um porrete. O menino estava trêmulo, chocado com a ordem, mas tratou de cumpri-la. Algumas mulheres se afastaram, assustadas, para não ver a cena. Segundos depois, os gritos de horror de Ferrô foram ouvidos no ambulatório e trouxeram o missionário Kevin de volta ao local do tribunal, para prestar os primeiros socorros. O gerente da endolação estava com os ossos da mão fraturados pela porretada.

— Aí, moleque. Põe Jesus em tua mente enquanto eu faço a limpeza da tua mão.

— Porra, tá foda, irmão, tá foda...

— Vai doer, mas tem que ser. Tem muito caco de osso, naquinho de madeira, pó, areia... Vou começar com a lavagem...

— Anestesia, irmão! Caralho, anestesia.

— Tem que ser na raça, Ferrô. No hospital é pior. Manda uma água boricada aí, urgente — pediu Kevin ao menino Pardal, que fez um "avião" até o ambulatório da Jocum para atender ao pedido.

Os casos de mutilações nos tribunais abalaram algumas famílias antes entusiasmadas com a chegada de um poder jovem ao morro. Nos primeiros dias de ocupação, algumas mulheres foram até a boca pedir a Juliano uma vaga para o filho na quadrilha. Uma delas, uma viúva, doméstica num prédio da zona sul, era a mãe de Ferrô. Precisava que o menino buscasse no tráfico um reforço de renda para a família. Ferrô impediu que a mãe voltasse à boca para reclamar do tribunal. Ainda recebendo os curativos, só parecia preocupado com o seu futuro na quadrilha:

— Aí, irmão, fudeu, não? Será que eu perdi meu lugar na endolação?

Os tribunais ajudaram a consolidar, pelo medo, o poder do trio na gerência do morro. Homens indisciplinados, suspeitos de colaborar com a polícia e simpatizantes da quadrilha de Zaca estavam na mira de Raimundo. As sentenças tornaram-se ainda mais imprevisíveis e cruéis. Mesmo os que eram absolvidos dificilmente escapavam do espancamento em lugares públicos. Eram surrados a socos, pontapés, pauladas, estocadas. Os casos de decisão extrema ganharam uma base para a execução de torturas e fuzilamentos, o pico do morro.

Executar os condenados no pico era uma forma de esconder da comunidade as maiores perversidades. Raimundinho tinha o apoio de Carlos da Praça, que gostava da fama de linha-dura que a Santa Marta estava consolidando entre os chefões do Comando Vermelho. Mas Raimundinho enfrentava a resistência de seu irmão e parceiro de gerência, Claudinho, que temia futuras represálias dentro da favela.

Para driblar a oposição de seu irmão, Raimundo passou a atuar por decisão própria, com auxílio do pessoal da endolação, a dupla Marco Ferrô e Cássio Laranjeira. O missionário Kevin continuava empenhado na evangelização da dupla, na tentativa de humanizá-los. Eles pareciam responder positivamente aos apelos religiosos, inclusive adotaram o hábito de carregar uma Bíblia na mão, até nas horas mais delicadas e perigosas da atividade no tráfico. Mas, para decepção do missionário, os dois novos crentes estavam com Raimundinho no dia em que um homem não identificado, cliente da boca, foi fuzilado sem nenhum julgamento prévio.

Não havia nenhuma desconfiança fundamentada, nenhuma dúvida, nenhum comportamento inadequado, briga ou desentendimento no passado, nada que pudesse explicar a atitude do trio contra um jovem que estava no final da fila de compra da cocaína.

— Qual é que é a tua aí, vacilão? Fui com a tua cara não, rapá — provocou Raimundinho com cara de bravo, apontando uma pistola para o rosto do desconhecido.

— Que nada, só quero uma brizola de dez. Uma merreca, dinheiro tá na mão, olhaí! — respondeu o desconhecido.

— Tu é folgado. Tá de butuca no lugá errado, vai levá ferro. Tu nem falô o teu nome, mané.

— Qué isso, cara. Meu nome é Carlos, é Carlos, é Carlos.

— Tu é Mané. Quebra, Ferrô, quebra!

Imediatamente Ferrô e Laranjeira pegaram o desconhecido pelo braço para afastá-lo da fila. O jovem ainda tentou convencê-los a mudar de idéia.

— Sou o Carlos, borracheiro ali do pé da Tabajara... Só queria uma brizolinha. Tem parada errada, não. Posso saí de pinote na boa, no respeito, mermão.

— Vou te dá um calaboca, mané — gritou Ferrô. Mesmo com a mão ainda ferida, ele disparou o revólver para baixo na direção da vítima.

O tiro acertou o joelho do desconhecido, que caiu já implorando para não ser morto. O corpo inteiro tremia, o sangue escorria até os pés e ele não conseguia obedecer às ordens de Ferrô e Laranjeira, que queriam matá-lo em pé, a dez passos da birosca de dona Virgínia. Como o jovem não conseguia forças para erguer-se, os dois o arrastaram pelos braços e apoiaram suas costas num antigo muro de pedra escura, coberto de musgo e muita umidade. O tiro atraiu a atenção do missionário Kevin e de Juliano, que conversavam ali perto.

— Automática, Glock. Deu merda, sentaram o caroço em alguém — respondeu Juliano, já andando ligeiro para os lados de dona Virgínia, com o fuzil engatilhado nas mãos.

Ferrô apontava a arma com o cão puxado para trás, pronto para a execução. Ao lado dele, Laranjeira fazia uma última exigência à vítima.

— Aceita Jesus no seu coração? — perguntou ao desconhecido, que chorava desesperado com as duas mãos cobrindo o rosto. Como ele nada respondeu, Laranjeira insistiu, irritado.

— Diz que aceita Jesus, caralho! — gritou Laranjeira.

— Aceito, aceito qualquer coisa — disse o desconhecido.

— Jesus, caralho! — insistiu Laranjeira.

— Jesus, caralho! — repetiu o desconhecido.

Os dois descarregaram suas armas sobre o rosto e o peito do desconhecido, que ainda agonizou por alguns minutos. O corpo já estava sendo arrastado para ser jogado num penhasco do pico quando Kevin e Juliano intervieram, questionando o mandante do crime, Raimundinho.

— Por que tu quebrô o cara, Raimundinho? — perguntou Juliano.

— Precisa motivo, caralho?

— Claro, porra! Claro, caralho!

— Não gostei dele, tava embarrerando a fila.

— Isso não vai ficá assim, não, Raimundinho. Tu tá despirocando, cara!

A atitude de Ferrô e Laranjeira chocou o missionário, que a princípio não acreditara no envolvimento deles na execução. Os dois estavam a caminho do pico, ainda arrastando o corpo do desconhecido, quando foram abordados por Kevin.

— Que loucura é essa, pessoal? — indagou Kevin.

— Tava tomado pelo demônio, irmão. Tinha que sê, tinha que sê — respondeu Laranjeira.

— Que demônio, nada! Quem te disse isso, cara? Ninguém tem o direito de tirar a vida de ninguém, meu Deus!

— Morreu com Cristo no coração, podes crê, irmão, podes crê.

— Meu Deus. Meu Deus!

■ ■ ■

Uma implicância sem fundamento ou a necessidade de provar o seu poder de perversidade também eram motivos para Raimundinho multiplicar os tribunais. Ele chegou a executar uma mulher de 50 anos, Irana, apenas para competir com os carrascos do morro Cerro Corá, gerenciado pelo amigo Bruxo, que haviam matado uma adolescente chamada Choquita. Raimundinho soube que o corpo dela fora esquartejado em trinta pedaços, postos dentro de uma mala e desovado em um caminho no meio da floresta, ligação do Cerro Corá com a Santa Marta.

Dias depois Raimundinho fez a mesma coisa com Irana, que ele alegou ser informante dos inimigos. Mas para impressionar os amigos do morro vizinho, em vez de trinta esquartejou em cinqüenta pedaços e mandou jogarem a mala na mesma trilha da floresta.

Uma pessoa gentil demais também podia desencadear a ira do matador, mesmo contra clientes assíduos da boca, como aconteceu com um funcionário da empresa Furnas Centrais Elétricas, Doutor Obséquio. Um dos freqüentadores habituais do ponto do Cantão, o mais próximo do asfalto, ele ganhou o apelido de Obséquio devido a suas atitudes gentis, levadas ao exagero para os padrões de educação dos favelados. Era engenheiro, aparentava mais de 40 anos, tinha a pele bem clara de quem passa o dia no escritório e os cabelos grisalhos. Até ao pedir uma cerveja nos botequins da favela ele dava mostras de ser um homem afável, bem-educado.

— Por obséquio, poderia me passar o copo de cerveja?

Nas bocas, o engenheiro tinha o mesmo comportamento:

— Por obséquio, poderia me servir um sacolé de dez reais?

Uma atitude indiscreta, inconveniente, levou Doutor Obséquio a julgamento numa noite de sábado. Embora fosse casado e morasse com a mulher e dois filhos num bairro de classe média alta, Ipanema, que fica a cinco quilômetros da Santa Marta, ele havia passado 24 horas na favela consumindo cocaína sem parar. Chegara na sexta-feira à noite logo depois do fim do expediente de Furnas. Subira o beco Padre Hélio de terno marinho e gravata vermelha, com o nó arriado. Tirara o paletó por causa do calor e o carregava sobre o ombro até chegar na área de dona Virgínia e pedir "por obséquio" a primeira cerveja bem gelada no botequim mais próximo da boca.

Durante a madrugada, desceu até o Cantão para comprar, uma a uma, quinze fileiras de pó, que foram cheiradas com os parceiros de ocasião. Gastou o equivalente a 90 dólares. Virou a noite acordado e só parou de cafungar quando acabaram as cargas na boca. Ao amanhecer, abalado pelo excesso de pó, perambulou sem rumo pela favela falando sozinho, cumprimentando as poucas pessoas que encontrava pelo caminho. De repente, viu um barraco com a porta aberta e entrou sem pedir licença. Era a casa da lavadeira Sônia, muito conhecida na favela.

Como ninguém estava em casa, Doutor Obséquio aproveitou para descansar no sofá, que ocupava quase toda a parede do cômodo, usado ao mesmo tempo como sala e cozinha. Ligou a televisão. Tirou a calça, a camisa, os sapatos e meias. Deitou com as pernas abertas sem se dar conta de que, naquela posição, deixava os órgãos genitais à mostra. Nem percebeu a chegada do marido de Sônia, que vinha do mercadinho aonde fora comprar pão e leite para o café da manhã da família.

— Qualé a tua? Culhão de fora dentro da minha casa? Tu é maluco, seu playboy de merda!

Doutor Obséquio começou a ser surrado já dentro do barraco pelo marido da lavadeira. Havia mais de duas horas Sônia lavava roupa no tanque de concreto na praça das Lavadeiras, na área da "primeira" fonte de água. Quando viu a aproximação do marido que trazia o Doutor Obséquio arrastado pelos cabelos, abandonou as roupas molhadas na pequena murada da piscina natural e avançou sobre o homem, distribuindo socos e pontapés, mesmo sem saber o que havia acontecido. Em seguida, correu para buscar providências junto aos chefes do tráfico.

Sônia foi recebida por Raimundinho, que considerou o incidente gravíssimo.

— Não pago pau pra playboy. Vai pro pico!

Essas palavras, ditas por Raimundinho, significavam pena de morte. Em poucos minutos Doutor Obséquio já estava cercado por um grupo de homens da boca ligados à gerência de Raimundinho. O grupo batia nele com a base das armas de ferro.

— Que isso, galera? Vocês enlouqueceram! Por que fazer uma coisa dessa com o Doutor? — perguntou Kevin.

— Folgou, irmão. Safado, vacilão, viado. Vai pro pico! Vai pro pico! — respondeu Raimundinho.

— Mas como, aí! É o Doutor Obséquio, gente boa, gente nossa!

Raimundinho ouviu calado a interferência do missionário Kevin. Mas os homens que seguravam Doutor Obséquio pelos braços reagiram:

— Ordens são ordens, tá manero? Manda quem pode. Obedece quem tem juízo.

— Isso tem que ser explicado direito, nunca tinha acontecido antes.

A lavadeira Sônia também se envolveu na discussão.

— Tem que morrê sim, Kevin!

— Não tem, não. O Obséquio está doidão. Vocês encheram a cara dele de pó e querem o quê? Que ele fique comportadinho?

Raimundinho, que ouvia em silêncio, interferiu:

— Aí, playboy folgado, Kevin. Liga na minha idéia. Pega mal pro conceito... Tem que dá o que povo pede. Tem que quebrá!

Grogue de tanta pancada, Doutor Obséquio já não falava direito. Em vez de pedir socorro, só conseguia repetir as agressões verbais que ouvia contra si mesmo.

— Otário! Mané! Playboy! Viado!

Os mais incomodados com o corpo sujo de sangue deram um banho em Doutor Obséquio. Ele foi jogado dentro do caixote de concreto da Mina, que estava cheio d'água. Iradas, as lavadeiras e as crianças jogaram pedras e tentaram agredi-lo a pauladas para matá-lo afogado.

— Isso é covardia, gente! — gritou Kevin ao perceber que as coisas tomavam um rumo definitivo.

Raimundinho resolveu ceder.

— Aí, Kevin. Tu tá insistindo tanto, irmão. Já que ele é da tua consideração, vou dá mole... Mas esse viado tem que saí de pinote do morro.

Kevin aproveitou a chance para agir rápido.

— Deixe comigo. Saio de pinote com ele já!

Pediu ajuda para tirar Doutor Obséquio de dentro d'água. Doente Baubau e algumas crianças ainda tentaram agredi-lo a pontapés. Tiveram que ser empurradas por Kevin para liberar o caminho.

— Cai fora, mané! — gritou Baubau no meio das crianças enquanto Kevin providenciava o socorro ao engenheiro de Furnas.

Doutor Obséquio desceu o morro a pé, abraçado ao missionário, falando pra si mesmo:

— Cai fora, mané!

● ● ●

Nem mesmo as crianças, platéia mais fiel dos tribunais, entenderam a razão de levarem Nego Pretinho para o julgamento. Órfão de pai e mãe, ele costumava passar o tempo em silêncio, sentado nos barrancos e nas escadas, observando o movimento da boca enquanto esperava por uma vaga. Mas foi acusado de ser falador demais.

Era curioso demais sim, como disseram no tribunal, e viu coisas que não estava autorizado a ver. Mas muito tímido, introvertido, Nego Pretinho era incapaz de falar dos segredos da boca para as pessoas da favela, como acusava Juliano.

— Tu falô sim, moleque, falô. Confessa, senão tu vai rodá, aí.

Nego Pretinho respondeu em silêncio, negou com um sinal de cabeça. Havia mais de um ano que ele freqüentava a área da boca, gostava de ver de perto a atividade do pessoal da quadrilha, principalmente da dupla Nein e Pardal, seus amigos de infância, mas não pôde contar com nenhum dos dois como testemunhas de defesa.

— Não pode. Vocês gostam do moleque, nunca vão falá mal dele, pensa que sô otário, aí — disse Juliano para a dupla que tentava defender Nego Pretinho.

Pardal logo desistiu de tentar convencer o tribunal da inocência do amigo. Nein foi mais persistente e tentou encontrar algum conhecido ou parente que pudesse ajudá-lo a escapar do pior. Correu para avisar os dois únicos tios que Nego Pretinho tinha no morro, mas um não estava em casa e outro teve medo de chegar perto do tribunal.

Nego Pretinho era criado pela avó viúva, que morava na parte mais alta do morro e tinha reumatismo nas pernas. Sem poder sair de casa a avó só soube que o neto deixava de ir à escola para ficar em torno da boca no dia em que Nein foi avisá-la que ele corria o risco de ser morto no tribunal.

A avó andou o mais depressa que podia e Nein correu na frente dela para avisar Juliano que uma testemunha importante estava a caminho. Mas no tribunal ninguém estava disposto a esperar pela execução da sentença, nem mesmo o réu.

— Qual a tua, moleque? Tu vive colado atrás de mim, me espiando... confessa, caralho!

Para se livrar do interrogatório, Nego Pretinho também não quis esperar por alguém que depusesse a favor dele e providenciou a sua própria defesa, com uma atitude surpreendente.

— Pega a arma e atira de uma vez — disse Nego Pretinho para Juliano.

— Olha aí, o moleque, aí — surpreendeu-se Juliano. Acostumado a ouvir pedido de clemência durante os tribunais, o chefe interpretou a atitude a favor de Nego Pretinho. Concluiu que ele talvez fosse vítima de fofoca dos concorrentes, pois se estivesse mentindo certamente não seria por medo de ser morto.

— Ninguém falô em te matá, moleque. Eu só ia te dá um tiro na mão pra deixá de sê tão curioso... — disse Juliano.

— Então atira logo, Juliano. Um dia eu vô levá um tiro mesmo... então já fico sabendo como é que é.

O tiro disparado por Juliano atravessou a palma da mão, jorrando sangue para os lados, mas Nego Pretinho se manteve calmo, não gritou, não gemeu, não falou nada até a chegada do socorro. O missionário Kevin constatou que a bala havia passado entre os ossos sem nenhuma fratura.

— Eu ainda vô podê pegá uma arma ou esta mão não presta mais? — perguntou Nego Pretinho para o missionário, ambos já cercados pelas crianças, as testemunhas de sempre dos tribunais.

A prova de coragem renderia a tão esperada vaga na boca. Antes mesmo de ele se recuperar totalmente do ferimento, Juliano escalou Nego Pretinho para reforçar o grupo de olheiros, com seus amigos Nein e Pardal.

■ ■ ■

A repercussão negativa dos tribunais de morte promovidos por Raimundinho era o argumento mais forte de Claudinho na disputa de poder dos três gerentes de Carlos da Praça na boca da Santa Marta. Em três anos de poder do trio, 17 mortes foram atribuídas pela polícia aos tribunais da favela. Só um desses crimes, por envolver uma personagem conhecida fora do morro, foi noticiado na imprensa do Rio. Apenas os jornais populares deram maior destaque. Mas no meio dos chefões do narcotráfico a execução de Carlinha do Rodo representou uma perigosa quebra de códigos que vigoravam entre os malandros e criminosos mais antigos.

Símbolo da Grande Guerra de 1987, quando tinha 14 anos, a franzina Carlinha do Rodo era mais uma das vítimas do horror dos tribunais promovidos pelo Comando Vermelho na Santa Marta. Para o carrasco Raimundinho, o fato de ela ter sido uma das pioneiras da quadrilha, namorada e membro de um grupo comandado pelo ex-líder deles, o Cabeludo, nada de importante representava. Era uma a mais, sujeita às regras que aterrorizavam os jovens envolvidos ou não nas atividades da boca. Meses antes da execução, ela estava jurada de morte por Raimundinho, apesar dos protestos de Juliano. Os dois discutiram muito sobre a decisão de levá-la aos tribunais CV.

— Carlinha é como cria da Santa Marta, tu manera com essa menina — alertara Juliano.

— Qual é, Juliano. Caxangueira, a parada dela é outra. Só traz arengação aqui pro morro... Panha a farinha, dá o rolê e sai no pinote. Que malandragem é essa, mermão?

— Faz parte, Raimundo. Um dia ela paga. Cabeludo adorava essa mulhé, cara!

— E aí, fico de otário. Esse papo de Cabeludo não é o desenrole, Juliano.

— Grande Cabeludo! Tu não lembra, Raimundo. Tu era moleque, nem punheta tu sabia tocá ainda, rapá.

— Vivo do passado não, aí. Nem tem idéia. Se piá na minha frente vou quebrá essa mulhé, vou quebrá!

— Menina, rapá. Carlinha do Rodo, tu não gosta deste nome, não? Essa menina já foi lá do asfalto, cara. Veio lá de Santa Teresa buscá uma farinha aqui com o irmão do Cabeludo e ficô por aí. Virô guerreira do morro. Manera!

Depois da derrota na Guerra de 1987 e da morte de Cabeludo, Carlinha morou durante quatro anos nos morros onde havia amigos da antiga quadrilha. Passou pelo Cerro Corá, Turano, Vidigal, Escondidinho. Nunca deixou de cometer furtos e pequenos assaltos com as quadrilhas de cada lugar. Esteve detida cinco vezes em internatos de adolescentes infratores e fugiu de todos.

A retomada da Santa Marta pelos antigos parceiros de quadrilha a trouxe de volta à favela em 1991, abrigada na casa de um parente de Cabeludo. Aos 18 anos de idade, continuava franzina, parecia subnutrida, media menos de um metro e sessenta, pesava 48 quilos. No seu último assalto, rendeu a dona de uma casa de Botafogo e roubou mais de um quilo de ouro, que estava escondido no armário de roupas do quarto. Na hora da partilha do lucro houve desavenças na quadrilha. E como já não tinha a proteção de Cabeludo, morto em 1988, o desentendimento a levou para o tribunal da morte.

A sentença de Carlinha causou controvérsias até entre seus carrascos, porque foi idêntica às brutais execuções de alcagüetes inimigos. Era uma tarde de sexta-feira. Ela foi conduzida pelas vielas, morro acima, sob espancamento contínuo. Algumas mulheres seguiram discretamente atrás dela para tentar convencer Raimundinho e seu grupo a desistirem da execução. As crianças acompanharam a pancadaria fazendo algazarra pelo caminho. Atrás delas, Doente Baubau batia na porta dos barracos para tirar as pessoas de casa e convidá-las a assistir à procissão do tribunal.

— A Carlinha vai pro pico! A Carlinha vai pro pico! — gritava Baubau.

Ninguém teve coragem de seguir os carrascos por muito tempo. Eles chegaram à região do Chiqueirinho, parte alta do morro, já quase sem testemunhas em volta deles. Carlinha tinha os olhos esbugalhados, soltava espuma branca pelo nariz, chorava baixinho, sem energia para reclamar de mais nada ou para responder àquela pergunta estúpida do matador Cássio Laranjeira.

— Aceita Jesus no teu coração?

Amarrada numa árvore de cabeça para baixo, levou chicotadas e pauladas até a morte. O corpo ficou uma semana no local da desova, o fundo do penhasco lá do pico, onde um funcionário da empresa que fazia um trabalho de contenção das pedras do morro o descobriu por acaso.

A mãe e duas pessoas da família levaram o caixão de Carlinha do Rodo para o cemitério São João Batista. Um amigo acompanhou o pessoal. Chorava e repetia sem parar um pedido de desculpas:

— Nos perdoe, Carlinha.

O pedido de perdão foi do Doente Baubau, o único homem de Juliano no enterro da herdeira dos crimes de Cabeludo. Carlinha do Rodo ficou numa cova rasa da Quadra 21, a mesma de seu ídolo e namorado.

CAPÍTULO 16 | **O EXTERMINADOR**

Nem a pessoa mais próxima e de maior confiança de Raimundinho, a ex-namorada Mana, entendia certas atitudes radicais do exterminador. Muito antes de ele entrar para a quadrilha, Mana já achava estranha a sua obsessão pelo tiro ao alvo com qualquer tipo de arma. Ainda menino, já com uma coleção de vítimas, começou a chamar a atenção por atos de perversidade contra os animais.

Raimundinho criança já era um exterminador. Mirava entre os olhos, um pouco acima da linha do nariz da vítima, que percorria um caminho curto até a linha de tiro. Ela vinha da área do lixão, entrava no túnel escuro que passava por baixo de cinco barracos e acabava no beco do Silêncio, num ponto estreito da viela com menos de dois metros de largura. Quando a vítima aparecia na boca de saída, o exterminador já estava com a mira da arma no foco, pronto para o disparo.

Os ratos pequenos saíam do cano na velocidade de um foguete e às vezes conseguiam cruzar o beco e sumiam no valão do esgoto. Já as gordas ratazanas jamais escapavam dos tiros de estilingue do exterminador. As pedradas certeiras atingiam o focinho e provocavam um comentário impiedoso de Raimundinho.

— Mato antes que tu me mate, desgraçado.

Raimundinho herdou do pai Zé Lima o ódio mortal aos ratos. O censo de um grupo de combate a leptospirose descobriu que a doença crescia na favela porque o número de ratos era dez vezes maior do que a população da Santa Marta. Isso horrorizava o pai de Raimundinho, que vivia espalhando veneno em volta de casa e pelo caminho que levava à birosca de sua propriedade no beco do Repente, transversal do beco Padre Hélio. Raimundinho morava com a mãe, que era doente de alcoolismo, num barraco do Cantão. Mas era mais apegado ao pai, embora tivesse sido muito surrado por ele na infância.

Nos dias de folga, o birosqueiro Zé Lima aproveitava o tempo livre para tentar reduzir a tiros o número de ratos no morro. Adorava contabilizar quantos conseguia matar. Passava tardes inteiras promovendo apostas com os amigos. A moeda dos jogos era cerveja, prêmio de quem acertasse o número de ratos mortos a cada hora no beco do Silêncio. O filho Raimundinho, sempre grudado ao pai, era quem fazia a contagem do jogo.

Os ratos também foram cobaias de Raimundinho quando ele ganhou a primeira arma de Carlos da Praça. Enquanto o irmão Claudinho gostava de namorar, fumar maconha, passear no asfalto com os amigos, ele preferia treinar tiro ao alvo contra as ratazanas. Calado, de pouco riso, solitário, só teve uma namorada durante toda a adolescência. Aos completar 18 anos, o namoro com Mana virou amizade. Ela se tornou a melhor amiga, a única que sabia da origem de seu ódio pelos ratos.

O fator que os manteve unidos por anos era o respeito de Mana por seu silêncio. Raimundinho não gostava de falar, menos ainda de emitir opinião ou explicar as atitudes impiedosas que o levaram ao trio de gerência da quadrilha, onde aos poucos foi impondo a sua função de matador.

Da Praça o escolheu para dividir o controle da boca para conter a sede de poder de Claudinho e Juliano. Desde os primeiros momentos na gerência os dois mediam forças. Mas aos poucos formaram grupos distintos, duas quadrilhas que só se uniam na eventualidade de um combate para enfrentar seus inimigos de outros morros. O racha levou quase todo o pessoal da antiga Turma da Xuxa a ficar do lado de Juliano.

Raimundinho era uma espécie de juiz das decisões polêmicas do trio, como aconteceu no caso do assassinato da radialista da Associação dos Moradores, ex-simpatizante do inimigo Zaca.

A radialista Maria Lúcia, a Neguinha, era uma morena, muito assediada e conhecida. Sua voz era ouvida em toda a favela, pois era quem dava informações úteis e transmitia as novidades da Associação pelo sistema de alto-falante. Morreu por não acreditar que seus amigos de infância, agora traficantes, fossem atacar uma mulher tão admirada e que tinha em sua retaguarda a até então intocável Associação de Moradores.

O motivo do crime foi uma desavença por causa da instalação de um telefone comunitário dentro do prédio da associação. Os frentes do morro protestaram: temiam que o orelhão virasse um instrumento de delações à polícia. Queriam pôr o aparelho no caminho principal, o beco Padre Hélio, onde as conversas ao telefone pudessem ser ouvidas por todos, moradores comuns, funcionários da associação, olheiros da quadrilha. Apesar das reclamações dos traficantes, a diretoria manteve a decisão de instalá-lo dentro da associação.

— Os homi são arregado dessa diretoria, aí. Tu imagina a deduragem que vai rolá com o telefone lá dentro nos ouvidos deles, só deles, cara! Vô armá o maior caô, essa não. Essa não! — protestou Raimundinho numa reunião da gerência.

A reação dos traficantes, com Raimundinho à frente, foi a invasão do prédio da entidade. Não encontraram nenhuma resistência. Os cabos telefônicos foram desligados na frente do pessoal da diretoria, que prometeu negociar a instalação do aparelho na rua. Apenas Neguinha protestou. Tentou expulsá-los do prédio, aos gritos, indignada:

— Nunca aconteceu uma coisa dessa na associação. Vocês deveriam ter vergonha de invadir um espaço que é de todos! — disse Neguinha.

— Aí, mulhé! Sem caô, fica na tua senão o bicho vai pegá, tô te avisando... — ameaçou Raimundinho.

Ele chegou a sacar a arma, mas foi contido por Juliano, que tentou negociar com Neguinha. Ofendida, ela não quis conversar. Saiu do prédio para queixar-se lá fora, no telefone público perto de sua casa. Foi seguida pelo olhar de Raimundinho, que estava decidido a eliminá-la.

Além da suspeita de ter colaborado com o inimigo Zaca, agravara a situação de Neguinha o fato de que namorava um inspetor de polícia, Paulo Marrinha, que trabalhava no Presídio Lemos de Brito. Para encontrá-lo em Madureira, na zona norte, onde ele morava, Neguinha freqüentemente dormia fora de casa, o que gerara a suspeita de que ela fosse fazer o leva-e-traz, o serviço habitual dos informantes da polícia ou do grupo adversário.

Era com Marrinha que ela falava ao telefone público logo depois da briga na associação. Queixava-se do episódio da invasão e, ainda revoltada, não percebeu, enquanto falava, a aproximação da turma da boca. Raimundo vinha na frente, seguido por Du, Juliano e Careca.

Em silêncio, Raimundinho descarregou duas vezes a pistola automática contra Neguinha. Disparou 15 tiros, alguns no rosto, à queima-roupa.

A frieza da execução em lugar público causou uma grande discussão interna na boca. O grupo da antiga Turma da Xuxa, liderado por Juliano, preocupava-se com a repercussão na comunidade. Todos poderiam ser reconhecidos por várias testemunhas. Temiam um possível enquadramento legal na condição de co-autoria de um crime não planejado e que certamente também iria repercutir negativamente na imprensa.

— Isso vai pegá mal, cara. Agora os homi vão tê motivo para sentá o pipoco em cima de nós. Tá cheio de tira arregado ali dentro, rapá — reclamou Juliano numa conversa com Raimundinho.

— Qual é, Juliano. O morro é nosso, mas a associação ainda é dos alemão! Isso é absurdo! O presidente é do contexto do Zaca, cara. Até a minha mãe, quando tá de birinaite, sabe disso, porra! — afirmou Raimundinho.

O pessoal de Claudinho também foi surpreendido pela ação de Raimundinho, mas considerava positiva a repercussão do crime. Tinha esperança de que a notícia viesse a intimidar os inimigos, que estavam indignados com o calote da compra da boca e ameaçavam por telefone tentar a retomada do morro. Também achava que a entidade, que sempre representara a união dos favelados, estava sob forte influência do inimigo Zaca. Se dependesse de Claudinho e seu grupo, estava aberta a guerra contra a Associação de Moradores.

— Qualquer hora esse presidente vai dá o bote. Sabe como é: cobra criada um dia vem pra cima te quebrá. O cara é sorrateiro! — alertou Claudinho na reunião da gerência.

■ ■ ■

Nos últimos dois anos, ainda dono do morro, Zaca exercera grande influência sobre a diretoria da associação. O presidente, José Custódio da Silva, o Zé Castelo, vencera as eleições de 1989 com apoio explícito dele e dos comerciantes nordestinos. Castelo era as duas coisas ao mesmo tempo. Dono de várias biroscas, de uma empresa distribuidora de alimentos e do maior entreposto de bebidas do pé do morro, fora também parceiro de Zaca no tráfico. Financiava o abastecimento de pó e dividia os lucros com o ex-dono da boca. Uma sociedade que existira desde a Grande Guerra de 1987. Dias depois do fim dos combates, os dois foram presos em flagrante a caminho da Santa Marta com 500 gramas de cocaína.

Na lógica dos homens que mandavam no morro, o presidente da associação, Zé Castelo, representava um braço dos inimigos no coração da favela. Em sociedade com Zaca, era uma forte ameaça de continuidade da linha de poder marginal independente, uma peculiaridade da Santa Marta. Desde a formação da comunidade na década de 1930, o morro esteve sob domínio de malandros de um único núcleo familiar. No passado reinaram os banqueiros do jogo do bicho, do patriarca Cornélio Procópio. O comando mudou de pai para filho até a chegada dos chefões do tráfico no início dos anos 80. Com reforços eventuais de criminosos de grande carisma entre os moradores, os chefes do narcotráfico mantiveram-se afastados das grandes organizações criminosas durante toda a década de 1980.

Herdeiro do velho Pedro Ribeiro, Zaca e os birosqueiros nordestinos representaram, na visão de seus simpatizantes, uma resistência heróica à expansão de grupos do crime organizado, sob a bandeira do Comando Vermelho, que já dominava a maioria dos morros do Rio. Desde a guerra de 1987, Zaca e Zé Castelo enfrentaram e venceram três períodos de guerra contra os traficantes do CV, conflitos que levaram à morte doze jovens da favela. Teria ajudado nas vitórias a aliança da dupla com os policiais de Botafogo. Zé Castelo era acusado pelos adversários de, mediante propina, convencer os policiais a reprimirem com rigor apenas os homens do bando inimigo.

Com Zaca na prisão desde 1990, a única ameaça ao poder do novo dono do morro era o presidente da associação, Zé Castelo. Por isso, Carlos da Praça teria mandado o trio da gerência providenciar a sua execução. Claudinho e Raimundinho assumiram de imediato o planejamento da missão. Mas para Juliano não fora fácil decidir pelo apoio ao plano. A sua indecisão tinha raízes na infância, muito ligada à Associação de Moradores. No ataque à radialista Neguinha, já fora difícil invadir armado a entidade que deixara marcas profundas na sua formação.

Na associação, Juliano teve as primeiras atividades organizadas de esporte e lazer, e de todas guardava boas lembranças. Também jamais esquecera dos bons momentos vividos nas colônias de férias de inverno e de verão patrocinadas pela entidade. Assim como das excursões, que o levaram a conhecer lugares distantes da favela e a ter acesso às competições de vôlei e futebol nas areias da praia do Leme. A Associação também representou, para Juliano, contato com cultura e política. Ali participara, pela primeira vez, de um debate sobre campanha eleitoral, um aprendizado das técnicas de discussão em assembléias. E descobrira a paixão pela literatura e o cinema.

A história do vínculo da associação com a Igreja Católica fazia aumentar ainda mais as dúvidas de Juliano. Desde os tempos dos mutirões, em que trabalhava como virador de laje, ele tinha grande respeito pelos padres do apostolado social da Igreja. Além de benfeitores, os religiosos orientavam jovens, como ele, a buscarem uma vida melhor pelo caminho do diálogo e da independência, o da autogestão comunitária. Juliano nunca se esqueceu da frase muitas vezes repetida por um de seus heróis, padre Velloso:

— Em vez de esperar, faça!

Outro fator que complicava a tomada de decisão era o afastamento de Juliano da favela depois da Grande Guerra de 1987. Foram quatro anos de muitas mudanças, com impacto dentro da Associação de Moradores. A começar pelo fim do governo esquerdista do PDT de Leonel Brizola, em 1986, que representou a perda de um aliado importante para a urbanização da favela, embora os dirigentes da Associação fossem ligados politicamente ao Partido dos Trabalhadores, o PT. Os mutirões continuaram, mas perderam a força e a motivação inicial. Em vez da união de todos para obras coletivas, os mutirões ganharam um perfil individualista: virou reunião de parentes para construção da própria casa.

Ainda nos final dos anos 80, a Santa Marta também sentiria os reflexos de um fenômeno de socialização do crime: a expansão de quadrilhas organizadas do narcotráfico no Rio de Janeiro. Para conter o avanço voraz do Comando Vermelho e a conseqüente perda da condição de dono do morro, o chefão da época, Zaca, procurou o respaldo informal da Associação de Moradores. Fracassada sua tentativa, Zaca partiu para o ataque. Nas eleições para escolha da nova diretoria, financiou uma campanha de oposição encabeçada pelo amigo birosqueiro José Custódio da Silva, o Zé Castelo. No lugar do estímulo ao desenvolvimento comunitário, marca das gestões anteriores influenciadas pelos padres católicos, a dupla Zaca-Castelo venceu as eleições com promessas de ajuda pontual, de caráter paternalista, benemerente, individualista. E com a promoção do acesso à favela de uma entidade religiosa que pudesse fazer frente à predominância do catolicismo progressista.

> "Se o seu problema é: familiar, sentimental, dor de cabeça constante, dor na coluna, insônia, desemprego, nervosismo, enfermidade, depressão, vícios... existe uma solução: IGREJA UNIVERSAL DO REINO DE DEUS"

Com a vitória da oposição, os missionários da Igreja Universal do Reino de Deus foram autorizados por Zé Castelo a anunciar promessas de cura para todos os males pelos becos da Santa Marta. E receberam de Zaca a doação de um espaço considerado nobre na favela, o ponto tradicional dos pagodeiros, o Barracão, que virou lugar dos cultos evangélicos.

Na retaguarda de uma entidade respeitada, Zaca acreditava que estivesse transformando a Associação de Moradores numa fortaleza contra o avanço do Comando Vermelho. Estava enganado. Associação sob tutela de traficante não era um fato isolado nessa época no Rio de Janeiro. A novidade era um traficante, no caso Zaca, ter levado um homem de sua confiança ao poder pelo caminho do voto e não pelo das armas, como acontecia em outras comunidades. Nos final dos anos 80, a polícia carioca registrara 240 assassinatos de dirigentes comunitários, vítimas da guerra de expansão do narcotráfico nos morros.

A guerra pelo controle da Associação de Moradores da Santa Marta ajudaria a aumentar os números dessa estatística.

Uma morte anunciada: a polícia sabia que Zé Castelo estava jurado. Ele havia sofrido um atentado dois meses antes, além de ameaças por telefone e perseguições nas ruas. Registrou várias queixas nas delegacias da Polícia Civil e nos batalhões da PM, mas nunca recebeu nenhum tipo de proteção. Teve que se refugiar com a família, por iniciativa própria, longe da favela.

A imprensa também sabia que Zé Castelo corria risco de morte, conforme ele havia denunciado em várias reportagens.

Os moradores da Santa Marta davam como certo o assassinato, e chegaram a fazer apostas sobre o dia em que Zé Castelo seria morto.

Uma noite de domingo, quatro meses depois da morte de Neguinha, Zé Castelo saía de um prédio de Copacabana quando foi abordado por seis homens, que estavam em dois Opalas. Eles vestiam calças e coletes pretos, com o nome da polícia civil escrito nas costas com letras amarelas, e tinham supostas credenciais da Secretaria da Segurança Pública. Nenhum se identificou, nem exigiu a apresentação de documentos de identificação, como é de praxe a polícia fazer. Desconfiado, Zé Castelo pediu socorro à sua mulher, que ficara na portaria do prédio, mas não adiantou. Ao contrário, os homens resolveram abordar também a mulher, a enfermeira Nilzete Santanna Dias. Sob a mira das armas, o casal foi algemado e empurrado para dentro do próprio carro de Castelo, no banco traseiro.

No dia seguinte, os corpos de Zé Castelo e de Nilzete Dias foram encontrados amordaçados, com muitas marcas de tortura e de tiros, numa área descampada de Nova Iguaçu, na Baixada Fluminense.

Na Santa Marta, a notícia da morte de Zé Castelo foi comemorada com distribuição de cerveja nos botequins próximos à área da boca. O vice-presidente Francisco Hipólito Neto, o Chicão, amigo de Carlos da Praça, participou da cervejada e na mesma semana assumiu o cargo deixado por Zé Castelo. Poucos moradores tiveram a coragem de ir ao enterro de um dos mais antigos birosqueiros, no cemitério São João Batista.

— Sem o robô do Zaca na Associação, agora sim chegô a nossa vez no morro. Temo que formá com o Chicão, colá com o cara, se inteirá das idéia dele — sugeriu Raimundinho ao parceiro de gerência Juliano.

— Tá direito. Chicão é um cara ressabiado, escamado. Vai dá um rolê nas paradas certas. Amigão do meu pai — disse Juliano.

A amizade nasceu devido à ajuda que Chicão recebeu do pai de Juliano para instalar-se como birosqueiro logo que chegou do Nordeste. Chicão e Romeu eram conterrâneos do Ceará e parecidos fisicamente. Baixos, atarracados, tinham cabelos duros, encaracolados e usavam grossos bigodes. Os dois afastaram-se durante a Guerra de 1987, quando Romeu foi expulso do morro por ordem de Zaca. Chicão apenas acompanhava a distância a vida do amigo pelas histórias que ouvia de Juliano, do qual acompanhou de perto a infância, a adolescência e a juventude repleta de ousadia e perigo.

Chicão e Juliano conversaram bastante sobre a trajetória e o destino que os levaram a formas diferentes de poder na Santa Marta.

— Quem diria, Chicão! Meu velho, se tivesse no morro, faria uma puta festa. O amigo Chicão, presidente! Tu tinha imaginado um dia uma coisa dessa na tua vida? — perguntou Juliano.

— Sinceramente, não. Entrei na chapa do Zé Castelo na empolgação. Afinal ele também era birosqueiro. E achava que controlá a associação seria bom para todos nós comerciantes do morro — repondeu Chicão.

— Mas tu vai tê que desenrolá um bagulho! Qualé que é essa história da chapa? Tu sabia que o Zaca tava por trás do Zé Castelo e aceitou sê o vice dele. Quédizê, tu fortaleceu o Zaca também, é ou não é? — questionou Juliano.

— Você tem que entender uma coisa. O homem sempre deu apoio ao birosqueiro, veja pelo seu pai. Lembra que o Romeu era amarradão no Zaca? Mas agora é outra história. Ele perdeu, tá preso e a quadrilha dele tá fora do morro. Tamo na boa. Temo que partir para uma outra — explicou Chicão.

— Esse bagulho é foda, Chicão! Tu sabe que o CV tá colado com o Carlos da Praça. Agora, o vacilo não tem volta. Tá todo mundo ligado na tua.

O mandato de Chicão reduziu o papel da associação nas atividades do morro. Ele permitia, sem nenhuma resistência, a intromissão na tomada de decisões sobre vários assuntos comunitários, por obediência ou medo da turma do Comando Vermelho. Ouvia as queixas dos comerciantes, que foram obrigados a pagar ao dono da boca uma taxa mensal, um pedágio, mas não buscava uma solução. Também se omitia diante das expropriações dos bens dos inimigos da boca, como aconteceu depois da morte de Zé Castelo. Chicão permitiu que a birosca e o entreposto de bebidas da família de Zé Castelo fossem ocupados pelos parentes e amigos dos traficantes adversários sem nenhuma interferência da associação.

Mas foi a postura ativa de Chicão diante das arbitrariedades da polícia o que mais marcou a sua curta gestão de um ano e sete meses. Organizou um movimento silencioso com os birosqueiros, para que todos juntos deixassem de pagar as taxas de proteção cobradas pelos soldados do posto policial. Também combinaram a suspensão da ajuda aos policiais violentos que, assim como alguns PMs de serviço na favela, recebiam dos comerciantes mercadorias e mantimentos.

Sempre que havia invasão a algum barraco ou violência contra os moradores, Chicão suspendia a ajuda, procurava ouvir a queixa da família e a encaminhava, pessoalmente, ao Batalhão de Botafogo. Essas atitudes — que ganharam o apelido de SOS Chicão — deram um rápido prestígio ao novo presidente e tiveram o apoio unânime dos moradores e do pessoal da boca, que passou a apoiar os seus projetos na favela.

A contrapartida dos policiais denunciados por Chicão viria na forma de represálias ao comércio de drogas e ameaças de morte que levaram Juliano a pedir, em nome da gerência da boca, que ele fosse, por algum tempo, mais tolerante com a polícia.

— Tu é foda, hein, Chicão? Tu é ponta firme mesmo, cara! Mas os homi tão de bronca, tão boladão contigo, cara. Te cuida. Te cuida — alertou Juliano.

— Eles não são loucos de fazê alguma coisa comigo, Juliano. Tenho falado direto com o coronel do Batalhão, na moral. E ele tem prometido providência, respeito ao favelado.

— Esse é o caô, a punição. Tu delata o cara e se o cara pegá uma cana, uma transferência? É foda, aí. O Rambo, o Maia, o Cruz, o Santandera, os homi tão tudo aí pra cima e pra baixo no morro.

Embora alertado por Juliano e outros amigos, Chicão continuou confiante no respaldo que julgava ter no Batalhão. As vizinhas do seu botequim chegaram a alertá-lo por causa do movimento de alguns homens estranhos no beco do Pecado. Mas ele não deixou de conversar com o coronel sempre que tinha alguma queixa a fazer, nem mudou seus hábitos no morro.

Numa manhã de outubro de 1992, Chicão acordou às cinco horas da manhã, como fazia diariamente, desceu do segundo andar de seu barraco pelas escadarias externas e começou a abrir o cadeado da porta de duas folhas de madeira do botequim. Na mesma hora, três homens que estavam na esquina do beco do Pecado com o beco Padre Hélio, a 50 metros da Associação de Moradores, puseram duas toucas de meia na cabeça e avançaram. Chicão inclinou-se para passar por baixo da porta semi-aberta, quando os homens encapuzados o surpreenderam com vários tiros de pistola, um deles disparado à queima-roupa na testa.

Um sargento e dois soldados do posto policial do morro foram reconhecidos por um olheiro da boca, que viu os três fugirem correndo em direção à saída da rua Jupira. Um motorista, que saía para o trabalho, também identificou outro soldado, o Rambo, do Serviço Reservado, que era muito conhecido na favela. A notícia do crime espalhou-se rapidamente. Pela manhã, quando a maioria dos moradores já circulava pelas ruas, uma multidão se aglomerava na frente do local do crime para ver o corpo do líder da comunidade. A suspeita contra os policiais levou os gerentes da boca a apoiarem uma manifestação de protesto dos moradores em frente ao Batalhão da PM em Botafogo.

— Assassinos! Assassinos!

Os manifestantes ofenderam os policiais. Usaram um surdo da escola de samba Unidos da Santa Marta para, com uma única batida, marcar o passo da marcha fúnebre até o destino final. Mais de 500 moradores interromperam o trânsito de uma das ruas mais movimentadas de Botafogo para exigir do comandante do Batalhão, coronel Robério Pimentel, a transferência do morro dos PMs sob suspeita.

Para demonstrar interesse no esclarecimento do crime, o coronel Pimentel foi até a favela e usou o sistema de alto-falante da associação para pedir que as testemunhas se apresentassem para ajudar nas investigações. Como ninguém se apresentou, o coronel deduziu que os matadores de Chicão teriam sido os próprios traficantes. E no mesmo dia do enterro, divulgou para a imprensa o nome do suspeito de ser o assassino mascarado: Juliano VP, que ficou revoltado com a acusação.

— Isso é uma grande safadeza. O cara sempre foi colado nas idéias do meu pai. Até o pior vira-lata do morro sabe que o Chicão era nosso considerado — queixou-se Juliano para o pessoal da boca.

— É um golpe, aí. Tão querendo passá o rodo, é ou não é? — disse Raimundinho.

— Vou dá mole, não. Esses putos vão vê, Raimundinho. Temo que descobri quem viu o Rambo pondo a máscara na cara... Tem que depô no processo, pra ferrá esses PMs... — sugeriu Juliano.

— Testemunha? Duvido. Tem medo, os homis, quebram mesmo. Tu acha o quê? O Rambo, o Cruz... estão todos aí e aí vão continuar — disse Raimundinho.

— Então, fudeu. Pra cima de mim, não. Solto o caroço neles. A comunidade tem que sabê que aqui tem home, caralho! — disse Juliano.

Alguns moradores ainda estavam de luto pela morte de Chicão quando o soldado Rambo, então principal inimigo da boca, tomou a iniciativa da guerra.

Durante o seu primeiro ataque Rambo apreendeu quase um quilo de cocaína, duas pistolas, várias caixas de munição e uma peça do uniforme da quadrilha, a jaqueta de couro de Juliano. A apreensão motivou uma festa entre os soldados. Para chamar a atenção do maior número possível de pessoas, Rambo subiu no alto de uma área rochosa de cinco metros de altura perto da base da boca, a Pedra de Xangô. Ergueu um cabo de vassoura com a jaqueta de Juliano em chamas, e disse às gargalhadas:

— Olha aí a jaqueta do cara, mané!

A resposta não tardou. Como fazia sempre que estava de plantão, Rambo deixou o seu jipe estacionado em frente à Casa de Saúde Santa Marta, a 50 metros do Destacamento de Policiamento Ostensivo da PM na favela. Enquanto ele prosseguia os ataques à boca no alto, alguns homens agiam no pé do morro, onde transformaram o carro do inimigo numa grande fogueira.

— Agora está um a um, mané. Tu é Flamengo e eu sô mais Botafogo, rapá. Botá fogo é comigo, seu otário — gritava Juliano pra quem passava ali pelo Cruzeiro, de onde ele assistia ao incêndio do jipe de Rambo.

O inimigo teve que voltar a pé para casa. E voltou prometendo guerra total contra Juliano.

Nos dias seguintes, a pretexto de investigar o crime de Chicão, mais de vinte PMs realizaram longas operações nas áreas de venda de drogas. Isso obrigou os traficantes a limitarem as atividades ao período da noite, quando os policiais iam embora do morro. Preocupado com os prejuízos, Carlos da Praça sugeriu que Juliano se afastasse das atividades da boca e passasse um tempo fora do morro. O chefão se propôs a financiar a viagem, para convencer o seu gerente, que insistia em prosseguir a guerra contra Rambo.

— Tem que evitá o esculacho, Da Praça. Engoli essa parada é foda, aí. O prejuízo lá na frente vai sê pior. Esse puto pensa o quê, caralho? — disse Juliano.

— Dá um tempo. Dá um tempo, não adianta. Tem que esquecê essa parada e tocá a bola pra frente — ponderou Carlos da Praça.

Num domingo de verão, Juliano convenceu-se de que era melhor trocar a guerra pela concretização de um antigo desejo: tirar férias num lugar paradisíaco, financiado pelos lucros da boca.

Com a renda de uma semana de gerência — o equivalente a dois mil dólares guardados no bolso da calça jeans —, Juliano deixou o morro no bonde formado pelos melhores amigos em um Tempra roubado, com Careca ao volante, rumo ao Aeroporto Internacional Antônio Carlos Jobim, o Galeão. O dinheiro assegurava qualquer opção de vôo doméstico. Por medo de ser preso no saguão de embarque, Juliano comprou rapidamente uma passagem para Recife, Pernambuco, onde iria trocar de avião e em seguida partir para a viagem de suas fantasias. Destino: o arquipélago de Fernando de Noronha.

CAPÍTULO 17 | PISTÔ UZI

Eu tava parado na boca, vendendo,
quando a atividade gritou:
— Sujou!
Todos os meus amigos bolados
destravaram os "bico",
de repente a chapa esquentou!
| **Funk proibido** |

Juliano saiu do Rio de Janeiro de madrugada, chegou a Recife quando o dia amanhecia e antes das sete horas da manhã de domingo era o primeiro na fila de embarque de um dos dois vôos semanais para Fernando de Noronha. Mas o funcionário da companhia aérea não quis vender a passagem.

— O senhor tem reserva? — perguntou o funcionário da companhia aérea.

— Que barato é esse de reserva? — perguntou Juliano.

— O vôo já está lotado, senhor — disse o funcionário.

— Mas eu cheguei primeiro... não tô vendo ninguém aqui.

O funcionário explicou que ele poderia pôr seu nome numa lista de espera, embora as chances de embarcar fossem remotas. O avião era um pequeno bimotor, para 18 passageiros. Juliano ficou ao lado do balcão contando um por um os que chegavam para o embarque. Quando percebeu que todos estavam na fila, tentou convencer o gerente.

— Vô em pé no corredor ou deitado no chão, não tem problema.

— É proibido.

— E no colo do piloto?

O gerente achou graça, continuou irredutível, mas apontou uma alternativa.

— O último da fila é o carteiro. Por que não conversa com ele?

O carteiro aceitou a proposta de Juliano. Ele daria o equivalente a cem dólares pelo lugar no avião com o compromisso de entregar o malote das cartas ao encarregado da correspondência no arquipélago. E para ninguém desconfiar, levaria emprestada a jaqueta amarela do uniforme do correio.

Último a entrar no avião, uniformizado, Juliano ficou sem espaço para colocar a sua bagagem de mão. Deixou o malote no colo e, por sugestão da comissária de bordo, guardou a mochila embaixo do banco da frente, onde estava sentada uma jovem, que chamou a atenção de Juliano, embora não tivesse observado bem o rosto dela.

A moça tinha os cabelos longos, lisos, pretos e estava ao lado de um homem de meia-idade, que poderia ser o namorado, talvez marido. Ela conversava animadamente com outra jovem sentada à sua frente, uma loira que precisava se virar para olhar para trás.

Juliano fingia ler um livro de bolso, o romance *Dom supremo*, enquanto pensava numa maneira de chamar a atenção da morena. Por prudência, antes de alguma tentativa, foi até o banheiro para, na volta, vê-la de frente e confirmar se era bonita ou não. Morena, olhos graúdos, rosto de traços finos, nariz e boca acentuados, lábios grossos, carnudos. Já encantado, Juliano queria vê-la sorrir. Encontrou um jeito de se aproximar. Pegou um monte de cartas de dentro do malote e tocou no ombro da moça.

— Aí, na moral. Tenho aqui uma carta de amor pra você.

A morena franziu a testa, desconfiada.

— Como assim?

— Sem maldade: aqui deve ter uma cartinha aí pro seu marido também...

— Que marido? Eu, hein...

— O cidadão aí do lado, não é seu marido, não?

— Mas que pergunta mais...

— Escolha uma carta aqui. Tem pra Suzana, pra Solange... como é o seu nome mesmo?

— Nome, endereço, CIC, o que mais você quer saber?

— Aí, facilita a vida do carteiro, aí... vai.

O serviço de bordo interrompeu a cantada de Juliano. Com quase uma hora de vôo sobre o mar, a freqüência das turbulências desviou a atenção dele para o senhor ao lado, sentado junto à janela, visivelmente tenso. Para acalmá-lo, recorreu a uma das imagens de cerâmica que levava na mochila.

— Aí, muita paz, a Santa Negra tá aqui! O senhor conhece? — disse Juliano.

— Nossa Senhora Aparecida?

— Nessas horas nunca se sabe... Na moral, essa santa sabe das coisas... Perigo, tempestade, mar... é com ela mesmo!

Pouco antes da aterrissagem, o parceiro de viagem continuava com medo. O aeroporto à beira-mar estava coberto pelas nuvens, o que fez aumentar a turbulência. Por sugestão de Juliano, a imagem de Nossa Senhora Aparecida precisava ficar de frente para as nuvens.

— Ela é boa de mar, já apareceu andando sobre as ondas... Qualquer rolo é só deixá na mão dela — disse Juliano.

No aeroporto, não teve tempo de se despedir da morena, como planejara. Enquanto procurava o encarregado dos Correios para entregar o malote das cartas, um jipe estacionou em frente à porta do desembarque e levou todo mundo.

Partiu a pé em direção ao vilarejo. Escolheu a pensão cuja dona parecia mais simpática. Ela avisou que, pelas leis locais, o visitante só podia ficar uma semana na ilha. Como Juliano pechinchou o preço, ela sugeriu que ele dividisse o quarto com um fotógrafo pernambucano, de 35 anos, barbudo, cabelos longos, que todos conheciam pelo apelido de Olho de Gato.

A oferta de um cigarro de maconha, que Juliano trouxera escondido dentro da imagem de São Judas Tadeu, aproximou de imediato os parceiros de quarto. No final da tarde, dono da única moto em Fernando de Noronha, Olho de Gato o convidou para passear antes que chovesse.

— Vou te levar num lugar maluco, Carioca. Você vai pirar com a mulherada...

Eles chegaram de moto ao topo de um penhasco, onde havia uma cabana de palha. Todas as mesas da varanda estavam ocupadas e havia muita gente em pé, em volta do balcão das bebidas. Olho de Gato, que passava uma temporada na ilha para fazer um documentário, cumprimentou algumas pessoas. Ao lado dele, Juliano também fez o reconhecimento da área.

— Aí, conheço aquelas duas mina que tão chegando.

— Tá maluco, Carioca. Você chegou hoje aqui, não conhece ninguém...

A loira e a morena, que conhecera no avião, passaram ao lado de Juliano, que as cumprimentou com um sorriso.

— Oláááááá!

As duas passaram direto e desviaram o olhar.

— Você conhece as minas, Carioca? E elas nem olham pra tua cara? — perguntou Olho de Gato.

— Pode deixá comigo, vou tirá uma chinfra com elas!

Na saída do banheiro feminino, Juliano tentou novamente.

— Aí, eu sô o carteiro do avião, lembra?

— Sei... você é estranho, não?

— Acabô de chegá um telegrama em seu nome. Tem curiosidade?

Enquanto Juliano tentava conquistar a atenção da morena, Olho de Gato estava envolvido num conversa animada com a loira. Pouco tempo depois, os dois já trocavam beijos e, apesar da chuva, sugeriram um passeio de moto pelas praias mais distantes da ilha.

Juliano achou a idéia maravilhosa e a morena nem tanto, mas concordou. Compraram dez cervejas e partiram todos na mesma moto, bem devagar. Olho de Gato dirigia. A loira, à frente, sentada sobre o tanque de gasolina, segurava duas garrafas, e a morena, atrás dele, levava outras duas. Por último Juliano, quase caindo, levava três garrafas em cada mão.

Pararam numa praia distante uns cinco quilômetros do vilarejo. Olho de Gato afastou-se abraçado à loira, que sentia frio por causa da roupa molhada de chuva. Juliano e a morena sentaram na areia, perto da moto, em silêncio, observando o movimento das nuvens em direção ao mar, o que indicava mudança do tempo.

Em menos de uma hora a chuva parou, as nuvens sumiram. Enquanto bebia, Juliano falava sozinho sobre o romance que estava lendo e a morena ouvia sem muito interesse. Ela só começou a conversar quando escureceu e impressionou-se com a quantidade de estrelas no céu.

— Olha o risco de luz do meteoro! — disse a morena.

O movimento de luz da queda de meteoros levou a morena a revelar o seu fascínio por astrologia e temas esotéricos. A conversa animou ainda mais quando Olho de Gato e a loira voltaram da caminhada e sugeriram fumar a ponta de maconha que Juliano havia escondido atrás do tanque de gasolina da moto.

O cigarro de maconha começou a circular pelas mãos de Olho de Gato. Ele passou para a loira que, em seguida, entregou à morena. Ela demorou a passar adiante.

— Aí, quédizê que tu é chegada num baseado? E como, hein? — disse Juliano, enquanto esperava a sua vez. Ele aproveitou a demora da morena em devolver o cigarro de maconha para chamar Olho de Gato a uma conversa particular.

— Porra, cara, não tá rolando nada... Essa mina é jogo duro... — disse Juliano.

— A minha é sensacional. Você viu? Maior gostosona! Jaqueline, 19 aninhos! — disse Olho de Gato.

— A minha deve tê uns 23, mas nem a idade ela qué me falá. Aí, cansei de dá umas idéia mas não rola, não avança.

— Isso é coisa de mulher casada, cara...

— Pior é que eu tô me apaixonando, tô viradão...

Se dependesse de Juliano, a noite seria longa. Mas a morena estava cansada, queria dormir cedo. Marcaram para o dia seguinte um programa, sugerido pela amiga: visita ao museu de história natural do arquipélago.

— Como você aceita um programa desse, cara? — reclamou Olho de Gato, já de volta ao quarto da pensão.

— As duas tão a fim, aí. Foi a tua loira que sugeriu o museu, caralho!

— Eu não vou, não. Não estou a fim...

— Vamo lá, cara. Toda a ilha qué comê essas mina. Tu viu lá na cabana? Os malandros todos querendo tirá uma com elas? Vambora, chegando lá a gente sai de pinote com as duas.

Juliano foi sozinho e chegou ao museu com mais de uma hora de atraso. Encontrou a morena e a loira acompanhadas por um grupo de cinco jovens turistas italianos, uma mulher e quatro homens. Pensou em fazer cara feia, mas aproveitou a reclamação da morena para afastar o grupo de outra maneira.

— Pensei que você não viesse mais — disse a morena.

— Tava comprando as alianças, meu amor — respondeu Juliano.

A morena não conteve a gargalhada. Jaqueline, a loira, cobrou a ausência de Olho de Gato.

— E o teu amigo, não vem não?

— Ficô dormindo, sonhando com você.

Logo que Juliano apoiou o braço sobre o ombro da morena, os italianos se despediram.

— Folgados, esses gringos — disse Juliano.

— Folgados por quê? Estavam numa boa, conversando.

— Pra cima de mulhé minha, não.

— Que sua? Eu nem sei o seu nome.

— Juliano, seu dono, com muito prazer.

— Débora, livre, graças a Deus!

Maria Débora, 23 anos, era de família de classe média alta, estava em viagem de férias com a melhor amiga para esquecer o casamento de três anos, recém-desfeito. Tinha se formado na faculdade há pouco tempo, mas não quis revelar a Juliano qual era a sua profissão nem seu sobrenome. Um detalhe de sua história, revelado durante o almoço no restaurante do museu, deixou Juliano preocupado. Ela estava mais próxima dele do que poderia imaginar. Era carioca, filha de um secretário de Estado do governo do Rio e morava na zona oeste, na Barra da Tijuca.

— E você, Juliano, carioca de onde?

— Cidadão do mundo!

Juliano retraiu-se por saber que os dois eram da mesma cidade. Mudou de assunto. Aproveitou a sugestão de Jaqueline, que queria convidar Olho de Gato para irem à praia.

— É mesmo, aí. Que sol! Que sol!

Passaram pela pensão e, em seguida, a convite de Olho de Gato, foram para uma área deserta onde ele tinha que fazer algumas fotos submarinas. Era uma pequena praia intercalada por pedras enormes, difícil de andar em alguns pontos.

Os dois casais deitaram numa rocha para esperar o pôr-do-sol, hora de luz ideal para as fotografias. Preocupada com a pele, Débora pediu ajuda a Jaqueline para passar um protetor solar em suas costas. Tirou a parte superior do biquíni para evitar marcas de sol. Juliano ficou impressionado com a beleza de seu corpo e cochichou com Olho de Gato.

— Olha lá, coxas grossas de jogadora de vôlei. E que peitinhos. Parece duas pistô uzi, cara! — disse Juliano.

— Tu tá maluco. Pistô uzi não é uma arma? — reagiu Olho de Gato.

— Metralhadora israelense.

— Comparar os peitos da mina com metralhadora, cara?

— Bem pequena, tu não conhece? Metade metralhadora, metade pistola. Olha lá: os dois bicos apontados pro céu. Lindo!

— Tu gosta de guerra, cara?

— Depende da guerra.

Débora interrompeu a conversa deles, desconfiada.

— Que tantos segredos estão rolando aí?

— Tamo falando de um filme: dois casais nus numa praia deserta — respondeu Juliano.

— Boa idéia! — disse Débora. Ela convidou Jaqueline e as duas tiraram os sutiãs dos biquínis e se jogaram no mar.

Olho de Gato jogou-se atrás. Um choque para Juliano, surpreendido pela atitude das moças. Depois de uma breve indecisão, para a sua timidez não chamar tanta atenção, tirou a sunga e jogou-se na água também.

Nadou para perto de Débora e a pegou por trás. Ela deixou que ele beijasse seus cabelos e logo tentou sair de seus braços.

— Não estou a fim de nada. Só quero curtir esse mar... — disse Débora.

De repente, Juliano viu passar perto deles uma enorme tartaruga, argumento para continuar abraçado a Débora, com medo de ser atacado.

— Você está com medo desse bichinho inofensivo, Juliano?

— Claro, olha o tamanho dela!

— E daí, tartaruga-gigante, uma raridade.

— Tu diz isso porque mulher não tem piroca. Aí, ó! Se ela comê a minha piroca, como eu fico?

Juliano nadou até as pedras e saiu da água. Ficou sozinho, deitado sobre uma rocha e adormeceu por alguns minutos. Acordou com uma suave mordida nos lábios.

— Eu sou a tartaruga-gigante — alertou Débora.

Namoraram do pôr-do-sol até as quatro da madrugada. Dormiram juntos na pensão de Débora. No dia seguinte, durante o café da manhã na varanda, ela queria saber mais sobre a vida dele.

— O que faz um carteiro do Rio de Janeiro entregar carta em Fernando de Noronha? — perguntou Débora.

— Sô carteiro, não — respondeu Juliano.

— E aquele colete amarelo, explica direito...

Juliano explicou em detalhes a história da viagem. Aos poucos passou a responder, de forma vaga, às perguntas sobre as coisas mais importantes de sua vida. Contou que gostava de ler, desenhar, tirar fotografias, comer arroz com feijão logo que acordava e antes de dormir, fumar baseado, escrever cartas, que um dia pretendia escrever um livro e tocar um instrumento. E que fazia um curso de saxofone, com um professor particular, que ia ao seu encontro duas vezes por semana.

— Que mordomia: o professor é que te procura?

— Não tem outro jeito, eu trabalho demais...

— Que trabalho você faz?

— Eu faço um trabalho numa comunidade. É difícil das pessoas compreenderem...

— Já sei, trabalha numa ONG, faz filantropia. Mas você não tem cara de ser tão bom moço assim.

Passaram a tarde no quarto. À noite recusaram o convite de Olho de Gato e Jaqueline para jantar no bar da cabana. Preferiram continuar no quarto. Só saíram para andar de madrugada, hora mais adequada para confissões.

— Você disse que me falaria um segredo ainda hoje — disse Débora.

— Vô confessá: tô apaixonado — disse Juliano.

— Não, não! Isso você fala a cada cinco minutos.

— Aí, maneiro. O que tu qué sabê?

— Tudo. Não percebeu que estou muito a fim de você?

— Mermo! Minha deusa! Aí, vamo combiná uma coisa: Eu confesso. Mas tu tem que confessá alguma coisa antes... Um segredo bem cabeludo!

— Segredo daqueles feios? Deixa eu pensar: beijei três caras num mesmo dia.

— Porra! Tu é fácil assim, é? Fiquei puto... acabou!

Juliano estava falando sério, sentia ciúmes do passado de Débora.

— Traição! Devia tê me avisado antes de eu me apaixoná. Beijo de língua e tudo mais? Qué dizê: tudo que tu faz hoje comigo fazia antes à pampa por aí?

— Dramático, Juliano. Qual é?

— Tô puto, segura aí vinte minutos sem trocá idéia comigo. Aí, como posso confiá depois disso?

Antes do prazo de vinte minutos, provocado por Débora, Juliano estava sorrindo novamente e confessando seus segredos.

— Aí, manero. Se tu qué sabê, vai lá: trampo na gerência de uma firma clandestina.

— Firma de quê?

— Vendas. Sou da gerência, mando em 70 homens, qué dizê... uma rapaziada muito legal, linha de frente.

— Firma forte? Onde fica?

— Botafogo, no morro.

— No morro, vendas. Vende o quê?

— Pó, branca, farinha, brizola, arroz, coca, cocaína! E erva, preta, feijão, maconha.

Débora ouviu tudo em silêncio, chorou em alguns momentos, sorriu no final:

— Obrigado por confiar em mim. Mas é foda, hein! Você é então... Pó, sempre tive o maior medo... Você não está querendo me impressionar, não?

— Tu quis sabê qualé, aí. Agora embaçô, não é?

— Quer saber de uma coisa, Juliano?

— Qualé?

— No fundo eu sabia que você era um homem diferente dos outros. Acho que foi isso o que mais me atraiu em você.

— Pois é, Débora. O problema é que eu sô bom no que faço.

— Quer dizer que você gosta do que faz?

— É minha vida. Tudo o que tenho está lá no morro: minha mãe, minhas irmãs, meus filhos, meus amigos, meu saxofone, meus instrumentos de guerra... Só o meu pai tá fora, foi expulso de lá num rolo com os alemão.

— Alemães? Tem muito alemão no morro?

— Alemão é o inimigo. Tá sempre querendo nos quebrá, matá mermo. A gente é o lado certo da vida errada. Os alemão tão no lado errado da vida errada.

— Você disse que tem filhos. E como faz com os filhos quando tem guerra? Quantos filhos você tem?

— Dois. Um nasceu quando eu tinha 17 anos, Juliano William. O outro, Juliano Júnior, é um bebê, vai fazê um aninho.

— E a mãe deles?

— Vão bem, tão lá também. As duas são solteiras.

Juliano evitou falar os nomes de Marisa, a mãe do primeiro filho, e de Adriana, a do segundo, fruto de um relação fulminante durante a sua festa de aniversário no Leme. O caso durou exatamente 20 minutos, tempo de uma relação sexual "rapidinha", escondida dos convidados, no quarto da casa da mãe dele. E Juliano escondeu de Débora que havia deixado na favela uma terceira ex-mulher, a jovem Veridiana, filha de Madá.

— E você, tem filhos, Débora?

— Tenho uma, morro de saudades da minha filha. Gracie, três anos. Está com a avó, mãe do meu ex-marido, que fica com ela no fim de semana. Este ano ainda pretendo mudar com ela para o Texas, nos Estados Unidos.

Amanheceram acordados falando de suas vidas e provável futuro de cada um. Juliano estava exausto, Débora também, mas ela não queria dormir para poder aproveitar melhor as últimas 24 horas ao lado dele. Ela voltaria para o Rio de Janeiro no avião de quinta-feira bem cedo. E ele, pelo plano inicial, ficaria o máximo possível, sábado à tarde.

Dormiram pela manhã e parte da tarde. Combinaram fazer uma festa de despedida na hora do pôr-do-sol, na cabana de palha do penhasco, onde começaram o romance.

Posaram para várias fotos tiradas por Olho de Gato, que estava interessado em "fotografar" também uma turista inglesa, recém-chegada à ilha. Perdera o interesse na loira Jaqueline, caso de um dia. Jaqueline havia virado uma amiga divertida. Dançava *reggae* sozinha e, como sempre, chamando a atenção da maioria dos homens da festa.

Na hora do fechamento da cabana, à meia-noite, Juliano comprou duas caixas de cerveja gelada e pediu ajuda ao pessoal para descer o penhasco com os engradados até a praia. A festa continuaria por mais algumas horas. Bem antes de acabar, Débora e Juliano se afastaram, sem se despedir de ninguém, e foram caminhar na areia até o amanhecer.

Juliano não quis levá-la de volta à pensão, nem ao aeroporto, apesar da insistência de Débora.

— Eu sô bandido, Débora. Tu esqueceu?

— E daí, qual o problema?

— Bandido não se despede nem dá adeus.

Antes de partir, Débora convenceu Juliano a dar a ela um número de telefone do morro para um possível contato. Ele passou o número do celular, ainda uma novidade tecnológica na favela, introduzida pelo pessoal da boca.

— Nove, três, oito. Seis, dois. Cinco, cinco.

— Posso telefonar? Quero sempre saber de sua vida.

— Aí, tu ainda vai sabê de muitas notícias minhas.

— E meu último beijo?

— Não fale essa palavra... Último... Esquece a despedida, mulhé. Aí, vou dá uma idéia: cada um pensa em duas palavras bem maneiras, diz no ouvido do outro e sai de pinote, cada um pra um lado da praia.

Débora ficou alguns segundos em silêncio, abraçou forte Juliano e cochichou no ouvido dele:

— Te amo!

O último beijo foi tão longo que Juliano esqueceu de dizer as suas duas palavras. Já partia para o lado que escolhera quando Débora correu atrás dele para cobrar a promessa.

— Até breve! — disse Juliano.

Juliano caminhou pela praia em direção à área do aeroporto. Sentou sobre uma pedra para esperar a decolagem do avião de Débora. Tirou do bolso uma pequena imagem de São Judas Tadeu e, na hora da subida do bimotor, rezou a oração de todos os dias: "Obrigado por mais um dia de vida nesta tua terra maravilhosa, meu Pai... e por nos conceder esta liberdade... que esta misericórdia se estenda por muitos e muitos séculos... e que o mal jamais vença o bem..."

■ ■ ■

De volta do arquipélago, Juliano passou a ser olhado com curiosidade por alguns moradores da Santa Marta. Ele tinha sido alvo de uma campanha difamatória promovida por seu concorrente na gerência, Claudinho, que aproveitara a sua ausência para espalhar na favela a notícia de que havia enlouquecido de tanto fumar maconha. Alguns episódios acabaram involuntariamente contribuindo para a difusão da fofoca criada por seu oponente.

Juliano voltou com um visual diferente de Fernando de Noronha. Adotou cavanhaque e deixou os cabelos longos e cacheados. Passou a usar óculos de sol 24 horas por dia. As lentes espelhadas, emolduradas por dois corações vermelhos de acrílico, chamavam atenção até no escuro dos plantões da madrugada. Só a amiga confidente Luz sabia que os óculos eram um presente de Débora.

— Tu ficou amarradão, hein, Juliano?

— Mulheraço, Luz. Maió love! Sabe como nos separamos?

— Choradeira de novela?

— Ela pediu meu telefone, disse que ligaria no domingo seguinte.

— Tu deu, é ou não é? Foda, aí. Bandido dança assim, cara. Imagina: a piranha é de cagüetação! E aí, como fica?

— Que nada, Luz. O problema é que ela não ligô como tinha combinado.

Débora demorou mais de um mês para ligar. Era final da tarde de um domingo e Juliano aguardava um contato do fornecedor de maconha enquanto assistia a uma partida de futebol dos seus homens, no campinho de areia do pico. A reação dele à surpresa do telefonema da namorada assustou o pessoal que jogava. Ao ouvir a voz de Débora, ele pediu um tempo à namorada, largou o celular sobre uma pedra, pegou a Jovelina, apontou para o alto em direção à imagem do Cristo Redentor e acionou o gatilho: Dum. Dum. Dum Dum Dum. Dum. Dum. Dum. Dum.

A pelada acabou, a lua apareceu atrás do Pão de Açúcar, duas baterias do celular foram gastas enquanto Juliano e Débora conversavam, lembravam de cada momento que viveram em Fernando de Noronha. Durante boa parte da conversa Débora contou que passara os últimos dias tentando acompanhar, como jamais fizera em sua vida, o noticiário sobre as favelas do Rio de Janeiro. Ficara impressionada com a falta de informação, tanto nos jornais quanto nas revistas, nas rádios e nas televisões. Só encontrara notícias sobre violência, tragédia e episódios de brutalidade nas páginas de periódicos sensacionalistas. Passara a circular de carro pelo bairro de Botafogo apenas para ver a favela de perto e se impressionara, a cada viagem, com o aglomerado de barracos que cortavam a floresta a partir dos prédios de classe média, do pé do morro até o pico. Um retângulo de miséria que jamais percebera antes. Sentira muitas vezes vontade de sair do carro e subir o morro para descobri-lo, conhecer como são os becos, ver um barraco por fora e por dentro, abrir o armário de uma cozinha, comer a mesma comida de Juliano, se envolver com as crianças e a rapaziada de quem ele tanto lhe falara de perto. Mas sentira medo, embora estivesse cada dia mais interessada em descobrir o mundo do namorado, que aos poucos se tornara, para ela, personagem de uma história não tão impossível.

O ruído no celular de Juliano indicava que a terceira bateria estava chegando ao fim e Débora queria marcar um encontro com ele em algum lugar da cidade. Ele adorou a idéia, sobretudo por perceber o envolvimento da namorada. Mas teve medo da proposta.

— Tu tá maluca, mulhé. Aí, eu vivo entocado só observando o mundo de vocês aí embaixo. No controle, tá ligada? O morro é a minha torre de observação, tá ligada? Não posso descê da minha área assim fácil, sem um anjo da guarda...

Diante da insistência de Débora, marcaram um encontro para a quarta-feira seguinte, às sete horas da noite, em um lugar que Juliano imaginava ser um paraíso dos ricos, o Shopping da Gávea. Conversaram até a bateria do telefone acabar. Depois, Juliano correu até o barraco de Luz para falar e saber das novidades.

— A mina ligô, Luz, na maior responsa...

— É a piranha da Barra ou a da Rocinha?

— É bagulho sério, Luz. A mina tá na minha, puro love, puro love.

— Qualé, Juliano? Por acaso tu passou mel na pica, caralho?

■ ■ ■

Aos poucos, Claudinho conseguiu convencer o chefão Carlos da Praça a afastar Juliano das decisões mais importantes. Encarregou-se de enviar a renda semanal ao dono da boca, com ele discutia por telefone todas as estratégias da quadrilha e as transmitia, como ordens, ao irmão Raimundinho, que aceitava sem muita reclamação. O irmão percebia suas intenções, mas não gostava de discutir com ninguém. Era avesso a reuniões e a qualquer tipo de conversa que envolvesse tomada de decisão. Raimundinho acostumou-se a se expressar pela violência e poucos, como a amiga Mana e o companheiro de gerência Juliano, ainda conseguiam manter algum diálogo ou compreender o significado de seu silêncio.

Juliano nem percebeu direito o seu crescente isolamento na boca. Vivia cercado pelo seu grupo, cada vez mais fechado, formado pelo pessoal originário da Turma da Xuxa. Andava apaixonado por Débora, só tinha cabeça para pensar na mulher que nunca mais vira e, por influência da fase de paixão, dedicava boa parte de seu tempo a aprofundar seus conhecimentos de música, intensificando as aulas com o professor de sax. Incorporou um novo equipamento à sua rotina. Era visto por toda a parte com o fuzil Jovelina e o saxofone dourado pendurados no ombro, mais uma extravagância condenada por Claudinho.

— Tu tá maluco, rapá. Tu parece injetado de pó, caralho. Esse bagulho chama a atenção, os homi vão vê de longe e sentá o caroço! Mole, mole... — reclamou Claudinho.

— Fica na tua, Cláudio. Música é pra tirá uma chinfra, energia boa, da paz.

Quando Juliano convenceu o seu professor de sax a dar aulas noturnas, até os melhores amigos, que o apoiavam em todas as loucuras, ficaram preocupados. O barulho do sax denunciava o esconderijo das aulas, aumentava o risco de ser descoberto pela polícia. O soldado Peninha, que negociara com Juliano a venda do AK-47, andava circulando pelo morro para prendê-lo. Agentes da P-2 também vasculhavam alguns barracos à procura de quem havia posto fogo no jipe do soldado Rambo.

Juliano também não havia esquecido sua revolta contra Rambo e os outros PMs acusados de terem matado o amigo Chicão. Seus homens já haviam absorvido a mesma motivação: falavam que não "dariam mole" na eventualidade de cruzar com algum desses policiais tidos como inimigos.

■ ■ ■

A festa do Dia da Criança de 1992, promovida por Juliano a pedido das mães mais carentes, começou pouco antes do pôr-do-sol, na área da Cerquinha. As mulheres enfeitaram uma mesa enorme, de uns três metros de comprimento, preparada sobre a laje usada como ponto de observação de Paranóia, que aos 13 anos já assumira a chefia dos olheiros da boca. O bolo, que ocupava quase toda a extensão da mesa, era uma miniatura de um campo de futebol, um retângulo feito de massa de pão-de-ló, coberto com um gramado de açúcar verde e linhas brancas de cristais adocicados, que demarcavam as divisórias do campo. As traves e as redes dos gols eram de plástico, assim como os minijogadores. Em volta, muitas garrafas de dois litros de guaraná e grande variedade de balas, bombons, maria-mole, cocada, pé-de-moleque, pipoca doce e doces caseiros. As crianças já se lambuzavam de doce e refrigerante quando os meninos Nein e Pardal, nesta época com 14 e 13 anos de idade respectivamente, anunciaram com uma rápida queima de fogos que os PMs da P-2 estavam invadindo pela subida leste, junto à divisa com a floresta.

— Sujeira! É a turma do Rambo! — anunciou Mendonça, tão logo recebeu informação dos meninos que subiram o morro correndo para dar o alerta na festa.

— Aí, vamo se entocá, rapaziada. Mas se fô o Rambo e o Peninha vamo dá mole, não. Se vem azeitona, manda caroço neles, aí — gritou Juliano para os amigos Mendonça, Rebelde, Du e Luz, que estavam bebendo cerveja com o pessoal do tráfico no botequim mais próximo da festa. Uma declaração de guerra, embora estivesse planejado desfrutar de muita paz nesse dia, paz fora do morro. Era o dia do encontro marcado com Débora no Shopping da Gávea. Juliano acordara às três horas da tarde, eufórico com idéia de encontrá-la. Já combinara com Careca a formação de um bonde de motoqueiros para levá-lo na garupa no começo da noite até o ponto combinado com à namorada da Barra da Tijuca. Providenciara inclusive o presente, uma fita cassete com gravações inéditas de seus amigos do funk. Para vestir-se especialmente para a ocasião, como desejava, precisou da colaboração dos amigos. Sem uma casa fixa, as poucas roupas que tinha estavam espalhadas pelas casas das namoradas e do pessoal da quadrilha. Costumava dizer que tinha algumas bermudas, algumas camisetas, algumas botas de cano curto, algumas boinas e bonés e alguns tênis. Era uma forma de usar qualquer roupa dos outros que encontrasse disponível nos esconderijos por onde circulava. E o pessoal também fazia o mesmo, se apropriava das roupas do chefe. Também partilhava roupas com o missionário Kevin, que era um caso à parte. Como os dois tinham a mesma estatura, gostavam de usar as mesmas roupas e calçados, a ponto de serem confundidos no morro. Os guerreiros também confundiam as vozes dos dois, pois um gostava de imitar o jeito do outro falar. Depois de meses de amizade, cada vez mais sólida, Kevin passou a se considerar irmão de Juliano, e vice-versa.

Numa ocasião como esta, o sonhado encontro com a moça da Barra da Tijuca, o irmão ajudou a produzir o figurino, com o empréstimo de uma botina preta e uma surrada jaqueta de couro marrom. Du emprestou a sua única calça preta. Os acessórios ele escolheu em vários barracos: uma pulseira de couro para o pulso, uma pequena imagem em ouro de Nossa Senhora Aparecida para pendurar no cordão preto que usava no pescoço, um anel de casca de coco para o dedo médio e uma pistola automática para ficar escondida na cintura. Estava pronto para descer o morro quando o aviso dos fogueteiros forçou a mudança de planos.

Desarmada, Luz desceu rápido viela abaixo, apressada para localizar o grupo de Raimundinho e pedir reforço urgente à área da Cerquinha. Apesar da tensão provocada pelos fogos, as mulheres e as crianças continuaram na festa, para dificultar a ação da polícia contra o pessoal da boca.

Um tenente, um cabo, três soldados, Rambo, Peninha e outros dois policiais da P-2 foram vistos entrando no pé do morro na hora em que os alto-falantes da Associação transmitiam a oração da Ave-Maria. Depois nenhum olheiro conseguiu localizá-los. Já começava a anoitecer quando Luz encontrou Raimundinho, que estava escondido atrás de uma caixa-d'água de um dos sobrados. Dali ele tinha visão dos becos que convergiam para a praça das Lavadeiras. Na verdade, fora Raimundinho que a vira passar e, lá de cima, assoviou para a amiga, que estava ofegante.

— Aí, cara. O Rambo e o Peninha tão na área e o Juliano diz que hoje o bicho vai pegá. Ele vai trocá com os homi! — disse Luz.

— Tô na minha, sem vacilo, Luz. Aqui na Mina não vou dá mole. Tu sabe que eu sento o dedo mesmo...

— Seguinte, aí. Tu tem que reforçá lá em cima. O Juliano só tem o Mendonça, o Rebelde, o resto do pessoal é muito fraco — disse Luz.

— E o Paulo Roberto, o Careca, o Du...? — perguntou Raimundinho.

— O Paulo Roberto tá fora do morro e os outros dão conta não, aí — insistiu Luz.

A insistência de Luz convenceu Raimundinho a selecionar alguns homens de sua confiança e prepará-los para um possível combate com a polícia. Foi procurá-los na área do Cantão, onde a maioria prestava serviço ao seu irmão Claudinho, apesar dos crescentes desentendimentos na divisão da gerência da boca.

A seleção de alguns homens gerou mais uma briga entre os dois. Claudinho não queria liberar ninguém porque isso contrariava as orientações de Carlos da Praça, que apostava numa convivência pacífica com os PMs como garantia para um bom funcionamento dos três pontos-de-venda de drogas. Raimundinho obedecia à vontade do dono do morro, sobretudo nas missões armadas contra os inimigos, mas não tolerava ter policiais como sócios no comércio do pó, nem a obrigação de pagar pedágio em troca da livre atividade dos vapores, sem risco de repressão.

— Aí, vou levá a rapaziada comigo, Cláudio, que o bicho vai pegá lá na Cerquinha — disse Raimundinho.

— Vai porra nenhuma, não. Essa é uma parada do Juliano, ele que se foda! Foi botá fogo no carro do tira, coisa de maluco — respondeu Claudinho.

— Essa parada é a certa não. Tu parece arregado com os homi, cara. Foi esse Rambo que quebrô o Chicão e agora qué quebrá o Juliano pra dizê que foi ele quem matô e a história morrê por aí. Qual que é, meu irmão? Tu não vê isso, cara?

— Tem que tê guerra com polícia não, Raimundo. E o movimento como fica? Enquanto eu seguro o maior trampo, vocês ficam aí, caralho, brincando de bandido e mocinho. Ó, é foda!

Depois da discussão, apenas dois jovens da endolação, Cássio Laranjeira e Fabrício, sempre presenças certas nos bondes de Raimundinho, decidiram seguir com ele. Antes tiveram que ouvir as ameaças de Claudinho, que jurava expulsá-los da boca se o confronto com a polícia viesse a prejudicar o movimento de venda do pó. A decisão do irmão de apoiar a atitude de Juliano levou Claudinho a pressionar ainda mais o dono do morro a interferir no trio da gerência, cada dia mais desunido na hora da guerra e no tráfico.

Encarregado do ponto de venda do Cantão, o de maior movimento da favela, Claudinho se queixava ao patrão Carlos da Praça de ter o seu comércio prejudicado pela ação dos outros dois gerentes. Juliano, com reforço armado de Raimundinho, encontrara uma alternativa para fugir da perseguição da polícia sem perda de faturamento. Criara dois pontos-de-venda de pó e de maconha no asfalto, as chamadas "esticas", um de cada lado do morro, para facilitar o acesso dos usuários de classe média às drogas.

As esticas eram um meio de driblar a polícia e de não ter que suborná-la para traficar. E estavam gerando dinheiro rápido, motivo de inveja dentro e fora do grupo. Com os lucros, Juliano cumpriu uma antiga promessa feita à família para justificar a sua entrada para o tráfico em 1987. Comprou uma casa, antigo desejo da mãe Betinha, no morro do Chapéu Mangueira, bairro do Leme, a dois quilômetros da favela. Providenciou que ela e suas duas irmãs fossem morar fora da comunidade para protegê-las das instabilidades das guerras da Santa Marta.

A prosperidade de Juliano atraiu os parentes de outros morros para sua quadrilha. Depois da prisão do "segundo pai" Paulista, o movimento da boca do Cantagalo entrou em declínio. Ainda estava sob a gerência dos irmãos de criação Santo e Difé quando foi tomada com combates sangrentos pelos rivais do Terceiro Comando em 1991. Expulsos do Cantagalo, Santo, Difé, a irmã Diva e Mãe Brava — já libertadas da cadeia — voltaram a morar na Santa Marta, onde de imediato assumiram funções de confiança na quadrilha de Juliano. Também foram reforçar o grupo dele, motivo de inveja de Claudinho, os outros três que moravam no Cantagalo: Du, Mendonça e Raimundinho O casamento de Diva levou a mais uma adesão à quadrilha. O marido era Paulo Roberto, que já era um assaltante experiente. Esteve preso de 1986 a 1993. E de volta à liberdade organizou uma nova quadrilha de caxangueiros. Mas a convite de Diva passou a integrar também o grupo de Juliano. Mendonça seguiu o mesmo exemplo. Sem abandonar os assaltos, voltou à Santa Marta que representava a garantia de um abrigo seguro ao lado, dos parentes, além da possibilidade de diversificar suas ações para aproveitar o bom momento da expansão dos pontos-de-venda de Juliano.

Os gastos exagerados do outro parceiro de gerência, Raimundinho, que também voltara do Cantagalo, eram motivo das queixas de Claudinho ao patrão Carlos da Praça. Todo mundo no morro ficou sabendo que Raimundinho comprara um barraco de valor equivalente a 5 mil dólares na área do Beirute para morar com a namorada Ana Paula. Aproveitou a boa fase das esticas para casar em grande estilo. Festejou o casamento com a produção de um grande baile funk na quadra. Mandou distribuir dois mil litros de chope aos convidados. Ainda com os lucros das esticas, comprou o seu primeiro carro: um Escort 90, conversível. Dias antes da crise com o irmão, apesar do cerco da polícia e da falta de ruas no morro, Raimundinho movimentou um grupo armado para dar cobertura aos seus curtos passeios de automóvel, que nunca poderiam ir além de repetidas idas e voltas pelos duzentos metros em curva da pequena rua Jupira.

A boca prosperava, mas estava dividida. Sem concessões à polícia e com apoio de Raimundinho, Juliano administrava o faturamento das esticas de Botafogo e os pontos de Laranjeiras. Como esses pontos eram novidade, o patrão Carlos da Praça não sabia como controlar se o lucro era enviado a ele corretamente ou não, um fator que aumentava seu descontentamento com a dupla. Já Claudinho administrava as vendas dentro do morro, com apoio total do chefe, traduzido na forma de arrego com a polícia e reforço de armas sempre que necessário. A divisão dos homens teria reflexos na guerra do Dia da Criança.

— Os PMs tão esculachando o pessoal lá na festa, Juliano. Chutaram as cadeiras, quebraram a mesa, as garrafas de bebida e tão esfregando resto de bolo na cara até do pessoal de conceito e da mulherada... — avisou Luz, já de volta à área da Cerquinha.

— Deixa comigo... Tu viu o Rambo? Minha parada é com o Rambo... — disse Juliano.

— O cara tá nervoso. Tá güentando todo mundo, cumpadi — respondeu Luz.

Eram oito horas da noite quando Juliano disparou a Jovelina pela primeira vez no alto do beco dos Prazeres. O grupo de oito soldados, liderados pelo tenente Mendes, estava no meio do caminho. Naquele ponto o beco era estreito, não chegava a ter dois metros de largura e era quase todo encoberto pelas lajes, avançadas em relação às paredes dos barracos de dois pisos. No alto, os barracos dos lados opostos do beco quase se encostavam e eram mais afastados no piso térreo para não invadir o corredor de passagem das pessoas. Projetado pela necessidade de ocupação total dos espaços, o cenário do combate era um longo e sinuoso tubo de alvenaria, de formas retangulares, com poucos pontos de fuga lateral, porque todos os barracos eram geminados. Ali os tiros de fuzil ecoavam como se fossem disparos de tanques de guerra. E os gritos ganhavam uma dimensão assustadora.

— Tu vai morrê, mané! — gritou Juliano lá do alto.

A resposta dos PMs foi uma rajada de metralhadora. Em geral, este era o procedimento dos policiais nos primeiros momentos de invasão dos morros do Rio de Janeiro. Logo depois dos disparos de alerta, era dado um tempo para o recuo dos traficantes armados, que tentavam se desfazer das armas e esconder o estoque de drogas para evitar a prisão em flagrante. Desta vez, não foi bem assim. A reação à rajada de metralhadora foi na forma de disparos de várias armas e muitos gritos de ofensa.

— Põe a cara, Rambo! Tu matô o Chicão, agora chegô a tua hora, rapá. Põe a cara pra morrê, mané! — gritou Juliano.

Uma nova seqüência de disparos, incluindo também rajadas de metralhadora, mostrou o poder de fogo dos homens de Juliano e assustou ainda mais os PMs, que não reagiram para poupar munição e não revelar o ponto exato onde se escondiam. Com a frente bloqueada pelo inimigo, o tenente comunicou, por sinais, a intenção de recuar. Os PMs começaram a descer em silêncio, o mais perto possível das paredes laterais de alvenaria, o que foi festejado pelos homens de Juliano.

— Cuidado com a bunda, mané. Vou pipocá esse bundão aí!

O recuo não chegou a dez metros. No lado oposto ao de Juliano, os PMs encontraram uma barreira intransponível: um fuzil M-16 montado sobre um tripé, acionado por Raimundinho com entusiasmo.

— Tá pensando o quê, rapá? Hoje é dia da criança e tu vem aqui zoá em cima de nós. Qual é que é, rapá! — gritou Raimundinho para os PMs encurralados.

Os PMs tinham fuzis, pistolas automáticas, algumas granadas, mas naquelas circunstâncias, dentro de uma espécie de túnel em completa escuridão, pouco adiantava o armamento. Muito mais eficaz seria um equipamento de comunicação, um telefone celular ou um radiotransmissor. Mas nenhum policial pensara nisso quando deixou o Destacamento no pé do morro em missão oficiosa, sem fazer o devido aviso ao comando do Segundo Batalhão. Por isso, não havia possibilidade de comunicação para pedir socorro.

— Põe a cara aí, Rambo. Tu matô o Chicão, rapá! Agora tu vai morrê! — repetiu Juliano pra todo mundo ouvir.

Por ordem do tenente, Rambo permaneceu o tempo todo calado para manter a dúvida sobre sua presença. Para sair da linha dos tiros os sete policiais amontoaram-se no porão de um barraco e embaixo de uma pequena ponte do valão de esgoto. Alguns estavam apoiados em vigas de concreto, numa posição incômoda, para evitar a queda num vão de três metros entre o corredor de passagem e o fundo lamacento da vala.

Sem que os policiais soubessem, durante a madrugada, Claudinho agiu para acabar com aquele cerco. Como já não tinha um bom diálogo com Juliano, resolveu pressionar o irmão. Deslocou-se até a trincheira de Raimundinho e durante parte da madrugada tentou convencê-lo a liberar os policiais.

— Tu tá abestalhado, Raimundo? O Juliano tá doidão e tu paga esse sapo pro cara, rapá! Sai de pinote logo... de manhã tu imagina o quê? Os homi vão quebrá todo mundo — alertou Claudinho.

— Rapa fora tu, Cláudio. Tu sabe que comigo não tem arrego com os homi, cara. Tu dá dinheiro pra eles, aí... e os cara tão esculachando a mulherada e até as crianças, qual que é?

— Essa é a parada do Rambo e do Juliano, tu tá sabendo. Tu tá de otário, tá de robô, cai fora!

— Tô colado mesmo na do Juliano... Esse Rambo vai zoá até quando? Tu só pensa em apanhá o dinheiro da firma e botá na mão dos cana, Cláudio. Até quando, cumpadi?

— Tu e o Juliano tão embarrerando o morro. O Carlos da Praça já disse outro dia que vocês tão ficando fora do contexto dele...

— Papo de alemão, rapá. Tu tá de arrego com os cana e vem falá de fortalecê quem? Tu é bandido ou tu é bandaide, rapá?

Para Claudinho, só restava apelar para o dono do morro, o único capaz de convencer o grupo de Juliano e Raimundinho a pôr um fim ao cerco. Ainda durante a madrugada, mandou aviões à cidade para tentar localizar Da Praça na casa de parentes. Mas já era tarde demais.

Pendurados embaixo da ponte, até as cinco horas da madrugada os policiais ouviram as humilhações em silêncio e não dispararam um único tiro para não gastar munição. A uma hora do amanhecer, com medo do abrigo ser descoberto, os PMs tentaram uma saída de alto risco.

Enquanto os soldados disparavam simultaneamente alguns tiros, o tenente que chefiava o grupo jogou-se de uma altura de quase três metros no valão cheio de esgoto. Em seguida escorregou vala abaixo, mergulhado no córrego de lama, sem conseguir se agarrar nas paredes laterais de concreto, cobertas de limo. Desceu direto mais de dez metros até uma plataforma horizontal. Raimundinho ouviu o ruído da fuga do tenente.

— Tá de pinote na merda, cumpadi. Tu é ratazana, é? — gritou Raimundinho.

Da plataforma, o tenente teria que subir mais de cinco metros para alcançar os pilares de algum barraco e sair da vala. Apesar do corpo cheio de arranhões, preferiu jogar-se mais uma vez vala abaixo. Deslizou pelas rampas íngremes para livrar-se depressa do risco de ser atingindo pelos disparos.

■ ■ ■

Às seis horas da manhã, mesmo ferido, o tenente estava dentro do helicóptero da polícia, que do alto orientava a invasão dos soldados do Bope para salvar os companheiros emboscados.

Para se vingar do cerco humilhante, outras unidades da PM e alguns policiais, mesmo de folga, ocuparam a favela e provocaram durante toda a manhã uma grande correria entre os moradores que tentavam fugir das revistas nas ruas. Em menos de cinco minutos, os PMs encurralados foram resgatados sem nenhuma reação dos homens de Juliano, que fugiram quando ouviram os ruídos da operação policial. Muitos foram perseguidos e espancados no meio da favela.

A FAVELA SANTA MARTA.

Polícia apronta a invasão do Morro Dona Marta

Uma ação repressiva contra as duas quadrilhas de traficantes em guerra no Morro Dona Marta está sendo articulada e poderá ser deflagrada a qualquer momento, assegurou ontem o Secretário estadual de Polícia Civil, Marcos Heusi. Ele discutiu o assunto no Palácio Guanabara com o Secretário de Polícia Militar, Coronel Manoel Elysio dos Santos Filho, depois que os dois despacharam em separado com o Governador Moreira Franco.

A maior preocupação do Secretário da PM é que as famílias que moram no morro não sejam molestadas. O Serviço Reservado da corporação continua fazendo um levantamento completo de toda a área para operar com mais segurança. A Polícia Civil só vai atuar depois que receber da Justiça os mandados para a captura dos bandidos, alguns foragidos de presídios estaduais.

Manoel Elysio mostrou-se preocupado ao reconhecer que os bandidos que tomaram conta do Morro Dona Marta estão utilizando armas de grosso calibre e pretendem enfrentar em pé de igualdade qualquer ação preparada pela PM. Mas acabou fazendo uma declaração que espanto...

espírito da tropa é muito elevado.
— Mas a arma moral não dispara e os bandidos têm armas que matam — replicou um repórter.
— É, mas a arma moral ajuda bastante — concluiu o Coronel.

O Secretário Marcos Heusi, que deixou o gabinete do Governador minutos antes do Secretário Manoel Elysio, classificou de arrogantes os grupos de traficantes escondidos no Dona Marta.

— Eles já ultrapassaram todos os limites toleráveis. Mas nossa resposta à altura. Estamos pensando em várias alternativas e a mais viável seria atacar os líderes fora de seus esconderijos, através de uma ação de captura — explicou o Secretário, lembrando a prisão do traficante Dênis num hotel de Florianópolis. Contudo, ele admitiu que este tipo de ação só surtiria efeito se os marginais deixassem o morro, o que é pouco provável.

Heusi avaliou a utilização de armas importadas pelas quadrilhas como o resultado de anos em que o sistema de segurança no Estado não funcionou.

— Precisamos restabelecer, imediatamente, a autoridade do Estado. Não se admite que um grupo de marginais fique mostrando este grau de ousadia. Mas vamos, na medida do possível, acabar com este quadro de descalabro que se encontra a segurança pública no Estado do Rio. Para se ter uma idéia da falta da...

A FAVELA DIVIDIDA PELA RIVALIDADE DOS BANDOS DE TRAFICANTES

Og do Zaca (local conhecido por "Teresita")

Og do Cabeludo (Boca de fumo e de cocaína conhecida por "Cerão")

Lanchonete Guerreiro (boca de fumo conhecida ...)

A VIDA E A LEI
Dois bandidos com extensa folha penal

Os dois traficantes que estão em luta no Morro Dona Marta, Emilson dos Santos Fumero, o Cabeludo, e Zacarias Gonçalves Rosa Neto, o Zaca, têm uma longa folha penal. Zacarias foi condenado no dia 5 de maio deste ano a seis anos e oito meses de prisão por tráfico de drogas. A Juíza Maria Helena Salcedo, da 11ª Vara Criminal, onde o processo foi julgado, decidiu que Zaca cumpriria sua pena em regime fechado por seus vários antecedentes criminais. Neste processo, Zacarias confessou que foi processado por "diversas outras vezes por roubo e tráfico".

Atualmente, este processo encontra-se na III Câmara Criminal do Tribunal de Justiça em apelação contra a sentença da Juíza. Além deste processo, existe outro em que Zacarias também foi condenado por tráfico de entorpecentes na 27ª Vara Criminal e também está em grau de apelação, na I Câmara Criminal do Tribunal. Os dois processos no momento, encontram-se na Procuradoria Geral da Justiça para exames.

O traficante rival de Zaca e que vem mantendo uma guerra pelo controle da venda de tóxicos já há cinco dias, Emilson dos Santos Fumero, o Cabeludo, tem uma folha penal ainda mais longa que a de seu inimigo.

Traficantes furam cerco no Morro Dona Marta

Foto de Marcelo Regua

PM sobe o Morro Dona Marta e prende mais dois ligados a 'Zaca'

A Polícia Militar prendeu ontem à ... por um rifle Winchester de dois ca- ... Elenice Gonçalves Pinhéiro da Silv...

Morte de traficante rompe trégua no morro Dona Marta

No barraco da mãe de 'Cabeludo', um fuzil com o emblema da Aeronáutica

Foto de Paulo Morei...

Renato dos Santos Fumero, irmão do traficante Cabeludo, acordou ontem sobressaltado com a presença de um grupo de soldados da Companhia de Operações Especiais (COE) da Polícia Militar à porta do barraco da sua mãe. Expulso do Morro Dona Marta quando da invasão feita pela Polícia Civil, segunda-feira passada, Renato havia conseguido autorização do Comandante do 2º BPM, Coronel Hugo Ribeiro, para voltar ao barraco e arrumá-lo para permitir a volta da sua mãe. Ontem, no entanto, ele não teve nem tempo de protestar: o primeiro policial que entrou para fazer a revista encontrou uma sacola de lona, onde se destacava, pelo tamanho, um fuzil automático HK-33, com o emblema da Aeronáutica, e que pertencera ao seu irmão.

No quinto dia de 'guerra', a trégua impossível

Foto de Ricardo Bel...

No meio do tiroteio, a mulher tenta impedir a prisão do "dono do morro" e pioneiro do pó na Santa Marta, Pedro Ribeiro.

...E SEUS PERSONAGENS.

Nos tempos de Cabeludo, muitas festas na favela e cocaína farta.

Depois de perder a guerra, a emboscada final. Multidão acompanha o enterro de Cabeludo.

As crianças da Santa Marta, como Carlinha do Rodo, precisaram matar para chamar a atenção da cidade.

No enterro de Carlinha, apenas duas pessoas da família, um funcionário do cemitério e o doente mental da quadrilha.

O ex-PM Euzébio aproveita a hora da bandeja.

O porta-voz de Cabeludo, Chico Boca Mole. Dificuldades para evitar o palavrão nas entrevistas.

Zacarias Gonçalves Rosa, o Zaca. O maior inimigo do Comando Vermelho na Santa Marta, nos tempos em que era policial militar.

Parceiro de Cabeludo, Paulista se tornou um segundo pai para Juliano. Na foto, ao lado da filha Leda e de Mãe Brava, com quem protagonizou fugas de cinema.

No comando do tráfico, o apoio das famílias de nordestinos.

Delegado pedirá prisão preventiva de 90 bandidos envolvidos com o tráfico

Sábado, 22 de agosto de 1987

Polícia sobe morro

O FIM DA GUERRA.

Presos cinco traficantes da quadrilha de 'Cabeludo

Cinco membros

Foto de Manoel Soare

MATARAM CABELUDO

raficante traído por um amigo, com quem marcou encontro na Rua General Roca, na raça Saens Pena – Estava acompanhado de uma mulher, que deixou na padaria, dizendo ue pegaria um táxi para ir à Rocinha – Surpreendido então por um grupo de assassinos rmado com uma 45 e uma Magnum, não teve tempo de sacar e morreu com tiro no peito riminosos embarcaram num carro e desapareceram – Bandido ficou famoso durante a sta com outro traficante, o Zaca, no morro Dona Marta – Ultimamente entrou em ação na ocinha, de onde, porém, fugiu anteontem – Comandados de **Bolado** já haviam retomado ontos de venda de drogas, dias depois do assassinato de Dedé – (Na página 9)

Máfia do sangue ameaça

Alô, é da casa do Padilha? Avise que ele só ficará vivo até o final do mês!" A voz grave e pausada ssustou a esposa do diretor do Departamento Geral de Higiene e Vigilância Sanitária, da Secretaria stadual de Saúde, Airamir Padilha (foto), alvo da ameaça que, por coincidência ou não, aconteceu oras depois de ele e sua equipe flagrarem um banco de sangue que vendia plasma contaminado com irus de sífilis, hepatite e Aids. Agora a Polícia o protege e investiga o caso – (Na página 7)

Contra a violência

O Governador Moreira Franco recebeu bem a proposta de um grupo de intelec- tuais e artistas, no sentido de que as

Tropa de elite fica de plantão

Companhia de Operações Espe-

Neguinha, a locutora do serviço de alto-falantes da favela. Morta por namorar um policial de fora do morro.

MORTOS PELO TRÁFICO.

Zé Castelo, presidente da Associação de Moradores. Morto por apoiar Zaca.

A POLÍCIA.

O delegado Hélio Vígio e o fim dos seqüestradores. Dentro de um cativeiro.

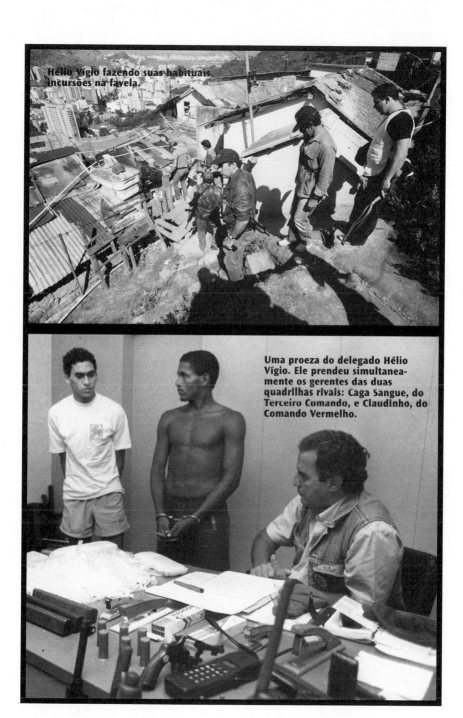

Hélio Vígio fazendo suas habituais incursões na favela.

Uma proeza do delegado Hélio Vígio. Ele prendeu simultaneamente os gerentes das duas quadrilhas rivais: Caga Sangue, do Terceiro Comando, e Claudinho, do Comando Vermelho.

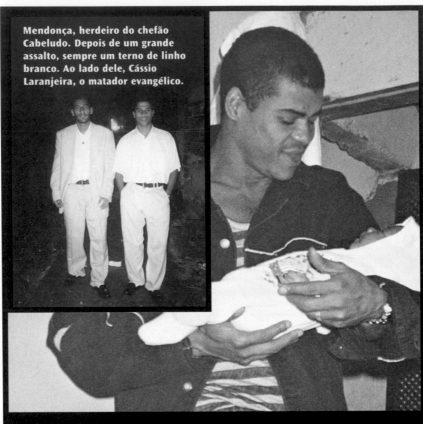

Mendonça, herdeiro do chefão Cabeludo. Depois de um grande assalto, sempre um terno de linho branco. Ao lado dele, Cássio Laranjeira, o matador evangélico.

UMA NOVA GERAÇÃO ASSUME A SANTA MARTA.

Paulo Roberto e seus dois irmãos deixaram dez crianças órfãs nas favelas.

A gravação do clipe de Michael Jackson na Santa Marta: "Bem-vindo ao mundo... não ao mundo maravilhoso, mas ao mundo humilde dos pobres."

O EPISÓDIO MICHAEL JACKSON.

Os homens de Juliano cuidaram da segurança do astro americano na favela.

Em vossas orações lembrai-vos
de
Luiz Alves Trindade
Na homenagem a Paulista, os dois nomes falsos preferidos dele.

Charle de Souza Paiva

☆ 22-06-1952
† 28-05-1993

Silvio Renato da Silva
queimadinho

Nascimento 06-11-1958
Falecimento 01-11-1996

Queimadinho, vítima da tuberculose em 1996.

OS SANTINHOS: HOMENAGEM DAS FAMÍLIAS...

LEMBRAI-VOS EM VOSSAS ORAÇÕ
ALMA SAUDOSA DE

Careca, o melhor motorista da quadrilha.

"QUANDO LEMBRARES DE MIM, LEMBRE-SE COM ALEGRIA. POIS ESTA SIM FOI MINHA VERDADEIRA ARMA CONTRA A DOR." SENHOR SEJA FEITA A VOSSA VONTADE E DAI-LHE O DESCANSO ETERNO.
ALMIR DE PAULA BENTO
* NASC: 26/10/1968
*FALEC: 24/03/1999

Raimundinho, o exterminador, um dos primeiros a levar o celular para a favela.

Não quero ser uma simples lembrança
em sua vida
e envelhecer quando amanhecer o dia.
Eu quero apenas dobrar a esquina do seu mundo
e deixar a sensação de que
fui embora mais estou em paz.

Raymundo Pinto Lima da Silva
☆ 09/10/75
† 13/03/95

...AOS MORTOS NA GUERRA DO TRÁFICO.

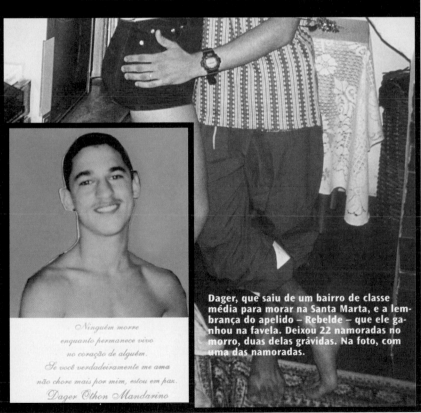

*Ninguém morre
enquanto permanece vivo
no coração de alguém.
Se você verdadeiramente me ama
não chore mais por mim, estou em paz.*
Dager Othon Mandarino

Dager, que saiu de um bairro de classe média para morar na Santa Marta, e a lembrança do apelido – Rebelde – que ele ganhou na favela. Deixou 22 namoradas no morro, duas delas grávidas. Na foto, com uma das namoradas.

A doença nos pés levou Nein a consertar os "chuveirinhos" da favela.

A cena que se repete. Como no caso de Nein, traficante de outra favela é levado morto pelo helicóptero da polícia.

A TERCEIRA GERAÇÃO DO COMANDO VERMELHO...

Monstrinho

Caveirinha

Borroso

Noco

Dioguinho

...NA SANTA MARTA: TODOS MORTOS NOS ANOS 90.

Tartaruga, morto quando beijava a namorada.

SUDERJ

CONCESSIONÁRIO

Crachá de Podre.

Nº ___HELLEN'S___

IDENTIFICAÇÃO:

JOÃO RICARDO I. DO CARMO
RG 12526575-1

AS MORTES DE PODRE, FORMIGÃO E POPEYE, NO MESMO DIA,

JOACIR LYRA ESTEVES
Mat. 10/880 - SUDERJ

Lembrai-vos em vossas orações da alma saudosa de

Santinho de Formigão.

PROVOCARAM REVOLTA DURANTE O VELÓRIO NA QUADRA DA ESCOLA DE SAMBA.

Carlos Alberto F

* 29 /

† 14 /

Lembrai-vos em vossas orações
da alma saudosa de

Rodrigo Inacio do Carmo

* 24 / 01 / 86

† 13 / 11 / 98

Santinho de Popeye.

O fim do melhor piloto da quadrilha.

BONDE FRUSTRADO.

OS TRIBUNAIS DO ASFALTO.

Faquir.

Faquir, assim como Tibau, era gerente do pó da quarta geração do Comando Vermelho. Os dois morreram nos tribunais do asfalto em 2002. Foram seqüestrados no pé do morro e levados para a tortura. As amigas de Tibau encontraram seu corpo na praia de Icaraí, em Niterói. Faquir foi encontrado na Urca.

Kito Belo, gerente do pó, quase levou a quadrilha à falência. Morreu na guerra do tráfico de Niterói.

Kito Belo.

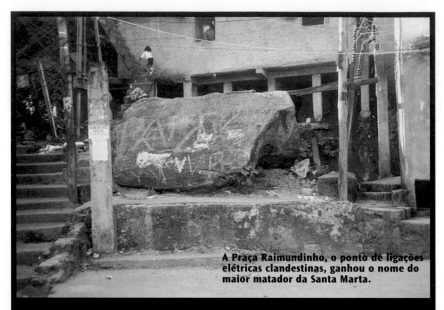

A Praça Raimundinho, o ponto de ligações elétricas clandestinas, ganhou o nome do maior matador da Santa Marta.

PONTOS SIMBÓLICOS EM FOTOS DOS PRÓPRIOS TRAFICANTES.

A casa de Luz, herança do gerente da endolação,...

...e a Pedra de Xangô ajudam a sustentar a rede aérea de distribuição de água.

O TRABALHO DA JOCUM.

Os jovens da Santa Marta nas aulas práticas de telejornalismo.

DIFERENTES ATIVIDADES...

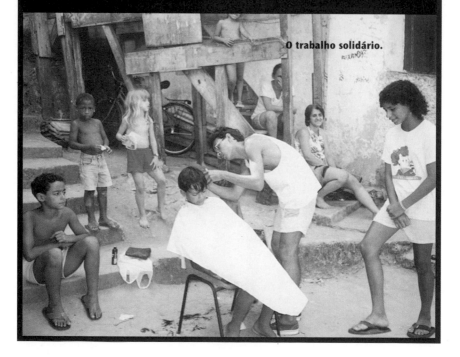

O trabalho solidário.

...DA CASA DA CIDADANIA.

O atendimento no ambulatório.

Construída com o dinheiro do tráfico...

A CASA DE JULIANO VP...

...virou posto da Polícia Militar.

O filho de dona Mariquinha, Marquinho, de 17 anos, vapor novato da turma de Juliano, foi chutado e espancado na cabeça com cassetete de borracha. Abandonado no chão, desmaiado à porta da creche Coração de Maria, Marquinho sofreu traumatismo craniano e agonizou por mais de uma hora. A mãe correu para socorrê-lo e, desesperada, rezou ao lado dele até sua morte. Inconformada, dona Mariquinha velou o corpo ali mesmo, na frente da creche, até a chegada, no final da tarde, dos homens que levaram o corpo para o rabecão estacionado no pé do morro.

Só no começo da noite, quando os últimos policiais foram embora, a quadrilha pôde sair de seu esconderijo. Era hora dos meninos Pardal e Nein voltarem às suas antigas tarefas, para consertar os "chuveirinhos". O estrago na rede de água tinha sido grande, sobretudo na área dos combates do beco dos Prazeres. Enquanto os meninos trabalhavam duro, pendurados na tubulação aérea, o grupo de Juliano reuniu-se no largo do Cruzeiro para fazer um balanço da munição e discutir os episódios da emboscada.

— Mandamo pipoco nos cana. Foi de fudê, cumpadi — disse Raimundinho, sentado no barranco, cabisbaixo.

— E os cana vieram boladão pra cima, pra quebrá mesmo. Tu viu o helicóptero sentando o dedo lá de cima? Puf, puf, puf, puf... caralho! — disse Juliano em pé, de frente para Raimundinho, Du, Careca, Luz e Mendonça.

— Sei não, cara. E o Marquinho? Já é, aí. O bagulho é sério, Juliano. Os cana tão injuriado, mesmo... E o Claudinho, alguém viu o cara trocando? — perguntou Luz.

— Trocando, eu, hein? Meu irmão não mete bala em ninguém. E ainda veio tentá me convencê a rapá fora, quase tive um revertério no meio do bagulho, aí. O cara tá parecendo alemão, pode crê — queixou-se Raimundinho.

A conversa foi interrompida por Juliano quando percebeu a aproximação de alguns homens com roupas escuras em uma das três vielas de acesso ao largo do Cruzeiro. Os estranhos estavam tão próximos que deu para ver que tinham armas na cintura. Juliano rapidamente apontou a Jovelina na direção deles, mas não disparou. Um dos homens recuou rápido, outro procurou proteção junto a uma parede, sempre sob a mira de Juliano, que gritou aos companheiros.

— É o pinote, Du. Vaza, vaza!

Du, Luz, Careca... todos correram na direção oposta à dos estranhos, menos Mendonça. Juliano ainda manteve a Jovelina apontada para o corredor, onde um dos estranhos gritou para se identificar.

— É a polícia, VP! Chegou a tua hora, rapá.

Juliano apontou a Jovelina para cima, apoiou a base da arma no peito e virou-se de costas para seguir os amigos que já fugiam pela viela da birosca do Zé Braga. Mas poucos passos à frente foi atingido por vários disparos de pistola, de espingarda e de metralhadora. Os atiradores eram do Serviço Reservado da PM. Um deles ameaçou persegui-lo, mas recuou quando ouviu alguém gritar que Juliano tinha sido ferido. O grito era de Mendonça, que conseguiu conter a perseguição com disparos de fuzil para o alto.

Enquanto Mendonça dava cobertura, Juliano continuou correndo atrás de um abrigo na área da Pedra de Xangô. Sabia que estava ferido, porque tinha perdido forças durante a fuga. Mas não imaginava qual seria a gravidade. Ele tinha sido atingido por seis tiros nas pernas, nas nádegas e nas costas, pouco abaixo do pulmão direito. Sentia forte ardência em vários ferimentos, mas os músculos continuavam ativos, normais. Os lábios ficaram ressequidos e o volume de sangue que escorria dos ferimentos impressionou os primeiros amigos que vieram a seu encontro. Por sugestão de Luz, numa situação grave assim, eles deveriam pedir a ajuda dos poderosos do tráfico, algum chefe dos morros amigos que pudesse providenciar socorro médico. Os primeiros nomes lembrados eram das comunidades mais próximas, da zona sul.

— My Thor, amigão do Mendonça, aí. Ele deve tá no Santo Amaro, dez minutos daqui, mole — sugeriu Careca. — Só apanhá uma moto, saí voado por Laranjeiras, aí!

— Que parada é essa, Careca? Tu já viu uma clínica no Santo Amaro? Se intéra, cumpadi! — respondeu Mendonça.

— Patrick do Vidigal, é o cara! Tá na cara do Leblon, mole pra arrumá um médico sem revertério, que neguinho tá ressabiado — disse Du.

— O cara é o Jogador, que tá formado com nós. Jogo rápido, que a dor tá foda! Panha o moleque Pardal lá na pista e manda pro Complexo — ordenou Juliano.

— Vou dá mole, não. Esse bonde é meu, aí. Vambora, Careca. Faz o levante na pista, Du, que os homi tão de ratoeira — disse Luz, decidida a assumir a tarefa de avião até o Complexo do Alemão, controlado por Orlando Jogador.

— Aí! Dá uma idéia lá. Avisa que o Da Praça e o Claudinho tão de maldade comigo, que eu tô precisando de uma clínica sem arrego de polícia, senão já é, ó!

— Quê que é, Juliano? Quer me ensiná o desenrole, cumpadi? Ele é irmão, ou não é? Segura acordado, que o fortalecimento já vem — disse Luz.

■ ■ ■

Calça jeans justa, com cintura baixa. Cinto de couro comprado numa loja de antigüidades. Blusa de malha colante preta, com uma estrela vermelha estampada bem no centro do peito. Bota de couro preta. E, coincidência, como Juliano, Débora pusera uma boina de lã fina, preta, que prendia os cabelos que mandara cachear para fazer uma surpresa ao namorado. Ele estava atrasado. O encontro fora marcado para as sete horas da noite, na entrada principal do shopping. Meia hora depois, Débora começou a ficar ansiosa com a demora e telefonou para o celular de Juliano, que deu sinal de desligado. Mas como ele poderia ter se confundido com o ponto do encontro, ela circulou pelo andar térreo à sua procura, já sem muita esperança. Uma hora e meia depois, Débora tentou o último contato pelo celular e desistiu. Antes de voltar para a Barra da Tijuca, intrigada, foi de carro à rua São Clemente para passar em frente à Santa Marta. Conduziu o carro bem devagar e fez o trajeto três vezes com enorme curiosidade. Do asfalto, a aparência era de normalidade. Só conseguiu ver a concentração de luzes e tentou imaginar qual delas iluminava o barraco do namorado que não aparecera. Só no dia seguinte, a caminho de casa para o desjejum no Café da Barra, Débora descobriu nas manchetes da banca de jornal o que havia acontecido: "Noite de horror no Dona Marta", "PMs passam 10 horas cercados pelos traficantes", "Polícia emboscada pelo tráfico"

Débora comprou os jornais que traziam notícias do confronto. Todos destacavam a ousadia do grupo comandado por Juliano, apontado como o gerente mais combativo de Carlos da Praça. Uma das reportagens trazia as declarações do tenente Mendes, que falava da humilhação que passou e da reação da polícia. Os jornais também noticiavam a prisão de 12 pessoas, a morte de Marquinho e a fuga de Juliano, inclusive com detalhes sobre a gravidade dos ferimentos. Uma informação assustadora para Débora, mas que, ao mesmo tempo, trouxe uma certa alegria por saber que o namorado não tinha desistido dela. A primeira vontade de Débora era correr para o hospital. Mas que hospital? Havia posto de saúde no morro? Débora nem imaginava que caminho um homem ferido, com vida clandestina, teria de seguir para encontrar socorro.

Em alguma favela da zona sul, a alguns quilômetros da casa de Débora, Juliano era descoberto pela polícia dentro da clínica para onde Orlando Jogador o havia encaminhado. Uma escuta telefônica indicou o esconderijo para um grupo de investigadores. Na hora do flagrante, o médico, dono da clínica, avisou que o paciente estava se recuperando da cirurgia de extração de três projéteis alojados perto dos pulmões. Recomendou cuidados especiais durante o transporte de Juliano para a cadeia, pois ainda havia o risco de morte. Os policiais prenderam o pulso de Juliano numa das argolas da algema e a outra na barra da cabeceira da cama, enquanto discutiam o destino do prisioneiro.

— Olha só, o gerente-geral do grande Carlos da Praça. Tu vale uma nota preta, mané! — disse um dos policiais, insinuando uma extorsão.

— Gerente-geral, que nada! Varejista, pequeno ambulante, nosso morro é uma merreca, tá ligado — rebateu Juliano.

— Essa clínica é particular, mermão? Teu patrão é o maior atacadista do branco da zona sul, rapá. Tá tirando uma chinfra, é? Seguinte, aí: 30 mil dólar na mão ou vai pro saco! — ameaçou um dos policiais.

— Vocês tão zoando comigo. Vou mandá uma letra pro doutor William, mas onde vou panhá esse dólar? Vou tê que vendê meu relógio, meu cachorro, minha cueca, ou metê uma parada, aí — avisou Juliano.

— Tu escolhe. Tem um trilhão de cana querendo te quebrá... Tu é abusado, mané.

— Tem essa, não. O que tivé na boca o doutor William apanha com a rapaziada e traz na moral pro acerto. Papo responsa.

Horas depois de ser encontrado, o advogado de Juliano, William Nogueira da Costa, chegou à clínica para o acerto, estrategicamente, com menos da metade do valor exigido pelos policiais.

Começou com uma oferta de 13 mil dólares, mas o acerto teria sido fechado por 15 com a promessa de Juliano pagar a diferença em breve.

— Tô pra receber uma carga manera e aí nós paga. E, sacumé, tem a garantia do Da Praça. Ele é ponta firme, tem um monte de polícia fortalecendo a dele e ele a dos cana, tá ligado?

— Abre o olho, mané. Acerto é acerto. Nós vamos te buscar no inferno.

— Tem essa, não... tem essa.

Liberado das algemas, Juliano pediu ajuda para ser posto numa cadeira de rodas, com cuidado para não romper o tubo que conduzia o soro para as veias. E, como foi acertado, os policiais o acompanharam pelos caminhos de saída da favela como se ele estivesse detido. O medo era o de ser abordado por algum policial militar que desconhecesse o "acerto" e pudesse prendê-lo.

O advogado foi à frente, levando duas sacolas cheias com os pertences de Juliano. O carro que iria tirá-los dali estava estacionado na rua mais próxima da favela. Na hora em que eles já arrumavam as bagagens no porta-malas foram surpreendidos pelo cerco de um grupo de investigadores que estava infiltrado na favela, também à procura da clínica clandestina.

— É a polícia. É a dura. A casa caiu, rapá — gritou um policial ofegante, certo de que estivesse prendendo em flagrante Juliano e vários traficantes.

— Péra, péra! O flagrante já é, aí. Fala com teu parceiro. No sapatinho... — disse Juliano, numa tentativa de esclarecer que já fora preso e liberado pelo "acerto".

Houve uma gritaria, empurra-empurra entre os dois grupos de policiais na disputa do direito de prender Juliano. Chegaram a apontar armas uns contra os outros.

Depois de uma rápida confusão, os policiais que chegaram por último, que trabalhavam na delegacia da área da favela, pediram desculpas aos colegas investigadores. Mas não perdoaram Juliano.

— Aí! Tu tá liberado, não. Tu troca com os cana, tá pensando o quê? Pode pôr uns dólares aqui na mão, rapá.

— Tem essa, não. Teu parceiro tá pegado na grana. Dá uma idéia com ele lá, que eu tô no pinote. Vambora, doutor! — disse Juliano já de dentro do carro, enquanto o advogado arrancava rápido sem se render às ameaças do policial, que ficou esbravejando na calçada.

— Um dia eu te quebro, rapá!

■ ■ ■

Débora foi pontual. Às sete horas da noite, como havia combinado, já estava com o carro estacionado em frente ao Shopping da Gávea, acompanhada por alguém que, à distância de cem metros, não dava para saber se era homem ou mulher. Juliano chegara meia hora antes para fazer o levantamento da área. No bar, enquanto tomava um refrigerante, vira que não havia carros da polícia no trânsito nem nada de anormal no serviço de vigilância do shopping. A área estava repleta, como sempre, de homens de terno preto das empresas que prestam segurança em locais freqüentados pelos ricos. A única coisa intrigante estava dentro de carro de Débora, que viera para o encontro acompanhada. Juliano resolveu checar mais de perto. Apoiou-se numa bengala porque ainda não estava totalmente recuperado das cirurgias e da atrofia em um músculo da perna direita atingida por um tiro, e saiu do bar. Aproximou-se a pé, pela calçada oposta, e a cinqüenta metros do carro já dava para saber que havia uma mulher ao lado de Débora.

— Oláááá! Não acredito, não acredito que você tenha vindo, que você esteja aqui! — disse Débora, sorridente, já abrindo a porta, saindo do carro para abraçá-lo. Juliano respondeu sem entusiasmo, parado na calçada, sério:

— Oi, algum problema? — disse secamente, com as duas mãos no bolso da calça jeans.

Débora continuou entusiasmada. Beijou duas vezes o rosto de Juliano e o convidou a entrar no carro.

— Venha, venha, quero te apresentar a minha irmã, Valéria.

Juliano entrou pela porta traseira e demonstrou inquietude ao ser apresentado a Valéria. Olhou para os lados, olhou para trás, em silêncio...

— É a minha irmã mais velha, Juliano. Eu havia te dito que eu sou a caçula da família...

— Caçula precisa de segurança, é? — perguntou Juliano, cada vez mais sério.

— Como assim, Juliano? Minha irmã veio passear comigo, tenho falado muito em você... ela queria te conhecer.

— Conhecer... Tu tá é cabrera comigo, Débora. Medo de maldade, querendo saber qualé a do monstro da favela, é ou não é? Com segurança ao lado, tô fora! Vaza daqui, me deixa lá em Botafogo.

— Não é assim, não, Juliano. Não estou entendendo qual o problema de você conhecer minha irmã? Eu, hein?

Juliano não respondeu. Débora partiu em direção a Botafogo, sob pressão dele, que exigia velocidade maior. Continuava desconfiado, olhando para trás. Achava que estava sendo seguido e insistia, a toda hora, para Débora acelerar ainda mais. A ansiedade dele acabou deixando as duas irmãs nervosas, tensas. As duas se assustaram ao ver as luzes coloridas piscantes que identificaram o carro da Polícia Militar parado na rua Jardim Botânico, embaixo do viaduto de acesso ao túnel Rebouças. Débora girou o volante de forma brusca para fazer uma manobra de retorno, proibida naquele ponto. Queria evitar passar perto da viatura policial. Alguns motoristas tiveram de brecar e por pouco não bateram no carro de Débora, que subitamente invadiu várias pistas, obstruindo o fluxo do trânsito.

— Tu tá maluca, mulhé! Desse jeito tu tá me dedurando pros homi. Tu não viu, não, o camburão? Pára já, vou vazá. Vocês querem me ferrá.

Juliano abriu a porta com o carro ainda em movimento e, assim que Débora parou, desceu e fechou a porta com uma batida forte.

— Some, porra!

Meia hora depois, Juliano estava chegando ao pé do morro. Ele usava o aparelho celular para telefonar para Luz e saber dela se a subida da favela estava livre. Recebeu uma informação preocupante.

— Tem uma figura estranha na área perguntando por você. Te cuida — disse Luz.

— Homem ou mulhé? — perguntou Juliano.

— Mulhé, uma morena, cabelos longos. Os moleques tão dizendo que é uma gostosa. Deve sê alguma das tuas piranhas.

Apesar da resistência da irmã, Débora estava decidida a ter uma conversa definitiva com Juliano. Dirigiu até a praça Corumbá, no acesso ao morro. Desceu ali e a irmã seguiu com o carro. Chorou enquanto subia a rua Jupira até o largo do Cantão, onde parou ao lado de um poste para esperar pela chegada de Juliano. Havia muita gente passando e jovens conversando, parte deles olheiros da boca Alguns aproximaram-se para tirar informações dela.

— Posso ajudar? Procurando alguém? — perguntou um menino enviado por Du.

— Obrigado. Estou esperando um amigo, que vai chegar, já já — respondeu Débora.

— É do morro? Qué que eu suba para avisá lá no barraco dele?

— Obrigado, ele está chegando da rua, o Juliano. Você conhece?

— Juliano? Tem certeza?

O menino correu rápido para informar Du, que ficou desconfiadíssimo e mandou avisar toda a quadrilha que estava reunida com Raimundinho ali perto, no Cruzeiro.

— Isso é aplique. Levanta essa mina, cuidado que pode ser cana... Traz já pra cá que eu dou o aperto — ordenou Raimundinho.

Quando Juliano chegou a pé ao Cantão Débora já estava cercada pelo bonde de Du, que tentava convencê-la a subir sem precisar do uso da força. Ele cutucou a bengala nas costas de alguns meninos para afastá-los de perto dela.

— Qualé o caô, rapaziada? — perguntou Juliano.

— Essa mina, aí. Tá falando o teu nome... Raimundinho mandô arrastá pro Cruzeiro, aí — respondeu o menino olheiro.

— Arrastá, o caralho! É mina chegada. Área! Área! — gritou Juliano, gesticulando com a bengala para o pessoal se afastar.

Débora não se abalou. Em nenhum momento percebeu que corria risco, achou natural a curiosidade dos meninos e dos jovens, sobretudo porque nenhum deles havia agredido ou feito alguma ameaça, principal preocupação de Juliano.

— Alguém te machucou? Pode falá. Alguém abusô? — perguntou Juliano.

— Não, não. Me bombardearam com perguntas... só isso.

— É. O pessoal é curioso. E tu é bem maluca, hein? Tu pensa o quê? Que pode invadi assim na moral? O morro é casa de mãe Joana não, aí.

— Você invadiu a minha vida sem pedir licença. Resolvi invadir a sua do mesmo jeito — disse Débora.

— Aí a mina, aí. E a tua irmã, tá onde, a mulhé? Vou mandá um moleque te acompanhá até o carro de vocês...

— Ela já foi embora... Dispenso a tua ajuda. Sei cuidar de mim, falou?

A briga no carro, que para Juliano acabara havia minutos, agora parecia não ter existido. Gostou da atitude surpreendente de Débora e estava de novo interessado em namorar com ela. Preocupado com a exposição numa área de grande movimento, Juliano a convidou para conversar num lugar mais seguro, que iria escolher quando estivessem subindo o morro. Explicou que, por motivos de segurança, ia subir antes dela e, minutos depois, um grupo liderado por Du a levaria ao seu encontro.

— Seguinte, vamo conversá mais ali. Se a polícia te barrá no caminho, diz que você é a nova psicóloga da associação e vai encontrá um pessoal lá.

A subida exigiu esforço de Débora, que às vezes aceitava o apoio de Du. Ele ia logo à frente dela e às vezes a puxava pela mão ou a segurava pelo braço para que não perdesse o equilíbrio nos lugares esburacados ou mais escuros. Mal dava para passar duas pessoas, lado a lado, pelas vielas, mas os moradores acostumados às particularidades do caminho andavam rápido para todos os lados.

À beira do caminho, encontrou quase todas as casas com portas e janelas abertas, mostrando a intimidade das cenas iluminadas da cozinha, da sala e até dos quartos. As imagens da vida das famílias tranqüilizaram Débora, que ficou impressionada com a quantidade de crianças nas ruas e que diziam qualquer coisa quando a viam passar. Os adultos, sentados nos degraus de entrada das casas ou apoiados nas janelas, esperavam a iniciativa dela para dar boa-noite, abrir um sorriso ou debochar pelo fato de ela ser a namorada do "asfalto" de Juliano.

Os barracos de Marina, Cris, Veridiana, Marisa, Kel e Luz eram o abrigo de Juliano durante este período em que se recuperava dos ferimentos. Ele dormia um dia na casa de cada uma. Foram dois meses de recolhimento, em que só era visto nos becos à noite, caminhando com apoio de uma bengala e acompanhado pelos amigos de confiança, sempre bem armados, devido às ameaças que vinham de dentro e de fora do morro.

Juliano ainda era alvo das operações policiais, quase diárias, dos grupos de Rambo e de Peninha. Uma carta enviada da cadeia à boca pelos amigos presos o avisou que os dois grupos de PMs estariam disputando uma recompensa oferecida pelo arquiinimigo Zaca, que continuava preso e queria de volta o controle da boca. Da cadeia, Zaca estaria oferecendo o equivalente a trinta mil dólares para quem matasse o trio de gerentes de Carlos da Praça.

Já as desconfianças internas do pessoal de Juliano derivavam das brigas recentes com Claudinho, agravadas pelo episódio do cerco aos policiais militares. Os confrontos com a polícia afastaram muitos consumidores da boca e em 1995 representavam uma queda de mais da metade das vendas do pó e de maconha. Outro fator que ajudava a explicar a perda de usuários era o clima de terror gerado pela brutalidade dos julgamentos promovidos por Raimundinho.

Enquanto precisou de um matador na gerência para impor o seu controle na favela, Carlos da Praça garantiu a retaguarda das ações de Raimundinho. Consolidado no poder, queria tirá-lo da gerência, numa tentativa de mudar a imagem do grupo e ao mesmo tempo atender aos pedidos de muitos moradores que tinham medo do matador. Da Praça pretendia também desbancar Juliano, que fora seu principal homem nos confrontos com os inimigos desde 1987. Na sua avaliação, o afastamento dele seria necessário para que a boca da Santa Marta deixasse de ser perseguida pela polícia.

■ ■ ■

Débora nem imaginava, mas estava conhecendo o morro numa época de alto risco para a vida de Juliano. Para se sentir mais seguro, muitas vezes ele ultrapassava os limites laterais da favela para dormir no meio da mata, em esconderijos que considerava inacessíveis até para os cães farejadores. Precisou ter cuidados especiais para receber Débora. Por motivos óbvios, não podia levá-la para os barracos acolhedores das ex-mulheres, muito menos para os esconderijos da floresta. Escolheu um barraco de um morador de sua extrema confiança, seu Tinta, um velhinho simpático de 72 anos.

Era um barraco cheio de lembranças dos momentos de glória de seu Tinta, reproduzidas em vários quadros na parede. Na sala, havia várias fotos em que ele aparecia com o uniforme de porteiro do hotel Copacabana Palace, abrindo a porta de um carro de luxo para celebridades: as cantoras Emilinha Borba, Dircinha Batista, Elizete Cardoso; os jogadores de futebol Garrincha, Didi, Gilmar e Mazzola, da seleção brasileira de futebol campeã mudial de 1958; também tinha na parede uma cédula de um dólar autografado por Nat King Cole, que ganhara de presente do cantor americano, durante uma passagem pelo hotel em 1960.

De frente para o sofá, que ocupava toda a extensão da parede, havia um móvel antigo em perfeito estado, com um rádio toca-discos e alto-falantes embutidos. Na estante ao lado, uma coleção com dezenas de long-plays de sambas, blues e jazz. Durante 50 anos, seu Tinta tocou cavaquinho e foi vocalista de uma banda que animava casas noturnas, festas de fim de semana e bailes de carnaval. Aposentado, ainda conservava da antiga banda alguns instrumentos como o cavaquinho, dois violões que estavam guardados no alto de uma prateleira e parte da bateria, sobre o guarda-roupa do quarto.

Desde o agravamento do reumatismo da perna, seu Tinta só saía do morro para buscar o pagamento da minguada aposentadoria, equivalente a 70 dólares mensais. Os passeios na favela se restringiam a uma caminhada até a boca para buscar um sacolé de pó. Geralmente comprava fiado e saldava a dívida oferecendo, em dias especiais como este, hospedagem a Juliano. Dessa vez, acompanhado de Débora, Juliano o presenteou com uma porção generosa de pó para garantir uma hospitalidade que impressionasse a namorada. Seu Tinta trancou-se no quarto para deixar o casal à vontade na sala.

Débora não planejara entrar na favela, muito menos passar a noite dentro de um dos barracos que à distância a impressionavam pela pobreza. Envolvida pela conversa e o namoro, só se deu conta de que era madrugada quando recebeu um telefonema da irmã Valéria.

— Você está bem, Débora? — perguntou Valéria.

— Tudo bem, estou ótima — respondeu Débora.

— O que aconteceu? São duas da madrugada. Estamos preocupadas aqui em casa. Eu te deixei naquele lugar. É perigoso, Débora. E o cara estava tão esquisito...

— Foi um mal-entendido... Agora está tudo bem. Não se preocupe.

— Você tem certeza, você está com ele?

— Estou, estamos na boa.

— Onde, Débora?

— Não se preocupe, irmã. Estou bem, já te disse. Estou na casa de um amigo dele.

Namoraram e conversaram sem perceber quando amanheceu. Juliano adormeceu por volta das nove horas, e Débora continuou acordada, sem sono, curiosa para descobrir cada detalhe da vida na favela. Ainda cedo, teve um pouco de fome, mas não se animou a comer nada do que havia na geladeira. As únicas opções eram mortadela e refrigerante. Estava impressionada demais com as precárias condições materiais da vida do namorado. Na conversa durante a madrugada, quase não acreditou quando Juliano disse que estava sem moradia fixa havia cinco anos, desde a derrota na guerra de 1987. Ele contou que, nesse período, abrigou-se sempre na casa de parentes e amigos dos morros vizinhos ou em locais provisórios na própria favela. Que os barracos das ex-namoradas e ex-mulheres eram os mais receptivos. E quando sofria grande perseguição, refugiava-se na floresta, no lado oeste do morro.

Naqueles dias, fragilizado pelos ferimentos e correndo risco por causa das inimizades internas já declaradas por Claudinho, Juliano era obrigado a reforçar ainda mais os cuidados com a segurança. Evitava a guarda pessoal até na hora de dormir. Geralmente "dava um perdido", sumia da vista da quadrilha antes de escolher o barraco para descansar. E ainda assim não ia para a cama tranquilo.

Só dormia vestido e calçado, pronto para sair correndo para a rua a qualquer momento. Acordada enquanto Juliano roncava em sono profundo, Débora viu que, mesmo dormindo, ele não se desgrudava da mochila de lona onde estavam suas coisas inseparáveis: algumas velas usadas, isqueiro, canivete, uma pequena lanterna, dois livros, sabonete, escova e pasta de dente, um caderno, algumas canetas esferográficas, uma pequena bíblia, imagens em cerâmica de alguns santos da Igreja Católica, granadas, duas caixas de munição para a pistola automática e um pente de cartuchos para o fuzil Jovelina. Também havia um compartimento da mochila cheio de mantimentos: salame, goiabada cascão, biscoito de baunilha e um tubo de vitamina C, que gostava de tomar quando acordava, logo depois do meio-dia.

Juliano acordou faminto e admirado de encontrar Débora sentada no chão da sala, ao lado do sofá, vendo um álbum de fotografias que seu Tinta lhe mostrava. Ele foi para a cozinha preparar o desjejum preferido. Depois de fazer uma vistoria nas panelas guardadas dentro da geladeira, começou a preparar um prato com feijão, arroz, macarrão ao molho de tomate, coberto com três ovos fritos.

— Meu Deus, Juliano. Isso é o café da manhã? E o que você come no almoço?

— Em vez de feijão, ovo, arroz e macarrão, prefiro no almoço o contrário: macarrão, arroz, ovo, feijão e um bifão por cima de tudo.

Pôs a mesma bermuda do dia anterior, o mesmo tênis, a mesma camiseta. Convidou Débora a passear na favela porque precisava trocar de roupa. Antes de sair às ruas, seu Tinta tomou a iniciativa de abrir as duas janelas da sala para dar uma olhada no movimento lá fora, depois saiu para observar um pouco além do ângulo que tinha a partir do ponto de vista do barraco e voltou cinco minutos depois acompanhado de um menino dizendo que estava tudo calmo. Juliano a convidou para conhecer outro lugar seguro na favela, onde trocaria de roupa. Débora imaginou que fossem a algum esconderijo, onde Juliano teria as suas coisas guardadas. Mas eles seguiram em direção ao Terreiro da Maria Batuca, a casa da lavadeira Dalva, mãe do amigo Careca. Antes de partir, Juliano mandou o adolescente Nein, trazido por seu Tinta, fazer um avião de segurança pelo trajeto todo.

— Deixa comigo, Juliano. É pá e pá. Os canas tão em toda parte, olha aí. A gente tem que ficar de olho, sacumé! — disse Nein, que aos 15 anos era muito magro e ainda parecia um menino de 11, 12 anos.

Para agradar o gerente da boca, Nein correu pelas vielas, de ponta a ponta, até o terreiro e voltou para acompanhá-lo de perto. Manteve-se sempre à frente e à vista do casal para sinalizar o caminho livre. Embora fosse uma tarde aparentemente tranqüila na favela, para Débora o passeio era tenso como se fosse o deslocamento de soldados em campo de guerra. Tinha consciência de que a única garantia de segurança, naquele momento, era o aviãozinho, e por isso não conseguia entender como Juliano poderia estar tranqüilo com a vida dependendo de um frágil adolescente. A caminhada não durou dez minutos e, como Juliano estava apoiado numa bengala, pareceu a mais longa da vida de Débora. Só ficou mais tranqüila ao chegar na casa de Dalva.

— Entrem, meus filhos, querem tomar um café... acabei de preparar para o pessoal. Entrem — disse Dalva, procurando ser simpática e atenciosa.

— Esta é minha noiva, dona Dalva, vamo casá ainda hoje... Vim buscá uma roupa bacana pro meu casamento aqui com a senhora — brincou Juliano.

— É, eu acho que tem uma calça jeans tua aqui. Do Careca não é porque fica grande nele. Só pode ser tua.

Alguns dos grandes amigos de Juliano estavam na casa, reunidos no salão do centro de umbanda, assistindo a uma partida de futebol na TV. Débora cumprimentou aqueles que já conhecia, o franzino que tinha falhas nos dentes, Mendonça e o negro alto, Du. Foi apresentada a Alen e a Careca.

— Maneira esta sua camisa, Careca — disse Juliano ao amigo, que vestia uma camiseta azul de algodão.

Careca entendeu o que o elogio significava. Concordou em ceder a camiseta, mas propôs uma troca do chinelo, que usava, pelo tênis de Juliano. Negócio fechado, Juliano em seguida pediria emprestado os sapatos que encontrou ao lado da cama de Careca. Débora tomou o café oferecido por Dalva, mas Juliano dispensou a gentileza. Estava com desejo de tomar um suco. Na verdade queria continuar mostrando as boas coisas do morro para a namorada.

— O melhor suco do Rio é do seu Arnaldo Pernambuco. Tu acredita, não?

Débora adorou o suco de carambola e ainda experimentou o de cupuaçu, enquanto Juliano tomava o seu preferido do final da tarde, uma generosa tigela de açaí com banana e guaraná, oferta da casa desde que se tornou um dos gerentes de Carlos da Praça. Qualquer hora do dia ou da noite, menos de madrugada ou durante a sesta do meio-dia, os homens da gerência podiam contar com o abastecimento de sucos de Arnaldo Pernambuco. Outra fonte de alimentação gratuita era o Salgadinho, um barraco onde eram vendidos pastéis, coxinhas de galinha, croquetes e empadas caseiras, tudo preparado por Elza Salgadinho.

— Quando tô na nóia que o inimigo qué me envenená, só como o que é feito aqui pela Elza. Experimenta, Débora, pra senti, aí: é o melhor salgadinho do Rio de Janeiro. Papo sério! — exagerou Juliano, sentado numa cadeira da cozinha, com a intimidade de quem era um assíduo freqüentador da casa.

— Melhor do Rio? Ah! Pensei que fosse o melhor do Brasil...

— Olha aí a mina, aí, dona Elza. Põe uma pimenta ferrada no lanche dela, põe.

Só saíram do Salgadinho quando Juliano foi chamado para resolver o problema do pagamento das cervejas do baile funk. O fornecedor queria receber na hora da entrega, mas não havia dinheiro no caixa. Ameaçava não descarregar os engradados até a hora em que o gerente fosse chamado. Diante de Juliano, a negociação seria rápida.

— Aí rapá, tá duvidando da juventude? — perguntou Juliano.

— São as normas do dono lá embaixo.

— Lá embaixo? Mas tu tá aqui em cima, rapá! É ou não é? Seguinte: apanha lá as cervejas e deixa alguma coisa de vinho também, que é pra diretoria.

■ ■ ■

O salão "Ases da Lua" já fora o principal barracão de forró no tempo em que os nordestinos eram perseguidos pelos antigos chefões do morro. Quando Zaca envolveu-se nas eleições da Associação de Moradores, doou o mesmo barracão para os cultos da Igreja Universal do Reino de Deus, que um ano depois construiu sede própria na área do Beirute. Agora, por influência de Juliano, o espaço do Ases da era voltou a ser usado pelo pessoal do forró, menos aos sábados, quando se transforma em Ases de Funk. Juliano e Débora divertiram-se no baile até a meia-noite, uma hora antes de o salão ser invadido pela polícia.

Cinco jovens, dois deles ligados à boca, foram levados para averiguação de seus antecedentes criminais no destacamento da PM na favela. Os soldados continuariam vasculhando vários barracos durante a madrugada, inclusive no beco da Verinha, onde estava a casa de seu Tinta, que mais uma vez abrigara Juliano e Débora. Os policiais chegaram a invadir os barracos vizinhos, a cerca de 50 metros do esconderijo, mas não o descobriram.

Só na manhã de domingo Juliano soube do risco que correra. Revoltado por não ter sido informado pelos olheiros da boca, foi cobrar providências de Claudinho. Débora assistiu à discussão dos dois inicialmente por telefone. Mais tarde o desentendimento virou briga de rua. Juliano entendeu que fora traído e foi cobrar explicações de Claudinho na frente de suas quadrilhas. Irritado, esqueceu a bengala na casa de seu Tinta. Usou um fuzil como apoio para manter-se em equilíbrio na caminhada até a boca.

— Qualé, Cláudio? Tu soube da operação dos homi, cara? — perguntou Juliano.

— Quem tava na atividade à noite sabia. Eu tava no trabalho, rapá... e tu, onde tava? — perguntou Claudinho.

— É verdade que tu mandô avisá o Raiumundinho?

— Avisei. Mandei acordá também a Luz.

— E por que tu não mandô ela me avisá, não tô entendendo a tua?

— Teu pessoal avisou não? Tu qué o quê? Vou imaginá? Tu dá o perdido e qué que eu descubra onde tu tá entocado?

— Isso é grave, Cláudio. É pior que me dá um tiro na cara. Tu sabe que a polícia qué me esculachá, rapá. Os homi não qué só me matá. Eles qué arrancá pedaço por pedaço de mim e tu me apronta essa, mermão. Tu queria que eles me mandassem pro saco, assume essa, cara.

— Essa parada não tá certa. Vou falá com o patrão pra separá essa gerência. Fodeu. Contigo aqui, Juliano, tô fora! O Da Praça tem que resolvê essa parada.

Enfurecido, Juliano partiu para agressão física: deu uma violenta pancada com a base do fuzil contra o peito de Claudinho, que estava em pé discutindo e perdeu o equilíbrio, caindo de costas no chão. Nenhum homem interveio, quem estava perto se afastou pra deixar só os dois na briga. Juliano aguardou uma reação já com o fuzil apontado contra Claudinho, que ficou no chão se contorcendo de dor.

— Tu devia sumi da minha frente antes que eu te mate, rapá. Tu qué o meu esculacho, rapá. Um dia vamo acertá esta parada — ameaçou Juliano, que aos poucos foi se afastando, manco, ainda bravo, seguido por alguns amigos. Foi ao encontro de Débora e, ainda usando o fuzil como muleta, convidou-a para andar até a banca de suco de seu Arnaldo. Conversaram um pouco sobre o episódio e o clima de hostilidade que Juliano vinha enfrentando com o parceiro de gerência e o dono do morro. Ele temia o agravamento do conflito e sobretudo uma reação radical dos dois. Por isso, sugeriu que Débora saísse imediatamente da favela e escalou Du e Mendonça, os mais experientes do grupo, para acompanhá-la no caminho de descida, até a saída do pé do morro.

— Deixa eu resolvê essa parada com o Claudinho, Débora. Depois a gente marca um encontro manero. Mas tem que sê no asfalto. Combinado?

— Não é melhor você descer também? Esse Claudinho não pode se vingar de você, não? Larga essa boca, deixe eles se matando aí sozinhos. Deixa pra lá, vambora nessa comigo. Te ajudo a alugar algum quarto, alguma coisa pra você lá embaixo.

— Depois, Débora. Antes preciso resolvê essa parada — disse Juliano à namorada que nunca mais teve coragem de voltar ao morro. O envolvimento de Juliano com as futuras guerras ao tráfico também o levaria a esquecer o romance.

Juliano sabia que a briga tinha sido séria e que logo o dono do morro tomaria uma decisão, devido às constantes desavenças do trio da gerência. Preocupado, procurou Raimundinho, que não via havia três dias, desde a chegada de Débora ao Morro. Encontrou-o na casa da namorada Ana Paula, assistindo a um filme na TV. E conversaram longamente sobre a situação indefinida da gerência da boca.

Raimundinho já sabia que estava na mira de Carlos da Praça e de alguns dirigentes do Comando Vermelho. Só não tinha certeza ainda do tamanho do descontentamento deles. Juliano, por sua vez, diante dos últimos episódios, também acreditava que estivesse na lista dos marcados para morrer.

— Aí, a rapaziada tá falando que tu é a bola da vez, Raimundo! — disse Juliano.

— Tô sabendo. Tá o maior caô na cadeia. Só falta o desenrole do Da Praça lá no Bangu 3 pros caras sentá o prego nimim — disse Raimundinho.

— Sei não. É a mesma irmandade, cumpadi. Eu sou CV, tu é CV, o Da Praça é CV, o Claudinho é CV. Tu pensa o quê? Vai sê mole não esse desenrole do Da Praça. Na hora de trocá com os alemão, com os cana, quem encarou, aí? — perguntou Juliano.

— Juliano, Raimundinho, a dupla de sempre. Tamo dando uma de mané, Juliano! Sei não. Tão dizendo aí que o meu irmão já recebeu ordem pra passá o rodo nimim! — diz Raimundinho.

— Tu tá maluco. Irmão matá irmão dentro da mesma irmandade?

Juliano e Raimundinho tinham percebido havia algum tempo a preferência de Carlos da Praça pelo comando de Claudinho, que passou a receber dele cargas "bem servidas" de cocaína para redistribuí-las exclusivamente aos vapores de seu grupo. Sem matéria-prima, Juliano e Raimudinho foram progressivamente afastados das decisões importantes da boca.

No mesmo dia, tiveram a confirmação de suas suspeitas por meio de um telefonema do dono do morro. Carlos da Praça queria ter do próprio Juliano a confirmação da briga com Claudinho.

— É verdade que tu partiu pra porrada com o Cláudio? Tu enlouqueceu, cara? — perguntou Da Praça.

Juliano ainda alimentava alguma esperança de ter Carlos da Praça como seu aliado. Ao perceber, pelo tom da conversa, que o patrão apoiava Claudinho, ainda tentou convencê-lo a mudar de posição.

— Aí, vamo trocá uma idéia cara a cara. Chega aí no morro, conversa com o pessoal que tu vai descobri qual parada é a certa, a minha ou a dele.

— Sem essa, rapá. Tu tá querendo sentá o prego em mim, rapá. É melhor tu vazá do morro... é a decisão da Irmandade.

Carlos da Praça se referia, talvez para impressionar Juliano, à decisão dos dirigentes do Comando Vermelho de expulsá-lo do morro. E o motivo ia além das brigas com Claudinho. Incluíam também o medo e a insatisfação dos moradores com a brutalidade das execuções de Raimundinho. E principalmente o seu envolvimento nas desavenças, perseguições e tiroteios com os policiais, que teriam causado um desgaste irreversível no bom andamento das vendas da boca. Da Praça insinuou, sem dizer explicitamente, que o CV havia decretado a morte dele, Juliano, e de seu amigo e parceiro de gerência, Raimundinho.

No mesmo dia, certo de que seria morto, Juliano partiu para a Paraíba em companhia do amigo Du para morar na casa da avó materna. Convidou Raimundinho a fugir junto e organizar uma sociedade fora do morro para incrementar as vendas de drogas nas esticas, abrir uma concorrência contra os recém-declarados inimigos. Mas o exterminador preferiu permanecer no morro, acreditando que fosse vencer os inimigos internos da quadrilha e depois chamar o amigo de volta.

Nos meses seguintes Juliano passou a viver da venda de coco turbinado. Comprava a fruta dos produtores no interior da Paraíba e a revendia no Rio de Janeiro.

Pagava o equivalente a 50 centavos de dólar e vendia com 100 por cento de lucro. Depois de duas viagens, recorreu aos antigos contatos com os matutos de Pernambuco para turbinar os lucros, usar o mesmo caminhão fretado para transportar uma tonelada de maconha escondida no meio da carga de coco.

Apenas uma viagem bem-sucedida bastou para Juliano voltar a pensar em guerra. Ganhara dinheiro suficiente para comprar, se quisesse, 50 fuzis ou 50 metralhadoras. A prisão de Claudinho, em março de 1995, alimentou sua esperança de retomar o poder na Santa Marta. Mas não mais como gerente. Declarado inimigo de Carlos da Praça, passou a ter intenções mais ambiciosas, sobretudo depois que recebeu uma notícia sobre Raimundinho que abalou todos os amigos criados no morro.

■ ■ ■

A briga entre os irmãos da gerência começou durante o plantão de uma sexta-feira à tarde. Convencido de que Claudinho planejara a sua morte, Raimundinho carregou a pistola automática, pôs dois pentes de munição nos bolsos e foi procurá-lo no ponto-de-venda do dona Virgínia para esclarecer a história. No caminho, encontrou a sua melhor amiga, Mana, que descia o beco a caminho da escola onde fazia um curso de inglês.

— Onde tu vai apressada assim, mulhé?

— Estudar, né, Raimudinho. Pensa que a vida é essa moleza.

— Então faz como eu, põe um cano na mão, aí, que todo mundo vai te respeitá.

— Vô presta um concurso.

— Tu vai é morrê de tanto estudá. Adianta? Tu tem o dinheiro que eu tenho?

Na hora da despedida, Raimundinho abraçou a amiga e confessou a sua intenção de matar o irmão.

— Meu irmão qué me matá, Mana, todo mundo já sabe disso. Eu não tenho mais saída. Vou matá antes que ele me mate.

Foi a última vez que conversaram. Minutos depois Raimundinho já estava diante do irmão, que conseguira surpreender desarmado. Discutia e o amcaçava de morte com a pistola apontada contra ele. Em alguns momentos chegou a encostar a arma na cabeça de Claudinho. Todo o pessoal da boca afastou-se, mas não muito, para poder ver o desfecho da briga. Apenas Luz foi mais longe. Correu até o botequim do pai deles, Zé Lima, para avisar da briga. Mas só conseguiu convencer a mãe Tiana, que correu para tentar apartá-los. Quando viu a mãe chegar, imediatamente Raimundinho baixou a arma e Claudinho parou de discutir. Os três trocaram abraços, choraram e se afastaram dali para conversar em casa.

À noite, Claudinho sairia do morro com a intenção de passar alguns dias fora, atraído pelo convite de uma namorada, para esquecer a briga traumática com o irmão. Horas depois seria preso pelo homem que melhor conhecia e perseguia os homens da Santa Marta, o temido delegado Hélio Vígio, que já o aguardava na casa da namorada cobra-cega, informante da polícia. No mesmo dia, Claudinho foi levado para o presídio e deixava contra a sua vontade o caminho livre para o seu irmão crescer na gerência da boca.

Um dia depois da prisão do irmão, Raimundinho já estava de volta às suas atividades no tráfico, pela primeira vez na condição de único gerente de Carlos da Praça. Estreou no cargo com a formação de um bonde com os homens de sua confiança, apenas para circular pelos becos e mostrar que era o novo "frente" do morro. No meio do bonde, Doente Baubau anunciava o que muita gente temia antes mesmo de o matador ficar tão poderoso.

— O bicho vai pegá! O bicho vai pegá!

Mas Raimundinho não ficaria 24 horas como frente da Santa Marta. Depois de recolher o dinheiro do movimento do dia nos pontos de venda do Cantão, Raimundinho subia as escadarias com os amigos em fila indiana em direção ao Cruzeiro. Passou ao lado de um estranho que descia, cumprimentando a todos do grupo. Raimundinho era o último da fila e não percebeu que ele escondia uma arma no bolso da jaqueta. Nem que o homem se apoiou em um muro para sacar a pistola automática e disparar, à queima-roupa, certeiro. Assustadas, as testemunhas fugiram morro acima. Algumas crianças assistiram ao crime da janela de seus barracos. Viram Raimundinho caindo de costas, rolando alguns degraus. Ainda tentou se arrastar para pegar o fuzil que caíra longe de suas mãos, mas não resistiu três minutos ao ferimento na nuca.

■ ■ ■

O assassinato de Raimundinho foi atribuído a Claudinho, que da cadeia teria mandado matar o irmão. Para Juliano, o dono do morro também estava por trás do crime. Por isso, passou a planejar uma guerra total, que incluía a destruição da quadrilha de Claudinho e a tomada do poder de Carlos da Praça.

No dia seguinte à morte de Raimundinho, Juliano desembarcou de avião no Rio de Janeiro para organizar a guerra que o levaria a ser o novo dono da Santa Marta. Era o dia 10 de maio de 1995 e, como combinara com a família por telefone, subiu ao morro do Chapéu Mangueira para festejar o oitavo aniversário do filho Juliano William na casa da mãe, sem desconfiar que o telefone dela estava sob escuta clandestina dos homens do Serviço Reservado da PM, a P-2.

CAPÍTULO 18 | **MALDITO**

Os meninos fogueteiros do morro Chapéu Mangueira explodiram os rojões na hora certa. Imediatamente os aviões pararam de circular, de fazer o leva e trás de droga na favela. Sem disparar um único tiro para conter o avanço da polícia, os vapores tiveram tempo de guardar os sacolés na casa de amigos e os gerentes puderam proteger o estoque de pó no esconderijo mais seguro e sem correrias. Quando os policiais chegaram à base da quadrilha, alguns traficantes, já desarmados, baixaram a cabeça e puseram a mão na parede, atitude de quem não quer combate. Mas os PMs passaram direto. O alvo era outro.

Na hora Juliano ajudava o presidente da Associação de Moradores do morro Chapéu Mangueira a consertar a rede da quadra de basquete, que ficava a 300 metros do QG dos traficantes. Por precaução, ao ouvir o aviso dos fogueteiros, andou rápido em direção ao endereço da mãe Betinha. Em pleno meio-dia, o caminho já estava totalmente deserto, até o vira-latas que o seguia desaparecera. Entrou na casa, mas por instinto achou que ali não seria seguro. Voltou para a rua, correu pela viela sinuosa em busca do barraco de um amigo da família, que morava bem perto.

Um velho conhecido o esperava na primeira curva, com o AR-15 já na posição horizontal, pronto para o disparo.

— Te peguei, Juliano! — gritou o soldado Peninha, o mesmo que o vendera o fuzil AK-47.

Um único tiro atingiu a parte esquerda superior do peito, centímetros acima do coração. O impacto do projétil de altíssima velocidade lançou sangue contra o rosto do atirador Peninha. E jogou o corpo de Juliano dois metros para o lado, fazendo-o bater de cabeça contra o muro. Ele perdeu o equilíbrio, mas ainda conseguiu correr, meio grogue, até cair logo à frente no valão de águas pluviais, quase na porta da família amiga. Da mesma posição, mas com a lente dos óculos encobertas pelo sangue de Juliano, Peninha disparou novamente, mas errou o tiro que seria de misericórdia. E se afastou para buscar reforço.

A família dos amigos foi a primeira a socorrer Juliano. Horrorizada com a gravidade do ferimento, impediu a aproximação das crianças. Uma das irmãs de Juliano, Zuleika, chegou em seguida e desesperou-se.

— Quem foi o maldito que fez isso com você, meu irmão?

O tiro destruiu os ossos da clavícula. O braço esquerdo desabou do ombro e ficou preso ao corpo apenas pela pele esticada. A mão esquerda ficou na altura do pé de Juliano, que perdia muito sangue.

Algumas mulheres trouxeram vários lençóis e improvisaram uma maca para socorrê-lo. Não havia tempo para muitos cuidados. Empurraram Juliano para cima do pano e pediram ajuda aos homens para levá-lo morro abaixo. Não foram muito longe. Em seguida o inimigo estava de volta, e com o reforço.

— Deixa com a gente. Vamos cuidar muito bem dele.

Zuleika levou um susto ao ver quem era o inimigo.

— Peninha! Maldito! Maldito! — gritou Zuleika.

Quando a outra irmã de Juliano, Zulá, chegou para ver o que tinha acontecido, já havia muita gente em volta dele. Ela teve que empurrar algumas pessoas para chegar perto do irmão, por quem guardava um estranho sentimento que misturava amor e ódio. Mesmo ao vê-lo caído, gravemente ferido, Zulá aproveitou a ocasião para criticá-lo.

— Bem feito, aí. Foi encará os homi. Deu no que deu!

— Porra, Zulá. Cai fora daqui, cai fora — gritou Zuleika, revoltada, dando um empurrão na irmã.

— Parabéns aí, Peninha. Gostei de vê — disse Zulá, já se afastando dos curiosos que não paravam de chegar.

Alguns anos depois de ter vendido a Jovelina para Juliano, o soldado Peninha conseguia cumprir a promessa de vingança. Ainda consciente e agora protegido pelos moradores a sua volta, Juliano esbravejou.

— Seu filho da puta! Eu tô fora da Santa Marta e tu vem me matá aqui! Filho da puta!

Minutos depois do meio-dia, a mãe Betinha voltava para casa, com as compras da festa do neto. Ela subia de táxi a ladeira de acesso ao Chapéu Mangueira no mesmo momento em que Peninha e outro soldado da PM, Alvarenga, desciam o morro levando Juliano ferido num carro de chapa fria da P-2. Os gritos da multidão que corria em volta do carro confirmaram suas suspeitas.

— Fuzilaram o Juliano. Fuzilaram o Juliano.

Desesperada, Betinha saiu do táxi e correu para a frente do carro da polícia. Logo reconheceu Peninha ao lado do motorista Alvarenga.

— Assassino! Assassino!

Enfurecida, Betinha abriu uma das portas do carro e jogou-se no banco traseiro para ficar junto ao filho, que estava deitado no assoalho. Juliano, quase desfalecido, balançava a cabeça sem parar.

— Acho que chegô a minha hora, mãe.

— Tu já era, Juliano. Fica frio logo! — ironizou Peninha.

Sem nenhuma pressa para o socorro, Alvarenga parou o carro e ameaçou desligar o motor se a multidão continuasse correndo em volta.

— Acelera essa merda, seu filho da puta! Tu quer acabar de matar o meu filho! — protestou Betinha.

— Fica calminha, que eu vou na manha — respondeu Peninha.

— Acelera, filho da puta! — gritou Betinha.

— Devagar, Alvarenga. Se pudesse, esse veado teria nos matado. Minha mãe e a tua mãe é que estariam chorando agora, morou?

Enquanto o carro descia devagar a ladeira, Betinha enfiou o rosto para fora da janela e pediu para o povo seguir atrás e para alguém chamar uma ambulância.

— Meu filho não pode morrer, pelo amor de Deus!

Juliano tentava convencer os soldados a socorrê-lo.

— Porra, Peninha... você comeu na minha mão e foi me fazê uma coisa dessa.

— Comi o quê, seu bosta?

— Você apanhou dinheiro na minha mão... e agora tá me matando.

Juliano falava com dificuldade e quase desfalecia. Betinha, atenta aos movimentos de seus olhos, não o deixava desmaiar.

— Fecha os olhos, não. Segura aí, meu filho.

Na chegada à avenida principal do Leme, Alvarenga fingiu indecisão.

— Vou para o Souza Aguiar ou para o Miguel Couto? — perguntou a Peninha.

— Deixe eu pensar...

Betinha interferiu:

— Entra no primeiro hospital, seus merdas. Meu filho não agüenta mais.

Seguiram em direção ao centro da cidade. Na passagem do túnel Novo, Alvarenga simulou uma pane no carro.

— Por que parou, assassino! Faz andar essa merda! — gritou Betinha!

— É gasolina... secou o tanque. Tá vendo não? — respondeu Alvarenga.

— Então me ajuda a parar um carro. Segura o trânsito desse túnel — disse Betinha.

Como os soldados não saíram de dentro do carro, Betinha foi para o meio da rua fazer sinais aos motoristas, que desviavam dela.

— Parem! Meu filho está morrendo!

Nervosa e atenta ao que os soldados faziam dentro do carro, Betinha não percebeu que o motorista de uma Kombi parou metros à frente e veio oferecer ajuda.

— O que a senhora faz no meio do túnel, dona Betinha?

Era um vizinho do Chapéu Mangueira, seu Rubens, entregador de jornais, que por coincidência passava por ali e a reconheceu.

— O que está acontecendo, dona Betinha?

— Meu filho, olha lá, seu Rubens. A polícia encheu ele de tiro... e estão negando socorro.

— Meu carro tá cheio de jornal, mas vamos tentar — disse Rubens.

Sem ajuda dos soldados, Rubens pediu que Juliano se esforçasse para se erguer do assoalho do carro. A mãe ajudou, empurrando-o pelas costas. Para melhor distribuir o peso e poder carregá-lo sozinho, Rubens ajeitou o peito de Juliano sobre o seu ombro, e posicionou o corpo quase na vertical, o que evitava aumentar o sangramento.

Ao mesmo tempo, Betinha segurou com cuidado o braço esfacelado para evitar que o ferimento se agravasse ainda mais. Ela entrou antes de Juliano na área de carga da Kombi, para acomodá-lo na posição horizontal sobre vários montes de jornais e com a cabeça um pouco erguida, apoiada em seu colo.

A arrancada forte de Rubens fez os pneus derraparem no asfalto. Numa manobra de risco, ele saiu da pista da esquerda, cruzou três faixas à sua direita, da mesma avenida, até a saída do túnel. Sem obedecer o aviso de parada obrigatória, passou direto pelo portão do Hospital Psiquiátrico Pinel.

A pressão da buzina, a brecada forte e a corrida de Rubens até a recepção indicaram aos enfermeiros que se tratava de um caso de emergência. Embora o hospital não tivesse setor de pronto-socorro, uma psiquiatra percebeu que Juliano estava entre a vida e a morte e agiu rápido. Fez a limpeza da cabeça e da área mais atingida pelo sangramento, que continuava abundante e, se não fosse estancado, poderia provocar a morte em minutos. Não havia tempo para reposição sangüínea.

O mais urgente era conter o processo de agonia, que poderia causar uma parada cardíaca a qualquer momento. Rapidamente a médica providenciou a ventilação dos pulmões, que estavam inundados de sangue. Enquanto o enfermeiro injetava o soro e um anestésico nas veias, a médica fez um corte de 3 centímetros no tórax de Juliano, por onde introduziu um pequeno tubo de plástico. A aspiração pelo cateter do líquido acumulado na área dos pulmões amenizou a agonia de Juliano.

— Ganhamos alguns minutos. Agora a ambulância tem que voar para o pronto-socorro do Miguel Couto. É caso de cirurgia e não sei se vai dar tempo — avisou a médica.

Na saída do Pinel, a ambulância foi interceptada pelo carro da dupla Peninha e Alvarenga.

— Onde vocês pensam que vão sozinhos? Pode descer da ambulância — disse Peninha à mãe de Juliano.

— Daqui não saio nem morta! — disse Betinha.

— Então eu vou junto. Você tá achando que vai fugir sozinha com esse bandido? Vai, não! — disse Peninha.

Dez minutos depois, os enfermeiros do Miguel Couto corriam para atender a mais um caso da rotina de guerra do hospital, referência mundial no atendimento de ferimentos provocados por tiro de fuzil. No ano de 1995, seus cirurgiões fizeram mais de 200 cirurgias de tórax destruídos por projéteis de alta velocidade. Era um número que superava o volume de operações semelhantes realizadas nos hospitais do Golfo Pérsico, no Oriente Médio, onde houve a explosão de cinco milhões de bombas durante a guerra Irã-Iraque.

A experiência do médico que começou a atender Juliano o habilitava a ser bastante objetivo com a mãe antes de fazer a cirurgia.

— Quer saber a verdade ou quer ser enganada? — perguntou o médico.

— A verdade — disse a mãe Betinha.

— Dificilmente ele escapa.

— Qual a chance?

— De zero a dez, uma. Mas milagres também acontecem na medicina.

— Não seja tão duro, doutor!

— Seu filho teve muita sorte. Normalmente, aqui no Rio, 90 por cento dos feridos por fuzil ficam no lugar onde o tiro foi dado, morte instantânea. Mas vamos ver o que será possível fazer — disse o médico.

— Se a cirurgia não der certo, doutor, o mundo vai agradecer o senhor — ironizou Peninha, que também ouviu de perto a explicação do médico.

O médico trabalhou a tarde inteira para restaurar a parte superior do tórax de Juliano. No lugar dos ossos da clavícula, despedaçados pelo tiro, teve de instalar dois pinos de aço, para dar sustentação ao ombro e ao braço esquerdo. Em seguida, fez a drenagem dos pulmões e abriu um orifício na traquéia para enfiar os tubos da respiração artificial. Mas, como em todos os casos de vítimas de bala de fuzil, o maior tempo da cirurgia foi dedicado à limpeza da área atingida.

Diferentemente dos projéteis comuns, que penetram numa linha reta contínua, os de alta velocidade desenvolvem um movimento circular que suga para dentro do corpo fragmentos do tecido das roupas e da pele da vítima. Por isso, no caso de Juliano, mais importante do que a restauração do tórax e a drenagem dos pulmões foi o procedimento de limpeza dos pedaços de ossos e fragmentos estranhos ao organismo, causadores de graves infecções que poderiam levá-lo à morte.

À meia-noite, quando o médico anunciou que Juliano havia resistido à cirurgia, mais de cinqüenta moradores da Santa Marta aguardavam a notícia no hospital. Os dois soldados, Peninha e Alvarenga, também estavam na área de espera do centro cirúrgico. E eles acompanharam de perto o deslocamento de Juliano para a Unidade de Tratamento Intensivo. E permaneceriam de plantão no hospital durante toda a madrugada.

O medo de que os soldados invadissem a UTI para matar Juliano levou para o hospital três de suas ex-mulheres: Marisa, que levou junto o filho Juliano William, na época com oito anos; Adriana, que veio do Leme, mãe de Juliano Junior, de dois anos, e Veridiana, que jurava ser mãe de uma menina de dois anos que ele não reconhecia como filha. A mulher da época, Marina, grávida de cinco meses, era crente da Igreja evangélica e rezava sem parar com uma Bíblia nas mãos. As ex-mulheres, as antigas namoradas, as amigas e os parentes formaram uma corrente humana de proteção. Passaram a madrugada em pé, com os braços entrelaçados, frente a frente com Peninha e Alvarenga. No dia seguinte, a dupla foi substituída por outros dois soldados. As mulheres da Santa Marta também fizeram o revezamento na corrente de proteção. De todo o grupo de Juliano, apenas Luz apareceu no hospital, a única que não tinha medo de ser presa.

Depois de uma semana, embora Juliano ainda corresse risco de morte, os parentes estavam mais preocupados com a possível transferência dele para a enfermaria de alguma cadeia. A convivência forçada com os policiais de plantão no hospital ajudou a conhecer a rotina da escolta, fundamental para planejar uma maneira de enganá-la. Na madrugada do décimo dia de internação, Mãe Brava e Betinha estavam à frente da operação que chamaram de SOS Juliano.

Brava aproveitou o momento em que Peninha e Alvarenga foram ao banheiro, ou se afastaram para o almoço, para empurrar a cama de Juliano para fora do quarto. Ao lado, a mãe Betinha e a irmã Zuleika levaram as bolsas do soro e da alimentação ligadas a Juliano pelas sondas. No corredor, Luz, Veridiana e Marisa ajudaram a empurrar mais depressa a cama até o saguão, onde os funcionários indicaram a saída dos pacientes em alta.

Desceram rápido uma rampa até encontrar o enfermeiro, que os aguardava ao lado de uma ambulância com as duas portas traseiras abertas. Em um minuto, a cama já estava dentro da ambulância, com todas as sondas em ordem. No momento em que o motorista acionou a sirene para levá-lo a algum esconderijo do Rio de Janeiro, em troca de uma propina equivalente a 500 dólares, Juliano tinha nas mãos uma figura de cerâmica, a imagem de São Judas Tadeu. E rezava: "Obrigado meu Pai por mais um dia de vida nesta tua terra maravilhosa... só você, meu pai, para conceder essa misericórdia divina..."

CAPÍTULO 19 | ALÔ, UÊ?

Cheiro de Uê queimado,
Café foi espancado
e o Robertinho era um viado!
O Celsinho é um medroso,
tomou coça na cadeia,
ô Beira-mar dedo-nervoso!
| **Funk proibido** |

As favelas horizontais do Complexo do Alemão seriam o esconderijo natural de Juliano se o ídolo dele não tivesse sido vítima do maior caso de traição da história do narcotráfico do Rio de Janeiro. Amigo desde a Grande Guerra de 1987, Orlando Jogador sempre dera socorro aos feridos da Santa Marta na clínica clandestina que mandara construir no coração de seu império do pó para atender aos casos de emergência das 29 favelas sob seu controle.

Devido às amizades com criminosos veteranos da zona sul, Orlando Jogador tinha uma ligação especial com a Santa Marta. Antes de se tornar o traficante mais poderoso da cidade, chegou a participar de pelo menos três tiroteios ao lado de Juliano, na época em que Zaca era o dono do morro. Em um desses combates os dois foram presos e durante dez dias dividiram a mesma cela da Delegacia de Botafogo.

Depois que Juliano foi expulso da Santa Marta em 1993, o Complexo do Alemão era o caminho natural para buscar um abrigo, uma base de contato com o pessoal do crime. Por isso, foi dali que começou a organizar o bonde para tomar o morro de Carlos da Praça.

Juliano queria formar uma quadrilha que tivesse o mesmo perfil da que levou Jogador a dominar o tráfico numa área de 200 mil moradores. Queria formar um grupo com criminosos de especialidades diferentes e que fossem de uma mesma família. Na quadrilha de Jogador, os irmãos e primos ficavam nas funções de confiança, que envolvessem dinheiro. Vendedores de pó conviviam com assaltantes de bancos e de carro-forte, que dividiam com ele seus lucros. Dificilmente o chefão se envolvia diretamente no pagamento de policiais desonestos, contratados para garantir a segurança externa da boca e o seu livre funcionamento.

Tinha uma rede de informantes subornados para avisar das operações policiais com antecedência. Pagava as propinas nos dias combinados, e quando o "acerto" não era respeitado costumava reagir com truculência mesmo contra agentes da lei. Implacável com os inimigos, contratava mercenários profissionais para decapitá-los.

Do modelo de Jogador, o que mais fascinava Juliano era o código de conduta imposto aos moradores da favela, que transformava cada barraco num potencial esconderijo do guerreiro em fuga. Todos obedeciam à regra não só por imposição das armas, mas devido à autoridade informal conquistada mediante o pagamento de pequenas benfeitorias públicas e de serviços, no caso de maior necessidade dos moradores.

Ex-taxista, marceneiro e bom de bola, Jogador teve dois convites para jogar num time tradicional da zona norte, o Madureira. Mas a oportunidade veio tarde, quando já era avião de uma boca-de-fumo. Assim como Juliano, Jogador passou por todos os degraus da hierarquia das bocas. No poder, virou expansionista. Embora já dominasse mais de cinqüenta pontos-de-venda de pó e maconha em vários bairros da região norte do Rio, planejava expandir seu poder a outros morros controlados pelos arqui-rivais do Terceiro Comando. Era mulherengo e vaidoso: usava anéis, pesadas correntes de ouro e roupas de marcas conhecidas. E escrevia poesia: uma delas, feita em homenagem a sua mãe, mandou publicar nas páginas policiais do jornal *O Dia*.

Quem conhecia de perto Orlando Jogador garantia que ele era dono de uma fortuna, nunca comprovada, em imóveis e dinheiro vivo, dólares. A fama de doleiro inspirou a ação dos inimigos numa noite de terça-feira de junho de 1994, o dia de uma traição histórica no universo do narcotráfico do Rio de Janeiro.

O bonde com cinco carros, dos mais velozes produzidos no país, entrou rápido pelo acesso da favela da Grota às dez horas da noite, hora de grande movimento do tráfico no Complexo do Alemão. Os faróis estavam desligados, as lanternas acesas, mas dava para ver que os carros estavam cheios de homens, que não se preocupavam em esconder os canos dos AR-15. Muita gente que andava pelo meio das ruas estreitas e planas da favela teve que abrir caminho correndo.

Eles chamaram a atenção de todos, mas já eram esperados.

— Aí, é o bonde do Uê — disse o motorista do primeiro carro da caravana ao ser interceptado na barreira de segurança da boca.

— Tá liberado!

— E o general?

— Vão até o Bar do Bigode. Malandro tá esperando lá.

Eles desceram apressados dos carros e explicaram ao enviado de Orlando Jogador ao Bar do Bigode que tinham a máxima urgência porque a situação de Uê era crítica. Minutos antes, o próprio Ernaldo Pinto de Medeiros, o Uê, chefão do morro do Adeus, já havia telefonado para pedir socorro a Jogador. Ele disse que tinha sido seqüestrado na avenida Brasil pelos soldados do Batalhão de Operações Especiais da PM, que estavam exigindo 60 mil dólares em troca de sua libertação.

— E os putos deram um prazo curto: querem a grana até a meia-noite — disse um deles ao enviado de Jogador.

Jogador achou a história verossímil. Extorsão mediante seqüestro não era uma prática rara entre alguns policiais desonestos que faziam repressão às drogas. O alto valor pedido também não causou estranheza, devido ao peso de Uê na estrutura informal do tráfico. Era o principal líder do Terceiro Comando e o segundo traficante mais forte do Rio de Janeiro. Ex-braço direito do famoso traficante José Carlos dos Reis Encina, o Escadinha, Uê começou no tráfico aos 17 anos como vapor do bandido já famoso. Depois da prisão de Escadinha, assumiu a condição de frente do morro do Adeus. Num período de cinco anos virou dono da principal boca e expandiu o seu poder para as favelas do Juramento, de Madureira, do Pára-Pedro e de Irajá.

Era natural que o ainda jovem traficante Uê, de 26 anos, fizesse o apelo ao único dono de morro que era mais experiente e poderoso do que ele. Embora estivessem em guerra pela disputa de algumas favelas da zona norte, Uê e Jogador havia mais de ano tinham decretado uma trégua. Estavam resolvendo as diferenças pelo diálogo, em encontros de cúpula que reuniam as duas facções criminosas, o Comando Vermelho, de Jogador, e a sua dissidência, o Terceiro Comando, de Uê.

Em meia hora, Orlando Jogador percorreu algumas favelas para reunir os 60 mil dólares e seguiu para o Bar do Bigode. Ao ser informado de que o general de Acari, Jorge Luis, dirigente do Terceiro Comando, estava à frente do bonde, resolveu fazer a entrega do dinheiro pessoalmente e levou junto o irmão Anderson da Conceição, seu tesoureiro, e os gerentes de suas principais favelas, conhecidos como os "12 de Ouro".

O encontro no bar começou num tom amigável, embora os homens de Uê demonstrassem ansiedade e pedissem pressa na busca do dinheiro.

— O patrão pode ser quebrado a qualquer momento, general — diziam.

— Calma, o dinheiro tá na mão — disse Jogador.

Orlando Jogador estava no centro de um semicírculo formado pelos homens de sua confiança. Trouxera com ele um AR-15 e duas pistolas automáticas presas à cintura. Conversou alguns minutos com Jorge Luis sobre um assalto ao Banco do Brasil ocorrido dias antes, que tivera a participação de alguns jovens do Complexo do Alemão. Um dos homens do bonde, com um telefone celular na mão, interrompeu a conversa para avisar que Uê estava na linha:

— Aí, o chefe está desesperado e que falar com o senhor, general.

— Traz aqui — ordenou Jogador.

Nenhum dos 12 gerentes de Jogador tentou se prevenir da situação vulnerável. Embora todos estivessem armados com fuzis, não notaram que os homens do bonde estavam estrategicamente posicionados: frente a frente, eram dois para cada um deles. A senha para desencadear o fuzilamento foi dada involuntariamente pelo próprio Jogador.

Para falar com Uê ao telefone, Orlando Jogador passou o fuzil da mão direita para a esquerda. Destro, pegou o celular com a direita. O inimigo aproveitou a mão ocupada para atacar, no exato momento em que ele atendeu à ligação.

— Alô, Uê?

Os AR-15 foram disparados simultaneamente e de forma precisa. Eliminaram Orlando Jogador e toda a cúpula de seu império: o irmão tesoureiro, o chefe dos matadores da quadrilha, os principais gerentes, os 12 de Ouro, além de dois soldados da PM acusados de prestarem serviço de segurança à boca. Minutos depois, o próprio Uê foi conferir pessoalmente o resultado da cilada. Mandou colocar os corpos no porta-malas dos carros e desová-los nas maiores favelas do Complexo.

— Avisem que a partir de agora quem manda sou eu!

■ ■ ■

A reação do Comando Vermelho começou no dia seguinte, com uma guerra que duraria mais de três meses, até a recuperação de parte dos cinqüenta pontos de venda tomados de Orlando Jogador pelo Terceiro Comando de Uê. Os combates quase diários no Complexo do Alemão contribuíram muito para o clima de insegurança na cidade e serviram de combustível aos críticos da política de segurança pública do governador Leonel Brizola, que então disputava as eleições presidenciais. A repercussão da violência na imprensa, agravada pela onda de seqüestros de empresários cariocas, contribuiu para uma intervenção federal armada contra as favelas da cidade, a chamada Operação Rio do II Exército.

As favelas da guerra entre Uê e Jogador foram uma das prioridades da operação, que envolveu vinte helicópteros, dezenas de tanques e veículos militares, 11 mil policiais civis e federais, 28 mil PMs e 17 mil soldados de infantaria do Exército. Como a expectativa era realizar prisões em massa de traficantes, navios da marinha foram preparados para receber os prisioneiros.

Chamada por alguns militares de cruzada salvadora, a operação Rio Feliz começou estrategicamente no dia 18 de novembro, 72 horas depois das eleições. Só não foi realizada antes porque os militares temiam que um fracasso pudesse influenciar no resultado das eleições a favor do candidato dos partidos de esquerda.

Nas vésperas da operação, o alto comando do exército prometeu que até o Natal os cariocas seriam libertados para sempre da opressão dos traficantes e dos contrabandistas de armas. Na prática, durante 30 dias a operação não passou de uma grande blitz contra 2,5 milhões de pessoas pobres dos morros, que moravam nas mais de 400 favelas existentes no Rio em 1994.

Durante aquele mês, os militares conseguiram reduzir em 20 por cento o movimento das maiores bocas de cocaína. Os números da violência contra o patrimônio também caíram, mas nenhum traficante conhecido foi preso. Apesar do alto custo da operação para os cofres públicos, 50 milhões de dólares, os benefícios não duraram muito tempo. Uma semana antes do Natal, quando os militares desocuparam os morros, o movimento das vendas de pó e de maconha voltou ao volume do passado. A violência também. Até o início de 2003, os índices dos crimes contra o patrimônio e contra a vida no Rio de Janeiro continuavam classificados entre os mais altos do mundo.

. . .

Na área restrita do crime, a guerra entre Uê e Orlando Jogador mudaria a estrutura das principais organizações de narcotraficantes do país. Para enfrentar os ataque em massa do CV, Uê se aliou a um traficante independente, Celsinho da Vila Vintém, assim que ele fugiu do presídio Miltons Dias Moreira, em outubro de 1994. Nesta data, os dois criaram a facção ADA, os Amigos dos Amigos.

A vingança definitiva do Comando Vermelho só aconteceria oito anos depois, quando Uê, ainda aliado de Celsinho da Vila Vintém, dividia com o rival do CV, Fernandinho Beira-Mar, o comércio clandestino atacadista de drogas no Rio de Janeiro. Na época, setembro de 2002, a polícia estimava que cada um vendesse mensalmente 500 quilos de pó, o que gerava uma renda equivalente a dois milhões de dólares. Embora fossem arquiinimigos, tinham seus QGs muito próximos, menos de 20 metros separavam um do outro, dentro da mesma cadeia onde estavam presos, a Bangu 1.

Condenado a 277 anos de cadeia, Uê comandava o tráfico de 35 favelas do Rio a partir do seu "escritório", a cela 6 da galeria D, reservada aos dirigentes do Terceiro Comando e de seus aliados da facção Amigos dos Amigos. A sua segurança pessoal era reforçada por uma dupla de homens de sua extrema confiança, os cunhados Carlos Roberto da Costa, o Robertinho do Adeus, que vivia na cela em frente, a 7, e Wanderley Soares, o Orelha, da cela 8.

A coincidência de Uê cumprir pena em companhia de familiares tinha uma explicação. Meses antes a polícia havia prendido 26 integrantes da sua quadrilha, formada por vários parentes em cargo de gerência, entre eles um irmão, uma irmã e os dois cunhados que foram encaminhados pelas Justiça à mesma galeria D de Bangu 1.

Uma parede de concreto separava a galeria D das duas galerias, A e C, reduto dos principais chefes do Comando Vermelho em 2002. Embora não pudessem ver uns aos outros, os homens das facções rivais havia meses trocavam ameaças de dentro das celas por meio de códigos próprios. Eles batiam com instrumentos na parede para emitir para o outro lado sinais de juras de morte.

Incomunicáveis também na hora de tomar sol ou praticar esportes, mesmo assim manifestavam o ódio recíproco, às vezes jogando bombas caseiras para o pátio de recreação do adversário. E todos os dias gritavam muitos insultos que eram ouvidos pelas quatro galerias.

— Tu vai morrê, Uê.

O mesmo grito de todos os dias anunciou o começo da vingança do Comando Vermelho na manhã do dia 11 de setembro. Dois carcereiros novatos no presídio haviam acabado de fazer o confere das oito horas da manhã e constataram que todos os 45 presos estavam recolhidos em suas celas, em aparente tranqüilidade.

Meia hora depois, ao serem chamados por um preso que pedia socorro médico pelo guardil de acesso à galeria C, os dois abriram as portas gradeadas de ferro para atender ao pedido sem desconfiarem de nada.

— Perdeu! Perdeu! — gritaram os presos rebeldes, que estavam armados e tinham o rosto coberto com camisetas. A dupla de carcereiros foi jogada ao chão, algemada e em seguida teve que abrir à força as salas onde estavam as chaves das outras galerias.

— Fica frio. O problema não é com os funcionários. Nossa parada é com os alemão da galeria D.

O grupo tomou as chaves dos carcereiros e foi até o principal hall da cadeia que dá acesso às quatro galerias. Entraram na ala da inspetoria para pegar uma escopeta e abriram os três portões que levam à galeria A, onde estavam mais 12 parceiros do Comando Vermelho. Todos foram libertados de suas celas, inclusive o mais temido deles, o chefão Luis Fernando da Costa, o Fernandinho Beira-Mar. Ele já os aguardava armado com uma pistola automática de fabricação austríaca, calibre nove milímetros com mira a raio laser.

Na rotina da cadeia, o sistema de revezamento dos carcereiros garantia a vigilância de doze homens por turno de oito horas. No dia 11 de setembro, apenas sete tinham ido trabalhar. Em cinco minutos todos foram dominados e amarrados às pilastras dos corredores e permaneceram ali durante parte da rebelião sob a ameaça de botijões de gás postos ao lado deles. Oito operários da obra do alojamento dos agentes penitenciários também foram feitos reféns. E tiveram que entregar as pás, as enxadas, os martelos e os ponteiros de ferro da obra, que viraram mais armas de guerra dos rebelados.

As ferramentas foram usadas para quebrar as câmeras e todos os equipamentos de vigilância eletrônica. E para atacar o inimigo. A partir deste ponto um dos homens mais exaltados, Márcio Nepomuceno, o Marcinho VP, teria assumido o comando das ações. A liderança tinha uma razão histórica na antiga rivalidade: foi Marcinho VP quem herdou do falecido Orlando Jogador as favelas tomadas por Uê na emboscada do Complexo do Alemão.

— Tu vai morrê, Uê!

— Vamo arrancá o coração, mané!

A primeira tentativa de invasão foi ao território dos rivais do Terceiro Comando, confinados na galeria B. Naquela hora, ao perceberem que a cadeia tinha sido dominada pelo CV, os presos da B começaram a gritar desesperadamente por socorro. Alguns deles, como Dani do Jacarezinho, Cagado do Vidigal e Miguelzinho da Ilha, fizeram uma barricada com colchões e todos os objetos das celas junto aos portões da entrada principal da galeria. Outros arrancaram as portas das celas para reforçar a barricada e puseram fogo para criar uma cortina de fumaça e dificultar a ação dos invasores. Mas foi uma arma "plantada" por Uê na galeria que salvaria a vida deles.

— Se invadi vai morrê — gritou o preso Renato Gabriel, o Tico do TC, ao disparar a pistola que estava escondida em sua cela. Bastou um único tiro para os rebeldes desistirem da invasão da galeria B e partirem para o ataque ao alvo principal: a galeria D, ocupada pelo pessoal do Terceiro Comando e da facção Amigos dos Amigos, ambas lideradas por Ernaldo Pinto de Medeiros, o Uê.

A resistência durou mais de dez horas. Os presos mais acuados amarraram os lençóis nas grades da porta da cela, entupiram com palitos os cadeados e tentaram quebrar os vidros blindados para escapar pela pequena janela no alto do fundo da cela. Três presos — Elpídio Rodrigues Sabino, o Pídio, braço direito de Uê, e seus dois cunhados, Orelha e Robertinho do Adeus — não resistiram por muito tempo.

— Aqui ninguém entra enquanto o serviço não estiver feito — disse Fernandinho Beira-Mar pelo o rádio HT aos policiais que chegaram ao presídio para negociar com os rebelados.

— Tu é o robô do Uê, rapá. Vamo arrancá o coração, aí!

Pídio foi o primeiro a ser dominado. Puseram nele um colete do uniforme dos carcereiros antes de começar as sevícias e os espancamentos.

O massacre seguido de um motim durou exatamente 23 horas. Mais de 300 soldados da Polícia Militar acompanharam as negociações do lado de fora dos grandes muros. Só entraram no presídio depois que Fernandinho Beira-Mar avisou, aos gritos, aos seus parceiros, que seu plano havia sido bem-sucedido.

— Tá dominado. Tá tudo dominado.

Os policiais da perícia técnica encontraram um cenário terrível no local da execução. No banco de cimento do hall da galeria estava o corpo de Pídio. E no piso, no meio de uma piscina de sangue, os dos cunhados e seguranças de Uê, Orelha e Robertinho do Adeus. Todos com muitas marcas das atrocidades e dos tiros de misericórdia.

Na cela 6, os peritos encontraram um monte de cinzas, prova de que Uê fora queimado enrolado em um colchão. Vários vidros vazios no chão indicavam que tinham sido usados para levar à cela o álcool, o combustível da execução. O crânio, embora esfacelado, ainda possibilitaria a comprovação de sua identidade nos laboratórios do Instituto Médico Legal.

O parceiro e sócio de Uê, Celsinho da Vila Vintém, também estava na galeria D, mas escapou ileso. As primeiras investigações apontaram que ele traiu o velho amigo. Meses antes, Uê teria tramado a execução de Fernandinho Beira-Mar. Teria negociado com o agente de segurança penitenciária, Marcos Vinícius Tavares Gavião, a "compra" das chaves das galerias por duzentos mil reais, equivalentes na época a 60 mil dólares.

Mas Gavião, segundo os promotores públicos, fez um "leilão macabro" com os dirigentes das organizações rivais. Informado do plano por Celsinho da Vila Vintém, Fernandinho Beira-Mar teria dobrado a oferta, pagando à vista 120 mil dólares ao agente Gavião para executar a vingança que os dirigentes do Comando Vermelho esperavam desde 1994.

O acordo com Celsinho da Vila Vintém também teria marcado o fim da guerra do CV contra a ADA, que passaria de inimiga à condição de aliada, como disse um dos presos aos jornalistas no fim da rebelião.

— O Terceiro Comando virou purpurina. E o Celsinho da Vila Vintém agora é Comando Vermelho. ADA e CV são uma coisa só. Vai ter paz no Rio de Janeiro.

■ ■ ■

As guerras e traições no tráfico, que em 1994 levaram à morte o amigo Orlando Jogador, na época abalaram Juliano. Ele quase desistiu de lutar pelo poder do morro.

Não imaginava que alguém pudesse ter a ousadia de fazer uma emboscada contra o ídolo que considerava intocável e, agravante maior, dentro do território dele. Impressionado com a dimensão atingida pela guerra do narcotráfico, achava que dificilmente voltaria a adquirir confiança para negociar operações conjuntas ou pedir apoio aos donos dos morros amigos. Era como se houvesse perdido as referências no meio das organizações criminosas.

Um ano depois, sem a retaguarda do ídolo para se recuperar do ferimento na clavícula, passou um tempo escondido no barraco alugado pela família numa favela da zona sul. E tinha outro forte motivo para se sentir isolado e frágil: Jogador era a segunda-perda importante que sofria desde a sua expulsão da Santa Marta, em 1993. A primeira tinha sido ainda mais grave e de ordem familiar, a perda do pai Paulista.

■ ■ ■

Os antigos parceiros do Comando Vermelho afirmam que Paulista começou a morrer quando se tornou especialista em pesquisa das grandes fortunas do Brasil. E sobretudo por usar os seus levantamentos para praticar um dos crimes mais antigos da humanidade, que privava os milionários do direito à liberdade, o crime de seqüestro.

As primeiras ações bem-sucedidas contra empresários ricos logo impressionaram os bandidos mais experientes. E deram a Paulista o prestígio, entre os dirigentes do CV, para comandar de dentro da cadeia de Bangu 1 a primeira quadrilha de seqüestro, de natureza não política, do Rio de Janeiro. Na rua, o chefe das operações era outro homem experiente, o amigo Calunga.

As ações de Paulista e Calunga no fim dos anos 80 e começo dos 90 eram ambiciosas. Eles só planejavam crimes que lhe dessem a certeza de faturar grandes valores, para enriquecer depressa e atuar cada vez menos.

Embora na época fosse novidade no Brasil, era o mesmo tipo de seqüestro praticado na China pré-comunista e nos Estados Unidos da época da lei seca, nos anos 20. Em outros períodos, como nos anos 70, os seqüestros ganhariam outras conotações em diferentes lugares do mundo. Em alguns países europeus, como na Itália, viraram instrumento de captação de recursos para financiar ações guerrilheiras de um grupo extremista de esquerda, as Brigadas Vermelhas. Mais de 500 famílias ricas italianas foram obrigadas a pagar um total de 150 milhões de dólares para resgatar seus parentes dos cativeiros.

Já na Argentina, no mesmo período, o seqüestro foi sinônimo de barbárie praticada pelos ditadores militares, que executaram mais de 30 mil pessoas que se opunham ao regime, principalmente militantes dos partidos de esquerda.

No Brasil, no início dos anos 70, o crime de seqüestro também esteve no centro da luta armada entre esquerdistas e militares de direita. Os guerrilheiros levaram para o cativeiro homens influentes, como os embaixadores da Suíça e dos Estados Unidos, e os usaram como moeda de troca para a libertação de militantes presos pela ditadura militar. Com o fim da guerrilha em 1972, essas ações de natureza política desapareceram. Os seqüestros só voltariam em grande número ao Brasil no final dos anos 80, sem conotações políticas, embora nos moldes dos praticados na Colômbia.

Entre os colombianos, os seqüestros eram praticados ao mesmo tempo por motivações políticas e delinqüência comum. As vítimas eram alvo de narcotraficantes e de guerrilheiros esquerdistas. Os seqüestros de natureza política eram praticados pelos guerrilheiros das Farc, as Forças Armadas Revolucionárias da Colômbia, e do ELN, o Exército de Libertação Nacional. Eles levavam para o cativeiro na selva empresários, fazendeiros e executivos de empresas multinacionais da área petrolífera. Usavam o dinheiro do resgate das vítimas para financiar a guerrilha.

Nos seqüestros de autoria dos narcotraficantes muitas vezes o desfecho foi a morte. As vítimas eram juízes, advogados, policiais, jornalistas ou qualquer profissional que se destacasse no combate ao comércio ilegal de drogas. Muitos deles foram mortos nos cativeiros subterrâneos, instalados em casas de áreas urbanas das principais cidades produtoras de pó.

Calunga e Paulista, criminosos comuns, trouxeram para o Rio uma mistura das duas formas de seqüestro colombianos. Dos narcotraficantes, copiaram os cativeiros urbanos, em geral pequenas casas de subúrbio da cidade. Dos guerrilheiros, absorveram as técnicas de longas negociações para pressionar o pagamento de altas quantias. No começo, só atacavam famílias ricas, exigindo fortunas para o resgate. E em poucos meses de atividade, já estavam influenciando a formação de outras quadrilhas no Rio e em cidades diferentes. Em São Paulo, em 1986, um executivo do maior banco privado do país teve que pagar quatro milhões de dólares para ser libertado do cativeiro. Quantias semelhantes também foram pagas por empresários, fazendeiros e donos de agências de publicidade. Vinte anos depois, a autoria de parte desses seqüestros ainda era desconhecida da polícia.

Apenas nos anos de 1990 e 1991 os valores dos resgates de empresários no Rio somaram 70 milhões de dólares. Aos poucos os seqüestradores cariocas foram reduzindo o valor exigido para o resgate, ampliando o número potencial de reféns e, por conseqüência, expandindo o mercado de seqüestros.

Levar para o cativeiro comerciantes e donos de pequenas empresas era uma ação de menor risco e mais lucrativa do que o assalto a mão armada. Por isso, no ano de 1991, muitos assaltantes do Rio viraram seqüestradores e provocaram a primeira "epidemia" desses crimes no país. Banalizada a ação, o valor médio dos seqüestros baixaria para trezentos mil dólares em média.

Nessa fase, os seqüestradores concentraram suas ações contra os novos-ricos da zona norte do Rio de Janeiro. Embora o patrimônio deles fosse em geral bem inferior ao dos milionários da zona sul, os pequenos empresários do subúrbio tinham muito dinheiro em espécie nos bancos, o que facilitava a tarefa dos criminosos. Dinheiro vivo agilizava as negociações e reduzia a necessidade de longas temporadas do refém no cativeiro.

Por causa da quadrilha de Calunga e Paulista, nenhuma categoria sofreu tanto quanto os empresários de ônibus. No ano de 1991 eles foram atacados dez vezes pelo grupo. A escolha da vítima era feita por Calunga, que guardava mágoas profundas do transporte coletivo da cidade. Ele cresceu vendo o pai sofrer com a condução que o levava de casa, no subúrbio, para o trabalho, no centro. O pai ascensorista era obrigado a acordar às cinco horas da manhã porque o ônibus da linha demorava quase duas horas para deixá-lo perto da firma, na Cinelândia.

Muitas vezes Calunga viu o pai viajar pendurado pelo lado de fora, pingente do ônibus superlotado. Ele nunca esqueceu do acidente que sofreu quando estava com a mãe, amontoados no corredor. O ônibus bateu na traseira de um caminhão e o jogou contra a janela de vidro. Calunga sofreu vários cortes no rosto e no peito, e a mãe, imprensada pela massa de passageiros contra um banco de ferro, fraturou uma das pernas. Naquele dia, Calunga jurou matar o dono da empresa de ônibus, que se negou a indenizá-los.

Ônibus velhos, malconservados, sujos, em número sempre insuficiente para atender ao volume de passageiros motivaram algumas revoltas violentas nos bairros vizinhos. Calunga e o pai estavam entre as pessoas que apedrejaram e puseram fogo nos carros. Dez anos depois, quando virou seqüestrador, Calunga resolveu se vingar. Tentou levar para o cativeiro os principais empresários de ônibus da região onde morava. Calunga tinha 29 anos e era analfabeto. Os erros de português e o ódio acumulado em muitos anos marcavam os diálogos dele durante as negociações do resgate com a família.

■ ■ ■

Depois da vingança contra os donos de ônibus, a dupla resolveu fazer um seqüestro perfeito, que garantisse um dinheiro suficiente para tirar Paulista da cadeia pela porta da frente. A reportagem de uma revista que destacava o sucesso de uma mulher no comando da indústria do refrigerante mais conhecido do planeta apontou o nome da vítima, Corine Coffin, diretora presidente de cinco fábricas da Coca-Cola no Rio de Janeiro, no Espírito Santo e em Minas Gerais.

No elenco de reféns potenciais elaborado por Paulista, Corine era a prioridade número cinco, atrás de dois banqueiros do Rio e de dois empresários da região serrana fluminense. Os donos de banco chegaram a ter seus hábitos investigados pela quadrilha, que pretendia extorquir deles grandes somas em dinheiro vivo, num tempo relativamente curto de cativeiro. Desistiram por causa da segurança pessoal: ambos viviam cercados de policiais contratados informalmente para vigiá-los 24 horas por dia.

Os empresários da serra de Petrópolis eram alvos mais fáceis. A única proteção que tinham contra eventuais ataques criminosos era a blindagem de seus carros particulares. Um deles era herdeiro da família imperial Orleans e Bragança. A freqüente exposição de sua imagem nos jornais e revistas de ricos e famosos pesava contra a sua escolha como refém. E como Paulista descobriu que o herdeiro do império era menos rico do que aparentava, eliminou-o da condição de seqüestrável.

O outro empresário que esteve na mira da quadrilha era dono de uma fábrica de móveis. Um fator particular o salvou do cativeiro. Não era muito querido pela mulher nem pelos filhos adultos. Ele tinha uma amante há muitos anos, circunstância que desfigurava o quadro familiar da vítima ideal de seqüestro. Paulista queria escolher uma pessoa que, na condição de vítima, causasse um trauma aos parentes. Sabia que uma família abalada ficava fragilizada durante as negociações, com tendência a ceder mais facilmente às exigências dos criminosos.

Renda anual de um milhão de dólares, casada, três filhos, Corine Coffin, 47 anos, era uma mulher sistemática, com uma rotina previsível. De segunda a sexta-feira passava uma jornada de dez horas na fábrica, onde chegava pontualmente às nove horas da manhã. Salvo eventual atraso provocado pelas reuniões vespertinas, às vinte horas já estava de volta à sua requintada cobertura dúplex de um prédio com vista para a lagoa Rodrigo de Freitas.

Sozinha no banco de trás da Mercedes, Corine acendeu a luz interna para ler o documento recém-enviado pela matriz americana. Era o começo de uma noite de primavera e, no meio do trânsito congestionado da hora do rush, ela nem percebeu que o motorista estava sendo interceptado por dois Tempra de cor escura.

A luz da leitura ajudou Calunga a ter certeza do alvo. Ele saiu rápido do carro, já apontando a metralhadora na direção do motorista da Mercedes. Simultaneamente dois homens da quadrilha avançaram por trás e bateram com as armas nos vidros da porta, ao lado do rosto de Corine. Aterrorizada, ela não conseguiu falar nada, nem mesmo orientar o motorista a se render.

Por confiar na blindagem da Mercedes, o motorista Roberto tentou reagir. Inclinou o corpo sobre o banco dianteiro para abrir o porta-luvas e pegar o revólver. Ele já estava com a mão na arma quando ouviu o pipocar dos disparos da metralhadora contra o pára-brisa. Aos empurrões, Roberto foi levado para o carro dos seqüestradores, assim como a patroa, que já estava encolhida entre dois homens no banco traseiro.

Duas horas depois a notícia do sucesso do ataque chegava ao co-autor do plano, recolhido à cela do presídio Milton Dias Moreira. Paulista brindou com cigarro e muito refrigerante, comprados a peso de ouro em sua galeria, mas fiado, com a promessa de pagar no futuro com os dólares da Coca-Cola.

A ambição era faturar a maior fortuna até então obtida nos resgates de seqüestro no Brasil. Por ordem e orientação de Paulista, a quadrilha começou exigindo três milhões de dólares e avisou que não tinha pressa de pôr a mão no dinheiro. Demorou dez dias para fazer o segundo contato.

Naquele momento, na casa de Corine, a família acompanhava as negociações orientada pelos policiais do DAS, a Divisão Anti-Seqüestro, com o reforço de um profissional americano especialista em negociação de resgate.

A tática do negociador americano era tentar surpreender os seqüestradores com negociações objetivas, sem valor emocional, para deixar bem claro a importância da vida da vítima para os dois lados envolvidos no crime. Por isso, negou de imediato a exigência de três milhões de dólares, dizendo que considerava o valor absurdo, ofensivo.

— Você está nos chamando de idiotas... Corine não vale nem 20 mil reais. Isso não é coisa de seqüestrador profissional — disse o negociador.

O contra-ataque de Paulista foi radicalizar ainda mais a negociação. Ameaçou matar o motorista Roberto e suspender os contatos por tempo indeterminado. Mas um problema grave de saúde fez Paulista e Calunga mudarem seus planos. Corine sofreu quatro derrames no cativeiro. O risco de vida levou-os a ceder nas negociações para devolvê-la mais depressa à família ou a algum hospital. No décimo terceiro dia de cativeiro, Corine foi libertada em troca de 10 por cento do valor exigido no início das negociações.

Para a família Coffin, o prejuízo maior não foi seqüestro em si, mas sua conseqüência. Um mês depois da mãe se recuperar dos derrames, os três filhos foram morar nos Estados Unidos. Corine e o marido mudaram-se para uma cidade do interior fluminense, onde passaram a viver sob a proteção de um exército particular de15 seguranças. Além dos fuzis e metralhadoras de sua guarda pessoal, Corine comprou um revólver para carregar na bolsa.

Entre os seqüestradores, o valor obtido com o resgate não chegou a ser comemorado, era baixo demais para quem planejara faturar milhões. Dos trezentos mil dólares do resgate, duzentos mil ficaram com Calunga, que distribuiu cinqüenta entre a quadrilha. Os cem mil de Paulista viraram uma poupança para, no futuro, tirá-lo da cadeia como planejara. No ambiente interno do Comando Vermelho o seqüestro da Coca-Cola, por causa de Paulista, ficou vinculado ao nome da Santa Marta.

■ ■ ■

Dois dias depois de sair da cadeia, em março de 1993, Paulista estava de novo envolvido num seqüestro para refazer a poupança abalada pelo tempo que ficou longe do crime. Dessa vez atacou o filho de um empresário da cidade fluminense de Magé. Nessa época, por orientação da polícia, a imprensa não divulgou o valor do resgate para não estimular outras ações. Mas era tanto dinheiro que no dia da partilha Paulista precisou convocar Juliano e toda a família para ajudar a contar as cédulas de dólar.

— Agora, basta apenas mais uma bola dentro e estaremos ricos para sempre — disse ele, enquanto dividia centenas de milhares de dólares com dez integrantes da quadrilha.

O próximo, de fato, seria o último.

Planejara com a mulher, Brava, atacar um empresário conhecido, do comércio varejista. A notoriedade da vítima, segundo seus planos, iria manter o caso no noticiário e isso facilitaria, para eles, o acompanhamento das investigações da polícia.

Ele ainda estava na fase da campana, a observação dos movimentos da potencial vítima, quando o plano chegou ao conhecimento de um policial que os conhecia desde a Grande Guerra de 1987, o delegado Hélio Vígio, que assumira em 1993 a direção da Delegacia Anti-Seqüestro. Nos seus primeiros meses no cargo Vígio desenvolveu um estilo de repressão que levou à morte de 13 seqüestradores dentro do cativeiro. Sem perceber que também estavam sob observação secreta do grupo do delegado Vígio, diariamente Paulista e a filha Diva acordavam às quatro horas da madrugada para seguir os passos do empresário nas areias da praia de Ipanema. Vestidos com roupas de maratonistas, eles se misturavam às pessoas que, como o empresário, caminhavam de um ponto a outro da praia para fazer exercícios. Era uma forma discreta de fazer o levantamento dos hábitos do dono de uma rede de supermercados, que pretendiam atacar em algum ponto de seu exercício matinal.

O plano era atacar o empresário na manhã de sábado, dia 29 maio de 1993, um dia depois do aniversário de Diva. Na véspera, Paulista reservou o dia para comemorar o aniversário da filha, que estava completando 24 anos. Depois de cantar os parabéns e de cortar o bolo, que encomendara de uma doceria do shopping Rio Sul, Paulista deixou seus homens na festa e saiu com um amigo, Jorge Arregalado, que o esperava de carro no Pé do Morro, para ir até o ponto da última reunião com os parceiros de planejamento do seqüestro na Tijuca, zona norte. Deixara combinado com Brava e Diva um encontro à noite na portaria do Tijuca Tênis Clube, para assistir ao show do cantor Fábio Júnior.

Depois da reunião com Calunga e Jorge Arregalado, os parceiros foram deixá-lo de carro na portaria do clube, onde a mulher Brava já o esperava. A filha Diva, que ficara mais tempo na festa da Santa Marta, avisou por telefone que estava a caminho. Foi a última vez que falou com o pai. Brava ainda ouviria algumas palavras de Paulista. Ela chegou a ouvir o barulho da emboscada da polícia na esquina do Tijuca Tênis Clube e não teve dúvidas de que eram tiros. Correu a tempo de encontrar o marido vivo.

— Paulista, Paulista!

— Era ele mesmo que eu queria, mulher! — teria dito o delegado Hélio Vigo sem ouvir resposta de Brava.

Calunga e Arregalado tinham sido fuzilados pela equipe de Vígio quando ainda estavam dentro do carro, no momento em que pararam no sinal da esquina. Paulista tentara escapar correndo, estava caído na calçada ao lado da porta aberta. E certamente também tentara usar uma granada. Chegara a tirar com a boca o pino de aço, que detona os explosivos. Quando Brava correu para socorrê-lo, Paulista agonizava. Ainda tinha a granada nas mãos e o pino de segurança entre os dentes. Brava encostou a cabeça do marido sobre o seu peito. O pescoço de Paulista tremia como se estivesse sob o impacto de choques elétricos. Balbuciava as últimas palavras quando Brava foi puxada pelos cabelos e arrastada para o camburão da polícia.

— Te prepara para contar tudo, sua piranha! — disse o policial, enquanto algemava os pulsos dela.

Paulista estava usando uma carteira falsa da Ordem dos Advogados do Brasil, detalhe que assustou os policiais. Num primeiro momento, acreditando que tivessem matado um advogado, preferiram levar o corpo ao Instituto Médico Legal como se fosse de um desconhecido. A imprensa nem chegou a divulgar a identidade dele como um dos mortos na Tijuca. Na época, a filha de Paulista, Diva, se queixou dos policiais que, além de terem destruído os documentos com as fotos dele, teriam sumido também com a aliança de ouro de Paulista, no caminho entre o local da morte e do reconhecimento do corpo no Instituto Médico Legal.

— Pô, sacanagem. Logo aquela aliança de ouro, que tinha dado um puta trabalho para meu pai roubá de um bacana, aí — disse Diva. Em 2002 ela voltaria a se queixar do mesmo investigador que teria confiscado a aliança de Paulista para uso próprio.

— Aquele filho da puta voltô aqui no morro para dar uma blitz. Fui vê perto e comentei com a minha mãe: Olhá lá, o puto continua com a aliança de ouro do papai no dedo.

■ ■ ■

Os policiais puseram Brava na viatura, e em vez de levá-la para a delegacia, foram interrogá-la na favela do Acari, na zona norte, com a esperança de que ela delatasse outros nomes da quadrilha de seqüestro de Paulista e Calunga.

Brava teria sido espancada com socos, pontapés e cacetadas numa rua de acesso à favela. Amarrada a um poste, chamada de mulher jogo duro pelos agressores, ela se manteve calada, sem chorar, sem dar gritos de dor.

Para humilhá-la os policiais teriam jogado Brava dentro de uma caçamba de ferro, cheia de lixo e entulho. Os mais irritados teriam disparado suas metralhadoras simultaneamente.

— O barulho das rajadas no ferro me deixaram surda, grogue... Achei que fosse ficar toda furada de bala...

Os espancamentos e a simulação de tortura duraram perto de uma hora, tempo suficiente para haver alguma reação do pessoal do Acari. Pelo menos é o que Brava esperava que tivesse acontecido. Mas nenhuma mulher ou criança apareceu para fazer pressão, como costuma acontecer durante as ações policiais nas favelas.

— A malandragem do Acari tá me devendo essa... Podiam pelo menos dar uns tiros pra zoar os homis... Mas nada... Tive que segurá sozinha, na moral.

Horas depois, Brava foi levada para a carceragem da Delegacia Anti-Seqüestro, que tinha a fama, entre os prisioneiros, de ser uma central de torturas escabrosas. Arrastada sob a chave de braço do policial, ela imaginou que estivesse sendo conduzida para uma sala especial de espancamento de mulheres. Cerrou os dentes e, pensando no que fizeram com o marido, decidiu continuar se negando a falar tudo que sabia.

Num lugar escuro e fétido, três policiais rasgaram suas roupas e puseram-na de bruços sobre um velho banco de madeira e passaram a bater em suas costas e nádegas com um cassetete de alumínio por mais de uma hora. Durante o primeiro dia, passou por várias surras idênticas e a cada intervalo era interrogada pelo delegado.

— Tu sabe tudo, não é mulher? — perguntou o delegado.

— Sei. Sei que tu vai morrê de praga, desgraçado — respondeu Brava.

— E tu vai ter que dar cinco seqüestros aqui na minha mão, sua bruxa.

— Vai pros fundos dos infernos...

Os espancamentos teriam se sucedido durante alguns dias, até Brava ficar com as pernas imobilizadas e apresentar intenso sangramento pelo ânus. Na fase seguinte, passou a ser arrastada, pelos braços e pelos cabelos, para os interrogatórios diários no gabinete do delegado. Teria ficado dez dias presa irregularmente, no chamado enruste, sem a devida comunicação à justiça. Única mulher na carceragem, era obrigada a dormir nua no chão de cimento do corredor entre as celas dos homens, sem luz, sem banheiro, sem comida.

O carcereiro era mestre em tortura psicológica.

— Hoje eu trouxe um colchão pra você — disse ele no dia em que entregou a ela um jornal com a notícia do fuzilamento da quadrilha de Paulista.

Pelo menos duas vezes por dia o carcereiro teria esguichado água sobre Brava para fazer a "faxina" do corredor fétido.

Brava correu sério risco de morrer por hemorragia, infecção, fome e sede. Foi salva pela solidariedade dos presos. Durante as sessões de espancamento eles gritavam que era covardia, batiam objetos nas grades em sinal de protesto. Nos intervalos da tortura, recortavam garrafas de plástico para improvisar uma pequena colher e servir gotas de água em sua boca, evitando a morte por desidratação.

Por ironia, alguns dos gestos solidários vieram de policiais. Havia 13 PMs presos na mesma carceragem por crimes de extorsão e seqüestro. Um deles, o tenente da polícia militar Fernando Rafael, chegou a ser castigado por protegê-la do frio. Ao vê-la febril, nua, trêmula na cela úmida, o tenente cobriu o corpo de Brava com a única camisa que tinha. Recebeu como castigo a perda do direito ao banho de sol. E foi obrigado a usar apenas sunga durante uma semana.

Brava encarou o gesto como uma lição de vida.

— Porra, cara! Sempre achei que polícia é tudo coisa ruim! — disse ela.

— E bandido é tudo gente boa? — perguntou o tenente.

— Tu é bicho homem, cara! — elogiou Brava.

— Só não gosto de covardia... — respondeu o tenente.

Sem nenhuma prova do envolvimento de Brava, embora tivesse certeza de que ela fazia parte da quadrilha do marido, a polícia teve de liberá-la assim que o advogado da família descobriu que ela estava presa clandestinamente na Delegacia Anti-Seqüestro. Antes de ir embora, teria discutido com o delegado Hélio Vígio.

— Desta vez não deu certo, né bruxa? — disse o delegado.

— Te espero lá no inferno, tu e a tua turminha dedo-mole — ameaçou Brava.

■ ■ ■

A morte de Paulista, que influenciava a trajetória dos filhos na atividade criminosa, levaria Brava a assumir o papel do marido. Nos momentos mais difíceis, como nos dias em que Juliano se recuperava do grave ferimento na clavícula, ela não saiu do lado dele e o incentivou a continuar sonhando com o poder da Santa Marta.

— Com a prisão do Claudinho ficô mole, meu filho — dizia a Juliano.

— Vamo precisá de muito apoio, mãe.

— Que nada... Quem ficô mandando lá? O Fernandinho, um senhor bosta. Ajudado pelo Germaninho, um senhor merda!

Órfão do pai veterano de crimes, sem um amigo poderoso na retaguarda, restava a Juliano o apoio dos parentes e parceiros dos tempos da Turma da Xuxa, que se mantiveram unidos e que já eram vistos como integrantes da nova geração do Comando Vermelho. E não eram muitos. Dos 16 do grupo original, Juliano só podia contar com cinco. Três estavam mortos: Renan, Adriano e Vico. Um, Luis Carlos, o Doente Baubau, enlouquecera e passava o dia pedindo drogas aos consumidores da boca. Soni estava cada mais envolvido na atividade de apontador do jogo do bicho. O antigo rival Claudinho continuava preso e, depois de ter mandado matar o irmão Raimundinho, era considerado um inimigo perigoso, um risco para sua virtual condição de dono do morro. Jocimar nunca se desviara de sua conduta de trabalhador, vigilante bancário. Depois das desilusões no crime, Flavinho e Mentiroso falavam em seguir para sempre a trajetória das pessoas honestas. Flavinho lutava para conseguir economizar e ser dono de um táxi. Mentiroso já era repórter free-lancer de ONGs, organizações não-governamentais de defesa de direitos humanos.

Juliano pretendia formar a base do seu grupo com os outros seis, Mendonça, Paulo Roberto, Rico, Luz, Alen e Du, embora tivessem seguido caminhos diferentes no crime.

Faltavam as armas. Queria comprar pelo menos dez metralhadoras e fuzis, mas o dinheiro que ganhara com a venda do caminhão de maconha não era mais suficiente. Havia gasto quase tudo para subornar os funcionários do hospital que o ajudaram a fugir e com as despesas desse período de recuperação na clínica clandestina. Só lhe restava o crédito com os fornecedores de maconha.

Resolveu fretar outro caminhão de coco turbinado, uma aventura mal planejada que acabou sacrificando dois homens do grupo durante o transporte da droga. Monitorado desde sua origem pelos agentes da Polícia Federal, a carga foi interceptada no caminho e, segundo a polícia, os dois jovens escalados para a missão, Amendoim e Anarriê, teriam resistido à prisão a tiros, sendo mortos.

Além de perder o pouco que tinha, Juliano ficou endividado com os matutos da maconha, o que costumava ser muito perigoso. Teve que agir rápido para liquidar a dívida e escapar das ameaças. Os contatos de Mãe Brava, muito respeitada entre os dirigentes do CV, ajudaram-no a conquistar, de última hora, o apoio da quadrilha de Dudu, o gerente-geral da Rocinha, que pôs à sua disposição dezenas de armas e mais de dez homens. Juliano apelou também para a influência de seu amigo missionário Kevin para tentar convencer os remanescentes da quadrilha inimiga a abandonarem o morro sem a necessidade de uma guerra.

Uma grande reunião entre os traficantes e as lideranças da comunidade iria acertar os destinos da boca. Participaram da reunião diretores da Associação de Moradores, os representantes da escola de samba, vários birosqueiros e um estudante de direito, Fernandinho, amigo pessoal do gerente Claudinho, que da cadeia ajudava a administrar o morro do patrão Carlos da Praça. E, com a ajuda de Kevin, Juliano também conseguiu participar por telefone. O missionário passava o celular de mão em mão para todos ouvirem as idéias do traficante e poder discuti-las diretamente com ele. Kevin intermediou a discussão.

— Tá sabendo, Kevin, desse negócio de o Juliano colá na idéia de voltá ao morro? — perguntou Fernandinho, cercado pelos seus soldados armados.

— Estou sabendo, sim. Ele anda telefonando, falando desse desejo — respondeu Kevin.

— Aí então, Kevin. Dá o desenrole com o cara, aí, que idéia é essa?

A assembléia culminou com uma longa conversa telefônica entre Juliano e Fernandinho, que reclamava:

— Ninguém qué mais você aqui no morro. Tá pensando que é o rei da coca-da preta, que tu vai voltá e a rapaziada vai fechá contigo, aí?

Intransigente, Juliano avisou que se não houvesse acordo atacaria na manhã seguinte. Ainda durante a madrugada Fernandinho recebeu uma mensagem da cadeia enviada pelo chefe preso e que iria definir a postura de seu grupo nas próximas horas. Claudinho informava que o patrão Carlos da Praça havia desistido de manter o domínio da Santa Marta, pois acabara de perder o respaldo do Comando Vermelho.

De manhã bem cedo, 37 famílias abandonaram seus barracos. Mais de cem pessoas expulsas desceram o morro com crianças e coisas no colo. Os traficantes derrotados seguiram junto, desarmados, com a cabeça baixa e mochilas nas costas. Já estavam sendo observados a distância pelos invasores armados, que ocuparam posições estratégicas.

Juliano era o novo dono do Morro.

■ ■ ■

Durante toda a manhã os moradores viveram a tensão de um morro sem comando, porque a mudança de chefia quase sempre envolvia retaliação, violência, combates. Dessa vez, a transição aconteceu de forma tranqüila, tão discreta que poucos perceberam a cerimônia de posse de Juliano, que começou com o pagamento de uma promessa. Ele reuniu os homens da quadrilha na praça das Lavadeiras e dali partiram numa espécie de procissão pelo beco que levava à bifurcação da birosca de seu Tomás. Na frente do grupo, Juliano carregava o fuzil Jovelina nas mãos. Era seguido pela quadrilha, numa fila indiana por causa dos corredores estreitos. Todos ainda estavam vestidos com o uniforme de guerra: tênis, bermuda, boné e, no peito sem camisa, muitas correntes de prata, cordões de couro com santinhos, guias de umbanda.

Parentes, amigos, curiosos desocupados e crianças foram engrossando a "procissão". Passaram direto pela birosca do Milton, pararam na do seu Tomás, que os brindou com uma rodada de refrigerante gelado, e subiram pela área descampada do grande incêndio de 1988. O destino era um dos pontos mais íngremes do Morro, a região dos rochedos. Do alto de uma das pedras, a Pedra de Xangô, Juliano anunciou que iria inaugurar uma praça naquele ponto para marcar a chegada deles ao poder na Santa Marta.

Atrás da grande pedra havia uma pequena área plana, de chão batido, limitada de um lado pelas rochas e de outro por penhascos de trinta metros de altura. Era um mirante, de onde os olheiros do tráfico vigiavam o movimento de quase todos os becos e vielas e também era um bom lugar para as crianças brincarem de soltar pipa. À noite, no passado, fora o ponto preferido da Turma da Xuxa para fumar maconha e admirar alguns dos cenários mais lindos do Rio, o Pão de Açúcar, do lado esquerdo, e do lado direito a lagoa Rodrigo de Freitas. Dali também era possível ver no alto da mesma montanha o monumento do Corcovado.

Alguns disparos de fuzil anunciaram a inauguração, que era uma homenagem ao parceiro assassinado na última emboscada do morro, a mando do próprio irmão. A partir daquele momento, por exigência de Juliano, todos deveriam chamar de praça o antigo mirante sem nome, praça Raimundinho.

Inaugurada a praça, Juliano voltou a subir na Pedra de Xangô para anunciar a nova diretoria da boca, cuja formação seguia o modelo criado pelo falecido Orlando Jogador, do Complexo do Alemão. Juliano reservou aos parentes os principais cargos de confiança. Da família adotiva, o irmão Difé se encarregaria do dinheiro, a contabilidade. Os cunhados Paulo Roberto, casado com a irmã de criação Diva, e Alen, irmão de uma das namoradas, Veridiana, e filho da mulher de sua iniciação sexual, Madá, ficaria com a gerência do pó e da maconha.

Em homenagem ao falecido Cabeludo, tiraria da chefia da endolação o ex-braço direito de Raimundinho, o evangélico Marco Ferrô, para pôr em seu lugar o sobrinho de seu ídolo Cabeludo, Mendonça. O único motorista do grupo, Careca, que já comandara as esticas, ficaria com a gerência de bondes motorizados. O inseparável amigo da infância, Du, teria o privilégio de escolher qualquer coisa que quisesse fazer na boca.

As outras funções foram distribuídas para amigos de outros tempos e jovens da quarta geração do Comando Vermelho. Destinou a dois dos mais experientes assaltantes da favela — Tucano, de 24 anos, e Tá Manero, 32 anos — as chefias de segurança dos três pontos-de-venda da boca. Em reconhecimento pela coragem demonstrada em várias situações de risco, indicou um adolescente de classe média, que morava fora da favela, Dager Othon Mandarino, o Rebelde, para o comando das pioneiras bocas de asfalto, as esticas. Apesar de ter completado apenas 15 anos, Paranóia já era considerado um veterano com oito anos de experiência, que o habilitava à chefia dos meninos olheiros. Escolheu Tênis para uma função bem particular: acompanhá-lo de perto, para ajudá-lo a carregar o fuzil. E de vigiar a arma quando ele se desfazia dela para ir ao banheiro, fazer as refeições, namorar. E, finalmente, para a chefia do serviço secreto, um mistério.

— Vai ser uma dupla. Mas como é secreto, fudeu, não dá para falar o nome, não — disse Juliano.

— Qual que é, Juliano. Tu já começô desconfiando de nóis, aí!

— Só vô dá uma pista... É a maior responsa desse morro.

Parte do segredo de Juliano não resistiria a cinco minutos de insistência.

— Quem quisé sabê que me siga... mas só a diretoria. Vambora.

O primeiro nome da dupla do serviço secreto seria revelado na primeira visita que fizeram a um morador do morro. O barraco era dos pais do adolescente Pardal, mas a visita era à amiga Luz, que se recuperava na casa dele de uma cirurgia de alto risco. Ela ficou emocionada ao receber do amigo Mendonça um ramalhete de flores.

— Vocês demoraram demais. Pensei que fosse morrê aqui no meio dos alemão, caralho! — disse Luz, que fizera uma cirurgia do miocárdio para implantar três pontes de safena.

— Qualé que foi, Luz? Porrada demais dos hômes dá nisso. É ou não é? — perguntou Juliano.

— Não brinca, não. Meu coração ainda tá apertado, aí. Mas a parada é outra, Juliano. A parada é outra...

— Tá na hora do trampo, Luz. Tem que saí logo dessa cama, mulhé, que agora a parada é nossa.

Para animá-la, Juliano falou de seus planos de incluí-la na diretoria da firma, mas Luz reagiu com indiferença. Ela só ficaria animada com a proposta depois de conseguir convencer alguns amigos a ajudá-la a se livrar do aperto que sentia no coração, mesmo depois da cirurgia.

— Não tem operação que resolva, aí. Eu preciso vingá a morte da minha mãe.

A própria Luz se encarregaria da formação do bonde, com apoio dos amigos de sua confiança, Careca, Paulo Roberto e Mendonça. Eles precisariam de um mês para completar a missão na favela de Rio das Pedras.

CAPÍTULO 20 | **CANSEI DE SER OTÁRIA!**

A primeira ação de Rebelde numa função de chefia do morro foi de ordem particular: salvar a mãe da opressão do padrasto. Reuniu um grupo de cinco adolescentes e invadiu o próprio apartamento onde morava em Laranjeiras, decidido a acabar com o casamento de 15 anos entre Júlia Mandarino e Antônio, o professor de judô.

O motivo eram as agressões sofridas pela mãe, devido às crises de bebedeira do padrasto. Para Rebelde, essa violência em casa representava a repetição das cenas que o traumatizaram na infância. No primeiro casamento, Júlia também foi muito agredida pelo pai de Rebelde, Ernesto. Ele guardou na memória a briga da separação dos pais, a que assistiu quando tinha cinco anos. Lembrava-se da mãe com uma faca de cozinha na mão tentando se defender do pai. E do pai enfurecido de ciúme, cuspindo no rosto dela e a agredindo a socos, que quebraram dois dentes.

Durante muitos anos Rebelde tolerou a violência do padrasto alcoólatra, porque nos períodos de abstinência Antônio parecia apaixonado por Júlia e era bom provedor da casa, a família dependia economicamente dele. Mas cansou de conviver durante toda a adolescência com as crises violentas do casal. Rebelde odiava o ambiente de tensão e não sabia o que fazer para proteger a mãe. Externava a sua insatisfação nas brigas com as empregadas domésticas, companhias obrigatórias na ausência de Júlia, que passava o dia inteiro trabalhando como secretária da UFRJ. Embora a mãe exigisse o contrário, Rebelde não tinha o menor respeito pela autoridade das empregadas, que nunca tiveram controle sobre ele.

Cheirou cola e cocaína durante dois anos e chegou a ser detido pela polícia sem que a mãe ficasse sabendo de nada. Embora falasse para Júlia em seguir a carreira de médico, aos 13 anos Rebelde já havia deixado a escola, onde estudou até a sétima série, para viver nas ruas em busca do dinheiro da droga. Durante dois anos também conseguiu esconder da mãe o primeiro revólver que pôs na cintura. Júlia só soube do envolvimento dele com furtos quando os vizinhos o flagraram roubando toca-fitas dos carros da garagem do prédio. A descoberta desestruturou ainda mais a família. O padrasto queria expulsá-lo de casa. Júlia tentou ajudá-lo, internando-o numa clínica psiquiátrica e o inscrevendo numa academia para prática de esportes.

Na academia de natação e capoeira em Laranjeiras Rebelde conheceu a turma de Juliano, que traficava pelas ruas do bairro próximas ao pé do morro. Bastaram poucas semanas de amizade para ele ser integrado ao grupo como vapor de uma das "esticas" do asfalto e, eventualmente, na função de olheiro de segurança da base da boca na favela.

No dia em que Rebelde entrou entusiasmado em casa, levantou a mãe do chão com um abraço e disse que a vida deles iria sofrer uma mudança radical, Júlia ainda não sabia do envolvimento do filho na quadrilha de Juliano.

— Hoje vou mudá a sua vida, mãe, se prepare que o bagulho é sério.

No trabalho, Júlia nunca ouvira falar do nome de Juliano entre os amigos e colegas do meio acadêmico. Embora morasse perto da favela, em Laranjeiras, também jamais ouviu o nome dele nas conversas dos vizinhos sobre a ameaça de violência que a Santa Marta representava. Só quando o filho explicou melhor qual era a novidade do dia, Júlia entendeu o vínculo entre Juliano e o significado do bagulho sério.

— Juliano é um gênio, mãe. Sem dá um único tiro, é o novo dono da Santa Marta — disse Rebelde.

— E daí, meu filho? — perguntou Júlia.

— E daí que ele é meu grande amigo.

— Que história é essa? Dono! Por acaso morro se compra e se vende? — perguntou Júlia.

— Dono é o que manda, é o que garante atividade pra rapaziada, grana, boa grana com a venda de sal — explicou Rebelde.

— Sal...

— Droga, né, mãe. Pó, maconha... Eu quero uma coisa e a senhora vai concordá de qualquer jeito — disse Rebelde.

— O quê? — perguntou Júlia.

— Vô morá na favela — disse Rebelde.

Antônio assistia à TV no sofá da sala e levantou-se para discutir com o enteado.

— Você virou bandido, é? Então rua, rua! — gritou Antônio.

Antônio ameaçou agredi-lo com golpes de judô, mas foi surpreendido. Rebelde sacou uma pistola da cintura e apontou para o seu rosto.

— Você é que vai pra rua. Nunca mais bate na minha mãe, seu covarde — disse Rebelde.

Júlia tentou contornar.

— Não, meu filho!

Mas Rebelde estava decidido.

— Manda esse cara embora, já! Ou eu chamo a minha turma, que tá na portaria, pra carregá o cadáver dele.

■ ■ ■

No dia seguinte Rebelde subiu as escadarias da Santa Marta com vários sacos de plástico cheio de coisas da sua mudança para um barraco abandonado pelo inimigo e cedido a ele pelo patrão Juliano. Ao lado dele, a mãe Júlia também carregava a sua parte da mudança. Os dois choravam de felicidade, emocionados, pela atitude radical de amor da mãe. Júlia passara a noite tentando convencer o filho a desistir da idéia de morar na favela. Quando percebeu que Rebelde iria embora de qualquer jeito, decidiu seguir o mesmo caminho. Resolveu fechar o apartamento, pegar algumas coisas básicas e mudar com ele para a Santa Marta. A esperança de Júlia era continuar perto dele e, aos poucos, tentar convencê-lo a sair do tráfico, conduzi-lo para uma vida mais adequada a um jovem de classe média. Depois de já tê-lo internado em clínicas de recuperação de dependentes químicos, Júlia não acreditava mais na solução dos especialistas.

Ela nunca havia entrado numa favela antes de subir as escadarias que pareciam intermináveis e exigiam um esforço enorme para vencer os degraus, alguns com meio metro de altura. Ofegante, estava encharcada de suor por causa do sol forte quando entrou no beco sem identificação, um labirinto de concreto coberto pelo piso das casas construídas sobre pilares enormes e que os moradores chamavam de beco das Maravilhas. Começou a sentir dor de cabeça por causa da sensação de abafamento e do forte fedor que exalava das valas escuras abertas pelo caminho.

— Não sei se vou agüentar esse cheiro, meu filho. Tem algum esgoto vazando, não é possível.

— É assim mesmo, mãe. O esgoto corre direto no meio das casas. Com o tempo a gente acostuma.

Ficou impressionada com a proximidade dos barracos, grudados uns aos outros, separados pelos estreitos e tortuosos corredores. Pelo caminho, a maioria dos barracos tinha portas e janelas abertas, revelando cenas da atividade das pessoas dentro de suas casas, e Júlia ficou impressionada com a quantidade de homens desocupados em plena manhã de segunda-feira... Recebeu as boas-vindas de dezenas deles pelo caminho.

De imediato, ao entrar na sua nova casa ficou chocada com a perda de cidadania que sofrera. A começar pela ausência dos códigos de referência de moradia. O seu novo endereço, rua Jupira, 72, não tinha nada a ver com o barraco onde iria morar no beco da Verinha. Era, na verdade, a referência postal de todos os moradores do morro, o endereço da quadra da Escola de Samba Unidos da Santa Marta, para onde se destinam todas as correspondências da favela. Jupira, 72, era também a resposta padrão dos criminosos do morro quando precisavam informar seus endereços à polícia, à justiça e à imprensa.

A descoberta de que não havia ruas, mas caminhos estreitos, cheios de pedras e escadarias tortuosas, convenceu-a de que o carro que deixara na garagem do apartamento seria completamente inútil. Decidiu vendê-lo para investir na reforma do barraco de três cômodos, repleto de frestas nas paredes, goteiras no teto e que tinha o banheiro separado, do lado de fora da casa, sem rede de escoamento até o valão do esgoto. Júlia demorou a se acostumar a não ter telefone em casa e à falta de água e luz durante várias horas do dia. No início ficou impressionada sobretudo com a quantidade de ratos pelas áreas de circulação de crianças e adultos.

Aos poucos foi percebendo as perdas das antigas amizades e da relação que tinha com os parentes. Eram moradores dos bairros de classe média e todos se afastaram dela. Como se tivesse mudado para o outro lado do mundo, perdeu o contato até com os padrinhos de Bruna, sua filha de oito anos, que moravam a menos de meio quilômetro da favela.

No começo, o barulho de tiros a desesperava. Corria para proteger a filha embaixo da pia da cozinha, único lugar da casa com dupla parede de alvenaria. Com o tempo, aprendeu a identificar diferenças importantes no ruído dos tiros. Descobriu que um disparo isolado ou vários concentrados num ponto do morro indicavam treinamento dos guerreiros da boca. Explosões em diferentes áreas eram sinais de invasão da polícia ou de guerra contra os inimigos.

Descobriu também os códigos sonoros dos fogueteiros do tráfico. As explosões dos rojões tanto podiam indicar a chegada de uma nova carga de droga quanto alertar para a invasão da polícia. Morava perto da boca, mas só depois de mais de um mês, com muita insistência do filho, foi visitá-lo na sua base de atividade.

Encontrou dezenas de pessoas em volta do ponto da boca e logo identificou quais eram os traficantes, porque exibiam armas enormes que já conhecia por foto e imagens da TV. Foi surpreendida pela cena. Imaginara encontrá-los dentro de um prédio, cheio de trancas e grades de ferro, com sentinelas por todos os lados. Demorou a acreditar no que viu. Os homens estavam numa bifurcação de duas vielas, numa área de diâmetro não superior a quatro metros, de grande movimento, sem delimitação de espaço, sem uma mesa, cadeira, nada.

— Cadê a boca, meu filho? — perguntou Júlia.

— Isto é a boca, mãe — respondeu Rebelde.

— Mas cadê o esconderijo? Assim, no meio da rua, como é que ninguém prende vocês?

Era início da noite de uma sexta-feira e havia fila de usuários comprando drogas. Um dos vapores era a irmã de Juliano, Diva. Tinha dois sacos de plástico pendurados na cintura: um cheio de cocaína e outro de maconha. Ao lado dela, um homem se encarregava de recolher o dinheiro acumulado e levar para longe dali, para o chefe de plantão, Tá Manero. Júlia nem se deu conta, mas a cúpula da boca estava quase toda ali, inclusive o próprio dono. Juliano teve que se apresentar:

— Seja bem-vinda, a senhora é mãe do Rebelde? — perguntou Juliano.

— Quem é você? — perguntou Júlia.

— Eu sô o Juliano, amigo do seu filho.

— Ele te chama de patrão.

— Aqui ninguém manda em ninguém... Somos uma irmandade, com a proteção de nossa santa padroeira.

— Por favor, proteja meu filho — pediu Júlia.

— Teu filho é maravilhoso. Ele terá a proteção dos santos guerreiros.

Júlia achou Juliano mais simpático do que esperava. Mas não alimentou muita conversa com ele. Logo voltou para casa acompanhada por Mendonça e Paulo Roberto, que estavam armados com escopetas. Eles foram escalados por Juliano para protegê-la pelo caminho, para ela se sentir mais segura num ambiente que ainda lhe parecia hostil e desconhecido.

— Mulhé corajosa, a tua mãe — disse Juliano para Rebelde.

— Quero morrê antes dela, Juliano. Ela é tudo pra mim — disse Rebelde.

— Corajosa e muito bonita, que coroa, hein? — provocou Juliano.

— Por que tu acha que eu sô bonito assim? — disse Rebelde.

Aos poucos, mais adaptada, Júlia percebeu que, apesar de todo o risco e precariedade da favela, ela estava levando uma vida privilegiada em relação à de outros moradores. Pelo fato de ser mãe de um dos homens da cúpula, desde a sua chegada sempre teve a sua disposição algum jovem da boca para fazer consertos no barraco ou carregar pacotes e sacolas na subida das escadarias.

A rápida ascensão de Rebelde, que, além de chefe das esticas, se tornou homem de confiança de Juliano, traria também vantagens financeiras. Sob novo comando e sem conflitos, a boca triplicou o volume de vendas em meio ano. O filho passou a receber cinco vezes mais do que ela ganhava como secretária da creche da universidade.

Rebelde trazia para casa sacolas cheias de dinheiro arrecadado nos plantões de cada gerente. Um dia, em vez de sacolas, trouxe um malote abarrotado. Juliano e o chefe dos plantões Tá Manero passaram horas na sua casa fazendo a contagem e a divisão dos valores. Curiosa e preocupada, Júlia fingiu que estava dormindo e descobriu que o dinheiro viera de um assalto a banco.

— Meu filho, até onde isso vai chegar?

— Mãe, não tem diferença. Se é tráfico, ou outra parada... Tou nessa, tenho que ir fundo — explicou Rebelde.

Mesmo sem gastar dinheiro com munição, pois a tomada da boca tinha acontecido sem tiroteio, Juliano precisava de muito dinheiro para pagar as dívidas com os matutos de maconha do Nordeste e ainda fazer compras de armas, para reforçar a segurança contra uma possível reação dos inimigos. Por isso, aproveitou as informações sigilosas de uma agência do Banco do Estado do Rio de Janeiro, oferecidas por um funcionário que morava na Santa Marta, para fazer um assalto.

A ação fora planejada por Tucano e Mendonça. Juliano cedera as armas da Rocinha, que, desde a retomada do morro, ainda não haviam sido devolvidas, e convocou três de seus melhores homens: Careca, para dirigir o carro, Rebelde para dar cobertura armada, e Paulo Roberto para acompanhar a dupla de comando na invasão ao banco. E também contratou uma prestadora de serviço, a ambulante Noêmia, para transportar o malote roubado do Jardim Botânico até a favela dentro de seu carrinho de venda de pipoca.

No final do dia, reunido na casa de Júlia, o grupo que participou do assalto assistiu na TV a uma reportagem sobre o roubo. Rebelde vibrou por se reconhecer nas imagens da reconstituição do assalto.

— Olha lá, Juliano. Aquele que tá enquadrando o vigia sou eu, cara! — gritou Rebelde.

O assalto rendeu para Rebelde a compra de um aparelho de CD, de um ventilador para espantar os mosquitos na hora de dormir e de um vestido que deu de presente para Júlia, com uma exigência.

— Veste. Desfila com ele pra eu vê, mãe — disse Rebelde.

O resto da sua cota no roubo, o equivalente a 1.500 dólares, depositou numa poupança em nome de Júlia, que ficou assustada com a atitude do filho.

— Muito obrigada, meu filho, mas isso não é certo, isso suja o meu nome.

— Na próxima vez vô te dá uma bela casa, mãe — prometeu Rebelde.

Meio ano de vida na favela bastou para Júlia esquecer o choque da mudança. Já não sofria por causa da separação nem sentia saudades dos parentes e antigos amigos. Tinha se demitido do emprego na creche porque cansou de trabalhar dez horas por dia pelo equivalente a 300 dólares de salário. A atitude pegou de surpresa o próprio filho, que ficou desconfiado:

— O que deu em você pra estar revoltada, assim? — perguntou Rebelde.

— Cansei de ser otária, meu filho — respondeu Júlia.

— Isso é papo de bandido. Quem tá fazendo a tua cabeça?

O homem era um dos dirigentes da boca, o chefe dos plantões, Tá Manero. Um namoro conquistado com ajuda nos serviços da casa, proteção nas horas de risco, presentes e gentilezas, muitas gentilezas. Júlia demorou a falar do romance ao filho. Ela sabia que Rebelde rejeitaria qualquer namorado do morro.

— Tá Manero, qué dizê que você tá de caso com um bandido? — perguntou Rebelde.

— Ele é um homem diferente — retrucou Júlia.

— Claro, sete anos de cadeia, assalto, tráfico...

— Mas ele me trata como uma rainha, meu filho.

— Isso até a hora que te dé a primeira porrada.

O romance envolvia a mãe do chefe das esticas com o chefe dos plantões, ambas funções de confiança da boca. Era um caso para ser julgado pelo dono do morro. Nos primeiros meses de poder, Juliano já havia mostrado que gostava de interferir na vida de todo mundo. Tinha convocado reuniões com os dirigentes da Associação de Moradores e com as lideranças do samba, do funk, do futebol, das igrejas. Ainda era muito temido por causa da matança dos tempos em que dividia a gerência com Claudinho e Raimundinho. Preocupado em mudar a sua imagem, vinha fazendo o papel de juiz e de conselheiro das famílias em crise. Quase sempre era chamado para resolver os conflitos. Mas no caso de Júlia, como envolvia seus homens, Juliano tomou a iniciativa tão logo soube que Rebelde ameaçou matar Tá Manero. Teve uma conversa a dois com Júlia.

— Isso é um absurdo, Júlia! Teu filho tem razão — disse Juliano.

— Mas Juliano, o namorado é meu, não é dele — ponderou Júlia.

— Ele é teu filho. Tem obrigação de te protegê dos bandido — disse Juliano.

— E por acaso meu filho também não é bandido? — perguntou Júlia.

— Por isso mesmo! Ele sabe do perigo que a mãe dele vai corrê! Você não veio pro morro pra tirá ele dessa vida?

— Agora quem quer ficar sou eu.

— Pois é, quem te viu e quem te vê.

— Nunca tive um homem assim na minha vida, Juliano.

— Mas o Tá Manero é casado, Júlia.

A solução de Juliano para o caso foi o afastamento temporário de Júlia da favela, com esperança de que ela esquecesse Tá Manero. Tirou dinheiro da boca para financiar uma viagem dela com o filho Rebelde ao litoral do Espírito Santo. Mas não resolveu. Era para ficarem no mínimo um mês na praia, mas os dois decidiram voltar muito antes. A saudade do amor e da guerra trouxe os dois, em uma semana, de volta para a Santa Marta, decididos, por exigência de Rebelde, a cobrar um compromisso sério de Tá Manero.

— Você tem que prometer: se alguma coisa acontecer comigo, você vai cuidar da minha mãe — exigiu Rebelde.

— Fica tranqüilo. Ela é a mulher da minha vida! — prometeu Tá Manero.

Júlia também teve que ceder, aceitar que Tá Manero mantivesse uma segunda mulher. Acreditou na promessa dele.

— Um dia vô me separá total. Mas agora preciso manter o leite das crianças — explicou Tá Manero, que além de casado, tinha dois filhos. O romance tornado público exigiu mudanças na vida de Júlia. Ela teve que descobrir no morro um lugar com características de esconderijo, pois Tá Manero tinha uma vida clandestina, era foragido da justiça havia sete anos. Escolheram um barraco perto da boca, num terreno com boa vista e várias opções de fuga. Providenciaram vários pequenos orifícios de observação nas portas e janelas. Desenvolveram o hábito de regular o som do rádio e da TV no volume mínimo. E ensinaram a cadela da casa a aprimorar o faro para identificar os passos do inimigo.

Júlia acostumou-se a passar a madrugada com a filha de oito anos, enquanto o amante e Rebelde cuidavam dos plantões da boca. Gostava de acordar cedo para vê-los subindo as escadarias de volta para casa, com os fuzis no ombro. Rebelde invariavelmente usava boné com a aba virada para trás, camiseta e calça de moletom com uma das pernas arregaçada e tênis branco. E sempre cumprimentava os primeiros trabalhadores que desciam apressados as vielas rumo à cidade.

Era ainda novata no morro, mas já sabia, pela convivência com o experiente Tá Manero, que as primeiras horas da manhã eram as de maior perigo. Tanto os traficantes inimigos quanto os policiais, quando não conheciam bem a favela, evitavam atacar no escuro da noite. Preferiam agir de manhã cedo, quando eram maiores as chances de encontrar os homens exaustos, já em final de plantão.

Tudo andava tão tranqüilo sob o comando de Juliano, que Júlia não ficou muito assustada ao ouvir alguns tiros na madrugada chuvosa de uma quinta-feira. Mas os filhos acordaram preocupados com o tipo de ruído de tiro que ouviram. De folga no plantão, Rebelde, Funfa e Faquir dormiam na sala da casa de Júlia e não tinham nenhuma obrigação de vigiar as divisas e os acessos da favela. Imaginaram que fosse um possível ataque à boca e então resolveram agir sem pensar muito.

— Vamo vazá! Vamos vazá! — gritou Faquir e saiu pela porta, com Funfa atrás dele.

Rebelde pegou rapidamente o fuzil, um pouco de munição e já na porta para sair também, avisou à mãe:

— Vou ali rápido na boca ver o que tá acontecendo e já volto.

— Você está descalço, não esquece o tênis.

Em seguida, Júlia viu, por uma das frestas de observação da porta, um grupo de policiais passando pelos becos apontando as armas para todos os lados. Minutos depois, a ação dos mesmos policiais era acompanhada de outro barraco, 200 metros acima, por uma missionária peruana que trabalhava na favela. Escondida atrás das cortinas da janela semi-aberta, ela assistiu à prisão de Rebelde. E o viu ser amarrado a um poste e espancado, aparentemente porque tinha sido confundido com Juliano.

— Tu é o dono aqui, seu safado. Confessa, porra! — gritou um policial.

Rebelde tentou pedir socorro para os vizinhos.

— Avisem a minha mãe, eles tão me matando — gritou Rebelde.

Um tiro na nuca derrubou Rebelde no chão. Uma rajada de metralhadora nas costas acabou de matá-lo.

Assustada com os tiros, Júlia correu para o andar de cima da casa e abriu a janela do quarto. Viu os policiais em frente da sua casa carregando o filho enrolado num cobertor. Desesperou-se. Correu para a rua gritando por socorro. Ao constatar que Rebelde estava morto, tentou esmurrar os PMs. As vizinhas tiveram que segurá-la a força. Enquanto os policiais se afastavam, Júlia gritou com toda força os nomes dos PMs que levaram o corpo morro abaixo.

— Nunes, filho da puta! Russão, filho da puta!

A missionária denunciou a execução de Rebelde no Batalhão da Polícia Militar. E no velório, ao lado da mãe, contou tudo o que tinha visto para vários repórteres. Revoltada, Júlia também deu várias entrevistas, omitindo que o filho era da quadrilha de Juliano. E pediu punição severa para os assassinos.

Juliano decretou luto na favela, liberou os homens das atividades e pagou as despesas fúnebres. Não esqueceu de realizar um desejo de Rebelde, o de ser enterrado com flores brancas. Encarregou a irmã Zuleika de encher o caixão de rosas brancas. E de providenciar a compra de roupas e sapatos brancos da Toulon, a preferida do amigo.

Nenhum parente estava entre as dezenas de amigos e namoradas que foram ao cemitério São João Batista. Mas o velório estava cheio de amigos, e principalmente de amigas. Júlia contou 22 meninas da Santa Marta que a chamaram de sogra no enterro. Pelo menos duas, Fabiana e Nicole, estavam grávidas havia mais de meio ano.

Meses depois da morte de Rebelde, as duas namoradas grávidas deixaram os herdeiros para a avó criar. Fabiana abandonou o bebê na própria maternidade e sumiu do morro. E Nicole foi morar em Paris, sem a criança, a convite de uma organização religiosa francesa.

Até ser preso, dias antes da virada do século, Tá Manero cumpria o pacto que fizera com Rebelde. Continuava gentil e apaixonado por Júlia. Embora não tivesse prometido, assumiu criar os órfãos, Dager Rafael e Nicole Cristine, como se fosse o verdadeiro pai. As duas crianças, aos três anos de idade, já eram muito apegadas a Tá Manero. O menino assistiu à sua prisão na favela e reclamou muito.

— Pulixia não presta, mamãe. Pulixia prendeu papai Tá Manero. Pulixia matou papai Rebelde.

PARTE II

TEMPO DE MORRER

CAPÍTULO 21 | WELCOME MICHAEL JACKSON

Rebelde pintado em letras vermelhas de sangue sob o fundo preto de luto. Juliano passou uma semana desenhando o nome do amigo e de outros 23 homens de sua geração mortos na guerra do tráfico de sua comunidade. Depois os mandou imprimir numa camiseta, uma singela peça de marketing da maior festa de todos os tempos da comunidade: as gravações de um clipe de Michael Jackson na Santa Marta.

Para recepcionar o astro americano, Juliano usou seus conhecimentos de desenho para escrever numa faixa, que seria fixada no alto do morro, o que gostaria de falar diretamente a Jackson: "Welcome to the world... not the wonderful world... but humble world of the poor people." (Bem-vindo ao mundo... não a um mundo maravilhoso... mas ao mundo humilde dos pobres.)

A Santa Marta ainda disputava com a Rocinha a escolha como cenário das gravações do clipe da música "They don't care about us", de Michael Jackson. Juliano achou que o nome da música — "Eles não se importam com a gente" — sintetizava a condição de quem mora nas favelas do Brasil. Empolgado, convenceu seus homens de que o clipe era importante porque mostraria para o mundo as condições miseráveis da vida de suas famílias. Mesmo antes de saber qual seria o morro escolhido pelos americanos, exigiu o empenho de todos para transformar as gravações de Jackson num grande evento comunitário, como a marca da chegada de sua geração ao poder da favela.

Juliano tinha conseguido eliminar seis favelas concorrentes da lista de oito pesquisadas e fotografadas pela Skylight, a empresa brasileira encarregada de produzir as gravações do clipe. Faltava apenas o diretor de cinema Spike Lee decidir qual das duas escolheria. Contava ponto a favor da Santa Marta o bom relacionamento de Juliano com o produtor Jorge Ben, encarregado pela Skylight de fazer o contato com o dono do morro.

Juliano o conhecia dos tempos em que Jorge era adolescente infrator e morava na favela do Jacarezinho. Depois de seu último roubo bem-sucedido, comprou uma caminhonete e passou a trabalhar como produtor independente de cinema. As afinidades entre Jorge e Juliano se estendiam à linguagem e aos códigos de honra. Como Juliano "empenhou a palavra", garantindo tranqüilidade e segurança para as gravações de Michael Jackson, Jorge escreveu no seu relatório de produção que, se dependesse dele, a favela escolhida seria a Santa Marta.

A equipe de filmagem americana concordou com a escolha dele. Preferiu as condições de segurança oferecidas pela Santa Marta, além de outras vantagens adicionais: estava perto da produtora Skylight, com sede em Botafogo, o que facilitaria as comunicações via rádio durante as gravações. Também pesou na escolha o fato de a favela ser menor, sendo mais fácil controlar os curiosos do que na enorme Rocinha com seus 200 mil habitantes.

O fator decisivo, prioridade do diretor Spike Lee, foi a paisagem deslumbrante com seus contrastes: à frente do morro está o espelho da lagoa Rodrigo de Freitas, cercada de prédios luxuosos; atrás, o mar da baía de Guanabara; à esquerda, a montanha banhada pelo mar, que forma uma das imagens mais conhecidas no mundo, o Pão de Açúcar; e à direita, outro cenário carioca famosíssimo, o Corcovado e várias favelas, entre elas a Santa Marta, que nunca aparecem nos cartões-postais embora estejam aos pés do Cristo Redentor.

Dias antes das gravações, a vinda de Jackson ao Brasil ainda não estava confirmada devido à polêmica diplomática gerada pelo clipe. O então secretário estadual de Comércio e Turismo do Rio de Janeiro, Ronaldo César Coelho, e o ministro dos Esportes da época, Edson Arantes do Nascimento, o Pelé, promoviam uma campanha contra a gravação do clipe na favela. Alegavam que a exposição da pobreza dos morros brasileiros era negativa para a imagem do país no exterior. Juliano usou o sistema de alto-falantes da Associação de Moradores para protestar contra a posição das autoridades. Botafoguense fanático, tinha suas restrições ao ministro por causa de uma controvérsia do futebol. Em vez de Pelé, considerado como o melhor jogador brasileiro de todos os tempos, o seu preferido era o genial ponta-direita de seu time, Garrincha. Também no plano pessoal, nunca gostou de Pelé por causa da sua postura conservadora diante das questões sociais. No microfone da associação, Juliano misturou futebol e política para rebater os argumentos do ministro dos Esportes: "Garrincha, sim, era um gênio: era a alegria do povo sem jamais se envergonhá da nossa pobreza..."

A expectativa da vinda de Michael Jackson levou um clima de euforia à boca, que já estava em expansão. Havia três meses que as dívidas do caminhão de maconha tinham sido zeradas com o dinheiro do assalto ao Banerj. O movimento nos pontos-de-venda era menor do que no passado, mas os lucros estavam crescendo e os salários também.

A contabilidade da firma, sob o controle rigoroso do irmão de criação Difé, mostrava que nos pontos de venda do preto, a maconha, com o consumo de dez quilos mensais, gerava quatro mil dólares de lucro, 300 por cento do valor investido. Nos pontos de cocaína, os gastos com a matéria-prima eram maiores: pagavam sete mil dólares ao fornecedor por quilo do pó, que era transformado em três com a adição de farinha, de fermento e xilocaína. Esse volume gerava a produção de 800 sacolés por mês, vendidos por três ou cinco dólares a unidade. Ou seja: para cada sete mil dólares investidos, conseguiam um faturamento bruto de no mínimo 24 mil dólares, podendo chegar até a 40 mil.

A partilha dos lucros seguia o critério de hierarquia da firma. Salários mais altos para as funções de maior responsabilidade. Para o gerente-geral e tesoureiro Difé, dois mil dólares. Os cunhados Paulo Roberto, da gerência do pó, e Alen, da maconha, ficavam com 1.500 e 1.200 dólares, respectivamente. O gerente da endolação, Mendonça, os chefes de plantões, Tucano e Tá Manero, e o organizador dos bondes, Careca, recebiam mil dólares.

A renda mínima dos homens da quadrilha desde 1995 era motivo de orgulho para Juliano. Os 15 vapores e os 12 homens da contenção armada recebiam o equivalente a 500 dólares por mês. Os iniciantes, olheiros e aviões, eram os que ganhavam menos, 300 dólares, que representavam uma fortuna para a dupla Nein e Pardal. Assim como o chefe dos olheiros Paranóia, a dupla usava o dinheiro para comprar camisetas, bonés, discos de rap e funk. E no caso de Nein, para dar presentes às namoradas que não eram poucas.

Nos dias de pagamento eles eram obrigados a ouvir os discursos de Juliano, que costumava comparar o menor valor pago aos homens na boca com o salário mínimo dos trabalhadores do Brasil.

— Aí, rapaziada. Os putos dos patrão da cidade só qué pagá menos de cem. E eu, que sô bandido, consigo pagá trezentos! Ou eu sô otário ou esses patrão são um bando de filho da puta, é ou não é?

Apesar do tom revolucionário, Juliano reservava para si a maior parte dos lucros, valores estimados em cinco mil dólares e que podiam dobrar em alguns meses. Não revelava o valor de seus ganhos, que eram repassados para mãe Betinha e para a companheira mais assídua dos últimos dois anos, uma crente da igreja evangélica, Marina. Quase todos sabiam que os lucros desses últimos meses foram discretamente investidos na construção de um sobrado, com cinco cômodos, para Marina morar com seu filho mais novo, Juliano Lucas.

Outro segredo que Juliano não conseguia esconder direito era a identidade da pessoa que formava com Luz a dupla do "serviço secreto". O nome dela não aparecia nos relatórios de contabilidade, nem seus vencimentos. À distância, parecia uma figura discreta. Uma senhora de poucas palavras, que aparentava uns 60 anos de idade e vivia atrás do balcão de uma birosca confiscada da família do ex-dono do morro, Carlos da Praça.

Apesar do mistério que ele fazia sobre a verdadeira função da insuspeita senhora, até as crianças sabiam que a mãe adotiva de Juliano era a extensão de seus olhos na favela. O bunker de espionagem de Mãe Brava era a própria birosca, localizada estrategicamente no largo do Cantão, passagem obrigatória de quem saía ou chegava pela rua Jupira.

Mãe Brava era a rainha da desconfiança. Impossível algum estranho se aproximar do Cantão sem despertar sua suspeita, que tinha uma lógica simples. A outra única passagem era pela Escadaria, onde estava o posto da polícia, e por isso era evitada pelos malandros e criminosos.

— No outro lado a polícia tá na cara do gol. Inimigo coisa ruim tem que passá por aqui — disse a Juliano quando o convenceu a criar o seu QG de espionagem.

Sempre com alguns homens a seu dispor parados ou em circulação pelo Cantão, com armas bem escondidas, Mãe Brava também exercia a função de peneira dos clientes da boca, sempre de forma discreta. Deixava passar livremente os mais assíduos. Quando desconfiava de alguém, cochichava com o homem que estivesse mais perto.

— Sobe atrás daquele ali, que tem cara de pilantra — ordenava Mãe Brava.

Os próprios homens de Juliano de passagem pelo Cantão não ficavam impunes à fiscalização de Mãe Brava. Ela não perdoava os que saíam da favela para fazer compras nos shopping centers da zona sul, que odiava. Todos ouviam as mesmas críticas:

— Vai pra terra encantada, é, seu playboy? Cuidado, hein! Bandido em shopping rapidinho vira bandeide!

Os mais namoradores, como Nein, também não escapavam das patrulhas morais. Brava e Luz o criticaram muito quando descobriram que uma das namoradas estava grávida.

— Tu ainda não sabe dá um tiro e já embarrigô a menina, caralho — disse Brava.

— Culpa do Juliano! Só tem mulherengo na quadrilha — queixou-se Luz.

No verão de 1996, Mãe Brava andava preocupada com o deslumbramento de Juliano com o grande número de mulheres que o assediava, e sobretudo com a falta de malícia dele. Um dia ela o intimou a mudar de postura.

— Bandido tem que pulá de galho em galho. Sem essa de mulhé fixa, seu otário — disse Brava.

Era uma referência ao namoro de Juliano com uma mulher rica da zona sul, um segredo só dividido inicialmente com Luz e Mãe Brava.

— Dessa vez tô apaixonado mesmo, mãe — explicou Juliano, numa referência ao namoro misterioso.

— Tu diz isso pra todas, pensa que eu sô besta? Não pode vê rabo de saia que se desmancha todo, fala pelos cotovelos. Tu te cuida, bandido morre pela boca! — disse Brava.

Nem sempre a estratégia dava certo. Algumas namoradas, como Neide, irmã de Dudu, dono da Rocinha, não aceitavam a rejeição de Juliano. Neide estava no grupo do irmão quando Dudu ajudou a tomar a Santa Marta. Rejeitada depois do romance, nunca mais saiu da favela, por onde perambulava dia e noite, enlouquecida. Era vista chupando mamadeira pelas vielas, chorando à procura de Juliano, até o dia em que foi internada numa clínica psiquiátrica, sob protesto de Mãe Brava.

— Nem com a irmã do frente da Rocinha, Juliano? Tu é foda. E se o cara vira teu inimigo, como é que fica? — protestou Mãe Brava.

Juliano tentava seguir os conselhos da mãe adotiva. Mas nunca deixou de aproveitar o fascínio que muitas mulheres tinham pelo homem mais poderoso do morro. Embora vivesse "apaixonado", não levava nenhuma mulher muito a sério, mesmo aquelas de relações mais antigas. Nessa época ele já tinha filhos com quatro mulheres: Marisa, Adriana, Veridiana e Marina. Não convivia com nenhum dos filhos, três homens e uma mulher. Tinha medo de que eles fossem perseguidos por causa das inimizades do tráfico. Mantinha encontros esporádicos com as mães, dizia que considerava todas suas namoradas eternas.

— Eu nunca deixo de gostá. Mesmo longe minha paixão continua... sempre! — costumava explicar a cada uma delas.

As mulheres também eram usadas como estratégia de segurança na hora de dormir. Como sempre tinha à disposição várias casas de namoradas, não precisava de homens armados em sua escolta. Naquele verão, apenas os amigos de maior confiança sabiam de seu paradeiro após o fim de cada plantão. Para os outros, anunciava com uma única palavra que iria sumir.

— Fui!

Muitas mulheres, dinheiro farto, poder de juiz sobre os destinos das pessoas. Juliano estava adorando o primeiro ano no comando do morro. Mesmo o abalo provocado pela morte de Rebelde não tirou o seu ânimo, nem dos companheiros mais jovens. No dia seguinte, já havia uma fila de adolescentes querendo ocupar vaga dele. Era grande a lista de espera de candidatos a todas as funções da boca.

Como não havia lugar para todo mundo, Juliano permitia que alguns tivessem atividades criminosas paralelas para trazer mais dinheiro para o morro.

Apoiava com homens e armas, por exemplo, a nova tentativa de dois de seus gerentes de formar uma quadrilha especializada em grandes assaltos. O sobrinho de Cabeludo, Mendonça, o seu gerente da endolação, em 1996 já tinha uma filha de dois anos, e desejava mais do que nunca assumir o lugar um dia ocupado pelo tio como grande assaltante. Formara sociedade com Tucano e enfrentava a concorrência de Paulo Roberto quando precisava contratar homens para os roubos fora da favela. Apesar de ser o gerente de pó, Paulo Roberto nunca deixou de ser caxangueiro. E também não tinha um grupo fixo, contratava por tarefa, cada vez mais freqüentes.

Mas a maior novidade no primeiro ano de Juliano como dono do morro foi o incentivo à Banda da Piza, uma fonte de renda ilegal exclusiva das mulheres. A idéia nasceu da vontade de Mendonça de ajudar a amiga Luz durante a fase de recuperação da cirurgia no coração. Para tirá-la da depressão Mendonça a convidou a dar um curso prático de "piza" às mulheres desempregadas da favela. A princípio, Luz recusou a idéia.

— Tá na hora de pará, Mendonça... Cansei, aí!

— Qual que é? Luz, tu tá com 22 anos, mulhé!

— Vinte e dois de crime! Trinta e dois, aí. Chega! E se os homi me pegá... chute, choque, pau de arara... meu coração não güenta mais não, Mendonça.

— É coisa leve, Luz... Só ensiná pras meninas, aí. Mole, mole...

As aulas práticas de Luz foram no próprio local da nova fonte de renda, as grandes lojas de departamento da cidade. O exercício básico da piza tinha duas fases. A primeira consistia em aprender a imitar o comportamento voraz de consumo das mulheres de classe média, ou seja, a arte de encher sacolas com os produtos mais caros da loja. Mas sem os dispositivos eletrônicos de segurança, que acionam alarme na saída. A segunda era uma imitação mais difícil: sair da loja com postura de grã-fina, depois de ter pago apenas uma merreca no caixa.

O truque consistia em agir em dupla. As mulheres saíam de casa com várias sacolas com a marca da loja alvo escondidas numa bolsa de mão. Na hora da escolha dos produtos, enchiam apenas uma das sacolas com coisas de baixo valor e todas as outras com os produtos mais caros. Na hora de pagar, enquanto uma mulher ia para o caixa com a sacola da merreca, a outra aguardava em algum ponto da loja com as sacolas cheias dos produtos caros. Depois do revezamento, as duas saíam juntas sem esquecer da postura elegante das grã-finas.

A novidade da piza, meses depois, já envolvia dezenas de mulheres. A idéia original de Mendonça despertara a ganância de seu concorrente nos assaltos, Paulo Roberto, que além de ter criado uma quadrilha própria transformou-a numa rede lucrativa, com receptadores e camelôs para revender os produtos roubados. Os dois gerentes da boca se transformaram em líderes das mulheres golpistas, mas só o namorador Paulo Roberto passou a tirar proveito disso.

Seis anos depois, em 2002, a piza ainda era uma prática exclusiva das mulheres da favela.

A fase da euforia do dinheiro farto de 1996 culminou com a confirmação da ida de Michael Jackson à Santa Marta.

O primeiro contato da equipe de gravação foi com o presidente da Associação de Moradores na época, José Luís de Oliveira, que prometeu providenciar todas as facilidades. Mas quando os problemas começaram a aparecer, a equipe percebeu que Zé Luís não resolvia nada sem antes consultar o dono do morro. Uma das primeiras dificuldades foi encontrar espaço para os equipamentos grandes e pesados, como as caixas de som. O lugar ideal, uma igreja evangélica, foi vetado por um pastor. Até a interferência pessoal de Juliano:

— Qual o problema e qual é a solução, mermão? — perguntou Juliano ao pastor da igreja.

— Os problemas são as normas da Igreja, esse tipo de música pra nós não pega bem — respondeu o pastor.

— E a solução? — perguntou Juliano.

— É a que você quiser — respondeu o pastor.

As três casas alugadas pela produção foram indicadas pela boca por meio de uma funcionária da associação. Em uma delas houve desentendimento com um pintor, ainda na fase de orçamento, considerado alto pela produção. Mesmo com a proposta recusada, o pintor queria cobrar duas diárias pelo tempo gasto para fazer o orçamento. Juliano interveio novamente. Ouviu os dois lados. Achou que a equipe estava com a razão, mas propôs uma solução amigável.

— Quanto tu qué? — perguntou Juliano ao pintor.

— Cem reais — respondeu o pintor.

Para agradar a equipe de produção, Juliano tirou o dinheiro do próprio bolso e pagou o pintor.

A última intermediação de Juliano teve caráter de urgência. As gravações estavam previstas para o domingo, dia 11 de fevereiro, e na sexta-feira à noite os donos de um dos três barracos alugados pelos americanos romperam o acordo feito com a produção. Eles não queriam desocupar o barraco, justamente o escolhido para ser o camarim de Michael Jackson. Eram 40 metros quadrados de alvenaria, divididos em dois andares. No de baixo, havia cozinha, sala, banheiro e dois quartos. E na cobertura tinha sauna, churrasqueira e uma varanda de onde era possível ver o Pão de Açúcar e parte da baía de Guanabara. A reforma combinada estava pronta: as paredes já tinham sido pintadas, o assoalho estava coberto com carpetes novos e o aparelho de ar-condicionado instalado nos quartos. Mas na hora do pagamento do aluguel de 300 dólares o cunhado do dono da casa achou que era pouco. Tentou justificar-se a Juliano, que estava acompanhado de um grupo de homens.

— Pensei melhor e concluí: porra, pra um Michael Jackson isso é uma merreca!

Mais que o rompimento da palavra empenhada, Juliano achou um desrespeito com o dono da casa que havia morrido havia poucos meses. Ao indicá-la para ser o camarim de Jackson, Juliano não revelou sua intenção aos americanos. Mas prestava uma homenagem a alguém que tinha sido um grande amigo e parceiro de guerra. Ao mesmo tempo, ajudava a viúva Ana Paula e a filha Raiana — o nome era uma mistura de Raimundo e Ana Paula —, que ele deixou na favela. Irritado com a explicação do cunhado de seu amigo, por pouco não o agrediu:

— Tu tá maluco, tu tá maluco! — gritou Juliano.

— Pensando bem, chefe, já tou arrependido. Trezentos está bacana — disse o dono da casa, amedrontado.

Vencido o obstáculo em minutos, na mesma sexta-feira os americanos tiveram a garantia de que o camarim de Michael Jackson seria aquele mesmo: o barraco onde tinha morado Raimundinho, o exterminador da Santa Marta.

No sábado, os moradores da favela acordaram sob a tensão criada por uma denúncia da imprensa. Os principais jornais do Rio afirmavam que a segurança para as gravações de Jackson tinha sido negociada com os traficantes e que o diretor do clipe, o cineasta americano Spike Lee, teria sido obrigado a pagar uma quantia não revelada. O secretário-adjunto de Segurança Pública, delegado Hélio Luz, reagiu, indignado.

— Se pagou, Lee é otário! Basta pedir, que a nossa polícia garante segurança de graça em qualquer lugar da cidade — afirmou Hélio Luz.

Todo esquema planejado por Juliano tinha que ser revisto. Os produtores americanos haviam pedido um efetivo de cinqüenta homens desarmados para carregar os equipamentos morro acima e garantir a segurança, em troca de uma diária de 50 reais. A seleção foi feita pelo próprio Juliano, que preencheu as primeiras trinta vagas com os homens da boca e as demais com jovens desempregados da favela. Juliano orientou a turma a proibir o acesso de jornalistas e curiosos ao morro, como haviam exigido os produtores do clipe. A idéia deles era registrar cenas do cotidiano da favela, com a menor interferência externa possível. Queriam evitar o cenário clássico de shows com multidão de fãs em volta do astro. Mas com a denúncia da imprensa, tudo teve que ser mudado em cima da hora.

A polícia, menosprezada, comunicou aos produtores que havia assumido o controle da segurança, sem se submeter às prioridades das gravações. Impôs aos moradores da favela a repetição de uma cena de seu cotidiano de violência: um cerco com 120 soldados da Polícia Militar. E mandou para a Associação de Moradores uma ordem que assustou os homens de Juliano: a formação de uma lista com os nomes dos cinqüenta jovens selecionados para a segurança de Jackson. A PM também exigiu que todos se apresentassem ao Batalhão de Botafogo para serem fotografados e identificados antes do meio-dia de sábado.

A ordem provocou uma correria do pessoal da associação atrás de Juliano, que, na manhã de sábado, descansava escondido em algum barraco com a mulher rica e misteriosa da zona sul. Geralmente ele dormia das nove às quinze horas e, se fossem esperá-lo acordar, perderiam o prazo dado pela polícia. Bateram sem sucesso na porta das casas das namoradas mais assíduas. Nem mesmo o amigo Du tinha a informação certa.

— Ele tava cheio de mistério durante a madruga. Na hora de dormi me disse que ia dá um perdido — disse Du.

A última esperança era Luz, que realmente sabia em que lugar misterioso Juliano estava. Procurada por um grupo de homens, ela a princípio se negou a dar o endereço, alegando fidelidade ao amigo.

— Nem pelo caralho! Vocês tão achando que eu sô o quê? Dedo-duro, X-9? Nem morta! — protestou Luz.

— Mas Luz, é urgente, urgentíssimo! Tem que mudá a lista, Luz. Todo mundo pode dançá, você entende, não?! Tem menos de uma hora... pelo amor de Deus! — insistiu Mendonça.

Depois de muita insistência, por entender que Juliano seria prejudicado, Luz resolveu colaborar e sob condições.

— Tá bem, mas eu vô sozinha... e se alguém vier atrás vai levá cacetada e depois eu mando quebrá lá no pico! — disse Luz.

A lista teve que ser modificada a jato. A associação fez uma nova convocação pelo serviço de alto-falantes, enquanto Juliano reunia os homens na boca para saber quem tinha o nome envolvido em inquéritos policiais. Da lista original de cinqüenta, apenas 12 foram mantidos, 38 tinham o nome envolvido em algum tipo de crime ou contravenção.

Passavam quarenta minutos do prazo do meio-dia quando a associação apresentou os cinqüenta jovens da nova lista ao Batalhão. Entre eles estavam três homens de confiança de Juliano: o chefe do serviço de coleta de lixo, Zé do Bem, e dois amigos dos tempos da Turma da Xuxa, Du e Careca. No final da tarde, aprovada a lista com a exclusão de apenas um nome, todos voltaram para o trabalho no morro.

Juliano já os esperava com ansiedade. Ele temia que um provocador se infiltrasse entre os moradores para causar alguma violência durante as gravações e prejudicar a imagem dele e da Santa Marta. Por isso, apesar do cerco policial ao morro, escalou seis equipes de três homens para vigiar as duas divisas da favela com a floresta, que não tinham policiamento.

Para evitar perdas no grupo, havia orientado os homens a andar desarmados e a tática estava dando certo. Patrulhas da PM circulavam pelos becos pedindo documentos para os suspeitos, mas sem invadir os barracos nem prender ninguém. O risco de algum ataque dos inimigos também parecia sob controle. Os olheiros garantiam: do ponto de observação de Mãe Brava, no Cantão, até o extremo oposto no pico, era impossível que as quadrilhas rivais tentassem entrar sem serem notadas e reprimidas.

No começo da noite de sábado, Juliano ainda não sabia que um outro tipo de inimigo havia furado o seu esquema de segurança. Ele já estava há muito tempo bem escondido dentro da Santa Marta.

CAPÍTULO 22 | PALAVRA DE HONRA

A invasão de três inimigos mostrou como o plano de segurança dos homens de Juliano era vulnerável. A primeira grande falha foi acreditar que os acessos principais estavam bem guarnecidos pelo cerco da PM. Não estavam. Dois dos invasores entraram justamente pelo lado da Escadaria, onde está o posto policial. Eles chegaram vestidos como os jovens da Santa Marta: usavam bermudas, camiseta, tênis e pararam nos botequins para beber cerveja e conversar com os moradores. Bastou uma oferta de 200 reais para terem a garantia de passar o fim de semana num barraco alugado e poder entrar na favela como se fossem parentes do dono da casa.

Um deles, Nelito Fernandes, de 25 anos, entrou na favela na sexta-feira à noite, acompanhado de outro jovem que escondia algumas máquinas numa sacola. O outro, Silvio Barsetti, chegou no sábado depois do meio-dia, com dois parceiros que traziam equipamentos camuflados na própria roupa. Guiados por um morador, passaram direto pelas barreiras policiais sem serem revistados. Logo na subida começaram a levantar informações para chegar até o esconderijo de Juliano.

Um terceiro invasor, Marcelo Moreira, conseguiu furar o bloqueio com o apoio de uma família ligada à própria boca. Em troca de 150 reais, dona Noêmia, sogra de Careca, concordou em esconder dentro de sua casa uma pessoa indesejada no morro.

Os invasores não esconderam que eram repórteres dos três maiores jornais do Rio de Janeiro. Por coincidência, *O Dia*, *O Globo* e o *Jornal do Brasil* escalaram alguns de seus melhores repórteres para produzir reportagens sobre uma mesma idéia: infiltrá-los na favela para mostrar a transformação da vida de seus moradores durante as gravações do clipe de Michael Jackson. Trabalhar de outra forma era quase impossível. Por exigência dos produtores americanos, que queriam garantir exclusividade das imagens, os policiais e os seguranças do esquema de Juliano formavam uma dupla barreira à imprensa nas entradas da favela.

Aos 26 anos, com cinco de profissão, Moreira fazia parte da equipe de repórteres do *Jornal do Brasil* que produzia matérias especiais. Pesou na sua escalação o fato de o chefe achá-lo muito parecido com os jovens da favela, sobretudo se usasse tênis ou chinelo e boné com a aba virada para trás.

Disfarçado de favelado, acompanhado de uma fotógrafa, Moreira passou a sexta-feira observando as cenas do cotidiano das pessoas, conversando com algumas crianças e evitando se aprofundar nas perguntas para não chamar atenção. Fundamental para ele, naquele momento, era garantir a sua estada até a manhã de domingo, para acompanhar as filmagens de Michael Jackson.

Evitou sair na noite de sexta-feira para não correr o risco de ser descoberto pela polícia ou pela turma do tráfico. Preferiu ficar no barraco e, ainda sem saber que Careca era um aliado de Juliano, escreveu ao lado dele a reportagem do dia e a transmitiu à redação pelo telefone celular. Preocupado em acordar cedo, foi para a cama à meia-noite, mas não conseguiu dormir em paz.

Acordou assustado no meio da madrugada com o barulho de uma rajada de metralhadora. Olhou para as paredes do quarto e percebeu que os tijolos eram frágeis demais para barrar os tiros. Apavorado, imaginou que uma bala de fuzil passaria pela parede, atravessaria seu corpo e sairia pelo outro lado do quarto. Sem alternativa, mesmo sabendo que não estaria mais protegido, dormiu o resto da noite embaixo da cama. Pela manhã, estranhou que dona Noêmia tivesse achado a noite tranqüila.

— E aquelas rajadas de metralhadora, dona Noêmia? A senhora não ficou assustada, não?

— Era nada, não. Isso é coisa do Du, que anda pirando. Ele tem mania disso. No plantão dele, que é o da sexta, ele sempre descarrega a metralhadora, de palhaçada.

Nelito Fernandes era da editoria Rio do jornal *O Globo*. Embora não tivesse grande experiência em reportagens sobre violência, estava "morando" tranqüilamente na favela devido a suas origens. Tinha sido criado nas áreas pobres da zona norte da cidade e, por isso, já estava acostumado a conviver com a desconfiança da polícia e com os riscos dos tiroteios e das balas perdidas. Mesmo na noite de sexta-feira, ele não deixou de sair pelos becos na esperança de encontrar o dono do morro e convencê-lo a dar uma entrevista exclusiva.

Habituado a cobrir reportagens policiais para *O Dia*, Silvio Barsetti era o mais experiente dos três. Ele levou uma dúzia de cervejas, queijo e biscoito para passar a noite dentro de um barraco sem móveis, sem água e sem energia elétrica. Foi o primeiro a perceber, perto da meia-noite, que estavam à procura dos esconderijos dos repórteres. Já sob efeito de muitas cervejas, Barsetti não deu importância à ameaça que vinha dos alto-falantes da associação.

— Atenção, atenção. Descobrimos que tem repórter escondido por aí. Pedimos que se retire imediatamente. Vamo colaborá... Esse é o primeiro aviso.

Juliano só descobriu que tinha sido enganado perto da meia-noite de sábado, hora em que mandou o locutor ler o seu recado no alto-falante. Escalou o chefe do serviço de limpeza de lixo da favela, Zé do Bem, e os gerentes Mendonça e Paulo Roberto para organizarem um grupo de busca aos repórteres furões.

Minutos depois, Barsetti e os dois fotógrafos que o acompanhavam ouviram uma batida forte na porta do barraco.

— A casa caiu! Abre essa porra — gritou Mendonça.

Sem saber como agir direito, Barsetti tentou acalmá-los.

— Já estamos abrindo na boa, já, já.

Ato contínuo, pegou algumas latas de cerveja para usá-las como arma de defesa, enquanto um dos fotógrafos abria a porta.

— Vai uma geladinha aí, mermão?

— Conversa, porra. Vocês tem que saí já daqui! — disse Mendonça.

— Qual é o problema? Aqui todo mundo é jornalista, porque não podemos ficar?

— Ordem do chefe... ele mandô saí já! — disse Paulo Roberto.

Barsetti tentou argumentar um pouco mais, coisa que começou a irritar o chefe do grupo, um grandalhão de quase um metro e noventa de altura, o Zé do Bem:

— Desce, desce, desce! Vambora!

Escoltados no caminho, Barsetti e os dois fotógrafos seguiram em direção à área do Beirute, onde encontraram outros dois grupos que já haviam localizado também Nelito Fernandes e Marcelo Moreira. Aproveitaram o encontro para mais uma vez tentar convencê-los a permitir que ficassem no morro.

— Queremos mostrar a mudança na vida de vocês por causa do Michael Jackson. Não é uma reportagem negativa, nada disso...

Barsetti aproveitou que o grupo era maior para escapar por uma viela e se esconder entre os homens que bebiam num botequim não muito longe dali. Estava na terceira cerveja quando foi novamente descoberto. Ainda tentou ser simpático....

— Vai uma geladinha aí? — sugeriu ao homem que o encontrou.

— Tu tá dando mole, cara... O chefe tá bolado contigo, cara.

Reintegrado à caravana que descia, agora em direção à Pedra de Xangô, Barsetti e os colegas Fernandes e Moreira foram surpreendidos no caminho por uma cena que jamais haviam visto na profissão, a de um grupo de jovens armados de fuzis em atividade na base da boca.

Na laje de um barraco, outro grupo trabalhava à luz de velas nos retoques finais da faixa com as boas-vindas a Michael Jackson. No meio deles, chamava a atenção um jovem de cabelos encaracolados e cavanhaque, que gesticulava, dava ordens. Estava agachado como os demais, mas levantou rápido ao perceber a chegada dos estranhos.

— Qual é o caô? — perguntou Juliano ao grupo.

— Achamos os caras — respondeu Mendonça.

— Seguinte, aí: nossa comunidade é tranqüila. Ninguém vai fazê mal pra vocês, mas tem que saí já do morro. Nós combinamo com a produção do Michael Jackson que não pode tê nenhum jornalista aqui — avisou Juliano.

Os três repórteres jamais haviam entrevistado um traficante dono de morro. Mas nenhum deles teve dúvida de que o jovem falante era o chefe, pois ele parecia mais tranqüilo que os outros homens. Tentaram convencê-lo a mudar de idéia.

— Nós já estamos há tanto tempo no morro sem causar problemas. Por que essa expulsão logo agora? — perguntou Moreira.

— Vocês tão com máquina de fotografia? — perguntou Juliano.

Depois dos apelos, Juliano tornou-se flexível e sugeriu um acordo. Os fotógrafos tinham que sair imediatamente do morro, como condição para a permanência dos repórteres de texto. Dos três, apenas Nelito não ficou animado com a idéia. Depois de ter batalhado dois dias pela localização do chefe da Santa Marta, preferia tê-lo encontrado sozinho para uma conversa exclusiva. Sentia-se um pouco frustrado por estar dividindo a oportunidade com os colegas. Já Moreira e Barsetti ficaram entusiasmados. E começaram a pedir uma entrevista a Juliano.

— Por que você não fala dessa faixa que vocês estão pintando? Ou da violência da PM, ou sobre a polêmica da segurança pessoal de Michael Jackson? — argumentou Moreira.

— Aproveita a oportunidade, já estamos aqui mesmo.... é só falar — disse Barsetti.

Juliano pediu um tempo para pensar, deixou os repórteres com o grupo de homens armados e sumiu por um beco escuro. Às duas horas da madrugada, mandou chamá-los para uma nova conversa sobre a laje de um barraco. Usava uma pistola automática na cintura, um celular na mão e tinha em sua retaguarda um grupo armado que observava os movimentos em volta.

— Eu gostaria de dá essa entrevista, mas o problema é que eu posso sê preso depois — disse Juliano.

Diante da insistência dos repórteres, ele começou a propor uma forma de viabilizar a entrevista.

— Vocês vão dizê então que entrevistaram um traficante da zona sul. Não pode identificá o morro, nem meu nome — exigiu Juliano.

— Assim não dá, assim a matéria não emplaca no jornal — retrucou Nelito Fernandes.

O acordo final previa um depoimento sem autocensura de Juliano, com a promessa de os repórteres escreverem que a entrevista foi feita na Santa Marta, mas sem identificar o nome dele nem dizer que ele era o dono da boca. Todos apertaram as mãos para selar o compromisso.

— Palavra de honra? — perguntou Juliano.

— Palavra de honra! — responderam os três repórteres.

Juliano ficou de cócoras, pôs o celular no chão, mandou os olheiros ficarem bem atentos e começou a falar para os repórteres que sentaram na frente dele. Eles estavam com gravador, mas em vez de gravar, anotaram as respostas. Logo no início da entrevista, Juliano fez uma oferta aos entrevistadores.

— Querem algum bagulho, querem um branco, um pozinho?

Os repórteres recusaram. Apenas um respondeu, em tom de brincadeira, para não carregar o ambiente.

— Depois, depois — disse Barsetti, sorrindo.

Juliano começou a entrevista surpreendendo os repórteres por criticar as drogas e dizer que não tem grandes vícios. As respostas passaram por edição que modificaram bastante o jeito dele falar. Foram publicadas nos três jornais sem gírias e erros de português.

"Não cheiro, não bebo. Eu só fumo o mato certo."

Fez um discurso para justificar a sua posição.

"Sou contra a liberação das drogas. Nosso povo não está preparado. A droga não é boa, ilude e tira a personalidade das pessoas, criando ilusão. A droga anestesia a revolução social. Quem consome não consegue ver as coisas erradas do sistema porque está escravizado."

Tentou explicar a incoerência de ser contra as drogas e ao mesmo tempo traficá-las, com um discurso confuso:

"Noventa por cento das pessoas da favela ganham o salário mínimo. Ninguém consegue viver com isso. A cesta básica custa 114 reais. O tráfico funciona como inibidor dessas necessidades. Se eu não vendesse, outra pessoa ocuparia meu lugar e isto poderia ser prejudicial à comunidade. Tem um rap do grupo Racionais MC de São Paulo, que diz: 'Se afaste das drogas e das coisas fáceis. Leia livros.' É isso que eu tento passar a eles."

Declarou que era contra a venda de crack.

"O crack faz muito mal. Se eu quisesse poderia ganhar muito dinheiro com isso. Mas não quero prejudicar ainda mais as pessoas. Além disso, ia ser difícil controlar os meus homens doidões de crack."

Revelou qual era o faturamento da boca no verão de 1996, mas não quis dar o nome do atacadista que abastecia de drogas a Santa Marta.

"Só controlo uma boca de fumo, que rende 20 mil por mês. Nenhum traficante tem tanto dinheiro como dizem. Se você perde um AR-15, o prejuízo é de 5 mil. Vendemos 10 quilos de maconha e três de cocaína por mês. O papelote de cocaína sai por 5 reais e a trouxinha de maconha por 3 reais. Não me envolvo com crack ou ecstasy, nem tomo conhecimento do fornecedor porque a entrega é terceirizada. A verdade é que hoje há muito mais bocas-de-fumo no asfalto do que no morro. Os bairros de Ipanema e Gávea estão infestados."

Falou da imagem que faz de si mesmo como dono de morro:

"Eu sou um cara de harmonia. Sou um profissional no meu trabalho. Eu me sinto preocupado e não poderoso. Quero paz no meu morro e não quero que ninguém venha tomá-lo. Não sou um Robin Hood, sei que faço o errado. Acho que os pobres das favelas representam hoje um novo Quilombo dos Palmares, a encarnação de Zumbi, e somos perseguidos injustamente. Quero passar a todos os jovens — do movimento ou não — a idéia de justiça social. Como sou nascido e criado no morro e ajudo os mais necessitados, acabo reconhecido pelo meu trabalho. Eu gosto de guerrear, mas quando é necessário. Se for preciso não posso pensar duas vezes."

Criticou a ação de alguns criminosos: os seqüestradores, os corruptos e os policiais que praticam violências nos morros.

"Eu, particularmente, odeio seqüestro, até porque fui seqüestrado três vezes pela polícia para me mineirar, extorquir. O meu grupo não pratica esse crime. Mas de uma certa forma o seqüestro funciona como um meio de distribuição de renda, não há como fugir disso.

"Já o policial brasileiro não está preparado para lidar com o povo humilde. Um policial que usa farda e distintivo e ganha R$300 por mês acaba se corrompendo. Quando alguém do morro é preso, é humilhado como um cachorro. Os policiais sempre botam droga no bolso dos suspeitos para enquadrá-los. É assim que a PM faz. Se eles não nos atacam, nós não atacamos. Se um de meus homens der um tiro de fuzil num beco qualquer da favela, varre três caras de uma vez, como eles fazem. O tráfico mata entre si. Mas a polícia mata antes para quebrar a nossa hierarquia. A guerra do pó, no Rio, mata mais gente que a guerra da Bósnia."

Disse que não tem medo de morrer por causa da fé em Deus.

"Já levei oito tiros de fuzil. Não posso ter medo de morrer. Sou católico, acredito em Deus. Li a Bíblia, mas não gostei. A Bíblia mistifica um pensamento que segurou o povo por séculos."

Apontou o que considera falhas da organização rival, o Terceiro Comando, e de alguns dos maiores traficantes do Rio de Janeiro, como o Uê e Escadinha.

"Eles têm poder porque o povo dessas comunidades ainda gosta deles. Mas não fazem a coisa certa. Eles criaram o assistencialismo no crime e agora não fazem mais isso. Ninguém da turma deles toma conta da mulher de preso ou das viúvas dos companheiros que foram mortos. Este pessoal antigo está em conflito porque não respeita os jovens. A nossa turma que comanda os morros agora tem uma maneira de pensar, e eles outra. Eles comandam muito mal. Não dão valor ao soldado, ao guerreiro. Estão sempre em luta pelo poder e só."

Defendeu o Comando Vermelho, organização da qual fazia parte em 1996.

"Nossa diferença é que sabemos distinguir o certo do errado. O certo é o certo, nunca o errado ou o duvidoso. Somos normais como qualquer outra pessoa. Eu sempre admirei o Orlando Jogador, que foi um bandido correto dentro do CV. Ele nunca traiu sua gente. Era exemplar. Estivemos presos juntos. Acho que o crime organizado precisa cultivar mais o respeito e menos o poder. O Comando Vermelho é uma filosofia dentro da vida errada. Ele deveria se unir ainda mais, para melhorar a vida nos morros e nas penitenciárias. Temos que parar com essa história de irmão matar irmão. A idéia é fazer reinar nos morros paz, justiça e liberdade."

Elogiou o ex-governador Leonel Brizola, acusado pelos seus críticos de ser benevolente com os criminosos de baixa renda:

"O Brizola foi um ótimo líder para as comunidades carentes. Ele visou às favelas e não ao tráfico. O Brizola é um estadista perfeito, que jamais teve envolvimento com traficante."

Reclamou da política de segurança do governador da época, Marcello Alencar:

"É a política do extermínio e da discriminação, igual à da Rota de São Paulo. Na favela, a polícia não separa quem é bandido de quem é trabalhador. Com isso morre muita gente que não tem nada a ver com tráfico."

Criticou as pessoas que vivem fora do morro, a começar pela imprensa:

"Os jornalistas são abutres. Não podem ver carniça. Se os que pudessem ajudar as comunidades carentes dessem um minuto de suas vidas para isso, não existiria o tráfico. Nós somos como uma doença dentro de um corpo. O tráfico é uma saída para nós. Quem não tem dinheiro para comprar um tênis, uma roupa e tem sangue na veia acaba entrando nessa vida. Quando os governantes se conscientizarem das desigualdades sociais talvez não exista mais o tráfico. Mas os intelectuais continuam só pensando, os políticos, roubando e a sociedade inteligente sempre em silêncio."

Finalizou a entrevista explicando por que iria entregar ao diretor de cinema Spike Lee uma camiseta com o nome de 23 guerreiros da Santa Marta mortos na guerra do tráfico nos últimos três anos.

"Todos esses 23 meninos tinham entre 14 e 18 anos e foram mortos pela polícia e não foi em confronto. Foi extermínio, só morreu gente do nosso lado. Vou entregar a camiseta com o nome deles ao Spike Lee para mostrar ao mundo a matança indiscriminada de nossa comunidade e que a violência impera em nosso país."

Antes de se despedir dos repórteres, fez questão de lembrar o compromisso da palavra empenhada, com uma ameaça.

"Olha, cuidado com o que vocês vão escrever, porque eu descubro o endereço de vocês."

O primeiro a romper o acordo foi Nelito Fernandes. Ainda na favela, domingo cedo, ele telefonou para a redação e conversou com o editor César Seabra sobre a entrevista e o trato que haviam feito com Juliano.

— César, nós entrevistamos um traficante, mas fizemos um acordo de não dar o nome dele, porque ele não quer aparecer.

— Não tem acordo com bandido, Nelito. Ou a gente dá o nome ou eu não publico a entrevista.

Horas depois, na redação do *Jornal do Brasil*, Marcelo Moreira enfrentava a mesma dificuldade.

— Olha, tem essa matéria, tem esse acordo, mas eu acho que *O Globo* vai dar o nome...

Na redação de *O Dia*, Silvio Barsetti insistiu com os editores, mas prevaleceu a decisão editorial do jornal.

— Tem que publicar o nome, entrevista sem a identificação fica inviável — ouviu Barsetti de um de seus chefes.

■ ■ ■

Sem saber o que estava acontecendo nas redações, Juliano aproveitava o domingo para festejar o sucesso da festa de Michael Jackson. Horas antes de o astro chegar à favela, mandou distribuir tênis importados para todos os homens que vestiam um colete verde, o uniforme da segurança particular das gravações.

— A qualidade de um exército se avalia pelos pés. Hoje é o nosso dia e nós merecemos tirar essa onda — disse aos homens.

O helicóptero já se aproximava trazendo Michael Jackson para a Santa Marta, quando Juliano entregou a camiseta com os nomes dos jovens mortos aos produtores do clipe. Deixou com eles também uma bola de futebol para ser autografada pelo astro. Deu as últimas instruções à quadrilha e, como estava previsto no plano de segurança, foi se "entocar" em um barraco longe da área das filmagens, infiltrada pelos homens do serviço reservado da Polícia Militar.

Do esconderijo dava para ver toda a movimentação das gravações. Na última hora, o que era para ser uma filmagem das cenas naturais da favela havia se transformado num megaespetáculo. Nos céus, helicópteros da polícia, das televisões e da equipe de filmagem se revezavam para registrar as cenas da multidão de moradores e agregados dos morros vizinhos, que ocupava lajes, telhados, janelas e qualquer espaço possível. Todos queriam ver de perto Michael Jackson.

— Vencemos, rapaziada. Vencemos!

Juliano reuniu os antigos amigos da Turma da Xuxa, agora na cúpula da boca, para festejarem juntos. Estavam entocados com ele os cunhados-gerentes Alen e Paulo Roberto, a amiga-confidente Luz, o chefe de plantão, Mendonça, e o melhor amigo, Du.

A voz de Michael Jackson, reproduzida pelos enormes alto-falantes, já chegava a todos os barracos quando o chefe dos bondes, Careca, chegou correndo ao esconderijo, com um volume de tecido sintético nas mãos. Em seguida, Juliano abandonou o cigarro de maconha sobre a pia do banheiro e acabou rapidamente de raspar o cavanhaque sob o olhar preocupado de Luz.

— Veja o que tu vai fazê, Juliano. Tu é maluco, cara.

Quando as gravações do clipe começaram Juliano já estava a 10 metros de Michael Jackson, no meio dos homens que cuidavam de sua segurança pessoal. Vestia o colete verde emprestado por Careca, que ajudava a esconder a pistola guardada no bolso da bermuda.

O novo visual, sem cavanhaque, deixou-o seguro diante dos PMs, que pareciam mais atentos à dança de Jackson. Juliano ainda era um traficante desconhecido da maioria dos policiais, apenas os que prestavam serviço no Batalhão de Botafogo sabiam de sua ascensão ao comando do morro. Ele nem se preocupou em se esconder das câmeras dos americanos. É provável que tenha sido filmado e que suas imagens tenham seguido para edição nos Estados Unidos.

No momento em que Jackson começou a cantar "They don't care about us", Juliano aproveitou o anonimato no meio da multidão para acender um pequeno cigarro de maconha e abraçar o amigo Du.

— Esta eu venci, Du.

Naquela hora, nas redações, os três grandes jornais do Rio de Janeiro arquitetavam a maior derrota de seus 25 anos: preparavam a edição da entrevista, de conteúdo explosivo, que iria tirá-lo para sempre do anonimato e abalar radicalmente a sua vida. Já na madrugada de segunda-feira, quando os jornais começaram a circular, o até então desconhecido Juliano virou alvo de uma caçada policial implacável, como se ele fosse um dos maiores inimigos públicos do Rio de Janeiro.

CAPÍTULO 23 | **EU FUMO O MATO CERTO**

A pior notícia da vida de Juliano chegou à favela antes do amanhecer de segunda-feira pelas mãos dos corujas, os trabalhadores que passam a noite no emprego. De volta para casa, alguns passaram pela boca para dar a ele os jornais que traziam as terríveis novidades da cidade.

Juliano ficou arrasado. Constatou que os três jornais não tinham respeitado o acordo feito pelos repórteres. Além de seu nome, haviam publicado sua fotografia e versões diferentes sobre a mesma entrevista da madrugada de sábado.

O jornal *O Dia* transformou em título da entrevista uma frase que Juliano não disse: "O TRÁFICO ESTÁ PRONTO PARA A GUERRA".

A manchete de *O Globo* foi "TRAFICANTE COMANDA A SEGURANÇA E DESAFIA A POLÍCIA". Omitiu que o acordo havia sido rompido e destacou a ameaça de Juliano aos repórteres: "Se colocarem meu nome nas reportagens, compro o endereço de vocês e mando buscar."

O *Jornal do Brasil* escreveu abaixo do título "O DONO DO DONA MARTA" que o "líder do tráfico na favela saúda Michael Jackson, protesta contra a desigualdade social e revela ser um assassino frio e vaidoso", palavras que Juliano não disse.

Antes de ler os jornais com mais atenção, Juliano mandou fechar a boca imediatamente e convocou os melhores amigos da cúpula para uma reunião na casa de Luz, que era um bom ponto de observação da favela. Foram convocados Du,

Mendonça, Careca e os cunhados Alen e Paulo Roberto. Mas logo o barraco ficou cheio de homens, que queriam ler a entrevista bombástica do chefe. Alguns ficaram preocupados com o não cumprimento do acordo.

— Porra, não tinha ficado combinado uma coisa? Cumé que saiu o teu nome assim, com foto e tudo? — perguntou Careca.

— Você ouviu, caralho. Todo mundo ouviu, caralho. Foi combinado: meu nome não, nem o do morro. Mas aqueles viados não quiseram sabê, caralho — esbravejou Juliano.

Luz interferiu sem poupar críticas ao chefe:

— Sinceramente, Juliano. Tu vacilô legal, hein? Cumé que tu acredita em repórter? Tu não lembra da sacanagem que fizeram aqui no tempo do Cabeludo? — disse Luz.

— Tu não sabe o que significa palavra? Palavra de honra, caralho! — retrucou Juliano.

— Tu acha o quê? Que papo antigo, Juliano. Carniceiro tem palavra? Eles querem é te vê morto! — rebateu Luz.

Alguns trechos da entrevista, reproduzidos com inverdades, revoltaram Juliano. De todos, o mais grave era a suposta resposta que ele deu quando perguntaram se tinha algum vício.

— Eu respondi: não bebo, não fumo, não cheiro. Eu só fumo o mato certo. E olha o que esses putos escreveram aqui, caralho! Tô fudido!

A diferença na reprodução das palavras de Juliano para a questão mais grave — a suposta confissão de ser um assassino frio — foi explicada cinco anos depois pelos três repórteres.

A declaração de Juliano já teria gerado dúvidas na própria madrugada de sábado. Como eles não usaram o gravador, os três se reuniram depois da entrevista para checar todas as respostas, justamente para evitar a divulgação de conteúdos diferentes em cada jornal.

Sobre a questão mais delicada, não houve consenso e cada um publicou a seu modo. Os três concordam que um deles havia perguntado a Juliano se ele tinha algum vício, mas cada um teria ouvido uma resposta diferente. Nelito Fernandes não entendeu direito a resposta, que teria sido: "Nunca fiz isso. Eu não cheiro, não fumo, não bebo, só fumo o mato certo," uma forma de admitir que é usuário de maconha. Na dúvida, Nelito optou pela prudência: não reproduziu a frase na entrevista, atitude que o levou a ser cobrado na redação por ter sido furado pelos concorrentes.

Em *O Dia*, Silvio Barsetti reproduziu a resposta com final diferente, mudando completamente o significado: "Nunca fiz isso. Eu não cheiro, não fumo, não bebo. Só mato o certo." Ele disse que também teve dúvidas e acha que Juliano pode ter dito uma das três seguintes frases: "Eu queimo o mato certo." "Eu queimo e mato certo" e "Eu mato certo". Optou pela última, alegando que era coerente com a ameaça feita por Juliano depois do fim da entrevista.

— Se no final ele fala que "Se vocês não cumprirem o acordo eu mando buscar vocês" é porque ele mata certo. Ele vai buscar a gente para conversar? Então eu acho que esse final ratifica a dúvida do meio da entrevista.

Marcelo Moreira escreveu no *Jornal do Brasil* uma forma ainda mais alterada da frase atribuída a Juliano:

"Eu não bebo, não fumo e não cheiro. Meu único vício é matar, mas só mato quem merece morrer."

Anos depois Moreira admitiu ter feito uma interpretação errada da frase. Atribuiu o erro ao clima de tensão em que foi feita a entrevista. Segundo ele, não dava para pedir que repetisse uma frase mal ouvida. Ele acha que também pode ter sido influenciado pelo depoimento que ouviu na favela de um bêbado que teria matado uma mulher a mando de Juliano.

— A gente não quis exagerar em nada, não teve leviandade nenhuma, sabe por quê? Não precisava ele falar. Eu já sabia que ele era violento. Só que naquele momento eu acho que ele não falou isso.

A repercussão da entrevista, considerada uma afronta às autoridades, desencadeou no mesmo dia o início de uma perseguição a Juliano pela justiça e nas ruas. A Delegacia de Repressão a Entorpecentes abriu um inquérito por tráfico de drogas, formação de quadrilha armada e apologia ao crime. E, usando suas declarações aos jornais, formalizou um pedido de prisão preventiva contra ele.

Os produtores americanos ainda não tinham acabado a desmontagem dos equipamentos das filmagens de domingo quando os olheiros da boca avisaram que os soldados Peninha, Rambo e alguns dos inimigos de sempre estavam de volta. E em vários momentos do dia, enquanto os agentes secretos da P-2 se infiltravam nas áreas de maior movimento, os soldados das forças especiais do Bope eram lançados de um helicóptero sobre a favela.

Os homens de Juliano passaram a manhã lendo e relendo os jornais no barraco de Luz. Em alguns momentos tiveram que consolar Juliano, que chorava, manifestando ódio a si mesmo. Não se perdoava por ter dado a entrevista, apesar do alerta feito pelos amigos, como o produtor Tim Maia. No próprio sábado à tarde, véspera das gravações, ele avisou a Juliano para ter cuidado com os jornalistas devido à polêmica que já existia na imprensa sobre a segurança particular de Michael Jackson.

— Eu errei. Eu errei! — dizia Juliano para si mesmo.

Diante da fragilidade do chefe, o grupo se dividiu. Os homens que vieram de outros morros, como Henrique, da Rocinha, e os irmãos de Juliano, Santo e Difé, do Cantagalo, foram para suas casas com intenção de só voltar ao morro depois que passasse a pressão da polícia. Parte dos que trabalharam na segurança de Michael Jackson e que tiveram suas fichas registradas no Batalhão da PM fugiu com medo de represálias às críticas feitas por Juliano à polícia. Os criados no morro, base da Turma da Xuxa, resolveram continuar "entocados" em seus barracos, já que a maioria ainda não era conhecida como traficante. E o chefe?

— Daqui só saio morto! — exagerou Juliano.

Paulo Roberto e Alen ficaram encarregados de, na mesma segunda-feira, enterrar as principais armas e o estoque de pouco mais de um quilo de cocaína. Du recebeu ordens de não sair de casa porque andava cheirando pó demais. Poderia ser preso e pôr em risco o grupo. O chefe dos bondes, Careca, ficaria de plantão na casa de Cristina dos Olhos, para ser facilmente acionado como piloto se Juliano decidisse fugir da favela. Só os mais jovens continuariam com suas funções, que agora consistiam exclusivamente em andar ou correr pelos becos. Os adolescentes Pardal e Nein se juntaram a Paranóia em missões secretas encomendadas por Juliano e Luz, como a visita à olheira Mãe Brava, que continuava trabalhando no seu botequim de espionagem.

— O Juliano mandô a senhora fechá a birosca e voltá com os seus filhos para o Cantagalo, dona Brava — disse Paranóia.

Mãe Brava achou a ordem absurda. Estava revoltada com o próprio Juliano por ele ter-se deixado enganar pelos repórteres. Mas resolveu ficar no morro para ajudar a protegê-lo. Diante do risco da perseguição, preferiu continuar perto do filho de criação.

— Olha aqui, ó. Diz pro Juliano que isso não é idéia de bandido. É coisa de mamão com açúcar, que fica falando à toa por aí.

— Mas a polícia tá chegando, pode ficá perigoso pra senhora — insistiu Paranóia.

— Que sabê de uma coisa, moleque? Quando vocês estavam vindo eu já estava aposentada, tá certo? Dessa merda de crime quem entende aqui sô eu.

— Mas dona Brava...

Irritada, Mãe Brava deixou a filha cuidando do botequim e foi até o barraco de Luz para uma conversa pessoal com Juliano. Sentou à mesa da cozinha, onde alguns homens liam a reportagem do *Jornal do Brasil*, que ganhou o destaque de duas páginas. Brava ouviu a leitura e depois releu a entrevista em voz alta, para provocar a discussão entre eles. E criticou as preocupações comunitárias do filho adotivo.

— Que papo é esse de revolução social, Juliano? — perguntou Brava.

— Você não entende a importância disso, mãezinha — respondeu Juliano.

— Que conversa... aqui no morro só se respeita a lei do Muricy: cada um por si e o resto que se foda! — retrucou Brava.

— Isso é a lei dos trafras, um comendo o outro... Não pode sê assim — disse Juliano.

— Não pode, mas é. Você esqueceu o que fizeram com o Orlando Jogador? — perguntou Brava.

— Isso é a filosofia do Terceiro Comando — respondeu Juliano.

— Não, é a do crime e a do país todo de hoje em dia. Te engulo antes que tu me engula. Os repórteres te engoliram nessa... — disse Brava.

Durante toda a segunda-feira, Juliano saiu da toca uma única vez: para um encontro com o pessoal do clipe de Michael Jackson. Apesar da tensão causada pela entrevista, eles queriam acertar todas as contas. Careca fez uma vistoria no caminho percorrido por Juliano até a casa de Maria Inês, a moradora que durante a pré-produção das filmagens foi o elo entre os produtores, a Associação de Moradores e o pessoal da boca.

Por iniciativa própria, os produtores chegaram à reunião com cinco mil dólares para serem distribuídos na favela, como forma de agradecer o empenho de todos. Juliano, que passara a noite acordado, dormia sobre o sofá de Maria Inês. Ainda cansado, continuou sonolento mesmo quando recebeu o dinheiro dos produtores. Sem pensar muito, Juliano repassou mil dólares para cada uma das duas creches do morro, mil para a Associação de Moradores, mil para a Escola de Samba e mil para a construção de um ambulatório de saúde.

— Faltaram 700 dólares para o Zé Mário — reclamou Juliano.

Os produtores não gostaram da idéia porque Zé Mário, um dos diretores da Escola de Samba, não havia feito nada de importante para as filmagens e só se apresentou ao grupo na hora do pagamento. Mesmo assim, para não criar constrangimento, combinaram voltar outro dia para atender ao pedido de Juliano. O pessoal da produção pagaria dias depois. Mas mesmo assim alguns homens ficaram insatisfeitos. Não gostaram da reforma que fizeram no Ambulatório do Dedé, usado como apoio das filmagens. Os aparelhos de ar condicionado eram velhos e, uma semana depois da passagem de Michael Jackson pelo morro, já estavam enguiçados.

— Eles não se preocuparam com a gente — disse Luz, depois de passada a euforia da festa.

■ ■ ■

As declarações de Juliano tiveram repercussão incomum para uma entrevista de um criminoso. Provocaram reações de celebridades das áreas jurídica, religiosa, acadêmica, artística e das pessoas comuns.

O adjunto do general, subsecretário Hélio Luz, conhecido pelas posições políticas de esquerda, duvidou da veracidade das declarações de VP por considerá-lo um "cover", um farsante, visto pela polícia não como dono do morro, mas um traficante de terceiro escalão.

— Ele é um camelô do pó — disse Hélio Luz.

O governador Marcello Alencar, acusado por Juliano de defender a política de extermínio nos morros da cidade, contra-atacou:

> "A provocação dele merece uma resposta à altura. Ele desrespeitou nossas instituições e será preso. É uma questão de honra. Esses bandidos posam de injustiçados sociais, mas instauram o terror em suas comunidades. Eles não podem ser tratados como heróis."

A pressão da polícia manteve a boca desativada durante quase toda a semana; só voltando a funcionar parcialmente no sábado, de forma discreta, sem nenhum homem armado a sua volta. Mas Juliano continuou escondido, usando as mulheres do morro como tática de segurança. Continuaria o romance com a namorada misteriosa da zona sul. Mas naquele dia, ela teve que se afastar, deixando de subir o morro. As mudanças de esconderijo, sempre feitas à noite, eram precedidas do levantamento de informação pelos olheiros adolescentes, sem o uso do telefone celular, prudentemente desligado. Também por prudência Juliano só aceitou o abrigo das mulheres de sua confiança, uma delas, Veridiana, providenciou a permissão dos vizinhos para escondê-lo a cada dia na casa de um deles.

O vínculo com Veridiana vinha desde os anos 80, quando Juliano freqüentava a casa dela para ter relações com a mãe Madá, que se separou do marido e foi morar na favela da Rocinha. Estavam namorando desde o seu retorno ao morro em 1991. Apesar de terem tido uma filha, nunca totalmente reconhecida pelo pai, a relação deles se fortaleceu a partir do dia em que Juliano convidou o irmão de Veridiana, Alen, para um cargo de confiança da boca. Em 1996 Veridiana tinha 17 anos de idade e começava a se envolver nos assuntos relacionados ao tráfico. Um começo considerado infeliz, marcado por um erro que mais uma vez tiraria Juliano do morro.

Eles dormiram juntos na noite de sábado e ao meio-dia de domingo foram acordados por Careca, que foi levar o dinheiro do movimento minguado da boca e informar que finalmente a polícia parecia ter saído da favela. Era carnaval e Juliano pretendia assistir aos desfiles das escolas de samba pela televisão na casa de algum amigo. Já Veridiana, que se queixava do calor de 40 graus, queria ir à praia do Leme.

Às duas horas da tarde, Veridiana vestiu um biquíni novo e, já pronta para sair, convidou Juliano, de brincadeira, para acompanhá-la até a praia.

— Vamos lá, meu amor. Eu vou fazer o maior sucesso com um homem famoso desse ao meu lado. Já estou imaginando os comentários...

— Tu tá de sacanagem... Vai na boa, mas cuidado com a paquera, hein? Tu é muito gata, Veridiana.

— Não se preocupe. Se algum cara se interessar, digo que eu tenho dono e mostro a tua foto no jornal, que acha?

— Tu tá de sacanagem!

Juliano escolheu a casa de Funfa para assistir ao carnaval na TV. Embrulhou uma pequena porção de maconha num maço de cigarro vazio, pegou uma Bíblia de bolso, o celular e antes de sair da casa subiu até a laje para checar o movimento na rua. Normalmente as namoradas saem na frente, fazem todo o percurso até o destino e depois avisam se a área está policiada ou não. Dessa vez, como o caminho parecia livre, Veridiana achou que não precisava fazer a checagem e deu o sinal verde para Juliano.

— Vô até ali fumá um. Quero ficá doidão pra vê o desfile. Fui! — disse, ao se despedir de Veridiana.

Depois de uma semana sem aparecer na rua durante o dia, Juliano saiu do barraco onde estivera escondido com Veridiana animado e confiante. Mas logo achou que a descida cheia de curvas do beco da Boa Fé estava deserta demais para uma tarde de domingo. Ele tinha por hábito imaginar as alternativas de fuga enquanto caminhava. Dessa vez, passou os olhos pelo valão do esgoto, depois pela janela aberta de um barraco e calculou que poderia subir até a laje e correr para os lados de dona Virgínia, área de concentração da quadrilha nesses dias.

No sentido contrário, três homens reclamavam do calor acentuado pela roupa azul-marinho e dos equipamentos pesados demais para uma subida tão íngreme. Subiam passo a passo, um pouco à frente dos outros cinco colegas. Eles formavam uma das três turmas do Bope que caçavam Juliano nesse domingo. Antes de cada curva, o soldado Getúlio Soares se adiantava dos demais com o fuzil em posição de tiro horizontal para averiguar como estava o caminho à frente. Os outros apontavam as armas para o alto e em todas as direções da favela, num ritual repetido à exaustão nos últimos sete dias.

Quando Juliano viu o soldado Soares na curva à sua frente, instintivamente esboçou um giro do corpo para voltar. Desistiu assim que percebeu que já estava na mira do fuzil.

— Sou eu mesmo. Perdi! — disse Juliano à distância.

O soldado Soares sabia que Juliano era um guerreiro "abusado", que já havia trocado tiros com a polícia. Receoso, protegeu-se junto à parede do barraco da curva, mandou que ele se aproximasse e avisou o sargento Roberto Fraga e Cabo Dario que vinham logo atrás.

— É o cara! Acho que é o cara! — disse o soldado.

— Calma, sô trabalhador — disse Juliano, já bem perto deles.

De imediato chamou a atenção dos PMs o aparelho celular, que na época ainda era raridade nos morros.

— Como se explica esse aparelho aqui? — perguntou Soares.

— Trabalhador usa telefone — respondeu Juliano.

Em seguida encontraram a maconha enrolada no maço de cigarro.

— Trabalhador também fuma — argumentou Juliano, sem muita convicção, porque seus documentos verdadeiros já estavam nas mãos do sargento Fraga.

Uma foto de Juliano, que o sargento Fraga trazia no bolso, em confronto com os documentos, eliminou todas as dúvidas. Ao constatar que muitos moradores observavam a cena da prisão das janelas e que alguns já se aproximavam para ver de perto, o sargento mandou que ele fosse levado para o pé do morro. E, por temer algum ataque no caminho, imediatamente pediu reforço.

O único "ataque" foi uma tentativa de suborno. Na versão do sargento Fraga, Juliano aproveitou uma conversa a sós para fazer uma proposta financeira em troca do relaxamento do flagrante.

— Pago cinco mil pro senhor me liberá dessa — teria dito Juliano.

Minutos depois, já no xadrez da viatura policial, teria havido mais uma tentativa.

— Eu tenho um AK-47, cinco pistolas e duas metralhadoras. Pelo celular, eu mando trazê já pra vocês aqui...

Diante da negativa dos PMs, Juliano teria feito um último apelo.

— Eu não posso sê preso. O Elias Maluco e o Uê vão querê tomá o morro. Muita gente inocente vai morrê na guerra... Vocês têm que me liberá.

Na Delegacia de Botafogo, Juliano já era aguardado com a expectativa reservada às celebridades. Uma multidão de policiais e jornalistas se empurrava para acompanhar de perto a sua chegada. Algemado, Juliano não quis falar com ninguém. Disse que só prestaria depoimento em juízo, acompanhado de um advogado. Diante da insistência dos policiais, resolveu falar um pouco. Respondeu apenas a uma pergunta sobre o motivo de sua prisão.

— Essa pergunta tem que sê feita aos carniceiros. Eles que me puseram na cadeia, destruíram a minha vida.

■ ■ ■

A vida dos três repórteres que o entrevistaram também não seria mais a mesma. No caso de Nelito Fernandes, as mudanças começaram um dia após a publicação da entrevista, quando recebeu uma ameaça por telefone. Era a voz de um jovem.

— Nelito?

— Falando. Pode falar.

— Mermão! Tu não falô que não ia dá o nome do cara?

— Olha, posso te explicar?

— Explicar é o caralho! Falô que não ia dá o nome do cara!

— Não foi uma decisão minha.

— Não interessa! O jornal tá cheio de dinheiro. Você agora tá fudido e vai morrê. Se eu sô tu eu tiro férias.

Nelito saiu do jornal com escolta policial, passou em casa rapidamente para pegar algumas roupas e se refugiou durante 15 dias fora do estado. De volta ao Rio, passou a dormir cada noite na casa de um amigo diferente e deixou de assinar suas reportagens em *O Globo*. Até o seu pai, que tem o nome igual, teve de mudar de apartamento para fugir das ameaças. Cinco anos depois, Nelito ainda evitava dar o seu nome e telefone para as fontes de suas reportagens, assim como registrar em seu nome o carro, o telefone e qualquer serviço público. Mudou também sua postura profissional. Quando voltou a se envolver em novas reportagens de denúncia, passou a perguntar para si mesmo: "Será que ele não vai querer me matar?"

Em alguns momentos, Nelito Fernandes teve ódio de Juliano por causa do episódio das ameaças. Depois admitiu que, na época da entrevista, quando tinha 25 anos, faltara-lhe maturidade para uma missão tão delicada. Passou a entender que a experiência havia servido como uma boa lição, a de nunca assumir com os entrevistados um compromisso que não tivesse condições de honrar.

— Pode-se dizer que a vida dele ficou marcada: era uma coisa antes da entrevista e virou outra depois da entrevista. A minha também.

Marcelo Moreira também recebeu ameaças indiretas por telefone. E, por coincidência ou não, na semana em que Juliano foi preso, alguém disparou um tiro na janela da redação do *Jornal do Brasil*. O atentado nunca foi esclarecido. Os chefes da redação sugeriram que ele fosse trabalhar algum tempo na Argentina, mas Moreira preferiu continuar na cidade.

— Se eu for me mudar sempre que me envolver com essas reportagens mais complicadas, como vai ser? — perguntou Moreira para si mesmo.

Barsetti também preferiu tomar os cuidados básicos de segurança a mudanças mais radicais. Ele só ficou mais preocupado quando foi chamado a depor na Justiça contra Juliano e fazer o reconhecimento dele diante de uma juíza linha-dura, Denise Frossard, na época famosa por ter mandado para a cadeia os maiores chefões do jogo do bicho do Rio de Janeiro. A entrevista estarrecedora tinha sido a base de todo o processo, que acusava Juliano pelos crimes de tráfico de drogas, formação de quadrilha, lesões corporais, homicídio e apologia ao crime. No processo, ficou registrado um elogio ao trabalho dos três repórteres.

> "É de se louvar o trabalho da imprensa, em especial dos jornais *O Globo*, *Jornal do Brasil* e *O Dia*, que com suas reportagens por ocasião da visita do pop-star Michael Jackson conseguiram entrevistar o chefe do tráfico do morro Dona Marta, e com isso teve início o inquérito cujas peças servem de informações ao presente processo. É a astúcia do jornalista numa imprensa livre e democrática que faz clarear a verdade, fazendo renascer os brios dos homens públicos."

Diante da juíza Frossard, no entanto, os três repórteres não quiseram ir além das denúncias já feitas na entrevista. Convocados para fazer o reconhecimento de Juliano, que estava na sala da juíza, nenhum deles disse ter condições de identificá-lo como sendo o homem que dera a entrevista na favela Santa Marta. A experiente Frossard percebeu que eles haviam combinado uma resposta negativa e tentou pressioná-los a falar a verdade, batendo com a mão sobre a mesa.

— Olha, vocês têm que colaborar com a Justiça. Sigam o meu exemplo. Se eu tivesse medo de morrer, não teria prendido os bicheiros — protestou a juíza.

Cinco anos depois, Barsetti explicou por que decidiu não identificar Juliano.

— Eu repetia pra mim a todo momento: será que este cara foge? Será que ele manda buscar a gente mesmo? Ele deve ter levado muita porrada, deve estar com muito ódio. Os três foram responsáveis pela prisão dele. Aí eu falei: "Eu não vou reconhecer, não."

Marcelo Moreira justificou de uma forma parecida.

— Na época eu decidi assim: não vou confirmar porra nenhuma. Porque aí sim eu vou ficar mal com o bandido. Aí ele pode fazer alguma coisa. Olhei pela porta entreaberta onde estava o Juliano e falei para a juíza Frossard: Não, ele é muito parecido, mas não dá para reconhecer, não.

A negativa dos repórteres não impediu a condenação. Um ano depois da entrevista, Juliano foi condenado a 23 anos de cadeia pelos crimes de tráfico de drogas, formação de quadrilha e apologia ao crime.

Cinco anos depois, o editor César Seabra e os três repórteres tinham uma visão diferente de Juliano. Eles concordaram em fazer uma autocrítica sobre a decisão da época, que levou ao rompimento do acordo de não publicar a identificação do traficante, até então um desconhecido.

— Fui eu que fiz o Juliano VP ficar famoso. Se não fosse por mim, ele não seria ninguém. Eu falei para o Nelito: 'Não tem acordo com bandido' — falou César.

— Me arrependo de duas coisas. Da frase mato certo e de ter dado o nome dele. Ter deixado essa decisão a cargo do editor. Mas eu acho que sem dar o nome do traficante não ia ser matéria. E naquela hora eu fiquei entre não publicar nada e ter uma boa matéria quebrando o acordo. E hoje acho que o certo seria não publicar nada e manter o acordo. Mas se não tivesse publicado, nada disso teria acontecido. Ele não seria o Juliano VP, ele teria passado em branco — foram as palavras de Marcelo Moreira.

— Vendo com mais tranqüilidade, na verdade Juliano não é esse bicho-papão. É um traficante diferente dos outros. Acho que a preocupação social dele é verdadeira. Eu acho que se ele conseguisse trabalhar melhor a relação dele com a sociedade, poderia representar um elo entre o mundo do dinheiro e o submundo, — entendendo aqui o mundo das pessoas pobres. Juntar o asfalto ao morro, não sei de que forma — disse Silvio Barsetti.

— Não publicar o nome seria uma atitude louvável? Sim, mas eu preciso trabalhar. Eu não posso traficar, armar uma boca de fumo. Então, se eu fizesse isso, talvez eu não conseguisse mais emprego em lugar nenhum. Aí eu ia fazer o quê? Entrar para o bando do VP? — finalizou Nelito Fernandes.

O castigo imposto pela Justiça a Juliano era a cela dos tuberculosos. Para mudar dali teria que negociar, no momento oportuno, com quem administrava as regras perversas da carceragem da Polinter, uma das centrais de polícia do Rio de Janeiro. Antes era preciso conhecer os parceiros com quem ia conviver talvez por muitos anos. Eram quatrocentos homens distribuídos em 13 cubículos construídos para abrigar 150. A maioria cumpria ordem de prisão preventiva decretada pela Justiça enquanto aguardava o julgamento de seus crimes, que variavam de homicídio a inadimplência da pensão dos filhos. Tinham em comum a cor amarelada de quem nunca pegava sol. A chegada de um novato era sempre uma oportunidade de recuperar a referência de tempo.

— Como está lá fora? É noite ou é dia? — alguém perguntou a Juliano.

Adaptar-se ao relógio do xadrez não representava grandes dificuldades. Nessa vida havia dez anos, habituara-se aos ambientes adversos, a enfrentar com disposição a falta de coisas básicas, como comida, bebida e horas de sono tranqüilo. No superlotado xadrez da "tosse" era mais seguro descansar em pé e se impor um jejum para evitar o contágio. Uma alternativa, quando adquirisse a confiança do carcereiro, seria pagar uma diária equivalente a três dólares e mudar para a cela ao lado, onde o sol também não entrava, mas pelo menos o risco de contaminação era de uma doença não tão grave, a sarna.

O acesso aos benefícios do suborno dependeriam de um jogo complexo entre o funcionário que venderia facilidades e o preso que as compraria. Um complicador, devido à natureza da atividade na Polinter, era o fator fuga. Sede de seis órgãos da polícia civil do Rio Janeiro, o prédio era freqüentado durante as 24 horas por centenas de policiais e a seu redor sempre havia viaturas estacionadas. Embora a carceragem fosse vulnerável, devido à fragilidade das paredes laterais e do piso que estava logo acima de um córrego subterrâneo, era impossível uma fuga sem que levantasse a suspeita contra algum funcionário da segurança. Por isso, Juliano sabia que os negócios com algum carcereiro corrupto da Polinter dificilmente envolveriam a venda de sua liberdade. O primeiro a aceitar o seu dinheiro deixou isso bem claro.

— Aqui tudo pode ter um preço. Mas fuga, nem pensar — disse ele.

Melhor para o corruptor era investir na conquista de maior tempo para as visitas, limitada por questões de segurança aos dias úteis da semana. Em média, os presos eram procurados por 1.600 parentes, namoradas e amigos. E como não havia espaço para todos no pátio interno, os visitantes eram submetidos a uma escala que atendia a duas celas por dia. Significava que cada preso deveria receber "rigorosamente" apenas uma visita por semana. Mas quem recorria à escala do câmbio negro recebia quantas quisesse. Cada namorada de Juliano tinha que pagar o equivalente a cinco dólares por hora de visita extra.

No primeiro mês de cadeia de Juliano, os carcereiros já estavam faturando alto com as visitas que ele recebia. Além das namoradas, a mãe Betinha e a irmã Zuleika pagavam todos os dias pelo direito de vê-lo e poder servir um prato de comida feita em casa. O missionário Kevin quase toda semana entrava na carceragem acompanhado de algum intelectual interessado em conhecer o traficante que falava em revolução social. Aos poucos, alguns homens da Santa Marta também passaram a visitar a carceragem e o motivo não era só saudades do chefe.

Para amenizar o sofrimento do grande amigo, Careca e Du levaram de presente um pôster da atriz e piloto de corrida de automóvel Suzane Mônica Carvalho, nua, em tamanho natural. Os dois ajudaram Juliano a fixá-lo na parede lateral da cela, o que provocou assobios dos outros presos. Pelo menos trinta homens tinham bons motivos para festejar. A foto da bela atriz sinalizava o início do plano de fuga.

Depois da visita, Careca e Du estavam aptos a informar ao grupo liderado por Mendonça em que ponto da parede externa da Polinter estava a cela de Juliano. Ao lado do prédio havia uma obra abandonada. E a idéia era invadi-la à noite para executar a segunda parte do plano, a abertura de um buraco na altura indicada pela foto de Suzane Carvalho.

Para evitar muito barulho, Mendonça e Alen usaram uma máquina furadeira movida a gás de nitrogênio alugada pelo caxangueiro Paulo Roberto, que costumava usá-la como ferramenta de arrombamento das casas que roubava. Enquanto isso, Du e Careca ficaram ali perto circulando pelas ruas próximas em um Tempra roubado, com a missão de dar continuidade à fuga assim que Juliano saísse do buraco.

A noite prevista para a fuga foi de grande expectativa na cela dos sarnentos. Qualquer ruído lá de fora chegava como uma esperança de liberdade. Em alguns momentos Juliano teve certeza de ouvir o barulho do motor do carro de Careca. Para diminuir a ansiedade, chegou a rezar diante da imagem da santa Suzane Carvalho, que naquela circunstância passara de símbolo sexual a rainha dos foragidos. Pouco antes da meia-noite, as preces de Juliano foram interrompidas por um carcereiro bem informado.

— A casa caiu, Juliano! Vamos lá pra sala do pau!

Um grupo de vinte policiais chegou apressado à carceragem. Amarrou vários pedaços de pano nos pulsos de Juliano, sinal de que pretendiam torturá-lo sem deixar marcas. E o conduziram até o segundo andar do prédio, onde havia uma sala de interrogatório com instrumentos de tortura. Um preso gemia pendurado no pau-de-arara. Os policiais que estavam em volta dele vieram conversar com Juliano.

— Qual é? A gente te oferecendo comida especial, visita a toda hora e você tentando fugir, cara?

— Não sei de fuga nenhuma, não — respondeu Juliano.

— Como, não? Tá dando mole, hein! Teus homens estão te traindo.

Juliano ainda tentava driblar a acusação quando foi surpreendido por uma atitude dos carcereiros. Eles tiraram o preso do pau-de-arara e forçaram ali mesmo uma acareação com Juliano. Era um jovem, que tinha dificuldades de manter-se em pé por causa dos espancamentos que sofrera nas pernas. Também não conseguia conversar direito com os policiais. Por isso, quando lhe perguntaram se Juliano estava envolvido no plano de fuga, o preso torturado respondeu com uma só palavra.

— Está!

Colocado frente a frente com Juliano, também não teve dúvidas de responder à pergunta sobre a identidade dele.

— É esse o cara que planejou a fuga?

— Éééééé!

A reação de Juliano foi um soco na cara do preso torturado e indefeso. A atitude provocou risos dos policiais, satisfeitos por terem conseguido à força a confissão de um dos envolvidos no plano de fuga.

Não adiantava mais negar. Mas, se admitisse o envolvimento, Juliano perderia a confiança dos funcionários para futuras negociações. Preferiu acertar um valor que evitaria o interrogatório com tortura e que garantiria o fim das investigações internas contra ele.

Na Santa Marta, o fracasso da primeira ação desde a prisão do chefe abalou a vida dos homens da quadrilha. Depois da prisão de Juliano, os gerentes Mendonça e Paulo Roberto assumiram as funções de frente. Os dois receberam ordens de Juliano para esclarecer quem havia passado informações do plano de fuga para a Polinter. As suspeitas da dupla sem experiência de comando geraram muitas discussões, brigas, punições de inocentes, perseguições sem fundamento e mostraram que o morro não tinha mais uma liderança respeitada nem temida. Os novos "frentes" acabaram dividindo o comando em dois grupos, durante a ausência do chefe.

O pessoal mais identificado com Mendonça, cuja base era a Turma da Xuxa, queria manter a estrutura da boca voltada exclusivamente para o comércio de drogas e envolvimento eventual com outras quadrilhas do morro. Tentava recuperar as perdas de 90 por cento das vendas, provocada pela perseguição a Juliano. Investia nos meios para estabelecer uma convivência pacífica com as principais lideranças da favela e com os policiais do Batalhão de Botafogo.

O grupo de Paulo Roberto, assaltante experiente, integrava quadrilhas voltadas para crimes diversos. Nesses tempos de pouca venda de drogas, dirigia a atividade também para os furtos do piza nas lojas, e para os assaltos de rua e de residências da zona sul. O fracasso na ação da Polinter, em que os dois grupos atuaram juntos, deixou as divergências mais evidentes. E quem pagou por isso foi um dos melhores amigos de Juliano, o inseparável Du.

As intrigas contra Du começaram ainda nos tempos da gerência de Raimundinho, que não tolerava o seu descontrole no consumo de cocaína. Em algumas situações, o descuido com sua segurança pessoal implicou risco de morte para todo o grupo. Ele só não foi vítima pelos tribunais de Raimundinho por ser compadre, amigo de infância e parceiro de Juliano em todas as situações. Várias vezes os dois passaram risco de vida juntos. A última fora por imprudência de Juliano, que adorava montar e desmontar armas para cuidar da manutenção delas com óleo lubrificante. A maioria dos homens evitava ficar perto dele nessas horas porque não era raro que houvesse algum disparo acidental. De arma ou de granada, como aconteceu no barraco da endolação.

— Socorro, Du! Me ajuda com o pino — gritou Juliano quando já estava com a granada parcialmente desmontada sobre a mesa. Ele havia desmontado a tampa e retirado parte dos explosivos. Mas como pretendia retirar todos os componentes do cilindro para mostrá-los a Du, precisava antes desmontar o pino de aço que detona a explosão por impacto. Depois de fazer muita força com as mãos, conseguiu desprendê-lo de uma mola resistente, mas a ponta de aço cravou no seu dedo polegar.

— Caralho, Du. Agora, se eu tirá o dedo essa porra vai explodir.

Du tentou ajudá-lo a desencravar o pino do dedo que sangrava, com extremo cuidado para evitar o repuxo do pino e detonar a explosão. Não evitou. A explosão foi ouvida em toda a parte alta da favela. Levou os homens da endolação, que estavam fora do barraco, a acreditar que havia sido um ataque dos inimigos contra o chefe. Assustados, correram para salvar a dupla. Encontraram Du e Juliano grogues, surdos, cobertos pela poeira levantada do chão de terra do barraco e pelo pó de cocaína pura.

— Cadê o pó, Juliano, cadê ó pó? — gritou um dos homens ao constatar que um monte de dois quilos de cocaína, que estava sobre a mesa para ser embalado nos sacolés, tinha voado pelos ares. A explosão chegou a quebrar algumas telhas do velho barraco.

■ ■ ■

O último programa da dupla Du e Juliano fora do morro, um show de rock da Legião Urbana, também não acabou muito bem. Logo no início do espetáculo, o cantor Renato Russo, ídolo de Juliano, fizera uma declaração de amor a um jovem da platéia e defendera os prazeres da homossexualidade masculina.

Decepcionado e ofendido, Juliano saiu imediatamente do lugar do show. Voltou da Gávea à Santa Marta chutando latas e sacos de lixo que encontrava pelo caminho. Du, ao lado, tentava acalmar o parceiro.

— O cara é boiola, caralho! Não posso acreditá — reclamou Juliano.

— Qual é o problema disso? O cara não deixa de ser bom — disse Du.

— Tu viu, aquela multidão de garotinhas querendo dá pro cara e o cara querendo comê o garotão.

— Qual é, Juliano. Problema dele!

— Não me conformo, Du. Não adianta, meu ídolo é viado! Não me conformo...

■ ■ ■

Durante as discussões sobre a fracassada fuga da Polinter, o nome de Du esteve no centro das brigas internas. Embora aconselhado a evitar as drogas, ele teria ficado 72 horas sem dormir durante a fase de planejamento. Sempre "boladão" de pó, chegou atrasado a todos os encontros na cidade e perdeu o telefone celular justamente quando ele seria mais necessário, na noite prevista para a fuga.

Sem consultar os amigos antigos da Turma da Xuxa, Paulo Roberto foi à cadeia pedir pessoalmente ao chefe a aplicação de um corretivo em Du, para convencê-lo a se drogar menos. Juliano concordou, devido aos precedentes. Desde o início dos problemas de comportamento de Du, Juliano já o havia surrado duas vezes. Numa ocasião, levou-o ao pico do morro, onde simulou uma execução. Juliano disparou três tiros ao lado do ouvido de Du, numa tentativa de fazê-lo confessar vários furtos relacionados ao consumo de pó e ao sumiço de 100 reais que havia tirado das mãos de Juliano William, seu filho mais velho.

Numa outra vez Du foi surrado porque havia desviado 50 sacolés de cocaína de um plantão da boca.

Para dar o corretivo sugerido por Paulo Roberto, antes o pessoal da quadrilha teria que conseguir a aprovação da mãe de Du, a Marlene, de sua irmã Rosilene e de seu irmão Dodi. O pai morrera de cirrose quando ele tinha 14 anos. Como a punição tinha sido aprovada por Juliano, a mãe confiou numa possível eficácia da surra. Além de grandes amigos, Du era padrinho do filho caçula de Juliano. Por isso, dona Marlene acreditou que por trás da surra havia a boa intenção de recuperá-lo. Ela já não sabia o que fazer. A degradação moral de Du chegara ao ponto de ele roubar coisas de sua própria casa.

Nada ficou combinado sobre quem aplicaria a surra e quais seriam os limites do agressor. As primeiras notícias do corretivo chegaram à cadeia pela irmã de Juliano, Zuleika.

— Preciso te falá de uma grande desgraça, Juliano — disse a irmã Zuleika, a fiel parceira de suas horas mais difíceis.

Zuleika contou que o corretivo combinado tinha se transformado num espancamento a pauladas.

— Quem assistiu disse que foi covardia. Bateram no coitado do Du como se ele fosse um X-9. Até ameaçaram amarrar as pernas com fita crepe — prosseguiu Zuleika.

Depois das pauladas, algumas crianças teriam sido estimuladas a jogar pedras em Du, que foi abandonado inconsciente sobre uma vala cheia de lixo. Ele foi encontrado ali, desmaiado e salvo pelos homens da turma de Mendonça, que o levaram para o hospital. Du ficou dez dias na Unidade de Terapia Intensiva, com lesões em vários órgãos internos do corpo e com afundamento de uma área do lado esquerdo do cérebro. Deixou o hospital depois de um mês, mas com seqüelas cerebrais graves.

— Ficou doidão, Juliano. Não queria mais comer nem dormir em casa. Passava as noites cantando lá na laje do ambulatório — contou Zuleika a Juliano.

Numa madrugada de domingo, inverno de 1996, Du sofreu uma queda fatal na mesma laje onde Michael Jackson gravou "They dont care about us". Houve duas versões para o episódio. O pessoal de Paulo Roberto disse que ele teve uma crise de overdose de pó e caiu acidentalmente. A outra versão era a de assassinato.

— O pessoal disse que o Du, na verdade, estava enchendo o saco, cantando nos ouvidos do pessoal e aí os caxangueiros o empurraram lá de cima — disse Zuleika.

— Caralho, esses putos fizeram isso com o Du? Eu mandei apenas darem uma surra! Que loucura foi essa? — disse Juliano, inconformado.

A morte de Du marcou o início de uma fase de depressão e isolamento de Juliano. Passou vários dias encolhido num canto da cela, com longas crises de choro, sem falar com ninguém, sem fazer a barba, sem fazer exercícios matinais, dormindo 12 horas por dia, só aceitando visitas da mãe. Tornou-se um devorador das três refeições oferecidas pelos carcereiros, sem abrir mão da comida reforçada trazida diariamente pela família. Engordou vinte quilos. Adquiriu uma estranha paixão pela piloto Suzane Carvalho, a ponto de ter crises de ciúmes quando flagrava alguém olhando para o foto dela nua na parede da cela.

Para sair da fase depressiva mais aguda a mãe o convenceu a usar as últimas reservas em dinheiro para comprar o direito ao sol, que incidia apenas nas duas celas mais próximas do início do corredor da carceragem. Escolheu a que era considerada território do pessoal do Lambari, o chefão da segunda maior favela do Rio de Janeiro, a Jacarezinho. Dois homens de confiança dele, Téia e Rogerinho, conhecidos entre os traficantes, também estavam presos ali. Os três receberam Juliano com reverência quando ele chegou de mudança à cela trazendo o pôster de Suzane Carvalho nas mãos.

— A irmandade do Jacaré é parceira da Santa Marta. Na liberdade e no sofrimento — disse Lambari.

A namorada rica e misteriosa foi importante para tirá-lo dessa fase. Depois de resistir à idéia de entrar pela primeira vez numa cadeia, ela virou uma das visitantes mais assíduas. Em uma das visitas levou um computador portátil de presente, para incentivá-lo a escrever, como ele desejava desde a adolescência. E o convenceu a aceitar o convite de uma cineasta que queria fazer um filme a partir da sua história. Juliano também recebia as visitas de uma repórter policial, autorizada a ouvir seus depoimentos pelo menos duas vezes por semana. Depois de alguns meses o romance com a namorada rica deixou de ser um mistério. A família e os amigos mais próximos, como o missionário Kevin, foram apresentados à mulher loira, bonita, simpática: Luana Fioravante uma publicitária solteira, de 30 anos, que morava no bairro da Gávea. Essas visitas terapêuticas aconteciam no "parlatório" — uma pequena sala na entrada da carceragem normalmente reservada aos contatos dos advogados com seus clientes presos — e eram sempre vigiadas no mínimo por dois carcereiros de plantão.

— Tua mina chegou, Téia! — gritou o carcereiro.

Desde que Téia começou a namorar Janete, o parlatório começou a ser usado como uma espécie de motel de final da tarde, ao custo de 50 dólares por período de duas horas. No fim de semana era mais caro, preço a combinar. Sem nenhuma atividade nas delegacias do prédio, a equipe de segurança de plantão na carceragem era reduzida de cinco para três, que geralmente não aceitavam o suborno. Só os mais desonestos não resistiam às propostas do pessoal do Jacarezinho, o equivalente a 200 dólares, para usar o parlatório no sábado ou no domingo.

A namorada de Téia, Janete, costumava ir à Polinter com o filho Ryan, de dois anos. E eventualmente convidava uma amiga, Arlete, empregada doméstica em Del Castilho, que nem sempre cobrava para ficar no parlatório com o amigo de Téia, o Rogerinho. No último sábado de outubro, o convite de Janete foi profissional.

— Hoje vai rolar uma grana. Uma rapidinha e cem reais na mão!

Elas chegaram às duas horas da tarde, como fora combinado, mas o porteiro Jorge Firmino não as deixou entrar.

— Sábado, não! Vocês estão cansadas de saber... — disse o porteiro com firmeza.

— É só uma rapidinha... Chama lá o Paquetá — insistiu Janete.

Paquetá era o apelido do carcereiro Aroldo Velloso Dias, que estava de plantão com outros dois colegas, Emanuel Albuquerque e Kleber do Nascimento. O salário dos três era igual, o equivalente a 320 dólares. Eles prestavam serviço de segurança particular para reforçar o salário. Dos três, Kleber era o que mais se queixava da situação financeira. Estava com os dois filhos doentes em casa, um deles com problemas respiratórios graves. Os colegas dizem que ele pretendia usar o dinheiro do suborno para colocar o filho numa natação terapêutica.

Janete e Arlete voltaram mais tarde e aproveitaram para entrar na carceragem no momento em que o porteiro durão Jorge Firmino havia se afastado da entrada principal. Elas foram recebidas por Kleber.

—Téia, Rogerinho! As minas chegaram!

O grito dos carcereiro fez o coração de Juliano disparar e provocou um comentário do discreto Lambari, que passara o mês resfriado embaixo do único cobertor da cela 2.

— É agora ou nunca, Juliano.

O deprimido e o resfriado haviam passado o mês de outubro na "aba" da ação de Téia e Rogerinho, que estavam, como eles diziam, "cozinhando" os carcereiros. Agora havia chegado a hora de comê-los.

Da entrada da carceragem, Arlete e Janete foram conduzidas por Kleber até a porta do parlatório, quando ele tentou ser simpático.

— Não percam tempo, chegaram muito tarde hoje... — disse Kleber.

— Hoje não estamos a fim de conversa — respondeu Janete, apontando para o rosto de Kleber uma pistola austríaca Glock que trouxera escondida nas fraldas do filho Ryan. Exigiu que Kleber ficasse em silêncio.

— Psssiuuu!

Imediatamente Arlete correu para o fundo da sala de espera, lado oposto da entrada da carceragem, onde estava o corredor de acesso às celas, protegido por três grandes portões de ferro. Enquanto ela abria o primeiro cadeado, Kleber aproveitou um vacilo de Janete para sacar a arma e tentar dominá-la. Mas ela foi mais rápida e disparou um tiro à queima-roupa contra o seu rosto.

— Tu qué morrê, filho da puta!

A bala entrou pela boca, quebrou todos os dentes da frente, saiu pela nuca abaixo da orelha esquerda e mesmo assim Kleber não se rendeu. Caído, conseguiu se arrastar em direção ao corredor das celas, onde Janete já apontava a arma contra o carcereiro Emanuel, que estava no meio dos dez presos da cela 2, todos ansiosos para fugir.

A cela 2 estava numa posição privilegiada. Ao comprar o direito ao sol, Juliano, Lambari, Téia e Rogerinho estavam na verdade eliminando as barreiras de dois portões da parte final do corredor. De onde estavam, bastava romper um portão para chegar à sala de espera das visitas, situada a menos de 10 metros da saída da carceragem.

O tiro disparado por Janete chamou a atenção do porteiro Firmino, que correu para a carceragem, enquanto um colega dele pedia socorro pelo radiotransmissor ao Batalhão da Harmonia, que fica a 200 metros do prédio da Polinter. Quando Firmino entrou na carceragem de arma em punho, os presos da cela 2 avançavam em direção oposta.

— É a polícia! — gritou Firmino, disparando tiros para cima ao perceber que os carcereiros estavam no meio dos presos.

Quase todos recuaram para o corredor das celas enquanto Téia, que já havia recebido a pistola das mãos de Janete, disparava contra Firmino. No meio da confusão, o carcereiro baleado na boca aproveitou para passar o cadeado no primeiro portão e deixar a maioria trancada no corredor, inclusive ele próprio. Em seguida lançou as chaves pelo meio das grades para o outro lado, bem longe.

Téia tentou romper o cadeado a tiros de pistola, mas não conseguiu. Desesperado, disparou também contra o armário do paiol da Polinter. Juliano e Lambari, desarmados, faziam ameaças aos gritos para manter os policiais afastados. Os primeiros reforços da PM já se aproximavam da entrada da carceragem quando Téia finalmente conseguiu romper a porta do paiol. O armário estava cheio de armas. Uma metralhadora foi para as mãos de Rogerinho, duas escopetas para Lambari e Juliano, dois revólveres para outros presos da cela 2 e um fuzil ficou com Téia.

Por alguns minutos se estabeleceu um impasse. De um lado, no corredor de entrada da carceragem, estavam os policiais, que não podiam avançar. Do lado oposto os presos, bem armados, tinham agora uma enorme barreira de PMs pela frente. Rogerinho chegou a pegar um dos carcereiros como escudo, mas foi impedido por Juliano, que preferiu usar as armas para romper os outros cadeados e provocar uma fuga em massa.

— Vamo lá, vamo cair fora! Todo mundo!

Mas na hora em que Rogerinho disparou as primeiras rajadas de metralhadora, poucos tiveram a coragem de seguir os seus passos. Logo atrás dele estava Téia, depois Juliano e Lambari, mais atrás Janete com o filho Ryan no colo e outros quatros presos que aderiram na última hora. O primeiro a cair baleado foi Téia.

— Pelo amor de Deus, não me deixem aqui!

Por segundos o grupo parou de avançar para levantar Téia do chão.

— Vamo matá! Vambora!

Os presos que permaneceram nas celas tentaram ajudar, gritavam e batiam canecas de alumínio nas grades de ferro. A baderna misturada com o som dos tiros e rajadas, dentro de um grande quadrado de alvenaria com poucas aberturas, provocou um barulho assustador. A correria suicida dos presos em direção à saída forçou o recuo dos PMs para a entrada principal da Polinter. Alguns policiais correram para as viaturas, ligaram as sirenes e estacionaram bem em frente à saída do prédio. Mas nada impediu o avanço dos fugitivos.

Na saída, Juliano e Lambari assumiram a dianteira. Eles subiram no capô das viaturas apontando nervosamente as escopetas para todos os lados, obrigando os policiais a se jogarem ao chão para conseguir proteção. Saltaram sobre os carros do lado, pularam para a calçada à esquerda do prédio e correram em direção à avenida Rodrigues Alves justamente quando chegava por ali o reforço dos homens do Núcleo de Operações Especiais de Inteligência e Apoio à Polícia. Os dois lados surpreendidos dispararam tiros a esmo e levaram pânico aos motoristas que passavam pela avenida.

O engenheiro Waldemar Rocha, que passara parte da tarde de sábado cuidando da manutenção do seu Monza, voltava do lava-rápido pela avenida Rodrigues Alves. Pelo telefone celular combinava com a mulher o preparo do jantar que aconteceria na noite de sábado em sua casa para festejar o aniversário de casamento. Envolvido no telefonema, não percebeu de onde veio aquele homem sujo de sangue que, de repente, apareceu no meio da avenida correndo em sentido contrário e apontando a metralhadora para o pára-brisa de seu carro limpo. A experiência como vítima de outros três assaltos de nada serviu para evitar o pânico.

— Pára! Pára!

Antes de ouvir os gritos assustadores de Téia o engenheiro Rocha já havia freado e saído do Monza, com os braços erguidos e o celular firme na mão. Correu para buscar proteção dos tiros atrás de uma pilastra do elevado da Rodrigues Alves. Dali, pelo telefone, pediu socorro e transmitiu todo o seu medo para a mulher em casa, que não sabia o que fazer para ajudá-lo. Mesmo ferido, Téia assumiu o volante do Monza, a mulher Janete e o filho Ryan se deitaram no banco de trás, e Rogerinho disparou rajadas pela janela, para dar cobertura à fuga em direção à ponte Rio—Niterói.

O taxista José Francisco Teles, que vinha logo atrás do Monza do engenheiro Rocha, teve que interromper a única boa corrida daquela tarde de sábado. Justamente na hora em que foi abordado pelos fugitivos, queixava-se ao médico-passageiro do ritmo tedioso do trabalho, contava que havia passado o dia batendo lata, gastando combustível sem ter faturado nem o suficiente para o pagamento da diária.

— A praça está foda! — dizia o taxista segundos antes de parar o seu Passat no meio da rua, diante de uma escopeta apontada contra o seu pára-brisa. Expulso do táxi por Lambari e outros dois fugitivos, o motorista Teles correu sem parar mais de um quilômetro até encontrar os companheiros de ponto na Rodoviária Novo Rio. Nesse momento, Lambari já estava longe com seu táxi.

O gordo Juliano ficou para trás. Exausto, ofegante, sem conseguir acompanhar a velocidade dos outros, chegou à avenida Rodrigues Alves graças a tática da fuga em massa, que tinha sido um blefe. Dos 400 presos, apenas sete chegaram até a rua. Ele era o único que não conseguira escapar do cerco. Estava no canteiro central da avenida, numa corrida desequilibrada pelo cansaço e mantendo os policiais afastados com outro blefe.

— Vou matá! Vou matá! — gritava Juliano.

A escopeta já chegou em suas mãos descarregada. Mas enquanto corria Juliano ainda se virava de costas, apontava a arma, ameaçava aos gritos dispará-la e, por instantes, conseguia deter a perseguição dos policiais, que crescia, chegava cada vez mais perto. Tentou aproveitar um carro que alguém abandonou no meio da pista, mas as chaves não estavam na ignição. Viu que policiais avançavam a pé, outros corriam para as viaturas que arrancavam barulhentas. Apavorado, nem percebeu o esforço de um jovem que gritava o seu nome no meio do tiroteio.

— Corre, cacete! Eu estou aqui, corre!

A fuga estava prevista para as duas da tarde, hora em que Careca começou a longa espera dentro de um carro estacionado a 50 metros da Polinter e que agora estava com o motor ligado, em alta rotação. Era um Tempra preto 96, o preferido de Careca por causa da boa estabilidade nas curvas em velocidade. Quando finalmente Juliano sentou ao seu lado, Careca já tinha a mão esquerda no volante e a direita no câmbio manual. Era o mais adequado para manter o carro acelerado ao máximo na primeira marcha e suportar a manobra brusca da arrancada, que fez as rodas traseiras deslizarem de lado sobre o asfalto até o giro de 180 graus.

— Mostra que tu é fera, Careca! — gritou Juliano.

De frente para os policiais e viaturas que avançavam no sentido contrário, Careca acelerou fundo, provocando barulho e fumaça do atrito dos pneus na pista. Com pequenos giros no volante, partiu em ziguezague para cima de seus inimigos, que foram forçados a abrir caminho. Ao seu lado, ainda esbaforido, Juliano enfiou meio corpo para fora da janela e continuou blefando aos gritos de "vou matá, vou matá" até o Tempra entrar na rampa do elevado que o levaria de volta à liberdade.

CAPÍTULO 25 | **CLANDESTINO**

Quando está na pista.
Terceiro se esconde.
É o Comando Vermelho.
Que vai puxando o bonde.
| **rap de Marcinho VP** |

O prédio da Polinter estava no centro de várias alternativas de fuga. Dado o alerta geral, em menos de cinco minutos centenas de viaturas passaram imediatamente a circular em alta velocidade, de sirene aberta, pelos caminhos mais provavelmente seguidos pelos fugitivos. A maioria dos policiais entrou no elevado de acesso à Linha Vermelha. Dali, alguns seguiram à direita e cruzaram a ponte Rio—Niterói, caminho para a Região dos Lagos e das rodovias que levam ao Espírito Santo e ao Nordeste do país, pelo litoral.

Viaturas também seguiram em frente pela Linha Vermelha, que levava ao Aeroporto Internacional Tom Jobin e ainda à Via Dutra, rota de quem procurava esconderijos na Baixada Fluminense. Alguns policiais vasculharam as saídas do elevado para as áreas mais centrais, como o Maracanã, a região da Rodoviária Novo Rio e ainda o caminho do viaduto Paulo de Frontin, que desemboca no Jardim Botânico e na lagoa Rodrigo de Freitas, áreas nobres da zona sul.

Nos primeiros minutos após a fuga, nenhum policial imaginou que os fugitivos pudessem ter voltado para a área da própria Polinter: "Obrigado meu pai por mais um dia... nesta tua terra maravilhosa... Pela graça alcançada, meu pai..."

Ainda ofegante, Juliano urrava de felicidade, mas não tinha fôlego para rezar direito. Cinco minutos depois da fuga, era o primeiro fugitivo a se aproximar do esconderijo. Os outros perderam tempo para trocar de carro e não tinham ao volante um motorista com a habilidade de Careca.

Depois de dar um cavalo-de-pau e abrir caminho no meio do cerco das viaturas da polícia, Careca subiu a rampa de acesso ao elevado e em seguida, 300 metros adiante, desceu pela saída da praça Mauá. Percorreu algumas ruas do centro antigo da cidade, sem ficar muito tempo em nenhuma delas. Em menos de dez minutos chegaram ao esconderijo, em um lugar que surpreendeu o próprio Juliano.

— Caralho. Não sabia que era tão na cara dos homi. A Polinter tá ali pertinho, cara — comentou com Careca.

Uma queima de fogos de cinco minutos na noite de sábado anunciou na Santa Marta o sucesso da fuga de Juliano. Ele mesmo telefonou do esconderijo para o morro para dar a notícia aos seus homens e pedir socorro médico ao amigo missionário. Mas Kevin não estava no morro. Atendeu o telefone na casa da namorada de Juliano, na Gávea.

— Irmão, preciso de ajuda urgente — disse Juliano.

— Meu Deus! Você está bem? — perguntou Kevin.

— Tô, mas tem um parceiro aqui que tá morrendo.

— Morrendo?

— Tá perdendo muito sangue...Tu precisa corrê para cá, mas voando!

— Tá certo, mas peraí. Fale aqui com uma pessoa que está aqui ao meu lado — disse Kevin passando o telefone para a namorada Luana.

Por segurança, o missionário não perguntou onde Juliano estava escondido. Era perto da meia-noite, hora em que a polícia continuava a busca aos fugitivos nas rodoviárias, aeroportos e principais ruas de acesso aos morros dominados pelo Comando Vermelho. Preocupado com alguma barreira na saída da Santa Marta, Kevin pediu a ajuda de Mãe Brava, que fez um levantamento da área.

— Limpeza. Os homi só tão em cima de quem tá chegando de carro.

Sem avisar nem mesmo as pessoas de maior confiança, Kevin saiu do apartamento de Luana e foi de táxi até a rua São Clemente, onde um Monza o aguardava estacionado a um quarteirão do acesso à Santa Marta. O motorista era um jovem de cabeça raspada, aparentava 17 anos e usava óculos de sol, embora fosse noite. Abriu a porta do carro enquanto falava com alguém pelo telefone celular. Envolvido no telefonema, nem cumprimentou Kevin e arrancou rápido em direção ao centro. Alguém orientava pelo telefone para seguir pelas ruas próximas ao prédio da Polinter, roteiro que assustou Kevin e o levou a pensar que tivesse caído numa cilada. Mas algumas ruas adiante o motorista avisou que estavam chegando perto do destino e informou qual era a senha do dia.

— Ronaldinho? — perguntou o sentinela no acesso ao morro.

— Romário — respondeu Kevin.

— E qual é o bicho?

— Jacaré! Jacaré!

Era a senha de acesso ao esconderijo da pioneira das favelas do Rio de Janeiro, a do morro da Providência, onde os primeiros barracos foram erguidos em 1920. Passagem liberada pelo sentinela do tráfico, o Monza avançou pela rua principal do morro e parou em frente a um dos principais pontos de vendas de droga. Uma menina sentada sobre uma pedra levantou-se e se aproximou do carro.

— Aí, vamo lá.

Enquanto o motorista manobrava o Monza, Kevin seguiu ao lado da menina em direção a um beco de antigos barracos de madeira repleto de jovens armados, a maioria concentrada em frente ao único sobrado de alvenaria, prédio com mais de cinqüenta anos. Os dois entraram no sobrado, subiram uma escada que levou ao quarto onde estavam Juliano, Rogerinho, Lambari e Téia, que se contorcia numa cama de solteiro por causa da dor. Alguns o chamavam de herói da fuga e todos da casa tentavam ajudar, preocupados com a gravidade do ferimento.

Kevin cumprimentou Juliano com um rápido abraço e começou a agir rápido. Escreveu numa folha de caderno uma lista de medicamentos de primeiros socorros que um avião buscaria na farmácia.

— Preciso desse material: soro fisiológico, antiinflamatório, gaze, esparadrapo, essa injeção aqui contra a dor, e iodo, cinco vidros.

O tiro tinha provocado uma grande ferida no alto da perna direita. O sangue escorria pelo orifício de saída da bala na parte posterior, logo abaixo das nádegas Kevin pressionou com o joelho a virilha de Téia para estancar o fluxo de sangue, que podia levá-lo à morte e aplicou uma injeção que aliviou a dor em cinco minutos. O curativo interrompeu de vez o sangramento e deixou os amigos mais calmos para finalmente comemorar o sucesso da fuga.

Passaram a madrugada falando dos momentos mais espetaculares da fuga para os jovens da Providência, que tinham ido conhecer os dois chefões de destaque do Comando Vermelho: Lambari, o dono da segunda maior favela do Rio, e Juliano, que a imprensa tornou famoso durante a visita de Michael Jackson à Santa Marta. A Providência era um território neutro, cedido pelos traficantes como esconderijo a pedido de um morador que era companheiro de cela dos fugitivos na Polinter. Planejaram usá-lo como ponto de apoio. E depois cada um partiria dali para seus esconderijos definitivos.

Nenhum dos fugitivos se sentiu seguro para dormir num morro onde estavam na condição de hóspedes, sem esquema próprio de segurança pessoal.

Para evitar o risco de delações, Lambari preferiu sair da Providência logo que o dia amanheceu. Um bonde com sete carros, enviado do Jacarezinho, garantiu a saída dele, de Rogerinho e de Téia, que estava febril e ainda corria risco de vida.

Sem igual força logística, Juliano optou por uma saída discreta com os recursos disponíveis.

— Um bonde com as mina! — sugeriu numa conversa animada com Kevin ainda no esconderijo da Providência.

— Não sei, não! Você não anda com essa bola toda com as minas, como você está pensando — respondeu Kevin.

— Qualé, Kevin? — indignou-se Juliano.

— É sério. Preciso te contar sobre a última fofoca do morro. E você não vai gostar nada de saber — disse Kevin.

— Porra, não faz suspense... — disse Juliano.

— É um escândalo. E você vai ter que tomar uma atitude — avisou Kevin.

O P-2 Josefino era o personagem central do maior escândalo da Santa Marta, que começou a ser descoberto por acaso por uma das irmãs de Juliano. Como seus colegas, Josefino trabalhava infiltrado, tentava ser discreto, usava roupa surrada para parecer favelado, mas não havia morador da Santa Marta que não o conhecesse como agente secreto da Polícia Militar. Na teoria, o P-2 era o profissional de inteligência, treinado para fiscalização interna da corporação, para monitorar abusos e atos de indisciplina dos companheiros de farda. Mas os moradores dos morros do Rio de Janeiro também conheciam uma outra face do P-2: a de alcagüete oficial, que fazia o levantamento prévio das ações repressivas da PM.

— Não adianta se esconder. Eu te manjo, Josefino! — gritou Zulá.

Durante as várias buscas da polícia a Juliano, Zulá flagrou Josefino investigando muito além dos limites da função de um policial. Ele tentou evitar o flagrante de todas as formas. Era uma noite de sexta-feira, de grande movimento no acesso à favela. Para não chamar a atenção, Josefino estacionou o carro particular, de chapa fria da P-2, numa rua paralela a 300 metros do pé do morro. Parou num lugar escuro, embaixo de uma árvore que cobria a luz do poste. No carro estava a cunhada da mulher que o acompanhava. Só percebeu o flagrante quando Zulá, que por coincidência também estava namorando no escurinho, começou a fazer um escândalo no meio da rua.

— Sua puta, vagabunda. Traindo o meu irmão — gritou Zulá.

Josefino estava acompanhado de Marina, uma das últimas mulheres de Juliano, mãe de um de seus filhos. Os dois tentaram consertar o flagrante.

— Não é o que você está pensando, mulher — disse Josefino.

— Qual é o problema de ganhar uma carona, Zulá? — perguntou Marina. Zulá ficou ainda mais revoltada.

— Maria Batalhão! X-9 de soldado. Piranha! — E fez ameaças. — Quero ver qual dos dois será o primeiro a morrer. Fica aí no escurinho, fica...

Josefino deixou Zulá falando sozinha e saiu com o carro para levar Marina até a praça Corumbá, ao lado da rua de acesso à favela. Zulá pediu para o seu namorado segui-los. Passou pela praça e entrou direto pela rua Jupira para denunciar a história no botequim de Mãe Brava.

— Descobri que o Juliano é corno, dona Brava.

— Que besteira é essa, Zulá. Tu tá sempre querendo rolo com seu irmão, hein! — respondeu Brava.

— Rolo, não. Eu vi aquela vagabunda no maior amasso com o Josefino, o P-2. Isso mesmo: tira, PM. Espalha logo isso no morro! — disse Zulá.

— O quê? A Marina? Crente, evangélica... Josefino? Me conta outra, Zulá, pelo amor de Deus — falou Brava.

— Crente pra levar o dinheiro do Juliano. Mamãe, quando souber, vai ter um ataque — disse Zulá.

Informado do caso por Kevin, Juliano inicialmente relutou em acreditar porque a fonte da história era a irmã Zulá, com quem sempre teve sérias divergências. Achou que ela poderia ter inventado a história para desmoralizá-lo. Por outro lado, não confiava muito em Marina. E tinha muitos motivos. Ela odiava os seus casos de infidelidade, e algumas vezes prometera se vingar dele. De todas as suas mulheres do morro, era a única que se queixava de ele ser mulherengo e de sua total ausência das coisas básicas do dia-a-dia da casa e da educação do filho.

Apesar de saber de suas queixas, Juliano acreditava que Marina jamais iria ter coragem de ferir a honra do dono da boca, porque a traição poderia ter como conseqüência a mais grave das represálias.

Mais preocupante para Juliano era a impossibilidade de voltar ao morro e esclarecer imediatamente a história como gostaria. Precisava ganhar tempo até que o assunto da fuga deixasse de ser prioridade da imprensa e da polícia. Naqueles dias, era impossível esconder-se no Santa Marta e mesmo nas outras favelas sob domínio do Comando Vermelho, porque todas estavam vigiadas pela polícia. Era grande o risco de ser descoberto. Era hora de recorrer aos amigos do asfalto.

Um táxi da família de Juliano ajudou a deixá-lo na Providência. O motorista também era parente dele. Chegou ao morro como se estivesse transportando um casal de passageiros: o homem era branco, usava bigode e cabelos ralos e vestia roupas que o identificavam com os jovens de classe média. Para completar o álibi, a mulher também era jovem, uma morena de cabelos ondulados. Eram o missionário Kevin e a irmã de Juliano, Zuleika. Queriam parecer um casal de namorados, para não despertar desconfiança se fossem abordados pela polícia. E na tarde chuvosa de domingo havia mais de uma barreira policial no caminho entre a Providência e o novo esconderijo de Juliano.

Do morro até o novo esconderijo, tiveram que percorrer 12 quilômetros, que pareciam infinitos sobretudo para Juliano, que viajava no banco de trás do táxi ao lado da irmã e abraçado à imagem de Nossa Senhora Aparecida. Numa barreira da avenida Vieira Souto, em Ipanema, área nobre da cidade, para não ser abordado pelos policiais, o casal se esforçou para passar uma imagem de alegria e descontração.

A chuva tornou-se intensa, para sorte deles. Meia hora depois, chegaram a um esconderijo acima de qualquer suspeita. Era a primeira vez que Juliano entrava em prédio tão elegante. Para a anfitriã, a situação era ainda mais inusitada. A publicitária Luana nunca havia recebido em casa um criminoso, muito menos um traficante chefe de morro, foragido da justiça, prioridade nas buscas da polícia.

Desde a noite de sábado Luana acompanhava cada detalhe da fuga pelo noticiário da televisão. Procurou nas bancas saber melhor, mas os jornais dominicais

— cujas edições geralmente eram finalizadas na noite de sexta-feira — traziam poucas informações. Na expectativa de receber Juliano em sua casa, passou a tarde atenta aos plantões de radiojornalismo. Mas sua fonte mais confiável era o missionário Kevin, que a cada dia tornava-se mais amigo de seu namorado. Na tarde de domingo, Luana e Kevin trocaram telefonemas a cada 15 minutos.

Por várias fontes, Luana sabia perfeitamente o quanto era grave o episódio da fuga da Polinter e que o namorado tornara-se um grande inimigo da polícia. Mas, se dependesse dela, Juliano ficaria para sempre em sua casa.

Antes de concordar em abrir o seu apartamento para um foragido, Luana não sabia exatamente se estava cometendo um crime ou não. Tirou as dúvidas com alguns amigos ex-militantes políticos, que durante o regime militar receberam proteção e também deram abrigo a pessoas perseguidas pela repressão. Eles explicaram que ela poderia ser acusada de favorecimento pessoal a um foragido da justiça e por tentar obstruir a ação penal contra ele, atitude ilegal definida como contravenção. Por definição, um ato menos grave que crime, mas que poderia levá-la a responder a processo e à cadeia. Mesmo sabendo desses riscos, Luana decidiu pensar neles depois. Achou que valia a pena seguir as regras que o coração apontava.

— Você é louco, cara. Não se dá um susto desse numa mulher apaixonada. Não acredito que você esteja vivo, inteiro aqui na minha frente! — disse Luana.

O prédio de Luana ficava numa pequena rua sem saída e relativamente segura da Gávea. Embora fosse logradouro público, os moradores de classe média alta a transformaram em propriedade particular, com guaritas para vigilância e grossas correntes de ferro impedindo a livre passagem de carros e pedestres. Na tarde chuvosa de domingo, os vidros embaçados do táxi ajudaram a não chamar a atenção dos guardas durante a chegada de Juliano. Ele só saiu do carro na garagem subterrânea, protegido por uma barreira humana formada por Kevin, Zuleika e Luana, que simulavam o descarregamento de mercadorias do carro.

Os dias seguintes seriam inusitados para os dois. Ao decidir transformar a casa no esconderijo de um foragido, Luana suspendeu os compromissos já agendados. Cancelou as aulas de natação, passou a filtrar todos os telefonemas com a secretária eletrônica, para selecionar seus contatos e evitar compromissos com amigos.

Tudo para aproveitar ao máximo a lua-de-mel com o namorado, que a impressionava cada vez mais.

Nos primeiros dias, gostava de observar Juliano descobrindo as "novidades" de seu apartamento e comparando-o com os barracos da Santa Marta.

— Imagine, Luana, um apartamento desse lá no pico do morro.

Sem qualquer constrangimento, Juliano passava horas examinando o conteúdo de cada gaveta da casa, sem achar que estivesse invadindo a privacidade de Luana.

— Como tu tem bagulho, Luana? Como tu faz pra lembrá de cada coisinha dessas?

Juliano ficou absolutamente encantado com a biblioteca, sobretudo com a variedade de livros sobre filosofia e literatura. Iniciou a leitura de vários e, diante de tanta novidade, não conseguia escolher um para ir até o fim. Durante a leitura ouvia música clássica. Às vezes adormecia na poltrona perto da estante de livros ou passava boa parte do tempo ali sem fazer nada, apenas pensando mas últimas grandes mudanças de sua vida. Adorava provocar discussões com Luana sobre o seu futuro, em conversas que invariavelmente começavam com agradecimentos à namorada pelo conforto e a tranqüilidade proporcionados por ela.

— Desde que eu entrei para o tráfico, Luana, jamais eu vivi uma certeza dessas, de me escondê num lugar com segurança contra a morte. Se a polícia me descobri aqui na tua casa, garanto que serei tratado com respeito pelo menos uma vez na vida.

— Já no meu caso, aconteceria o inverso. Imagine a machete nos jornais policiais dizendo assim: publicitária rica esconde traficante foragido!

Sem absolutamente nenhum compromisso, aos poucos Juliano adotou os horários da sua rotina no morro.

Preparava o café da manhã, por volta das cinco horas da tarde, quando acordava. Em vez do café trivial — com pão, frutas, iogurte — servia para si mesmo arroz, feijão, ovo, carne, farinha. Antes de comer, sempre rezava a oração do dia. Em seguida, lia o jornal levado pelo porteiro à porta do apartamento e assistia aos telejornais noturnos para informar-se sobre a própria fuga. Passava a noite e a madrugada namorando com Luana, assistindo a filmes ou mergulhado na leitura de livros e revistas. A única coisa que incomodava Luana eram os seus telefonemas para o missionário Kevin ou para alguns dos seus homens que contavam a ele as últimas histórias e intrigas do morro.

Luana achava que Juliano deveria evitar qualquer contato telefônico de seu apartamento, que poderia estar sob escuta da polícia. Além de tornar o esconderijo vulnerável, tinha esperança de convencê-lo a aproveitar a fuga bem-sucedida para não voltar mais para o morro e deixar de ser traficante. Já tinham conversado bastante sobre o futuro durante as visitas dela na carceragem da Polinter, ocasiões em que Juliano chegara a manifestar o desejo de uma mudança radical de vida desde que encontrasse um caminho alternativo interessante, talvez com a produção de filmes e livros. De volta à liberdade, estava diante de várias possibilidades.

— Por que você não aproveita agora, Juliano? — perguntou Luana.

— Pode sê uma boa, não é? — respondeu Juliano.

— Eu acho. Analise sua vida: a família, que você adora, já está fora do morro, a sua mãe, suas irmãs. Seu pai foi expulso e já mora na Mangueira há muito tempo. E quantos de seus melhores amigos você já perdeu?

— Peraí! Dos meus guerreiros só perdi o Du, o Renan, o Adriano...

— E a morte do Raimundinho, você esqueceu, Juliano? E a da Carlinha, a do Rebelde..

— Eu ainda tenho uma rapaziada grande me esperando lá, Luana. O Careca, que salvô minha vida. O Mendonça. Meus cunhados Alen, Paulo Roberto...

— Mas, sinceramente, você acha possível voltar para o morro com toda a polícia do Rio de Janeiro atrás de você?

— Um dia os homi vão me esquecê. Deixa baixá a poeira e aí eu acerto a vida de todo mundo. Pego meus filhos e vô embora...

— Ah! Não acredito que você esteja preocupado com seus filhos. Eles estão lá numa boa com as mães deles. E com você longe do tráfico, certamente eles ficarão mais seguros.

— Sei não. Com o pai por perto, a moral é sempre maior. Malandro respeita.

— Você tem que ser realista. A situação está muito perigosa e crítica. O que você ganhou até hoje com isso?

— A confiança da minha comunidade.

— Não, uma casa pra sua mãe no Chapéu Mangueira, um táxi para ela se sustentar... Tudo bem, mas pra você mesmo, nada. Nunca vi um ser humano assim. Nem aquela tua mochila você tem mais.

— Dinheiro não é tudo. Ganhei muito e perdi muito. Faz parte, faz parte! Já tirei muita onda, curti, viajei. Qué vê uma coisa? Se não fosse o tráfico, nunca eu teria te conhecido, meu amor.

No décimo dia de lua-de-mel no esconderijo, a conversa tinha evoluído para planos concretos de mudanças. Luana voltou a trabalhar e a visitar os parentes, para não deixar a família preocupada com seu desaparecimento. Nas noites sem dormir, tentava convencer Juliano a aceitar a sua proposta. Estava disposta a revelar a seu pai que estava apaixonada, que pretendia casar e que precisava de apoio financeiro.

— Se você quiser, Juliano, a gente faz uma reunião com meu pai e conta tudo para ele — disse Luana.

— Tu tá maluca, Luana? Teu pai me fuzila no ato. E manda me desová num valão de esgoto, tenho certeza.

— Você está enganado. Ele confia em mim e vai me entender. Minha família tem um apartamento na França, a gente pode ficar lá a vida toda. Tenho certeza de que dinheiro não vai faltar.

— Você qué casá comigo na França?

Juliano ficou impressionado com a proposta de Luana. Pediu um tempo para pensar. Precisava imaginar como seria a sua vida em Paris: o aprendizado de francês, o curso de cinema, o anonimato nas ruas, o casamento com Luana, a retaguarda financeira do pai dela, o exílio da Santa Marta, a distância dos homens da sua quadrilha, as saudades da família. Queria ouvir a opinião dos parentes mais próximos, da mãe, Betinha, da Mãe Brava, dos irmãos de criação Difé, Santo e Diva. E da amiga Luz.

Juliano só chamou ao esconderijo a irmã de sua máxima confiança, Zuleika. Ela veio visitá-lo com muitas novidades para contar. A mais recente envolvia a irmã Zulá em mais uma história comprometedora.

— A Zulá anda muito estranha, Juliano. Parece que ela vive para se vingar de você e isso está cada dia pior...

— Por que você fala isso, Zuleika?

— Porque ela anda te difamando demais. Desde que ela flagrou a Marina com o Josefino, está espalhando para todo mundo que você gosta de ser corno.

— Fala pra ela acabá com isso, que doideira é essa?

— Ela acha que você já deveria ter matado o Josefino. Que não podia deixar barato.

— Não é assim. Eu tava na cadeia, agora tô foragido...

— Mas o pior de tudo não é a difamação. O que ela tá aprontando é muito pior.

— Me dá uma notícia boa, por favor, Zuleika.

— Mas eu preciso te falar, é muito grave. A otária tá namorando um tal de Renato, que ela dizia que era policial do corpo de bombeiros.

— E qual é o problema?

— Ela levou esse Renato lá em casa. Aí eu aproveitei a hora em que ele foi ao banheiro para vasculhar a pochete dele. Encontrei uma identidade do Batalhão de Operações Especiais.

— O cara é do Bope, caralho!! — gritou Juliano.

— Dentro da casa da sua mãe, Juliano — completou Zuleika.

— Tá querendo a minha morte, caralho!

— O pior é que ela tá apaixonada, vive com ciúmes dele, brigando. E o cara enche a cara dela de porrada.

— É uma otária, mesmo. O cara tá com ela para levantá informação de mim e ainda enche ela de porrada. E ela não percebe isso?

— Pelo menos ela também mete porrada na cara dele. É tudo muito esquisito, Juliano.

A única boa notícia de Zuleika a Juliano era a de que a mãe, Betinha, desde a descoberta da verdadeira identidade do bombeiro, nunca mais permitiu que ele entrasse em sua casa.

Assustado com o grau de perseguição, que chegava a envolver espionagem telefônica em sua família, Juliano passou a ficar tenso no esconderijo da Gávea. Luana notou que ele ficara excepcionalmente inquieto ao telefone. Passava a madrugada recebendo chamadas a cobrar da casa da família no Chapéu Mangueira e dos homens da Santa Marta. Pela natureza da conversa, ela percebeu que falavam da morte de alguém importante na boca.

A preocupação de Juliano com os últimos episódios, por mais graves que fossem, abateu Luana, que até então acreditava em um crescente envolvimento dele no projeto de casamento na França. No décimo primeiro dia de esconderijo na Gávea, Luana tentou tirar as dúvidas.

— Você quer realmente mudar de vida, Juliano? Quer morar comigo em Paris? — perguntou.

— As coisas não são fáceis assim, Luana. Posso jogá tudo para o alto de uma vez, não. A rapaziada tá perdida.

— A situação mais complicada é a sua, e não a deles. É você que está sendo caçado, perseguido. E quando você vai ter de novo uma oportunidade dessa? Aproveite, mesmo que não queira casar comigo.

— Te agradeço. Tu é maravilhosa, seu pai também... Mas ainda não é hora de abandoná o morro. Meu pessoal tá em guerra, os guerreiros precisam de mim.

— Você está me dizendo que desistiu da idéia de Paris?

— Tô apenas dando um tempo. Prometo que um dia, talvez muito em breve, eu mudo de vida. E tu será a primeira pessoa que vai sabê disso.

Revelada a sua decisão, Juliano quis partir imediatamente. Era madrugada, queria ir embora sozinho, a pé. Luana tentou convencê-lo a esperar o amanhecer para não chamar a atenção dos vigilantes que controlavam as correntes de segurança da rua. Optaram por um terceiro meio, mais seguro.

Às cinco horas da madrugada, Luana e o missionário Kevin, chamado às pressas para a missão, saíram de carro da garagem do apartamento da Gávea, com Juliano deitado no banco traseiro. Foram direto até um posto de gasolina na avenida principal do bairro, onde o amigo Careca e a irmã Zuleika os aguardavam dentro de uma Kombi.

Luana despediu-se ainda muito preocupada com o destino de Juliano.

—Você vai voltar para a Santa Marta? Isso é loucura!

— Não, meu amor, vou logo ali. Qualqué hora eu volto.

— Cuidado, Juliano. Não se esqueça de que na fuga vocês balearam um policial. Imagine se eles pegarem você...

— Fica em paz. Preciso apenas acertá uma parada aí.

Luana trouxera na bolsa o livro de Alex Haley, *Negras Raízes*, para presenteá-lo na despedida. Juliano pôs dentro dele impressos coloridos com as imagens de Santa Gertrudes e de Santo Expedito. Depois do longo beijo de despedida, cochichou no ouvido de Luana.

— Um dia a gente se encontra em Paris.

CAPÍTULO 26 | PÕE O PINO!

Quero contenção do lado,
tem tira no miolo e meu fuzil tá destravado.
Eu vou, quem for dispor, que venha.
E se bater de frente com nós, é lenha!
| **Funk proibido** |

Juliano estava voltando para esclarecer o boato de que era corno. Era meio-dia de um domingo de sol, verão de 1997. Havia fogueteiros posicionados na parte baixa da favela, pelo acesso de Botafogo, e outro grupo no lado oposto, no pico, para saudá-lo se viesse pelo caminho de Laranjeiras. Quase todos os homens, até os que amanheceram na atividade da boca, acordaram mais cedo para esperá-lo.

Era certo que o rival estava de plantão no posto da PM no fim de semana. O soldado Josefino, que continuava o romance com sua ex-mulher, fora visto no começo da manhã pelos olheiros que circulavam na área do DPO, na Escadaria. Na casa da "traidora", a expectativa era de medo. Marina fora avisada do provável retorno do marido traído, mas não teve tempo de providenciar a mudança. Estava acompanhada do filho, Juliano Lucas, de três anos. Seu único dispositivo de segurança era o celular programado para ligar, numa emergência, para o telefone do soldado Josefino.

Até os parentes mais próximos, que moravam longe, chegaram cedo ao morro para acompanhar a festa. A irmã Zuleika e a mãe Betinha estavam desde cedo na casa da Mãe Brava. As três foram as maiores incentivadoras, ajudaram a planejar o retorno e queriam vingança, cada uma a seu modo. Betinha o aconselhou a voltar ao morro para confiscar a casa de Marina e convencê-la a sair da favela, sem violência, para não despertar o ódio do soldado Josefino e, conseqüentemente, de toda a polícia.

A irmã Zuleika estava mais revoltada. Queria que Marina fosse punida, sem julgamento, de acordo com os ritos das leis do crime. Ela achava que só a aplicação de uma pena radical poderia ajudar o irmão a recuperar um pouco o moral no morro. Dias antes, Zuleika havia conversado muito com Juliano para tentar convencê-lo a se vingar.

— Faça como se faz no morro da Mineira. Enrola fita crepe dos pés a cabeça, põe dentro de um monte de pneu e mete fogo.

Mãe Brava, queria punição ainda mais radical. Também tinha feito uma campanha por vingança. Mesmo sem ter falado com Juliano, pedira um empenho especial à quadrilha para defender a honra do chefão. Ansiosa, no meio de um grupo armado que esperava por Juliano, Brava repetia o que vinha dizendo, todos os dias, desde que soube do caso Josefino e Marina.

— Tem que sentá o prego nos dois. Que que há? É da polícia? E daí? Qué moleza, vai comê gelatina. Meu filho tem que dizê assim pro Josefino: aqui é o crime, não é creme rapá! Dum! Dum! Dum!... Dum! Dum!... Dum!... Dum!

A chegada de Juliano, ao som dos disparos de fuzil, surpreendeu os homens, que não sabiam para que lado correr. Ele estava saindo do meio da floresta, a poucos metros do esconderijo onde fora desenterrar o fuzil Jovelina, escondido desde o verão passado.

Passara um ano desde que saíra preso da favela, como personagem central da crise na Segurança Pública do Rio Janeiro gerada pela visita de Michael Jackson à Santa Marta. Agora voltava na condição de clandestino, foragido da prisão da Polinter e ainda com o peso de sua primeira condenação na justiça.

No encontro com a quadrilha, não havia tempo para comemorações por causa da pressão da Mãe Brava.

— Que papo é esse de beijinhos, abraços. Tu até parece viado, rapá. Vambora lá metê o prego na putona. Vambora, vambora!

O grupo de homens armados partiu em direção à casa de Marina, seguido por muitas crianças e mulheres. Brava vibrou com a firme decisão de Juliano, que carregava Jovelina atravessada no peito.

— O bicho vai pegá. Te cuida, Josefino — gritava Brava pelo caminho.

O sobrado cinza de alvenaria sem pintura se destacava porque era bem maior que os barracos vizinhos e parecia uma casa dos bairros de classe média. Todas as portas e janelas, da cor natural da madeira, estavam fechadas. Havia três quartos no andar de cima, parte dele coberto por uma varanda com teto de placas de amianto, usada como salão de festas e para abrigar o varal de roupas. Mãe Brava foi a primeira a chamar pela dona da casa:

— Dá a cara, Maria Batalhão!

Os homens cercaram a casa, alguns se protegeram junto às paredes dos barracos do lado e assumiram posição de tiro, preparados para alguma reação lá de dentro. Era possível que o soldado Josefino estivesse lá? Marina chegaria ao extremo de trair e ainda levar o amante policial para morar com ela na casa construída pelo marido, chefe do tráfico? A resposta na casa era o silêncio.

Juliano deu três breves assobios, como fazia quando morava com Marina na casa. Em seguida uma janela se abriu lá no alto e apareceu uma jovem de cabelos castanhos longos e óculos arredondados...

— Marina! — exclamou Juliano.

A jovem continuou em silêncio, séria, assustada com a quantidade de homens armados.

— A parada tu sabe qual é, Marina. Tão dizendo maldade aí. Tu confirma, ou qual que é?

Ela não respondeu.

— Traíra, vagabunda! — gritou Brava.

— Tu tá de trairagem comigo? — insistiu Juliano. Diante do silêncio de Marina, Juliano tentou mais uma vez fazê-la falar. — É a tua última chance: tu confirma ou não confirma? Tem coragem, Marina!

— Confirmo!

Silêncio por causa do constrangimento. O pessoal ficou paralisado esperando a ordem do chefe, que demorou alguns segundos para reagir. Uma reação que surpreendeu a todos.

— Aí, parabéns. Mulher de personalidade! Sabia que tu esconde nada de mim, não. E o Lucas? — perguntou Juliano.

Marina afastou-se da janela e reapareceu instantes depois, ao lado de um menino sorridente.

— Pai? Pai? — gritou Juliano Lucas.

— Caralho. Como tu cresceu, moleque. Desce aí, desce!

Mãe Brava foi a primeira a manifestar a decepção.

— Caralho! Tu é bem corno mesmo, hein, Juliano? Tu vai quebrá essa putana, não, homem?

Juliano tentou acalmá-la, debochando de si mesmo.

— Corno, palavra pomposa. Até que não é feia, não. Qualé o problema? — perguntou para Mãe Brava que começou a se afastar dele, revoltada.

Ninguém esperou mais nenhuma atitude violenta de Juliano quando o filho Lucas saiu de casa correndo para abraçá-lo. Vários homens baixaram as armas e partiram junto com Brava, que não parava de manifestar sua revolta:

— Corno alegre. Que bandido é esse, meu Deus? Meu marido deve tá chutando o caixão, de ódio!

A irmã Zuleika, quando percebeu que Marina tinha sido perdoada, desabafou, profética.

— Te prepara, Juliano. Este é o início do fim da tua vida de bandido.

Para os homens que desejavam vingança, restava a esperança de um duelo inevitável. Não iria demorar muito para os caminhos de Juliano e Josefino se cruzarem no morro.

Mas a prioridade de Juliano era outra, apontava para uma história muito mais grave, o mistério da morte de um grande amigo da antiga Turma da Xuxa.

■ ■ ■

Os olheiros posicionados nas lajes do Cantão deram o alerta assim que viram a chegada do jovem franzino de cabelos encaracolados pela subida da rua Jupira. Ele corria, desviando-se das mulheres que carregavam sacolas, e parecia exausto como um maratonista em fim de corrida. Barrado pelos sentinelas do ponto de observação de Mãe Brava, ele tinha o rosto molhado, a roupa encharcada de suor. Gesticulava nervosamente, tentava convencer os seguranças do tráfico a deixá-lo passar.

— Que nervoso é esse, Mudinho? Tu tá apavorado, cara? — perguntou Mãe Brava.

O jovem João de Castro era surdo e mudo. Era olheiro e fogueteiro da boca e tinha o hábito de visitar todas as pessoas que o cumprimentavam na rua. Algumas pessoas, como Mãe Brava, às vezes se irritavam por não conseguir entender as suas mímicas. Mas Mudinho sempre se esforçava. No dia em que foi testemunha de um crime, tentou responder com as mãos fechadas. Ergueu os polegares e apontou os dedos indicadores para a cabeça de Mãe Brava.

— Revólver! Revólver? — perguntou Mãe Brava enquanto Mudinho movimentava a cabeça para cima e para baixo, confirmando que fazia o sinal de uma arma. Em seguida, movimentou os dedos indicadores, como se tivesse acionando o gatilho.

— Tiro na cabeça? De quem? Fala, Mudinho, fala! — gritou Mãe Brava, já assustada. — Então fala quem atirou, desgraçado. Foi a polícia? — insistiu Mãe Brava.

Mudinho movimentava a cabeça para os lados, sinal de negativo.

— Se não foi a polícia... quem foi, caralho? Foram os alemão? — perguntou Mãe Brava.

Mudinho sinalizou que sim.

— Cacete! Mataram alguém? Um dos nossos?

Mudinho confirmou sacudindo a cabeça. A essa altura já havia uma pequena multidão em volta dele. Alguns jovens também faziam perguntas, tentando esclarecer rapidamente a história. Era meio-dia. Acordado às pressas, Careca lembrou à Mãe Brava que Mudinho tinha uma interlocutora na favela.

— Vamo levá ele até o barraco da Luz — disse Brava.

Cara a cara com Luz, Mudinho puxou com os dedos a ponta do próprio nariz, mostrou os seus dentes superiores, fazendo o sinal de negativo com a mão, num esforço para ajudar o pessoal a identificar a vítima do crime a que assistira.

— Nariz puxado, nariz longo... dentes superiores, não... sem os dentes de cima? Já sei, já sei... O Mendonça! — disse Luz.

A descoberta provocou reações de tristeza, desespero, revolta.

— Ele tá dizendo que mataram um dos nossos. Foi o Mendonça, meu Deus! O Mendonça! — gritou Brava.

Mudinho correra sem parar dez quilômetros a pé, do prédio da antiga TV Manchete, na Glória, até a Santa Marta. Os homens foram acordados, um por um, para saber da novidade. Mendonça estava a caminho do morro do Turano, na Tijuca, onde iria negociar uma ajuda de homens e armas para fortalecer a quadrilha durante o retorno de Juliano. Ele dirigia um Voyage com Mudinho ao seu lado, quando foi surpreendido, ao parar em um sinal, por dois homens que estavam de moto, usavam capacete e dispararam pistolas automáticas.

Embora os assassinos não tenham deixado pistas, para Juliano a natureza do crime apontava naturalmente a autoria:

— Isso é coisa de cagüeta. Tem X-9 na área, aí. Tá no meio da gente, ó! — disse Juliano na primeira conversa com seus homens. No mesmo dia da morte de Mendonça, ele tomaria a sua primeira decisão de comando. Em homenagem à família Fumero, exigiu que o velório fosse feito na capela da Igreja Nossa Senhora da Auxiliadora, ponto estratégico em uma das vias de maior movimento na Escadaria, bem perto do posto da PM. Havia suspeita de o crime ter sido praticado pelos agentes secretos da P-2 e Juliano queria mostrar à polícia as conseqüências da morte na comunidade.

O velório mostrou a situação em que se encontrava a quadrilha de Juliano. O caixão de madeira crua era o mais barato da funerária. O jovem que sonhara ter poder e dinheiro, como o falecido tio Cabeludo, seria enterrado com chinelo de dedo, bermuda, uma camisa social branca surrada. Uma grossa corrente de prata, que usava no pescoço, foi posta em suas mãos junto com a sua "ferramenta de trabalho", como dizia, um revólver 38, cano curto. Juliano obrigou os homens mais franzinos, como era Mendonça, a doarem o melhor tênis e a melhor calça para vesti-lo com dignidade.

As mulheres do piza prestaram uma homenagem ao criador da única quadrilha que continuava faturando alto no morro. De acordo com a tradição dos funerais dos bandidos de conceito, cobriram o corpo de Mendonça com lírios brancos. Os homens quase falidos de Juliano trouxeram outras flores que compraram fiado ou roubaram dos jardins das casas próximas à favela. Careca se encarregou, constrangido, de recolher das mãos do amigo morto o trezoitão: o revólver 38 poderia fazer muita falta nos próximos dias.

Luz estava inconformada. Passou horas ao lado do caixão e, às vezes, falava baixinho como se estivesse conversando com Mendonça.

— Eu enterrei o teu tio, cara... Tu era um moleque... Agora que tu virô grande, vai me deixá na mão? Sacanage... Tinha que sê eu, parceiro... Eu tô fodida, parceiro...

Mendonça deixou de herança um barraco de madeira velha, de três cômodos, que se fosse de um morador comum da favela valeria, em 1997, o equivalente a 700 dólares. Mas como era usado pela gerência da endolação, tinha outro tipo de valor. Era alvo de guerra, dificilmente alguém teriam coragem de comprar. A mulher Adriana, que morava com a filha Caroline na casa da família, nem pensou em ficar com o barraco. Só passou por lá para recolher alguns pertences do marido e as fotos coladas na parede, que mostravam Mendonça sorridente ao lado dela e de sua irmã com o craque Axel, em vários almoços nas melhores churrascarias da cidade.

A herança de guerra de Mendonça ficou para a amiga Luz. No mesmo dia do enterro, virou sede da primeira reunião de Juliano para definir os planos para a reestruturação da boca. No ano de ausência do chefe, o controle ficara dividido entre dois grupos com características diferentes: o dos caxangueiros, liderado por Paulo Roberto, e o do pessoal que já entrou para o crime pelo caminho do tráfico, embora fosse comandado também por um assaltante, Mendonça, e formado em sua maioria por integrantes da antiga Turma da Xuxa.

As mortes dos "dirigentes" Du, Rebelde e Mendonça e o número de presos nos últimos meses indicavam uma fase difícil, a pior desde a retomada do morro no começo de 1995.

— Quem tá na cadeia? Diz aí — perguntou Juliano.

— General, Pinha, Funfa, Ramon, Ká... — respondeu Paulo Roberto.

— E quem tá na condicional?

— Pimpolho, Formigão, Vianinha... e tem um monte aí que tá pedido. Se puxá a capivara vem 157, 12, 121 e o caralho... Começando por mim. O Tá Manero também tá pedido. Tem que puxá aí uns dez anos de cana — informou Paulo Roberto.

— Caralho, o time tá manjado, tem muito nego marcado pelos homi aí... Temo que renová a rapaziada, botá uma molecada na frente, aí, pra desbaratiná, é ou não é? — disse Juliano.

— Tamo ferrado, chefe. E os alemão sabe disso, vão invadi qualqué hora. Tá mole, molinho... — disse Paulo Roberto.

— Quantas armas nós temos? — perguntou Juliano.

— Fora a Jovelina, cinco ARs, dois G-3, um AR quebrado, uma 12 fudida, a minha Glock, que tá lindona, duas pistolas do pessoal do plantão, e o resto é 38 O grave é que não tem munição — disse Paulo Roberto.

— Bem, tenho uma surpresa: tem uma pá de granada enterrada numa área aí... Vou apanhá pra nós. E o frente do Vidigal, o Patrick, que é irmão CV, pode botá um fortalecimento aqui. Sacumé, os alemão do Terceiro tão a fim de entrá com tudo na zona sul e a Santa Marta tá no meião, é estratégico — explicou Juliano, como se fosse o comandante de uma guerra.

Na lógica de Juliano, reforçar o seu exército era o único meio de evitar as prisões e as mortes. Suspeitava que o assassinato de Mendonça tivesse sido encomendado pelos inimigos do Terceiro Comando, que estavam em guerra de expansão pelos morros da zona sul contra o Comando Vermelho. Num quadro de falência, sabia que a Santa Marta precisava de apoio dos líderes do CV que controlavam alguns dos principais morros da vizinhança: o Vidigal, a Rocinha, o complexo Cantagalo-Pavão-Pavãozinho, o Azul, o Cerro Corá.

Os homens do Terceiro Comando já haviam derrotado o CV nas favelas do Cantagalo e na ladeira do Tabajara, ambas próximas da Santa Marta. O risco de o Terceiro atacar era alto, mas não era o que mais preocupava Juliano. Ele sabia que, mesmo sem pedir ajuda, imediatamente o CV entraria na guerra para conter a expansão de seu maior concorrente no narcotráfico. Seria um aliado natural e poderoso, com quantas armas e soldados fossem necessários.

Mais preocupante, para Juliano, eram as ambições dos inimigos de dentro do próprio Comando Vermelho, principalmente as da dupla Carlos da Praça e Claudinho. Os dois continuavam presos, e aproveitaram a convivência com os dirigentes do CV nas cadeias para conspirar a favor da retomada do controle da Santa Marta.

Havia ainda a ameaça de invasão dos inimigos independentes, representados por Zaca. Também prisioneiro, o ex-PM nunca deixou de enviar mensagens para seus simpatizantes no morro, com promessas de entrar na guerra a qualquer momento para recuperar a condição de dono.

Para se prevenir de algum ataque inimigo de surpresa, no primeiro mês de vida clandestina Juliano dedicou-se integralmente a treinar os jovens recém-integrados à quadrilha. Ele próprio comandava as aulas práticas de artilharia no Tortinho, um minicampo de futebol assimétrico, com linhas laterais curvas e as traves dos gols pintadas de branco nos dois barrancos que delimitam ao fundo a área do jogo.

Os novos guerreiros treinavam tiro contra o barranco do Tortinho quando a emboscada começou. Os fogueteiros estavam posicionados em todos os pontos de acesso da favela, tinham a seu dispor um bom estoque de fogos, mas nenhum deles teve tempo de acendê-los. O pessoal mais experiente guardava posição à sombra de uma grande rocha do pico do morro. Alguns deles, como Juliano, aproveitavam para lubrificar a arma com óleo de máquina de costura e o lubrificante WD. Ninguém viu seus inimigos chegarem silenciosos pelo céu. Só perceberam quando os primeiros tiros disparados do ar atingiram o chão do Tortinho.

No primeiro vôo rasante, Rafael, de 15 anos, foi atingido na barriga, caiu de bruços e bateu com o rosto numa pedra. Estava treinando tiro ao alvo havia apenas uma semana, levado para o tráfico pelo irmão mais velho, Rivaldo, que também era novato na função de contador da boca, embora já estivesse envolvido com a venda de drogas desde o tempo de Raimundinho. Rafael foi socorrido pela polícia e teria morrido a caminho do hospital. Fora o segundo a morrer pelos tiros disparados do mesmo helicóptero em direção à área da favela. A outra vítima era conhecida de todos moradores, era o gari Wagner, integrante do pequeno grupo autônomo de varredores de lixo da Santa Marta.

De uso proibido no governo anterior, de Leonel Brizola, os helicópteros estavam novamente liberados para a polícia combater o crime nas favelas. Era uma das principais armas na guerra contra o narcotráfico promovida por um general do Exército, da chamada linha dura, que esteve no comando da Secretaria da Segurança Pública do Rio de Janeiro, de 1995 a 1998. O general Newton Cerqueira, que fora integrante dos órgãos de repressão da ditadura militar, tornou-se conhecido no país por ter participado das patrulhas que mataram, em 1971, em Brotas de Macaúbas, no sertão da Bahia, um dos maiores líderes da guerrilha de esquerda do Brasil, o ex-capitão do exército carioca Carlos Lamarca, da Vanguarda Popular Revolucionária.

O prêmio pela morte de suspeitos, como Rafael, era outra arma usada pela polícia do general para combater o crime. No período de janeiro de 1993 a julho de 1996, mais de 300 mil reais dos impostos do Rio reforçaram os salários dos PMs que mataram 700 pessoas, acusadas de terem resistido a tiros às ordens de prisão.

Alguns dos mortos eram soldados de Juliano. Um deles, Tartaruga, foi morto durante o plantão da boca por descuido da sua segurança pessoal. Ele tinha sido orientado por Luz para não namorar, sob nenhuma hipótese, enquanto estivesse no grupo encarregado da vigilância, mas cedeu aos encantos da adolescente

Katinha, ex-namorada de Nein, chamada no morro de Maria da Boca porque adorava ficar com o pessoal do tráfico.

No final da tarde eles estavam trocando beijos e abraços animados junto ao paredão de pedra na área da boca. Nesse mesmo lugar, durante a noite, costumavam manter relação sexual, em pé, sem chamar muito atenção pois ficavam um pouco afastados do grupo de seguranças.

Naquele dia também eram plantonistas Paranóia, Nego Pretinho e Pardal. O grupo havia recebido o reforço de Tênis, libertado da cadeia uma semana antes, depois de ter cumprido cinco anos de pena. Nenhum deles reagiu quando o tiro foi disparado do meio do mato por algum soldado da polícia militar.

Foi um único barulho abafado de tiro e ninguém entendeu direito de que lado tinha sido disparado. Um disparo certeiro. Tênis viu o amigo ser atingido na cabeça no momento em que beijava Katinha, mas não entendeu direito o que tinha acontecido. De repente, Tartaruga perdeu as forças das pernas e ficou pendurado nos braços da namorada, que na hora emudeceu, traumatizada.

Mais tarde no velório de Tartaruga, Luz usou o episódio para pressionar Juliano contra a escalação de mulherengos para a guarda da boca. E tentou convencê-lo a punir Katinha num tribunal para servir de exemplo às outras "Marias" que viviam em torno dos vapores. Juliano recusou a proposta.

— Foi vacilo geral, mas a Katinha não teve culpa nenhuma, caralho — disse Juliano.

— Falou a majestade, o rei dos punheteiros. Tu também já levô ferro por causa delas e ainda não aprendeu — protestou Luz.

— Quero solução, Luz. Qualé que é a proposta? — perguntou Juliano.

— Galinha, mulherengo assim como tu, fora do plantão...

O episódio fez Juliano aceitar os argumentos de Luz e levar mais a sério a escolha dos sentinelas da boca. Promoveu o sempre solitário Nego Pretinho para a chefia do plantão de segurança. Era um prêmio ao adolescente, que, desde o dia em que foi castigado no tribunal, deu várias provas de fidelidade ao chefe e se tornou o mais obediente da quadrilha.

Por causa do trauma da morte de Tartaruga, Nego Pretinho ficaria sob intensa fiscalização de Luz. Faria 18 anos sem nunca ter namorado ninguém.

— Assim tu tem futuro, Pretinho. Podecrê, mulhe chama morte, aí.

Juliano resolveu ter um guarda-costa. Também por insistência de Luz, o escolhido foi Tênis, que não tinha uma vida muito agitada com as mulheres. Luz conhecia a sua história de fidelidade ao casamento e admirava a coragem dele na hora de combate.

— Esse veio tarimbado da cadeia e segura uma onda com a mulhe dele lá no Cerro Corá. Manero, discreto, é o cara — disse Luz.

Tênis fora morar no Cerro Corá por sugestão de Juliano. A Santa Marta estava cercada, e ele precisava de um homem de confiança no morro vizinho para ajudá-lo a escapar. Tênis ficaria encarregado de vigiar o caminho no meio da floresta que faz a ligação entre os dois morros e que um dia poderia ser uma opção de fuga.

Morava na casa da família de sua mulher, no Cerra Corá, mas passava a maior parte do tempo na parte alta da Santa Marta. Além de ser a área que melhor dominava era o caminho natural de fuga para o outro morro, por dentro da mata. Depois da morte de Tartaruga, ele passaria a seguir os passos de Juliano, com a missão de protegê-lo dos ataques ou de ajudá-lo a enfrentar os ataques inimigos. Também era sua função vigiar o fuzil Jovelina quando o chefe precisasse dormir ou descansar, e cuidar da sua manutenção, basicamente passar óleo lubrificante em suas engrenagens.

Mas o novo desenho da segurança da boca não iria impedir outras perdas na quadrilha. A notícia da volta de Juliano à favela levou a polícia a fazer operações quase diárias. E a aumentar o valor da oferta em dinheiro pela sua captura. A polícia também reativou um procedimento que estivera proibido no governo de Brizola, a invasão policial dos barracos sem mandado judicial.

Juliano tentou tirar proveito das irregularidades da polícia, que aos poucos foram revoltando os moradores. Ele ouvia as queixas das famílias que tinham suas casas violadas ou que sofriam espancamentos e tortura para confessar alguma informação sobre os esconderijos do chefe do morro. Na ausência de uma entidade que as defendesse, muitas vítimas procuravam a boca para reclamar a Juliano. Ele adorava fazer o papel de "ouvidor" das denúncias contra a polícia ou contra qualquer morador. E gostava mais ainda de ouvir as fofocas, principal fonte, aliás, do "serviço secreto" que ele próprio inventara na boca.

A receptividade do chefão aos poucos transformou a boca numa espécie de central de reclamações. Só um ano e meio depois os moradores criaram uma entidade independente, a Casa da Cidadania, para fiscalizar as violações dos direitos constitucionais e protegê-los dos abusos praticados pela polícia. A entidade logo ficaria sob suspeita da polícia por causa das constantes denúncias que fazia às autoridades e à imprensa e porque tinha como principal dirigente um grande amigo de Juliano, que muitos consideravam irmão, o missionário Kevin Vargas.

De imediato, a entidade começou as atividades em duas sedes. A base administrativa e o ponto de reuniões eram numa casa alugada, ao lado da praça das Lavadeiras. A outra sede era uma casa que havia sido doada e tinha um valor simbólico na favela. Fora usada como camarim de Michael Jackson e estava abandonada havia dois anos, desde as gravações do clipe do astro americano. Pertencia à Associação de Moradores, que fez a doação à Casa da Cidadania, que a transformou em ambulatório médico e escola profissionalizante.

A nova entidade encaminhou às autoridades as reivindicações dos desabrigados do grande incêndio e das vítimas dos deslizamentos do morro. E elas foram atendidas. Também conseguiu, com empresas privadas, doações de remédios para distribuir no ambulatório e de material de construção para algumas pequenas obras coletivas. Reativou, com relativo sucesso, os bailes de sexta-feira à noite na quadra da escola de samba, que passou a atrair jovens de vários morros da zona sul. Mas a principal atividade da Casa da Cidadania era a defesa dos direitos das vítimas da violência policial.

> "PARA ACABAR COM A VIOLÊNCIA
> POLÍCIA INVESTIGATIVA E INTELIGENTE"

A frase foi pintada por grafiteiros no maior muro da entrada do morro pelo lado oeste. Por iniciativa da Casa da Cidadania, os jovens artistas da Santa Marta passaram três meses reproduzindo em outros pontos estratégicos artigos da Constituição da República e da Declaração Universal dos Direitos Humanos. Na sede da Casa da Cidadania, escreveram:

> "TODAS AS PESSOAS NASCEM LIVRES E IGUAIS EM
> DIGNIDADE E DIREITO"

Nos muros do caminho principal, o beco Padre Hélio:

"O LAR É ASILO INVIOLÁVEL"

Também produziram pequenas placas, como um lembrete útil, que foram fixadas nos postes, igrejas, terreiros, creches, lanchonetes, botequins.

"VIOLAÇÃO DOS DIREITOS HUMANOS?
LIGUE PARA OUVIDORIA DE POLÍCIA.
FONE: 690-11-99
MAUS-TRATOS. VIOLAÇÃO DE DOMICÍLIOS.
IRREGULARIDADES E ABUSO DE AUTORIDADE.
EXTORSÃO.
(NÃO É NECESSÁRIO SE IDENTIFICAR)"

Juliano também participou da campanha, como desenhista. Foi obra dele o mural de um menino jogando futebol com a camiseta do Botafogo, pintado na parede de uma casa no canto do Cruzeiro. Também tem a assinatura dele o grafite do muro ao lado.

"VOCÊ TEM DUAS SAÍDAS: TER CONSCIÊNCIA
OU AFOGAR A SUA PRÓPRIA INDIFERENÇA"
PAZ. JUSTIÇA. LIBERDADE.
FÉ EM DEUS.

A visibilidade da campanha irritou ainda mais os homens do Batalhão de Operações Especiais, o Bope, que faziam a caçada mais ostensiva a Juliano. Fora este mesmo grupamento que o prendera pela última vez, no verão de 1996. Treinados para o combate antiguerrilha, os soldados faziam operações no morro em quaisquer circunstâncias. Enfrentavam a chuva, o frio, a lama, a escuridão e até os obstáculos das matas cerradas. Infiltravam-se por dentro da floresta durante a madrugada, para tirar proveito do sono e da menor visibilidade dos homens que estavam de plantão na boca. E tentavam surpreendê-los agindo em datas improváveis para uma operação policial, como aconteceu na madrugada de 15 de novembro de 1998, feriado da Proclamação da República.

Pouco antes do amanhecer, dez soldados de uma patrulha do Bope, que usavam uniformes de camuflagem formavam uma linha de tiro na divisa da área da favela com o pátio da prefeitura. Os P-2 do serviço de inteligência da PM já haviam descoberto que ali era um caminho de passagem de Juliano, que costumava se refugiar no matagal. Os agentes secretos tinham vasculhado a mata com ajuda de cães farejadores e localizaram o lugar onde ele dormia, junto a uma árvore centenária. Tiveram certeza de que era mesmo um esconderijo de Juliano pelos objetos pessoais encontrados no meio das raízes enormes crescidas na superfície. Eram imagens de Santo Expedito, Santa Terezinha, São Judas Tadeu, Nossa Senhora Aparecida e Santa Gertrudes, todas cercadas por velas, alguns livros, um deles sobre a experiência da guerrilha de foco, de Régis Debray, uma garrafa de vinho tinto quase vazia, três latas cheias de atum, dois cobertores finos de lã, protegidos por um saco plástico, guardados ao lado das cinzas e restos de madeira de uma fogueira. E um bilhete para a namorada Luana com a assinatura de Juliano.

Às dez horas da manhã, a movimentação das crianças que brincavam de jogar pedra e soltar pipa na área do lixão de Beirute indicava uma aparente normalidade no caminho. Mesmo assim, prevenido, Juliano formou um bonde com três jovens, para protegê-lo numa caminhada até os limites da floresta, pois decidira descansar em seu esconderijo do mato. Saiu do corredor de dona Virgínia dando ordens para os que ficaram de plantão e partiu para o seu destino com a Jovelina pendurada no ombro. Escalou o adolescente Paranóia, desarmado, para seguir em frente, liberando o avanço do bonde formado em fila indiana. Era o último da linha.

Na encruzilhada de seu Moacir, ajoelhou para rezar um Pai-Nosso em frente ao altar, cheio de flores, em volta da imagem de Jesus Cristo Crucificado. Agradeceu pelas graças alcançadas no lugar, onde ganhou muito dinheiro no tempo em que era vapor. Seguiu à esquerda pelo corredor tortuoso e esburacado até chegar ao barraco da antiga namorada Biba, tia de sua ex-mulher Marisa. Pediu um prato de feijão com ovo e farinha, comeu sentado na porta da cozinha, tomou uma garrafa de guaraná e saiu, atrás do bonde, chupando uma laranja.

O primeiro tiro de fuzil arrancou metade do braço de Popeye, o primeiro da fila. Logo atrás, Formigão jogou-se para o lado e caiu, atingido na cabeça, sobre um fogão velho, abandonado em frente ao barraco de seu dono. Uma série de outros tiros o atingiram pelas costas e o empurraram, com o fogão, para dentro de uma vala seca. O terceiro parceiro, Podre, foi ferido nas pernas quando saltava para o lado. Tentou proteger-se na casa mais próxima. Mas ninguém abriu a porta. Esmurrou uma janela ao lado, gritou, insistiu para alguém o socorrer enquanto os tiros tiravam lascas da parede e furavam seu corpo. Juliano conseguiu recuar alguns passos, o suficiente para vencer a curva que o protegeria dos tiros frontais por alguns segundos.

Os soldados da equipe do major Camilo, chefe de P-2 do Segundo Batalhão, avançaram para checar se todos estavam mortos. Correram aos gritos de "Polícia! Polícia! enquanto Juliano recuava em silêncio, tentando chegar à área da boca. Como todos os barracos estavam fechados, tentou proteger-se atrás de um poste de concreto, que sustentava caixas de ferro enferrujadas, velhas proteções de relógios medidores de energia quebrados havia anos. Era um escudo, de onde podia disparar a Jovelina e conter o avanço dos PMs. Juliano trocou tiros por alguns minutos, até o momento em que ouviu o ruído da chegada do reforço de seus inimigos. Era o *Águia da Morte*, o mesmo que fuzilara Rafael no Tortinho.

Havia chegado mais uma vez pelo pico do morro e voava em círculos para dar cobertura a uma patrulha de cerca de cinqüenta soldados, que iniciava uma grande operação na favela. O barulho do tiroteio e as indicações pelo rádio do *Águia* levaram todos os policiais para o lado oeste do morro, para fechar o cerco a Juliano. Já localizado pelo helicóptero que estava parado no ar, exatamente sobre o ponto onde tentava se esconder, Juliano voltou a correr em direção à dona Virgínia. Na primeira descida, aproveitou o desnível do beco para arrastar-se até a marquise de um barraco e sair da visão do helicóptero, que passou a voar em círculos para indicar às patrulhas o seu novo esconderijo.

Minutos depois, já sob o cerco de soldados num raio de 100 metros, Juliano passou do porão para dentro do banheiro da casa pelo buraco imundo da latrina. A moradora, uma prima de Flavinho, o antigo líder da Turma da Xuxa que virara taxista, fazia o almoço das duas filhas crianças. Assustou-se com a invasão, mas quando viu que o fugitivo era seu velho conhecido, tentou ser solidária. Apontou em silêncio a escada da sala que levava para o andar de cima, onde ficavam os dois quartos. Não demorou muito para o esconderijo ser localizado pelo *Águia*. O piloto estabilizou o aparelho lá no alto a uns 50 metros do barraco e pelo walkie-talkie avisou ao sargento que corria atrás de Juliano pelos becos que o foragido estava ali.

— Pegamos, pegamos! Ele está aí, neste barraco da parabólica. Pode invadir, detonar! — disse o piloto.

O sargento invadiu a casa pela cozinha com o fuzil em posição de tiro, seguido por dois soldados. O barraco já estava cercado por um grupo de uns vinte PMs. As crianças correram para os braços da mãe. Em silêncio, os policiais avançaram pé ante pé, para vasculhar o banheiro, a sala. O sargento subiu vagarosamente as escadas de acesso ao segundo andar com a arma sempre apontada para a frente. Viu que no primeiro quarto, o das crianças, não havia espaço para um homem se esconder. Procurou com mais cautela ainda no aposento do lado, o do casal. Olhou embaixo da cama, dentro dos armários e atrás da cortina de tiras coloridas de plástico que separava o quarto do banheiro. Não imaginou que o fugitivo estivesse escondido atrás da caixa de amianto, o reservatório de água da casa fixado nas vigas de madeira, no teto do banheiro. Juliano ainda ouviu o piloto do *Águia* insistir com o sargento.

— Ele entrou no porão desta casa. Só pode estar aí, positivo? — disse o piloto.

— Dei a geral em tudo aqui, *Águia*. Negativo! — respondeu o sargento.

— De um a dez, aposto onze que tá entocado aí — insistiu o piloto.

Os gritos dos soldados desviaram a atenção do sargento, que foi chamado para ajudar alguns colegas em apuros lá fora. O barulho era de um grupo de PMs que arrastava pelos pés e pelas mãos os três jovens feridos em direção à parte alta do morro, sob o protesto de uma pequena multidão de mulheres e crianças.

— Assassinos. Estão levando para o pico! Assassinos! — gritava uma mulher.

Pelas leis da Santa Marta, o pico era local de execução e desova. Por isso, a multidão rapidamente foi crescendo até impedir que os PMs continuassem a subida. Os policiais tentaram convencê-los de que Popeye, Podre e Formigão já estavam mortos e que lá do alto os corpos seriam levados de helicóptero para o Instituto Médico Legal. Diante da revolta, resolveram largá-los ali mesmo, no chão, a poucos metros do barraco onde Juliano se escondera, e se dispersaram no meio da favela.

Em minutos apareceram vários cobertores para facilitar a ação do grupo, que levou os corpos morro abaixo em busca de socorro. O missionário Kevin, que estava no ambulatório da Casa da Cidadania, havia sido chamado com urgência e encontrou o cortejo no caminho, já perto da Associação de Moradores. A caravana parou e, com cuidado, tiraram os cobertores e os puseram no chão para Kevin examiná-los melhor. A experiência como socorrista da Cruz Vermelha Internacional deu a Kevin o conhecimento prático para poder afirmar, com segurança, depois de examinar o corpo de Popeye, esfacelado, se ele tinha alguma chance ou não.

— Popeye já era, pessoal. Não tem mais jeito.

O corpo de Formigão, atingido na cabeça, estava frio e começava a apresentar a rigidez dos cadáveres.

—Já era! Já era! — repetiu o missionário.

Com Podre, havia alguma esperança. O missionário teve dificuldades em encontrar batimento cardíaco no pulso, mas achou que o corpo ainda estava quente. Por isso, pediu que alguém providenciasse um carro que o levasse às pressas para o hospital mais próximo, enquanto no caminho tentaria estimulá-lo com respiração boca a boca.

A multidão, agora revoltada com as mortes, dividiu-se em dois grupos. Alguns seguiram com Kevin levando Podre ao hospital. A maioria ficou em volta dos corpos de Popeye e Formigão até a chegada dos parentes, que decidiram levá-los para o velório na quadra da escola de samba. No caminho, enquanto os adultos carregavam os corpos enrolados em cobertores, algumas crianças jogavam pedras nos policiais que passavam pelos becos, ainda envolvidos nas operações de busca a Juliano.

Uma hora depois, o mesmo carro que conduzira Podre ao hospital estava de volta com ele já morto. Nem chegou a receber atendimento no pronto-socorro porque os médicos constataram que era tarde demais. Kevin preferiu levar o corpo direto para o velório coletivo na quadra. A chegada do último corpo aumentou a revolta dos parentes, dos amigos, das crianças, dos adolescentes. Todos começaram a ofender e a provocar os PMs, que observavam a movimentação da quadra bem de perto, a uns 40 metros.

Goteiras caíam de vários pontos da rede de tubulação de água, furada pelas balas da polícia. Mas desta vez ninguém iria consertar o "chuveirinho" tão cedo. O especialista Pardal estava abalado demais para pensar nisso diante dos corpo dos amigos de infância. Popeye era amigo mais distante. Podre e Formigão não moravam na mesma viela dele, mas cresceram juntos. E do início da adolescência até os 15 anos de idade, sempre estiveram unidos no mesmo grupo, sem nunca terem saído do morro. Mesmo nos períodos em que a boca estivera tomada pelos inimigos, eles continuaram na atividade de olheiros. Para disfarçar, criaram um grupo de funk e usavam os bailes como elo para passar as informações estratégicas aos amigos escondidos nos outros morros.

Os caixões dos amigos foram postos lado a lado, junto à parede da quadra, que estava cheia de cartazes com os artigos da Declaração dos Direitos do Homem. Os voluntários da Casa da Cidadania transformaram o velório num ato público de protesto contra a violência policial. Alguns sambistas e jovens do tráfico improvisaram um show no palco em homenagem aos funkeiros mortos. Nos intervalos de cada exibição, transmitiram pelo sistema de alto-falantes mensagens de protesto, que foram ouvidas em todo o morro, inclusive pelos PMs. Alguns reagiram, invadiram a quadra para tirar o microfone do missionário Kevin no momento em que ele acusava a polícia. Empurraram as pessoas para abrir caminho no meio da multidão e chegar até a parede onde os corpos estavam sendo velados. Quebraram as velas, pisotearam as flores, ameaçaram derrubar no chão os caixões que estavam sobre tripés de madeira.

— Vítima é o caralho. Aqui tudo é bandido, tudo é traficante — disse um soldado.

O missionário Kevin protestou.

— Isso é um crime. Respeitem as famílias.

Ele ligou para o número de denúncia da Ouvidoria de Polícia. Em seguida telefonou para os repórteres dos principais jornais e televisões da cidade, enquanto os policiais eram cercados por crianças e mulheres, parentes dos mortos, que choravam e gritavam revoltadas. Com a chegada de mais dois grupos de PMs, o missionário foi levado detido ao posto de polícia da Escadaria. E só seria liberado com a chegada das equipes de reportagem, minutos antes da hora marcada para o enterro. Pelo menos 500 pessoas, a pé, levaram oa caixões da sede da escola de samba até o cemitério São João Batista.

Juliano só reapareceu no começo da noite, quando a operação já havia acabado havia mais de uma hora e algumas pessoas ainda voltavam do cemitério. Só então teve certeza de que havia perdido mais três homens, todos do novo grupo que tentava formar.

— Vingança! Vingança!

Os gritos de Juliano voltaram a agitar os moradores no final de um dia cheio de tiroteios, perseguições, tumultos, mortes. De um lado, Careca, Alen e Tá Manero tentaram acalmá-lo porque o chefe parecia transtornado com a notícia, contada com detalhes exagerados por Luz. A amiga estava revoltada e foi a primeira a sugerir retaliação.

— Isso pode ficá assim não, Juliano. É um massacre! Se a gente dé mole, vão continuá, vão quebrá um por um. Quem vai ser o próximo? — perguntou Luz.

Havia duas granadas nas mãos de Juliano. Careca percebeu que estavam sem o pino de segurança, prontas para explodir. Juliano precisava segurar firme a alavanca de disparo para que ela não explodisse em suas mãos. Ele partira do coração da favela, da área da Primeira Mina e caminhava, decidido, para o ataque, com os amigos em volta tentando contê-lo.

— Isso é suicídio, Juliano. Cuidado com essas granadas na mão. Se cai, já é, aí! — avisou Careca, sem conseguir ser ouvido pelo chefe.

Desceram pelo beco Padre Hélio, o de maior movimento à noite, com Juliano andando à frente do grupo e falando palavrões para si mesmo. Dali em diante dezenas de curiosos seguiram atrás, incitados por Doente Baubau, que saudava pelo caminho o "bonde do VP boladão". E todos sabiam que o plano era lançar as granadas sem pino dentro do posto da Polícia Militar da Escadaria.

A 100 metros do alvo, Juliano subiu as escadas laterais de um barraco, chegou até a laje e dali andou por cima das casas para surpreender os policiais pelo alto. Careca e Tá Manero seguiram atrás dele e logo teriam a companhia do missionário Kevin. Avisado pelo pessoal da boca, que temia ataque de Juliano à polícia, Kevin percorreu o mesmo caminho pelas lajes, apressado, para alcançá-lo.

Um grupo de PMs estava conversando em frente à entrada principal do posto no momento em que o missionário encontrou Juliano e em seguida ficou à sua frente para evitar o lançamento das granadas.

— Tu enlouqueceu, irmão. Que loucura é essa? — disse Kevin.

Juliano chorava enquanto tentava tirá-lo de sua frente.

— Foi muita covardia, Kevin. Vô arrebentá com esses puto!

— E aí eles vão matar você e o morro inteiro. Isso não pode ser assim, não, Juliano!

— Que se foda! Que se foda! Qual que é?

— Já fiz a denúncia na Ouvidoria. Vamos pressionar, mostrar que foi covardia... Eu seguro essa onda, aí — insistiu Kevin.

Durante a discussão, outros homens chegaram para acompanhar o ataque. Como a maioria apoiou o missionário, aos poucos Juliano foi mudando de atitude. Sentou na mureta de uma laje e exigiu que o deixassem só para chorar à vontade. Mas ainda tinha as duas granadas na mão sem os dispositivos de segurança.

— Põe o pino, Juliano. Caralho, põe o pino! — gritou Careca.

Inconformado, Juliano ainda choraria durante quase uma hora a poucos metros do inimigo. E quando concordou em voltar para a área mais segura da boca, andou sem rumo pelos becos ainda com as granadas nas mãos, sem os pinos de aço, com o risco de explodi-las.

CAPÍTULO 27 | A TOCA

A Toca era o esconderijo mais secreto de Juliano. Foi construído especialmente para protegê-lo do cerco da polícia e dos ataques dos inimigos, que também se intensificaram. As quadrilhas do antigo rival, Zaca, e de Carlos da Praça, tentaram tirar proveito das últimas perdas no comando da Santa Marta com ataques durante a madrugada. A estratégia de guerra de Juliano era evitar confrontos com a polícia, sem nenhuma resistência às operações de busca. E para enfrentar a pressão das quadrilhas rivais, procurava o apoio dos principais assaltantes que moravam no morro. Quase todos os dias, Juliano saía da Toca às cinco horas da madrugada para organizar a resistência armada nos três pontos de acesso à favela. Quando o inimigo recuava, geralmente na hora em que os trabalhadores saíam de casa para o trabalho, voltava ao esconderijo e dali não saía mais. A Toca ficava embaixo de um barraco dos mais antigos, erguido sobre colunas de madeira e paredes de estuque, mistura de barro e fragmentos de tijolo. Os donos da casa tinham o perfil das famílias da Santa Marta. Era um casal idoso com sete filhos, dos quais dois eram casados, e três netos. Eram descendentes de escravos que vieram da zona rural de Minas Gerais. Nenhum deles jamais teve nenhum vínculo com o tráfico. Cederam o espaço da Toca em nome da amizade com a mãe de Juliano. Nos tempos da birosca, Betinha nunca deixou de vender mantimento fiado à família, que viu Juliano crescer brincando com as crianças da casa.

A entrada da Toca era "invisível", ficava ao lado da vala de esgoto que passava por baixo do velho barraco. Era preciso entrar agachado no canal, andar três metros com os pés afogados na lama, rastejar um pouco no porão até a porta, um buraco com menos de um metro de diâmetro. Dentro, não dava para ficar em pé. Era um retângulo da altura da velha geladeira depositada ali havia anos. Três das quatro paredes eram barrancos de terra e a outra era uma chapa de ferro, que isolava o porão da rua. A luz era a natural, assim como a ventilação, que vinha de grandes frestas do teto de madeira, o assoalho do barraco. Por uma portinhola escondida embaixo da pia da cozinha da casa, recebia água várias vezes aos dia e, na hora das refeições, era abastecido com o seu prato obrigatório de arroz, feijão, farinha e carne acompanhado de refrigerante ou suco de fruta, pipoca e bolinhas de amendoim cobertas com chocolate.

A pequena porta também era um canal de comunicação da casa com a Toca. Nos dias em que estava mais ansioso, coisa não rara, Juliano implorava para alguém conversar com ele pela portinhola. O apelo era sempre por novidades, qualquer novidade.

— Qual a fofoca de hoje? Conta, conta — insistia Juliano com Luz, sua interlocutora mais freqüente.

Alguns objetos ajudavam a passar as horas. Juliano ficava a maior parte do tempo no estrado de madeira, sobre um colchonete, envolvido com a leitura dos livros de filosofia, de sociologia e de alguns sobre grupos guerrilheiros da Colômbia e do movimento zapatista do México. Tinha imagens de Nossa Senhora Aparecida e de São Judas Tadeu ao lado da cama e uma folha de cartolina fixada no barranco com um texto escrito à mão. Era uma oração de Santo Expedito que ele rezava no mínimo dez vezes por dia.

> "Vós que sois o padroeiro das missões impossíveis, protegei-me nos momentos de extremo risco, nas horas de grande perigo, frente às ameaças do mais vil inimigo. Protegei-me da ponta das espadas, dos ataques e das traições..."

Outro conforto da masmorra era uma televisão de 14 polegadas, com videocassete. Juliano passava horas assistindo sozinho a filmes de aventura alugados em uma locadora de Botafogo. Às vezes tinha a companhia da amiga Luz. Além dela, somente os donos da casa e os principais gerentes da boca sabiam onde ficava a Toca, mas raramente tinham o acesso autorizado. As eventuais saídas noturnas eram geralmente orientadas pelo missionário Kevin, que informava a distância pelo celular qual era a situação no morro.

■ ■ ■

As saídas se tornaram freqüentes quando Juliano criou um "diálogo permanente" entre traficantes e intelectuais. O tema central das conversas era a violência que atingia os moradores do morro e assustava a cidade. Ele também tinha esperança de encontrar nesses debates idéias para o seu grupo sair da crise, algum apoio para mudar de vida ou, pelo menos, para escapar da morte, sua e de seus homens. Alguns contatos foram feitos pelo missionário Kevin, que também providenciava a estratégia de acesso dos convidados à favela. Os primeiros convidados foram os escritores que fizeram livros sobre os jovens de vida parecida com a dele, como o romancista Paulo Lins, que escreveu *Cidade de Deus*. Juliano tinha esperança de ouvir dos escritores propostas para salvar os jovens do risco de morrer no narcotráfico.

Os encontros com o compositor Marcelo Yuca, do grupo O Rappa, eram uma tentativa de Juliano de trazer para a Santa Marta o trabalho social que o convidado desenvolvia numa outra grande favela da zona norte. Havia três anos, os adolescentes de Vigário Geral vinham recebendo aulas de percussão de Yuca e orientação musical de outros artistas do grupo. Assim como Lins, Yuca ficou amigo de Juliano, mas recusou a proposta para não vincular o seu projeto ao narcotráfico. Nesses encontros, Yuca aproveitava para discutir o papel nefasto dos traficantes entre os jovens. Juliano manifestava o desejo de algum dia abandonar o crime, mas argumentava que sua geração tinha um papel a cumprir no morro. Sabia do risco de morrer a qualquer hora, mas tinha esperança de vencer a fase difícil e virar uma espécie de herói dos favelados. Acreditava que os jovens precisavam de sua liderança e que a vida na comunidade seria pior e sobretudo mais violenta se o chefão fosse outro. E fez uma revelação a Yuca.

— Meu sonho é fazê uma revolução dentro do Comando Vermelho, pôr em prática o lema da paz, justiça e liberdade dentro de meu morro.

As boas relações com a Casa da Cidadania levaram Juliano a ampliar os seus diálogos com os intelectuais do "asfalto". O missionário Kevin era procurado quase todos os dias por algum repórter que queria subir o morro atrás de informações sobre histórias de violência. E se a reportagem envolvesse drogas ou o tráfico, o missionário sempre providenciava o contato com algum porta-voz autorizado por Juliano a dar entrevista. Por causa da traição do passado, Juliano exigia que o escolhido se apresentasse aos repórteres com o rosto encoberto e um codinome.

Durante o período de caçada mais intensa a Juliano, o porta-voz mais freqüente da boca foi um gerente, que se apresentava a cada dia com um apelido diferente. Numa mesma semana ele chegou a ser personagem de reportagens de destaque em dois jornais do país. Em uma delas, publicada em *O Dia* , falou como se fosse chefe dos vapores, Zé do Pó. Na outra, onde apareceu numa foto armado com fuzil, deu entrevista ao repórter Marco Uchoa, do jornal *O Estado de S. Paulo*, como se fosse o traficante Tá Manero, que se queixava das execuções praticadas pela polícia no morro.

Impressionado com a força do funk no Rio e do rap em São Paulo, Juliano também se aproximou de suas maiores lideranças. E passou a incentivar esses movimentos culturais no morro, com a injeção do dinheiro da boca para recuperar o antigo prestígio do tradicional baile das noites de sexta-feira na quadra. O baile virou uma festa que misturava rap, funk e pagode, mas dava enormes prejuízos.

O paulistano Mano Brown, líder do grupo Racionais RCs, maior sucesso do rap nacional nos anos 90, também queria conhecer o traficante com preocupações sociais. Quando soube disso, Juliano encarregou o amigo Kevin de fazer um contato com ele urgente:

— Esse Mano Brown é o revolucionário dos pobres. Preciso conversá com ele de qualquer jeito. Te vira, Kevin — exigiu Juliano.

O encontro aconteceria de surpresa, por iniciativa de Juliano. Organizou um bonde para furar o cerco da polícia e levá-lo até o morro do Salgueiro, onde Mano Brown e os Racionais iriam se apresentar num sábado à noite.

A pressa de Juliano em encontrar Mano Brown tinha uma justificativa. Ele fora informado de que, durante a temporada de shows no Rio, os integrantes dos Racionais haviam planejado uma visita à cadeia para conversar com uma liderança de seus inimigos do Terceiro Comando, o ex-chefão do morro do Juramento, José Carlos dos Reis Encina, o Escadinha. Preso havia mais de dez anos,

Escadinha se tornara compositor e sonhava ter uma de suas músicas gravadas no disco dos Racionais, que a princípio gostaram da idéia.

— Aí! Eu sou o Juliano VP, com muita paz, justiça, liberdade. Vamo levá uma idéia? — apresentou-se.

Acompanhado do missionário Kevin, Juliano assistiu a uma parte da apresentação dos Racionais no salão do Salgueiro, mas deixou para abordar Mano Brown na hora em que ele estava conversando no meio de uma grande concentração de jovens da comunidade, a maioria seguidores do rap e alguns dirigentes do tráfico local. No começo da conversa, Mano Brown achou estranha a surpresa, mas aca bou gostando da conversa conduzida sempre num tom de gravidade por Juliano.

— Porra, Mano. Tu tá sabendo que o Escadinha é do Terceiro Comando? Aí! A galera do Comando Vermelho é maioria, rapá. Vai odiá se tu gravá um rap desse alemão inimigo. Teu coração tem que batê CV, cara. Tu é o maior ídolo da galera de São Paulo. E aqui no Rio a gente também curte pra dedéu essa revolução da periferia que tu fala, mermão!

Depois desse encontro, Mano Brown não deixou de visitar o líder Escadinha e recebeu dele algumas letras de rap. Mas até setembro de 2002 não havia gravado nenhum rap que falasse da guerra entre as facções do tráfico do Rio de Janeiro.

Os diálogos de Juliano eram vistos com desconfiança por alguns integrantes da boca e com muitas críticas pela mãe Betinha.

— Tu já foi cagüetado uma vez e aprendeu não, Juliano? Abre teu olho, que tu vai sê usado de novo, meu filho. Repórter, escritor, músico é tudo filho da puta.

Os contatos com os intelectuais também repercutiram entre os comandantes de outros morros ligados ao Comando Vermelho. Não chegavam a condená-lo, mas ajudavam a difundir o seu apelido de Poeta e a crença de que o chefe da Santa Marta era um "doidão" que matava pouco, desprezava dinheiro, defendia idéias que consideravam esquisitas e que tinha a pretensão utópica de se tornar uma espécie de embaixador do tráfico no Rio de Janeiro.

Cada vez mais amigo e influenciado pelo missionário Kevin, Juliano levou adiante a idéia do diálogo morro-cidade a ponto de tentar vários contatos com políticos e governantes do estado nos anos de 1997 e 1998. Na época havia uma composição esdrúxula do governo na área da segurança pública. O subsecretário de Segurança era um homem com militância na defesa das causas humanitárias, o delegado progressista Hélio Luz, filiado ao Partido dos Trabalhadores. Mas como o policial de "esquerda" era subordinado ao general de "direita" Newton Cerqueira, Juliano escreveu cartas para os dois pedindo a abertura de um diálogo, mas seu pedido foi recusado pelos dois lados. Juliano ainda apelou para o superior deles, governador Marcelo Allencar. Na carta escrita ao governador, se apresentava como uma liderança do tráfico e o convidava para uma reunião, na qual pretendia expor suas idéias para reduzir a violência do Rio de Janeiro.

Os cineastas também conversaram com Juliano. Um dos mais prestigiados no final dos anos 90, Walter Salles Jr., teve alguns contatos e manteve correspondência. Numa troca de cartas, combinaram escrever sobre 12 temas de realidades opostas da vida de cada um.

Os diálogos logo se transformaram em amizade. Para ajudar a família de Juliano, Walter Salles ofereceu um serviço de produtora à sua irmã Zuleika, sem vínculo funcional, na sua produtora de cinema. Em troca, Zuleika e Juliano abriram as portas da Santa Marta para o irmão de Walter, o documentarista João Salles, que procurava um cenário para as gravações de seu documentário, *Notícias de uma guerra particular.*

O missionário Kevin se encarregou de preparar a logística para o acesso da equipe de filmagem à favela sem despertar a atenção da polícia. Assim como nas reportagens, Juliano permitiu a filmagem das armas e dos companheiros, desde que usassem máscaras para não serem identificados, sem cobrar nada de Salles. E indicou o cunhado, o gerente do pó Paulo Roberto, para gravar um depoimento em nome da boca. E por sugestão do cineasta, o próprio Juliano deu uma longa entrevista, sem esconder o rosto ou sua identidade. Usou nas gravações um boné idêntico ao de Che Guevara e falou durante duas horas, de frente para a câmera, sobre a sua visão sociológica do tráfico na favela. A entrevista não foi usada no documentário.

A ajuda mútua marcaria o início de uma amizade incomum, entre o chefe do tráfico da Santa Marta e o cineasta de São Conrado, filho de uma família tradicional e rica, dona do Unibanco, o terceiro maior banco privado do país no final do século XX. De todos os intelectuais que conversaram com Juliano, João Salles foi o único que levou adiante as promessas de ajuda que fazia. Logo depois das gravações do documentário, passou a dar aulas de história da arte para alguns jovens em uma das sedes da Casa da Cidadania. E quando tomou conhecimento do processo de falência da boca, prometeu ajudá-lo financeiramente, mas impondo uma condição: antes, ele deveria abandonar definitivamente o tráfico de drogas. Mas na época dessa primeira proposta, final de 1998, Juliano ainda acreditava que, pelo poder das armas, os homens encontrariam um caminho para derrotar os seus inimigos e garantir a prosperidade do morro.

Quando o documentário de Salles passou a ser exibido e a fazer sucesso na TV e nos circuitos culturais da cidade, Juliano achou que podia cobrar uma retribuição. Embora o cineasta tivesse sido muito claro quanto ao tipo de ajuda que poderia oferecer, ele enviou um mensageiro ao escritório de Salles para pedir um apoio financeiro para uma guerra iminente.

— Os alemão do Terceiro Comando vão invadir o morro e muita gente, muita gente mesmo, vai morrer. Por isso ele pede essa ajuda urgente. Mas ele não quer que você dê dinheiro... — disse o mensageiro.

— O que ele quer? — perguntou João Salles.

— Ele perdeu tudo, quasi tudo o que tinha, mas ainda tem um táxi, que tá com a mãe dele. Ele pede que você compre o táxi. Aí ele enche o morro de arma. O inimigo fica sabendo e desisti de invadi. A sua ajuda será um meio de evitar a guerra — explicou o mensageiro.

— De jeito nenhum. A ajuda que eu posso e quero dar é outra. Ele já sabe qual é. Reafirmo: ele deixa o tráfico e aí eu garanto uma mesada.

CAPÍTULO 28 | ASSALTO AVENTURA

No pique dá em dólar,

é que a chapa esquenta.

Quem tá dentro não sai, e quem tá fora não entra.

O bagulho aqui é sério, amor, arrebenta!

O bonde é pesadão

e não tem marcha lenta.

| **Funk proibido** |

A idéia de assaltar veio do pessoal que roubava residências, os caxangueiros. Negado o pedido de empréstimo pelo amigo rico, Juliano buscou o apoio dos assaltantes da quadrilha do cunhado Paulo Roberto, que ficou mais poderoso no morro depois da morte do concorrente Mendonça. Alguns haviam se envolvido no tráfico no período em que ele esteve preso na Polinter. Era uma alternativa ao comércio de drogas para capitalizar a boca e equipar o seu exército, que perdera quatro fuzis nos episódios da morte de cinco homens. Antes de decidir mudar de ramo, tentou um blefe: criar uma falsa situação de falência. Restringira as vendas de pó e de maconha às noites de sexta-feira e de sábado. Pretendera, com isso, tirar o interesse da polícia na repressão aos vapores da Santa Marta. Mas não deu certo, porque o principal alvo da polícia não eram as drogas, era ele próprio.

Mudar de ramo provisoriamente também tinha o significado tático de escapar com vida do cerco policial, cada dia mais intenso.

— A polícia qué nos quebrá aqui em cima. Então a gente vai assaltá lá embaixo, é ou não é? — sugeriu Paulo Roberto, o gerente do pó e, nessa época, o caxangueiro mais experiente do morro.

— Se a parada é assalto, tem que sê manero. Como nos filmes, com plano, mulhé bonita e o caralho! — argumentou Juliano durante uma reunião na Toca, o QG da ação.

A escolha da vítima e o planejamento do assalto também foram de autoria de Paulo Roberto e seu grupo de caxangueiros. Juliano aceitou a idéia quase sem restrições. Ele sempre cultivou boas relações com as quadrilhas de assaltantes da favela, inclusive mantivera eventuais colaborações recíprocas. Juliano já havia emprestado armas e munição para alguns assaltos na cidade. E, em contrapartida, recebera deles o reforço de homens e armas em alguns combates contra os inimigos. A parceria com o cunhado levou a discussão do plano para dentro da família, com algumas controvérsias. Uma delas foi a escolha de Paulo Roberto para o comando do bonde, que levaria os homens para o assalto.

— Essa parada, sei não, sei não — duvidou a irmã Zuleika, numa conversa em casa com a mãe Betinha e Brava.

— Tá certo. Na boca, o Juliano já é um mamão com açúcar... imagina no asfalto, Zuleika? Isso é 157, mulher. Surpresa, ferro na cara, mão pra cabeça, grana, pinote, partilha e um abraço — decretou Mãe Brava.

— E isso é com o Paulo Roberto? Tudo bem, mas, na moral, sob as ordens do bom, do melhor, que é o Juliano — disse Zuleika, inconformada.

— Tu quer dizer: do corno Juliano! Eu já falei pra ele: tu tem que sê mais durão, afinal tu não é bandido, meu filho? Mas ele não me ouve, não esquenta com nada. Concordo com Zuleika. Esse Paulo Roberto tá com essa bola toda, não. Se der errado, morre todo mundo. E nunca vou perdoar esse cara, não. Sei que é teu genro, Brava. Mas eu não quero nunca chorar a morte de meu filho — disse Betinha.

— O Paulo Roberto vai decepcioná não. Ele já teve na pista com meu marido, que falava bem dele. Tu lembra da história da Décima? — disse Brava.

Mãe Brava se referia ao episódio da fuga de Paulo Roberto, que estivera preso na Décima Delegacia por assalto a uma residência do bairro de Botafogo. Ele escapou graças à ajuda do falecido Paulista, que lhe ensinou a técnica de cortar grade de ferro com uma corrente de ouro, introduzida na cela em dias de visita da família. Esse fato, para Brava, teria criado um forte vínculo de Paulo Roberto com a família e por isso ela não se incomodava de vê-lo no comando do bonde e Juliano como subordinado.

— Especialidade é especialidade. De assalto, o Paulo Roberto entende mais.

Luz também foi consultada. Ela era amiga dele, ajudara-o a dar um golpe na segurança de outra cadeia, a da Ilha Grande. Um dia ela foi visitá-lo na companhia do irmão dele, que tinha 17 anos. No final do dia, como os dois eram muito parecidos, o carcereiro não percebeu que o menor ficou trancado na cela enquanto

Paulo Roberto fugia pela porta da frente com o documento do irmão, na companhia de Luz. Quando a fuga foi descoberta, a administração do presídio nada pôde fazer contra o irmão de Paulo Roberto, que por ser menor não poderia ser processado criminalmente nem continuar preso.

— Concordo, é a chance do Paulo Roberto provar que é o bicho. E retribuir tudo o que a gente já fez por ele — disse Luz.

A maior preocupação de Juliano era encontrar a roupa adequada para o tipo de assalto. A seu pedido, a irmã Zuleika levou um homem com o seu tipo físico até uma loja da zona sul para servir de modelo na compra de um terno azul-marinho. Era véspera do assalto. Juliano saiu da Toca para experimentar a roupa nova no barraco de seu Tinta, que tinha um bom espelho na porta do guarda-roupa. Era a primeira vez que vestia paletó. Conferiu detalhe por detalhe da roupa, como se fosse um noivo em dia de casamento. Adorou o modelo e ficou bravo porque a maioria o achou esquisito.

— Esse cabelão encaracolado? Tá estranho, Juliano. Vai chamá atenção pra caralho — disse o baixinho Careca, também irreconhecível num terno de medidas adequadas a um homem alto e bem mais gordo.

— Que nada, pareço um juiz, rapá. Me chama de excelência, aí — respondeu Juliano, que concordou apenas em raspar o cavanhaque.

Os cinco parceiros de bonde também vestiram roupas semelhantes. Na hora de partir para a ação, ainda discutiam muito porque ninguém sabia dar nó em gravata. O dia amanhecia quando saíram da favela divididos em um trio e uma dupla: na frente do trio, Paulo Roberto, que comandava os jovens Tucano e Paranóia. A dupla era Juliano e Careca. Todos pareciam executivos desajeitados a caminho do trabalho, três deles com pastas pretas nas mãos. Desceram o beco Padre Hélio com a cobertura de um grupo de homens à frente. Atrás dele, Doente Baubau, maravilhado com a cena, gritava para todo mundo ouvir.

— Aí os cara, aí!

Eram aguardados por um taxista amigo, morador do morro, no acesso da rua Jupira. O táxi fez duas viagens para levar todo mundo até a Praia do Flamengo, onde estavam estacionados dois Vectras roubados especialmente para a ação.

Como estava planejado, pontualmente, às 9h45min, o piloto Careca chegou ao setor de embarque internacional do Aeroporto do Galeão, na Ilha do Governador. Juliano saiu do carro e entrou no saguão do terminal enquanto o seu piloto exclusivo levava o Vectra para o estacionamento, no subsolo. Na mesma hora, na outra ponta do terminal, o grupo de Paulo Roberto chegava ao saguão do embarque doméstico. Juliano subiu a escada rolante para chegar à área de serviço. Passeou pelo corredor das lojas de suvenires e parou na lanchonete para tomar um café, pretexto para ouvir a senha de um funcionário que fazia a limpeza do balcão.

— Vai açúcar aí mermão? — disse o funcionário cúmplice.

O faxineiro era o tio de Tucano, um dos moradores mais populares da Santa Marta, onde durante anos foi apontador das bancas de jogo do bicho. Aposentado, vivia da pensão de valor equivalente a 60 dólares. Virou faxineiro aos 60 anos para reforçar a renda de casa. Depois de muita insistência do sobrinho Tucano, concordou em colaborar passando informações estratégicas para o assalto em troca de cinco por cento do valor que fosse roubado.

Havia meses que o faxineiro assistia nos corredores do aeroporto a uma cena, considerada valiosa pelos caxangueiros. Diariamente, enquanto limpava o balcão, ele acompanhava com os olhos o serviço de coleta do dinheiro de uma agência do Banco do Brasil do aeroporto, que ficava em frente à lanchonete onde trabalhava.

"Vai açúcar aí, mermão?" Esta era a senha, o aviso de que as vítimas estavam saindo do banco, levando todo o dinheiro arrecadado nas últimas 24 horas no comércio do aeroporto. Era uma dupla de vigilantes de uma empresa de transporte de valores, mas pareciam ser homens de segurança. Justamente para evitar assaltantes, em vez de uniformes usavam ternos escuros e levavam o dinheiro em valises postas sobre um carrinho de bagagem.

Os dois passaram pelos corredores das lojas de suvenires e foram até a área dos elevadores, onde Juliano os aguardava, como se estivesse esperando a abertura das portas de aço para descer. Quando as portas se abriram, Juliano deixou que os homens da valise entrassem primeiro. Para que não desconfiassem, pressionou o botão que sinalizava a parada do subsolo antes que eles o fizessem. O faxineiro já havia informado que a dupla costumava descer até a garagem, onde um caminhão blindado os aguardava.

Assim que as portas do elevador se fecharam, Juliano sentiu a pressão de um cano de um revólver na nuca. Ficou paralisado por segundos, até o momento em que o elevador parou no térreo para a entrada de duas senhoras e do trio Paulo

Roberto, Tucano e Paranóia. Ao perceberam que Juliano estava rendido, os três sacaram as pistolas que traziam na cintura encobertas pelo paletó. As duas mulheres tentaram sair imediatamente, mas foram impedidas pela confusão. De repente Juliano virou escudo da dupla de agentes de segurança, que por sua vez tinham as armas do trio apontadas contra si. As mulheres choravam, os seis homens falavam nervosamente ao mesmo tempo, enquanto o elevador descia.

— Baixa essa arma, caralho, que eu arrebento a cabeça desse viado — gritou um dos agentes, apontando a arma.

— Perdeu! Perdeu!... Vou quebrá, rapá. Tu já era, rapá — gritava Paulo Roberto também com a arma na mão.

— Empatô! Empatô! Caralho! — gritou Juliano, enquanto o elevador parava no subsolo.

As portas se abriram, as mulheres saíram apressadas e os dois grupos continuaram a gritaria, um apontando as armas para o outro, sem sair do elevador. O apelo de Juliano foi se impondo.

— É empate, seus viados! Segura, caralho. Ninguém vai morrê por causa de dinheiro. Vamo dividi essa porra — gritou Juliano.

Os companheiros não gostaram da idéia.

— Dividi, o caralho. Passa a maleta. Passa as duas, caralho — gritou Paulo Roberto.

Sem precisar de muito esforço, Juliano conseguiu pôr a mão em uma das valises, que estava pesada, parecia cheia de dinheiro.

— Já é, aí! Já é, aí! Esse dinheiro agora é nosso. Baixa essa arma, caralho! — disse Juliano para o agente que estava trêmulo, amedrontado.

— Tá certo, mas uma fica. Uma fica aqui! — disse o agente, que parecia mais confiante.

Juliano se afastou deles lentamente, de costas, saindo do elevador com uma das valises, ainda sob a mira das armas dos agentes. Paulo Roberto, Tucano e Paranóia também recuaram passo a passo, sempre em posição de tiro, ameaçadores.

— No vacilo, quebro! Vacila, não! — gritava Paulo Roberto até a porta do elevador se fechar, cobrindo a visão da dupla de agentes. Os pilotos dos Vectra já aguardavam bem perto da saída dos elevadores. O combinado era sair do subsolo devagar para não chamar a atenção. Mas a imprevista reação dos agentes deixou Juliano nervoso.

— Pé no fundo, Careca!

O piloto do grupo de Paulo Roberto era um assaltante maduro, experiente, William, de 46 anos. Foi o primeiro a sair do aeroporto. Por causa de uma falha de Juliano, Careca teve dificuldades de passar pelo guichê eletrônico da saída.

— Me dá o tíquete, Juliano!

— Que tíquete, caralho. Acelera essa porra!

— Tu pagô, não? Vamo ficá preso, aqui. Olha essa barra de ferro aí na frente!

— Passa por cima. Arrebenta, porra!

O choque contra a barra de segurança, que levanta automaticamente quando o tíquete é introduzido no guichê eletrônico, trincou o vidro pára-brisa e acionou o alarme do estacionamento. O imprevisto mudou o plano de fuga. Em vez de seguir direto pela avenida Brasil, Juliano mandou Careca não sair da Ilha do Governador, para evitar algum possível bloqueio na ponte que liga a baía de Guanabara à cidade. Foram até o centro comercial da Ilha e entraram no estacionamento de um supermercado. Antes de abandonar o Vectra, vibraram com o conteúdo da valise. Eram dezenas de montes de cédulas de 50 reais, que passaram para dentro de duas mochilas surradas. Tiraram o paletó, a camisa social, a gravata. Vestiram camisetas brancas, a de Juliano com uma grande estrela preta no peito, o escudo do time de futebol do Botafogo. Foram embora de ônibus e só chegaram no começo da noite ao local da partilha do dinheiro, um bar da Cobal perto da Santa Marta. Juliano já trouxe a parte de cada grupo dividida nas duas mochilas. Sugeriu que dividissem ainda mais, para cada integrante do bonde ficar com a sua parte. Assim, se alguém fosse preso na subida do morro, não perderiam tudo. A divisão começou a dar problemas na hora em que Juliano falou reservadamente a Paulo Roberto qual era o valor que haviam roubado.

— Sessenta e cinco paus? Estava esperando muito mais, aí! O tio do Tucano tinha falado em 200. De duzentos pra mais, aí — reclamou Paulo Roberto, que já desconfiara da demora de Juliano em voltar da Ilha do Governador.

— Escolhemos a mala errada. O dinheiro pesado estava na outra, caralho. Mas é o que é. Tá pensando o quê? Quem colocô a mão nessa porra, com revólver na cabeça e o caralho?

Os mais jovens, Tucano e Paranóia, e o tio informante ficaram com o equivalente a 1.500 dólares, cinco por cento para cada um. Os pilotos Careca e William receberam 2.500 dólares. E os comandantes da ação, Juliano e Paulo Roberto, 11.500 dólares cada um. Descontente, mas sem provas de ter sido enganado, Paulo Roberto limitou-se a falar com William de sua desconfiança. Para o veterano assaltante, Paulo Roberto falhou ao se afastar do dinheiro na hora da fuga.

— Tu errô na hora do pinote, cara. Chefe tem que fugi no lado do outro chefe. E os dois de olho na grana. Agora, só te resta confiá na palavra dele e um dia dá o troco.

■ ■ ■

O primeiro gasto de Juliano foi na lua-de-mel com Luana, em um hotel na cidade de Parati. Passaram um fim de semana juntos, pela primeira vez desde a sua volta ao morro. Todos os outros encontros foram clandestinos, quase sempre no barraco de seu Tinta. A namorada acompanhara de perto a situação difícil, às vezes de desespero, que ele e os amigos viveram nos últimos meses. Em alguns momentos de perseguição da polícia ela chegou a desejar a prisão de Juliano, por temer que ele fosse morto nos tiroteios. Luana tentara se aproveitar da falência da boca para pressionar Juliano a abandonar o tráfico e fugir com ela para algum lugar distante do país. Passar alguns dias na praia, com tudo financiado por ele, não era exatamente o que Luana esperava. Gostou de poder ficar ao lado dele sem os riscos da favela, mas ficou desconfiada.

— Você não estava falido, Juliano? De repente, você tem dinheiro para viajar, pagar hotel, comprar roupa nova... o que você andou aprontando?

— Foi um desenrole, novos sócios, contatos. Vamo crescê de novo, podê comprá a polícia, derrotá de vez os alemão e aí, sim, eu abandono tudo, aí!

— Não entendo por que fazer tudo isso para depois desistir do negócio. É muito mais lógico cair fora logo, antes que seja tarde.

— Um dia tu vai entendê. A rapaziada precisa de mim. Os alemão do Terceiro Comando tão querendo demais tomá o morro. Se isso acontecê, vai tê morte, muita morte dos menino. A comunidade toda vai sofrê porque os cara são foda, quebram mesmo! Pode crê, Luana. Eu ainda sô um mal necessário na Santa Marta.

— Você parece político, não responde às perguntas. E o dinheiro, de onde veio esse dinheiro? — insistiu Luana.

Os jornais diários do Rio começaram a responder às perguntas que Juliano evitava. Algumas notícias assustadoras envolviam o nome dele, antes apenas citado nas reportagens que lembravam a fuga da Polinter e algum tiroteio com os inimigos ou perseguições da polícia. Nas vésperas do Natal de 1998, surgiram as primeiras notícias do envolvimento com assalto, quase todos com cenas que impressionaram pela audácia da ação, como aconteceu numa noite de sexta-feira no Leblon.

Algumas ruas do bairro eram tomadas pelos jovens nas noites de fim de semana. Lotavam os bares, os restaurantes, as danceterias e nos pontos de encontro mais concorridos também ocupavam as calçadas e até parte da pista de asfalto. O assalto que virou notícia foi justamente no ponto de maior movimento da rua Ataulfo de Paiva, no coração do chamado Baixo Leblon. Os assaltantes estavam misturados na multidão e não tiveram dificuldades em dominar os funcionários do caixa de uma casa noturna, de dois andares, mistura de lanchonete, livraria com jogos eletrônicos e restaurante com shows de músicas ao vivo. Limparam o caixa, que tinha o equivalente a cinco mil dólares em cédulas e um volume ainda maior em cheques.

Teria dado certo em menos de três minutos, tempo médio das ações de surpresa nas agências bancárias, se não fosse um disparo acidental de uma arma de fogo dos assaltantes. O tiro atingiu o teto sem ferir ninguém, mas provocou a reação dos seguranças da casa, que estavam em trajes civis no meio dos jovens. O tiroteio gerou correria e pânico entre centenas de pessoas. A maioria jogou-se no chão. A confusão aumentou ainda mais no momento em que os assaltantes jogaram os cheques e um pouco de dinheiro para o ar. No meio do empurra-empurra, chegaram até a saída, onde eram aguardados por quatro motoqueiros. Abriram caminho no meio da multidão dando tiros para o ar. Na garupa da moto de maior potência estava um jovem moreno, que usava cavanhaque e tinha os cabelos pretos encaracolados e os olhos característicos dos orientais. Em duas reportagens, lidas por Luana, esse possível líder do assalto fora identificado como um dos homens mais procurados pela polícia do Rio, Juliano.

Bem que Luana havia desconfiado quando certa noite encontrou Juliano treinando pilotagem de moto na área do Tortinho, na parte alta do morro. Ele escondera que a moto era dele, comprada com o dinheiro do roubo do aeroporto e que já era o primeiro investimento para a próxima ação, que vinha sendo planejada havia meses e anunciada como algo espetacular.

O plano e o levantamento de informações do novo assalto foram assumidos por Juliano, que os guardou em segredo por um longo tempo. Os homens só sabiam que mais uma vez agiriam em parceria com os caxangueiros, mas que eles não teriam voz de comando. Desde a fase de planejamento, apenas as pessoas mais próximas de Juliano tinham uma noção de qual seria o alvo. Ele encarregou a sua irmã de criação, Diva, e a grande amiga, Luz, da tarefa de gravar imagens do cotidiano de algumas vítimas potenciais.

Com uma câmera amadora emprestada, elas gravaram mais de seis horas de cenas do subúrbio da cidade, local escolhido por Juliano para o que chamava de grandioso ataque. As filmagens mostravam fachadas de empresas, detalhes de algumas ruas, muitos carros em movimento, cenas com viaturas no trânsito, policiais em serviço nos postos de vigilância e muita gente trabalhando na rua: vendedores de cachorro quente, garis fazendo a coleta de lixo, bombeiros de plantão no quartel.

Para aumentar ainda mais o mistério, uma semana antes do dia do grande assalto Juliano mandou suspender as atividades da boca e recolheu-se à Toca para assistir exaustivamente às filmagens feitas por Luz e Diva e a partir delas elaborar o roteiro detalhado da ação, a definição do horário, do tipo de equipamento necessário, do número de integrantes que precisava selecionar. Da Toca só saía, eventualmente, para dar continuidade a seus diálogos com os intelectuais ou durante a madrugada para treinar pilotagem de moto no Tortinho.

Marcou o assalto para a manhã de uma segunda-feira. A quadrilha só ficou sabendo disso um dia antes, no "ensaio geral" do domingo, que foi feito em duas fases, uma teórica e outra prática. O ensaio teórico foi no barraco de Luz e teve acesso limitadíssimo, para preservar a identificação dos chamados colaboradores do assalto. Eram quatro trabalhadores, dois homens e duas mulheres. Depois de conhecerem o mapa e assistirem ao filme do local escolhido para o grande ataque, todos tentaram desistir. Ficaram com medo principalmente de se tornarem conhecidos como assaltantes. Para convencê-los a continuar fazendo parte do plano, Juliano teve que jurar segredo total sobre a participação deles. Prometeu que nem os homens selecionados para a missão seriam informados do papel que cada um iria cumprir. Explicou que a ação seria feita em dois grupos e nenhum teria conhecimento dos detalhes da função do outro, nem quais seriam os integrantes.

A aula prática foi no Tortinho, com a participação de apenas cinco homens convocados. E começou com uma informação preocupante.

— Eu estarei no comando na moto número zero, aí. Na minha garupa estará o Paranóia. Aí moleque, grava o teu código: "moto zero", a do comando, aí! — avisou Juliano para espanto de todos. Por mais que tivesse treinado durante a semana, continuava um péssimo piloto. Juliano estava fascinado com o sucesso das motos na favela amiga do Jacarezinho e quis adotá-las também na Santa Marta. Ignorou um detalhe fundamental: na favela dos amigos as ruas eram planas, a favela era horizontal, enquanto o Santa Marta era quase vertical, só existiam becos e vielas com aclive de até 60 graus. O pessoal tentou fazê-lo mudar de idéia, mas nem precisou falar dos impedimentos geográficos. A intenção de Juliano não resistiu ao primeiro exercício da aula prática.

Na hora de fazer o roteiro do caminho que usariam para sair do morro de madrugada, Juliano perdeu o controle de sua moto ao desviar de uma criança que cruzou à sua frente. Estava na curva do Salgadinho sobre uma máquina potente, de 500 cilindradas. Em vez de reduzir a marcha, ele acelerou ainda mais. Em seguida, brecou forte, provocando a derrapagem da roda traseira, saindo dos limites da viela. Desgovernado, Juliano quebrou uma cerca de madeira, bateu com a roda dianteira nos degraus da entrada de um barraco e caiu sobre duas folhas de amianto cobertas de roupas úmidas postas a secar ao sol.

— Sou bom pra caralho, aí. Se fosse outro, teria atropelado a criança, sacou? — disse Juliano com a costumeira falta de modéstia. Precisou Luz apresentar seus argumentos para convencê-lo de que na garupa da moto o risco de todos seria menor.

— Tu vai de piloto, não. Tu tá maluco? E a Jovelina? Como tu vai dá um teco de fuzil com as duas mãos ocupadas no guidão da moto? Eu que fumo e cheiro e tu que fica boladão, Juliano? Eu hein?

— Até tu, Luz. Até amanhã tarei fera, voando baixo pra cima deles, aí. Esse morro vai ficá rico, mulhé — rebateu Juliano.

— Mas na garupa, caralho. Se precisá trocá com os homis, como vai sê? Tu confia no Paulo Roberto?

Todos os outros tinham alguma experiência em pilotagem de motocicletas, mas principalmente em assaltos motorizados. Paulo Roberto, escolhido piloto de uma das motos, levaria em sua garupa o jovem caxangueiro Tucano. E o cabeça da segunda moto, o veterano William, também teria na garupa um adolescente estreante em assalto, Pardal. Careca ia de carro com Tênis e Nego Pretinho. A intenção de Juliano era formar três duplas com uma constituição equilibrada entre traficantes e caxangueiros para agir no momento mais importante e arriscado da ação, a Etapa B.

A Etapa A começou às sete horas da manhã com a operação de limpeza da rua da Castanha, em Brás de Pina, que nunca mereceu tanta atenção da prefeitura. Numa ponta da rua, três homens uniformizados corriam pela calçada recolhendo sacos plásticos, pretos, amontoados ao lado dos postes da rede de distribuição de energia elétrica, e os jogavam dentro do Comlurb 1, o caminhão da Companhia de Limpeza Urbana do Rio. Na outra ponta, a menos de 300 metros, um outro grupo de lixeiros reforçava a operação, embora não houvesse mais nada para coletar com o Comlurb 2.

Careca, o piloto do Comlurb 1, entrou à direita na travessa do Abacate e 30 metros adiante estacionou no meio da rua porque as laterais estavam tomadas pelos carros. A demora na coleta do lixo irritou o motorista do caminhão que vinha atrás. Ele pressionou com a buzina, piscou os faróis e acelerou forte, sem movimentar o pesado caminhão blindado da maior empresa de transporte de valores do país. Tentou sair de ré, mas já era tarde. Na direção do Comlurb 2, William acelerou para cima do carro forte, bateu em sua traseira e o lançou contra o Comlurb 1.

O sanduíche do caminhão impediu a fuga por trás e pela frente, mas os guardas reagiram disparando suas armas pelos orifícios da carroceria, que só permitem tiros de dentro para fora. Ao mesmo tempo duas duplas de motoqueiros avançaram dos dois lados da rua. Dois deles, Juliano e Paranóia, deixaram a moto atrás do Comlurb 2, saltaram sobre o compartimento de entrada do lixo e se juntaram a Pardal, que já subia pelas colunas dos grandes amortecedores da caçamba. Os três pularam para o teto do caminhão blindado, onde não há orifícios para os guardas enfiarem suas armas e disparar.

O teto era a parte mais vulnerável do blindado. As laterais de aço da carroceria, assim como os vidros, eram à prova de rajadas de metralhadoras, de tiros de espingardas e de fuzis e até de explosões de granadas. Mas a capota suportava no máximo tiros de revólver, e os assaltantes sabiam disso. Quando Juliano começou a disparar a Jovelina e abrir rombos na chapa do teto, os guardas começaram a gritar.

— Não atira, não atira. Vamos abrir, vamos abrir!

— Abre logo, caralho. Abre! — gritou Juliano.

Em menos de um minuto, os guardas conseguiram abrir a pesada porta de aço. Ela já estava entreaberta, o primeiro guarda começava a sair quando um incidente o fez recuar. A súbita aparição de Paulo Roberto apontando um fuzil contra a porta e aos gritos de que iria matar, assustou o guarda que instintivamente fechou a porta para se proteger. E não conseguiu abri-la mais.

— Emperrou! Não dá para abrir, não! Não atira. Não atira! A porta quebrou! — gritaram nervosamente os guardas dentro do caminhão.

Pouco adiantou a reação deles. Paulo Roberto, Tucano, os dois pilotos William e Careca, todos disparavam suas armas para pressionar os guardas a sair, mas eles gritavam que a porta havia emperrado. E tentavam se proteger dos tiros que vinham do teto, onde Paranóia disparava o seu fuzil G-3 enquanto Juliano esbravejava, já revoltado com a atitude de Paulo Roberto.

— Viado! Viado!

A atitude de Paulo Roberto não estava prevista nos planos de Juliano. Em vez de apavorar os guardas, ele deveria apenas rendê-los e transformá-los em reféns pelo tempo em que demorariam para tirar os malotes do caminhão. E, para a fuga, planejara deixar os guardas presos dentro do blindado. Ao perceber que o assalto começava a fracassar, Juliano saiu do teto do caminhão e correu, revoltado, na direção de Paulo Roberto, que já estava sobre a moto, pronto para fugir. Tucano e Paranóia ainda disparavam enlouquecidos contra o caminhão blindado, enquanto Juliano ameaçava o cunhado.

— Filho da puta, tu fudeu tudo, caralho!

— A porta emperrô, porra. Vamo vazá. Vamo vazá! — gritou Paulo Roberto, preocupado em fugir o mais rápido possível.

Careca e William abandonaram os caminhões do lixo e fugiram na moto que haviam estacionado na rua do assalto. Paulo Roberto e Tucano saíram juntos em alta velocidade. Juliano não quis acompanhá-los. Arrasado, foi ao encontro das duas mulheres colaboradoras do assalto para desativar a Parte 3 de seu plano, que seria a fuga com o dinheiro do roubo. As duas vendiam cachorro-quente em camionetes que tinham os vidros cobertos pela palavra hot-dog pintada em letras enormes. Elas estavam dentro de seus carros, prontas para receber os malotes roubados e levá-los para a Santa Marta. Certo de que jamais despertariam suspeitas da polícia, Juliano prometera pagar um bom dinheiro pela tarefa, o equivalente a cinco mil dólares. Os motores dos carros estavam ligados quando Juliano apareceu para avisar que o assalto fracassara.

— Já é, aí! Estava tudo perfeito, mas o Paulo Roberto ferrô tudo... vacilô... vacilô...

— Mas como? Tu não trabalhô três meses nesse plano, Juliano? Pegaram nada? Nem um pacotinho?

— Nem um centavo. Era pro morro ficá rico. Ficamo mais falido do que nunca.

CAPÍTULO 29 | **FAVELA ZAPATISTA**

— Você venceu, Luana. Vô entregá as armas! Vô deixá o morro.

O aviso lacônico, com voz embargada, foi gravado na secretária eletrônica de Luana no dia do assalto fracassado. A namorada ouviu o recado ao chegar em casa à noite e, cheia de entusiasmo, ligou imediatamente para Juliano, que estava com o celular desligado. Luana assistiu na TV à notícia do assalto, que teve grande repercussão por causa do uso de caminhões de lixo na ação. Desconfiada do envolvimento do pessoal da Santa Marta no episódio, foi até a favela tirar as dúvidas. Mas não conseguiu passar do ponto de observação de Mãe Brava. Depois de mais de dois anos de romance com Juliano, Luana ainda enfrentava as mesmas barreiras. Por princípio, Mãe Brava negava o acesso das visitas de surpresa.

— Luana, tu aqui a essas horas, mulhé? — perguntou Brava.

— Como está o Juliano, dona Brava? Alguém pode me levar lá em cima?

— Tá louca, menina? O bicho tá pegando. A polícia invadiu tem mais de duas horas e ainda não saiu, tá esculachando todo mundo. A rapaziada tá entocada desde o fim da tarde — disse Brava.

— Então vou ficar aqui. Preciso saber se ele está bem.

Luana só ficou mais calma quando o missionário Kevin apareceu na birosca de Brava, trazendo notícias do namorado. Disse que Juliano havia chegado à favela pelo meio da floresta, no começo da noite. E que marcara um encontro com ele na casa de seu Tinta para informá-lo da sua intenção de sair do morro e abandonar o tráfico de drogas. A conversa entre os dois não teria durado cinco minutos

Por medo de ser descoberto, em seguida Juliano teria saído do barraco à procura de um lugar menos visado. Achava que, por causa da repercussão do assalto, a polícia iria intensificar ainda mais as buscas por ele. Estava abatido pelo fracasso do plano e carregava um computador pendurado no ombro.

— Que novidade é essa, aí? — perguntou Kevin.

— Era de um playboy. Pagamento de dívida, sacumé — respondeu Juliano.

— Aí o cara, aí. Laptop! Gostei de ver.

— Vou aprendê a mexê na internet e o caralho. Tu é bom nisso, Kevin?

— Tem um curso lá na Casa da Cidadania, toda a molecada do morro tá aprendendo...

— Vô tê aula particular, aí! Depois vô embora. Dá mais, não, Kevin.

— Dou a maior força. Mas tem que ser bem pensada a sua saída, cuidado!

— Qualqué hora eu te ligo para a gente combiná a fuga. Antes vô aprendê a mexê em computador. Depois vou precisá de muita ajuda, principalmente da tua ajuda, Kevin.

Luana foi embora feliz com a confirmação de que o namorado pretendia mesmo largar o tráfico e começar vida nova. O missionário e a Mãe Brava ficaram preocupados. Passaram boa parte da madrugada discutindo a decisão de Juliano. Os dois sabiam que ele não tinha muita escolha. Estava quase falido, o fracasso do grande assalto consumira as últimas economias.

Além de ter gasto o que ganhara no roubo do Galeão, Juliano endividou-se com muita gente que participou de seu plano. Não tinha mais como honrar o pagamento por falta de condições de reativar as vendas de drogas, reduzidas a um décimo das registradas nos bons tempos. A pressão do inimigo o impedia de tentar a retomada do comércio.

Os homens davam sinais de cansaço devido à pressão do cerco diurno da polícia e dos tiroteios com os inimigos que atacavam na madrugada. O exército minguava dia-a-dia. Era formado por oitenta em 1987 e nesta crise de 1998 estava reduzido a trinta, na maioria adolescentes que não tinham mais a unidade de antes. Estavam divididos pela influência de duas quadrilhas, a de assalto, liderada por Paulo Roberto, e a de tráfico, cuja origem era a Turma da Xuxa. A maior parte era iniciante na atividade da boca e tinha à disposição menos de vinte revólveres, uma metralhadora e dois fuzis.

Ainda na semana do grande assalto fracassado, Juliano escreveu uma carta para explicar os motivos que o levaram a renunciar ao comando. Ele convocou uma espécie de assembléia, que deveria reunir as pessoas que considerava as mais influentes na favela, para anunciar a sua decisão. Mas no dia em que havia marcado ele próprio não apareceu. Mandou um representante, a amiga Luz, que leu em público uma carta redigida por ele a mão e que iria ser enviada aos dirigentes do Comando Vermelho, que estavam presos nas cadeias de segurança máxima de Bangu:

Humildemente meu respeito a todos os membros do grupo bem como os demais irmãos. Pesso a oportunidade de desenrrolá o que houvé contra mim. Sei que vários irmãos não me conhece realmente, assim quero pasá quem sô, de que tempo vim, e em que realmente acredito! Me envolvi foi nos anos 80, tempo que perdemo o morro.

Perdemo para o Tercero Comando. Demorô 4 anos até retomar. Nesses 4 anos vivi na Rocinha, Pavão, Leme, Engenho da Rainha, Santo Amaro, na rua. Nessa primeira guerra meus pais perderam suas casas e tudo que tinham, só ficaram com a roupa do corpo. O Robison me enprestô um barraco, para mim dechá minha família. As deichei lá enquanto ia a luta, dormi no mato, nas lajes, em barraco de embalação, em igreja. Lutei nas 4 guerras. Até a útima esperança e momento, fui preso em duas sem interece de ser nada por pura vontade de implantá paz, justiça e liberdade. E voltá para minha pátria. Retomamos. Fui vapor, avião, plantão, chefe de plantão, gerente e seria sempre se o Da Praça quisesse, mas na verdade ele queria um robô, um exemplo. O Cláudio bem como o Galego subiam o morro encapuzado por ordem dele no tempo dos alemãos. Quando ele viu que para isso eu não servia, jogô o jogo com o Cláudio, que jogô o jogo dele. E um foi tramando com o outro.

E a polícia que quase me apanha e se apanhasse eu morreria, fui caguetado pelo Cláudio. Nessa exata época saiam gastos muito acima das condições e nunca era descontado na contabilidade. Eu e Raimundinho reclamava ao contador, o contador dizia que o que tava acontecendo tinha a supervizão do Da Praça e do Cláudio. Esse é o contador que mais a frente concluiu a morte do Raimundo! Naquele tempo era tudo dividido entre 4. Pedi uma reunião, o Da Praça disse que não vinha, pois diz que eu poderia tramá contra ele. Fiquei como!? O patrão diz que não vem aqui porque eu vou matá ele? E ele é o cara que eu já fiquei na frente de tiro para o tiro não acertá nele! Cláudio ri para minha cara cinicamente! O contador diz que de 10 falta 9 tá certo!? O irmão que tá do meu lado e irmão do que tá tramando pra mi matá! Deduzi que ô tomo uma atitude ô morro pois não me querem mais. Usaram o suficiente e já não serve mais. M as eu tinha a razão, tinha a comunidade, e o Raimundinho fechava comigo, bem como 75 por cento da rapaziada. Mas depois de tanta luta, tanta morte, mais morte agora por causa de olho grande e dinheiro. Não quis uma divisão. Dechei tudo que tinha, dívidas que vários morros tinha com migo, minha casa, minhas armas, meu cachorro, meu filho tudo.

Eu acreditava e acredito na filosofia da família de paz, justiça e liberdade, e era um momento que precisava sê dado uma chance de vê existindo! Enquanto sofríamos éramos irmãos, quando o dinheiro apareceu somos amigos !???? Com essa atitude dechei o tempo demostrá que a filosofia de paz justiça e liberdade existe. Tudo que falo se demostra na prática, em pouco tempo, 3 meses depois exatamente o Da Praça perde o morro, e 1 ano depois Cláudio manda matá seu proprio irmão para dominar só o morro! E como por castigo vai preso! No mesmo momento que o Raimundinho tá sendo jogado nas paineiras, as armas que vai pro acerto do Cláudio ja eram do falecido Raimundo, vejam bem nem enterrô o irmão. A trama deles é que o Raimundinho iria me fazê uma visita, daí sumi. Eu ia sê o culpado e ele mataria 2 coelhos com uma machadada só! Mas na mesma hora um morador veio me avisá, eu avisei os guerreiros que não participaram, os quais vão a minha procura pois sempre fui o líder no coração de todos. E até do Raimundinho! Pela guerras que participei bem como a luta para botá na linha e minha irmandade de irmão.

Com total apoio dos moradores e com 80 por cento da rapaziada, voltamos com as armas que muitos guerreros trouceram, de outros irmãos bem como o apoio do Dudu da Rocinha que hoje fala mal de mim. Mas pode dizê pois teve a oportunidade de prezenciá a forma que a comunidade me recebeu. E a recíproca é verdadeira. Se provô assim que a filozofia de paz justiça e liberdade ezite. Mesmo hoje com todos nós duros, em dificuldades, mantemos a moral em pé. E é dessa moral que queremos falá. Especulam que nós não vizitamos niguem? quero esplicá que nossa família se mantem na garra. A grande parte mais conciente tá presa, e fazem muita falta. Mais de 40 morreram, nós aqui estamos mantendo a bandeira erguida, só no orgunho a 9 mezes os Bopes estão plantados. Na medida do pocível vendemos para nos mantê. Temos dificuldades de sinceramente de tudo, e sabemos que não podemos batê cabeça, temos certeza isso será superado. A respeito que estamos longe, veja todas as horas que sabíamos que a família precisava estavamos, seja na Rocinha, na Manguera quando os alemão invadiram, no Vidigal, no Turano, nos Prazeres, no Cerra, no Galo, no Jorge Turco, no Encontro, isso é um pouco de nossa participação. Hoje nossos brinquedos estão servindo em guerras bem como fortalecimentos de irmãos. Portanto não podemos tá em falta de sintonia porque se tivécemos não teríamos tados prezentes nessas batalhas em tempo distinto uma da outra não é mesmo? Fora o papo que sempre fizemos por amô a família sem enterece do famozo precinho de hoje em dia!! Sabemos que devemos fazê vizitas a área de irmão, e até vamos na medida do pocível, pois temos nossos próprios problemas!! Nós acreditamos também que irmãndade tá no coração, e na conciencia, como todos achamos que não preciza tá prezente para sê respeitado e lembrado como irmão! Quando isso não acontece como agora que não reconhece o irmão me subimeto a desenrrolá o que quizerem. Pois o errado permaneceu entre vocês porque o certo não foi escutado. vou prová isso!!!!!

Presidente. Tudo isso é reflexiso de tempos atras onde mandei cartas falando de que o Cláudio poderia causá estando na família, pedindo um denzerrole e falando o tanto que ele poderia corrompê, manipulá ô mesmo aceita ser manipulado. E nisso fazendo mais um foco de podridão e obiscuridade na família. Recentemente recebi uma carta dizendo que cada um que tivece seus problemas que rezolvece, e pelo que vejo julgam nosso problema como briga de familia, de crias com crias. Só meu Prezidente que o probrema do Santa Marta é problema da família CV. E problema muito sério vou disser porque. Quando fui no B. dezenrrolá o responçável era o Japão, ele me disse que iria desenrrolá. Passô tempo. Nada. Mandei uma carta pro B2, me parece que estava o Alfredo Dedinho, também não me deram resposta. Mandei outra para o B3 tambem não obitive resposta! Me diceram que fui pelo caminho errado, que o certo era te mandado para irmãos que botaria o dezenrrole para a frente, mas para mim o certo é eu mandá para o grupo. Mesmo que não cejam cimpático a mim! Pois aprendi que o certo é o certo nunca o errado nem o duvidozo! E que o grupo não vai por simpatia mas sim pelo certo! Sem respostas conclui que os poderes da época tinha intereces de não se levá até o fim esse desenrroles. Provo isso porque o seu Japão tinha precinho, bem como Zé Gordo, e o Sá da Cidade de Deus aqui no morro onde me trairam! Muitos irmãos reclamam de eu não te dezenrrolado mas o fiz! E fiz da forma que me pareceu certa! As cartas foram mandadas pro grupo como agora! Bem como fui no B que foi onde deu para mim ir. Meu Presidente. O que faltô foi conciencia dos poderes da época de levá na responça a resposta até o fim. E na prática, da família.

Se todos nós da Santa Marta estamos cansados de dizê que ele é safado maquiavélico cínico perguntamos porque ele se mantem apodrecendo a família? Perguntamos tambem por que não nos leva em conta? porque nossa palavra até hoje não tem valor? Sei que não tive preso, sei também que cadeia não é malandraje, sei que muita coisa eu não sei, mas acreditava que se a família tem algo de mim que não entende me perguntaria e assim desfazendo de qualqué mal entendido! Digo isso porque comesa a sê figura mais problemas na nossa mãe família envouvendo os irmãos!!!! Vou espricá. Minha juventude foi ao baile dos Prazeres, e safados que tentaram invadi o morro estavam lá como se fose o certo abraçados com o irmão Maitor! Minha juventude foi dezenrrolá, e a resposta foi que eles são irmãos tambem?? E ele ainda chamô meu povo para andá junto com eles no baile. Onde já se viu o certo andá junto com alemão?!?!? Persebo que essa erva daninha que não foi cortada no tempo que mandei as cartas comesa a amostrá suas raizes! Pois não iria está abraçado com Maitor se não fozem amigo, coisa que também estranho pois Maitor quando teve com migo no Salguero falô que o Carlos da Praça era safado bem como o Cláudio!!! E que tinha conciencia de minha luta! Só mesmo minhas treze almas bendi-tas e sabidas! Pois nos preocupa esses jestos pois nós que estamos dentro da razão assim temos a mesma vizão outra vez que acabaremos tendo que se defendê contra membros de nossa própria mãe família C.V. outra vez. Que é uma lástima, não faz centido?

Cinceramente não faz centido!!! Não quero que isso acontesa poriso peso humildimente um dezenrrole ate o fim...

CAPÍTULO 30 | ADEUS ÀS ARMAS

A fuga para o México era uma vitória da namorada Luana e do amigo João Salles. Nos dias mais difíceis do cerco da polícia a Juliano, os dois o incentivaram muito a mudar de vida.

— Vá embora. A gente poderá se encontrar lá fora quando você quiser — disse Luana no último encontro antes do dia marcado para a fuga.

João Salles mandava recado pela irmã de Juliano, Zuleika, que já prestava serviço na produtora de vídeo do cineasta.

— Se ele deixar o tráfico, mandarei dinheiro, sim. Ele merece uma oportunidade para viver de outro modo — prometeu Salles.

Mas a idéia de abandonar o tráfico não era uma unanimidade na favela, muito menos na família. Nas vésperas do dia planejado para a fuga, os parentes fizeram uma forte campanha contra a renúncia de Juliano ao comando da boca. As duas mães, que sempre tinham opiniões divergentes, se uniram para manter o filho como chefão. Elas foram até o esconderijo dele para pressioná-lo a ficar.

— Foi a tua luta desde os 14 anos, meu filho. Do que valeu a guerra contra o Zaca, a guerra contra o Claudinho, a guerra contra Carlos da Praça? Quanta gente já morreu neste morro... — disse a inconformada Betinha.

— E a rapaziada, como fica, rapá? Tem mais de trinta na atividade e de repente, necas! Vão panhá dinheiro onde? — completou Mãe Brava.

— Eu não tenho saída. Tô sem dinheiro pra fortalecê a boca, e se tivesse grana a polícia tomava da rapaziada na mão grande. E ainda dependo do desenrole do Comando Vermelho. Cláudio e o Carlos da Praça tão fazendo a cabeça dos chefões na cadeia. Eles não responderam a minha carta, caralho. Tão nem aí — queixou-se Juliano.

Betinha encarava a atividade da boca como um emprego que deveria ser preservado.

— Tá ruim, mas já esteve bom e muito bom! Um dia a polícia te esquece e vai embora. Hoje a boca vale uma merreca, mas como vamo ficar sem essa merreca? E o dinheiro da comida, do remédio da tua mãe? Vai deixá tudo pros alemão, é? — reclamou Betinha.

— Se o problema é falta de arma ou de guerreiro, deixa comigo. Eu animo a rapaziada, mando vi um reforço rapidinho... Tu confia em mim, não? — perguntou Mãe Brava.

Juliano explicou que a saída dele poderia ser temporária, uma oportunidade para cuidar de sua defesa na justiça brasileira. Ele já tinha sido condenado a 27 anos de cadeia e ainda respondia a outros três processos por tráfico de drogas, formação de quadrilha e tentativa de homicídio durante tiroteio com a polícia. Nunca cuidara com a devida atenção de sua defesa legal.

— Com a ajuda do Salles, posso contratá um advogado aqui para limpá a minha situação. Vai dá tudo certo — disse Juliano.

— Tu confia demais nos outros, Juliano. Que ajuda é essa, vai durar até quando? Tu já foi ferrado uma vez e ainda não aprendeu, meu filho — insistiu Betinha.

— O Salles é um abolicionista, qué ajudá em nome de uma amizade sincera... É a minha oportunidade... E a Luana também é manera. Ponho a mão no fogo por ela. É sério — alegou Juliano.

— Tu pare de me fazê de boba, seu moleque. Tu fala a mesma coisa de todas elas, seu mulherengo — disse Mãe Brava, ameaçadora.

Em outra reunião, com a participação da irmã Zuleika e da irmã de criação Diva, Juliano foi convencido a abandonar a idéia de renunciar ao comando do morro.

— A Santa Marta inteira te quer como dono da boca. Tu não pode virar as costas pra essa gente — disse Diva.

— Exagero, mana, exagero — retrucou Juliano.

— Uma coisa não dá para negar. A polícia está oferecendo dez mil pra quem te cagüetar e ninguém do morro te entregou até agora. Não dá para negar. Não dá... — constatou Zuleika.

— Tu tem que segurá esse morro pra rapaziada. Tu acerta teu lado e eles, como ficam? — perguntou Diva, preocupada em defender os interesses do pai de sua filha, Paulo Roberto.

A crítica de Diva inspirou Juliano a optar por um caminho que agradasse a todos os lados. Manteria o plano de fuga para o México, mas não abandonaria a sua condição de dono da Santa Marta. Deixaria em seu lugar alguém que fosse da confiança dos homens e das mulheres de sua família, que se revelaram defensoras radicais do comércio clandestino de drogas. O único nome que representava o consenso era o de seu cunhado, amigo desde os tempos da Turma da Xuxa, o caxangueiro Paulo Roberto.

— É o cara! Tem vivência. Teve preso com teu pai, Paulista, tem uma filha com tua irmã Diva. Tá dentro de casa, meu filho — aprovou Mãe Brava.

Zuleika também achou boa a escolha.

— Tá bom. Podia ser o Tá Manero também. O importante é não dar mole não para os alemão. Quanto sangue teus amigos deram por esse morro? E depois entregar assim sem luta... desmoraliza, desmoraliza.

A aprovação de Betinha passou antes por uma exigência imposta a Paulo Roberto. Ele teria que prestar contas semanais, com o envio de dinheiro para a família no morro do Chapéu Mangueira. De todas as pessoas consultadas por Juliano, somente o missionário Kevin não gostou da escolha de Paulo Roberto devido a sua trajetória de caxangueiro.

— Ele não tem afinidade com o tráfico. Assaltante gosta de resultado imediato. Não é de ficar plantando aos poucos para colher lá na frente... Não acho confiável — disse Kevin.

— Mas aí, a mulher dele é minha irmã, meus dois irmãos ficam de olho nele e ainda tem a Mãe Brava, que é a sogra, pra infernizá a vida do cara se ele inventá alguma trairagem. É o cara, Kevin — concluiu Juliano.

■ ■ ■

Minutos antes da hora combinada de fugir para o México, Juliano precisou atrasar trinta minutos, tempo para a última despedida. Passara os últimos dias ocupadíssimo com as negociações de sua renúncia e não sobrara tempo de se encontrar com Milene, uma jovem morena de 16 anos por quem havia se apaixonado durante as aulas de informática. O namoro começou por influência da irmã dela, Mana, sua velha amiga. Ela sugeriu que Milene ensinasse a ele as lições básicas de computador, sobretudo as relacionadas com a rede mundial de comunicação, a internet. As aulas noturnas foram na casa de Milene e eram vigiadas de perto pela mãe, o que impedira o namoro com mais liberdade. Juliano só conseguiria driblar a vigilância num dia inadequado para as suas pretensões. Justamente no domingo marcado para a fuga ao México Juliano a convidou para um "rápido encontro" de despedida em algum lugar da favela.

A fuga teve que ser adiada para segunda-feira e depois novamente remarcada por causa do sumiço de Juliano. Somente Kevin sabia que os dois estavam escondidos na Toca e aproveitou para espalhar a notícia de que ele já teria ido embora do morro. No domingo seguinte, quando Juliano finalmente reapareceu, a polícia ainda continuava as buscas dentro da favela. Era preciso retomar cada detalhe do plano. A fuga só aconteceria no começo da noite, com a invasão por Juliano do terreno do Clube Gurilândia, que ficava a 200 metros do limite da favela.

Juliano pulou o muro dos fundos do clube que fazia divisa com a área de floresta da Santa Marta. Cruzou todo o pátio, vazio no fim de semana, até as proximidades do portão principal, vigiado por dois guardas particulares. Em vez de evitá-los, Juliano fez questão de sair por ali para aproveitar a oportunidade de se despedir da dupla. Os dois eram conhecidos dele, moravam na favela. Desejaram boa sorte ao fugitivo assim que uma moto potente, uma Honda CB-500, parou em frente ao portão do clube. O motoqueiro usava um capacete e passou outro, que trouxera pendurado no braço, a Juliano.

— Vou mandá um sombrero de presente pra vocês, aí — prometeu Juliano aos vigias enquanto subia na garupa do motoqueiro. Em seguida partiram acelerando forte em direção ao túnel Rebouças. Na mesma hora, o missionário Kevin e a namorada Luana, que estavam dentro de um carro estacionado a cinqüenta metros dali, saíram na mesma direção para vasculhar o caminho por onde a moto iria passar. Entraram no túnel, seguiram pelo viaduto Paulo de Frontin em direção à Linha Vermelha, que fazia a ligação da cidade com algumas estradas de saída do Rio. Dali ligaram para o celular de Juliano, que estava na garupa da moto.

— Evitem a Linha Vermelha. Sujeira. Sujeira. Tem uma blitz da PM bem perto da entrada do Galeão — disse Kevin.

A Linha Vermelha era uma extensão do viaduto por onde o fugitivo trafegava. Por sorte, o aviso do missionário chegou a tempo para que o motoqueiro descesse a primeira rampa e seguisse por outro caminho. A avenida Brasil estava próxima e virou uma opção ideal de fuga devido ao grande congestionamento, enaltecido pelas orações de Juliano.

— Obrigado, meu Pai, por mais um dia de liberdade... Vamo nessa, Calibra! Ninguém vai fazê uma blitz com um trânsito desse jeito — gritou Juliano ao motoqueiro.

O missionário e a namorada os aguardavam no acesso da rodovia Presidente Dutra, a estrada mais movimentada do país, principal ligação entre os estados do Rio e de São Paulo. Seguiram direto pela estrada e mantiveram a estratégia do carro à frente da moto para fazer a checagem dos riscos do caminho. Só pararam trinta quilômetros depois do primeiro posto da Polícia Rodoviária Federal. Passada a tensão das saídas do morro e da cidade, Juliano ficou eufórico por encontrar Luana num lugar já sem muito perigo.

— Falei não, meu amor? Eu voltaria breve! Tá tudo certo. Agora ninguém me segura mais. Pra me pegá só se for lá no México, mulhé — disse Juliano entusiasmado.

— Calma, a caminhada está só começando. Tem muito chão pela frente! — retrucou Luana.

Tomaram um café no posto de gasolina, dispensaram o motoqueiro e em seguida voltaram para a estrada, para viajar durante toda a madrugada até a cidade de Juquetiba, entre os estados de São Paulo e Paraná.

■ ■ ■

A despedida foi em um pequeno hotel às margens da estrada. Descansaram algumas horas, acertaram detalhes do plano completo de fuga, marcaram um encontro no exterior e se separaram. Luana voltou para o Rio de Janeiro, enquanto Kevin e Juliano seguiram viagem de ônibus em direção à fronteira do Paraguai.

Pararam um dia em Foz do Iguaçu para estudar o caminho que fosse de menor risco para sair do país. Resolveram seguir a rota do contrabando formiga da Ponte da Amizade.

Compraram algumas sacolas de plástico baratas, das mais usadas pelos compradores de muamba no Paraguai, e embarcaram num ônibus de preço popular que fazia a linha Foz do Iguaçu—Ciudad del Leste. Também estrategicamente escolheram a hora do início do rush das compras, às nove da manhã.

O foragido Juliano e o amigo Kevin estavam em pé no meio do ônibus cheio de muambeiros quando os policiais dos dois lados da fronteira deram o sinal de passagem livre na ponte.

Quarenta e cinco minutos depois, os dois desembarcaram no terminal de Ciudad del Leste. Antes de procurar um hotel, foram conhecer ali perto um dos maiores mercados de produtos contrabandeados do mundo. Juliano ficou encantado com a quantidade de armas, os preços e as facilidades para a compra.

— Caralho. Os guerreiros precisam conhecer isso aqui... dá vontade de enchê um caminhão aí e distribuir pra galera toda...

Almoçaram sanduíche em uma banca de camelô e voltaram à rodoviária decididos a entrar no primeiro ônibus que estivesse de saída para Assunção. Só viajariam no dia seguinte, bem cedo, em direção à capital.

A chegada em Assunção, no começo da noite, assustou Juliano por causa da forte presença de policiais nas ruas. Em menos de uma hora eles foram abordados duas vezes. Os policiais queriam saber qual era o motivo da viagem.

Nas duas ocasiões, Juliano só foi liberado depois de apresentar aos policiais paraguaios o seu passaporte novo, falsificado com o nome de um amigo morto na guerra do tráfico.

— O parceiro morreu, mas continua me protegendo, aí — disse Juliano para Kevin.

Decidiram voltar para a rodoviária e seguir viagem para longe daqueles policiais, rumo ao México. Foram direto para o extremo norte do país, onde foram novamente abordados pela polícia.

Dessa vez, além de apresentar o passaporte falso, tiveram que pagar propina para cruzar para o lado argentino. Passaram durante a madrugada pelas cidade de Santa. O dia amanhecia quando chegaram em Gueves. Era inverno, frio de três graus. Exaustos, trêmulos, entraram no primeiro hotel barato perto da rodoviária, embora estivessem sem moeda local para o pagamento do pernoite.

■ ■ ■

Acordaram com fome e sem moeda argentina no bolso, saíram para trocar dinheiro numa casa de câmbio. Caminharam cinco quilômetros e não encontraram nenhuma. Só quebraram o jejum cinco horas depois, quando Juliano subiu num pé de manga em uma pracinha. As frutas não estavam maduras, mas mesmo assim eles comeram meia dúzia.

Depois do almoço improvisado, Kevin descobriu na lista telefônica da cidade o endereço do consulado argentino para tentar trocar o dinheiro brasileiro. Foi a pé até lá, onde a recepcionista o fez esperar durante duas horas pelo chefe de gabinete do cônsul, um jovem gentil e desconfiado.

— Qual é a sua nacionalidade? — perguntou o argentino.

— Sou brasileiro, sociólogo. Estou viajando com um colega fotógrafo — respondeu Kevin.

— Qual o motivo da viagem?

— Vamos fazer um livro e o roteiro de um filme sobre a viagem de um traficante brasileiro que quer virar um zapatista no México.

— Quem está produzindo?

— A produção é de um grande banco do Brasil. Temos dinheiro. Só precisamos trocar um pouco do nosso dinheiro brasileiro... Por isso o procurei aqui...

O chefe de gabinete fez a troca de duzentos reais, o equivalente a duzentos dólares, pela moeda local. E telefonou para a dona do hotel onde Kevin e Juliano estavam hospedados para que ela aceitasse o pagamento das diárias em moeda brasileira, por meio de um depósito de dinheiro enviado do Brasil em seu nome. A dona do hotel aceitou o pedido do consulado e se tornou mais atenciosa com os dois brasileiros. Preparou uma cesta de frutas e mandou a camareira deixar sobre a mesa do quarto deles. Na manhã do dia seguinte, ofereceu aos dois um café da manhã reforçado, como cortesia da casa.

Ainda ressentidos da fome do dia anterior, os dois comeram o máximo que puderam, principalmente porque não sabiam quando poderiam comer novamente. Demoraram uma hora para devorar várias fatias de bolo, diferentes tipos de biscoito e pães recheados com queijo, presunto, embutidos defumados, patês. Tomaram café, chocolate, suco de laranja, vários potes de iogurte de morango e cereais. Puseram na mochila todas as frutas que sobraram da cesta servida na noite anterior e partiram do hotel, que lhes ofereceu transporte gratuito até a rodoviária.

Pagaram o equivalente a 89 dólares por duas passagens de ônibus que os levariam de Santa Fé até Jalababa, cidadezinha do deserto de Atacama, no Chile. Foram 18 horas de viagem cansativa, com mais de trinta paradas em rodoviárias de pequenas cidades e vilarejos, sob uma temperatura de sete graus negativos. Na chegada, os dois estavam resfriados — com febre, sinusite e dor de garganta — e sem roupas adequadas para enfrentar o rigoroso inverno.

O frio provocava dores nos pés, nas mãos, no rosto, em todas as partes descobertas do corpo. Logo que saíram da rodoviária de Jalababa, entraram na primeira pensão que parecia barata, para se protegerem rapidamente do frio. Pretendiam dormir apenas uma noite, mas a receptividade festiva dos outros hóspedes fez Juliano mudar de idéia.

— Saio nunca mais daqui não, Kevin. Olha aí, foi Nossa Senhora Aparecida que me mandô pra esse lugar, aí! — disse Juliano para Kevin, entusiasmado com o tipo de cigarro que os jovens passavam de mão em mão na festa que acontecia em volta de uma fogueira no pátio central da pensão. Havia uma mesa que impressionou Juliano porque estava coberta de garrafas de vinho e de rum, latas de cerveja e alguns montes de maconha. Eufórico, superou a barreira da linguagem, fez amizade com vários hóspedes japoneses e europeus, comunicando-se por mímica ou pedindo apoio ao missionário como intérprete.

— Diga pra esse japonês, Kevin, que eu sô um favelado. Ele vai curtir, japonês gosta de coisa diferente — pediu Juliano.

Depois de uma semana no deserto de Atacama, o missionário Kevin achou que sua parte no plano de fuga estava concluída. Juliano conquistara amizades importantes, começara a resolver sozinho cada detalhe da produção da viagem ao México e acertara um encontro com a namorada Luana no caminho. A partir desse ponto ele seria mais útil no Brasil, onde continuaria a fazer os contatos com os zapatistas para agendar um encontro com o subcomandante Marcos.

■ ■ ■

O missionário voltou ao Brasil um dia depois do maior golpe já sofrido até então por Juliano. Durante a madrugada a quadrilha foi surpreendida por uma emboscada durante a troca de plantão do amanhecer. Ninguém reagiu porque foram pegos de surpresa pela traição de um de seus parceiros. À frente do exército inimigo estava justamente o homem escolhido por Juliano para ficar em seu lugar durante a fuga para o México, o cunhado e caxangueiro Paulo Roberto. Foi dele, durante o ataque da madrugada, os primeiros avisos de que um golpe estava em curso.

— Aí, Juliano já é. Agora quem manda sô eu. Quem não tá comigo tá contra mim, tá entendendo? Tem um dia pro pinote! — ele disse aos homens que estavam no plantão.

O pessoal da quadrilha de Juliano só começou a entender melhor o golpe quando os irmãos de Paulo Roberto, Germano e Galego, deram a primeira paulada nas costas de Tatau, um dos soldados da boca.

Junto com Tênis, Tatau cuidava da segurança na parte alta do morro. O parceiro conseguiu fugir pela sua rota secreta que levava pelo caminho da floresta ao morro do Cerro Corá. Mas Tatau, que estava acompanhado da menina Katinha, não teve tempo nem de reagir.

Tatau e Katinha foram arrastados pelos cabelos para a área central da favela. Os homens de Paulo Roberto queriam cometer as atrocidades no meio do maior número possível de pessoas.

Tatau teve os olhos perfurados e sofreu várias mutilações antes de ser metralhado. A companheira Katinha teve uma das pernas quebrada por tiros de fuzil. Só depois de horas de sofrimento permitiram que fosse levada para um hospital.

Era o segundo namorado que Katinha perdia num intervalo de três meses. E naquele ano de 1998, outro ex-namorado dela também seria morto numa operação policial.

Katinha ficou meses internada para se recuperar das graves fraturas da perna. Até o início de 2003 continuava com dor e se queixava de seqüelas, a perna quebrada ficou mais curta. Ela estava morando de favor em um barraco do Cerro Corá. Planejava voltar à Santa Marta, mas achava que não tinha mais saúde para viver com o pique de antes, quando era chamada de Maria da Boca.

Horas depois da execução de Tatau, os homens de Juliano começaram a abandonar o morro. Desceram com a família, em silêncio, levando os animais e o máximo de coisas que podiam carregar pelas escadarias. Foram vigiados pela escolta armada dos inimigos, que os acompanharam até a saída dos limites da favela. Ao meio-dia, ao constatar que praticamente todos haviam se retirado, Paulo Roberto mandou seus homens atacarem os dois focos de resistência ao golpe.

O primeiro ataque foi a um barraco da Cerquinha, na zona alta, moradia da amiga de maior confiança de Juliano. Luz ainda dormia. Ela foi acordada pelos gritos de um dos irmãos de Paulo Roberto, Germano.

— Acorda, caralho, acorda!

Acostumada a ter a sua casa invadida pela polícia, Luz estranhou os gritos e foi até a porta espiar quem estava chamando.

— Esse alemão quer o quê comigo? — perguntou para si mesma, já tentando, sem muita pressa, abrir a porta, fechada por uma corrente e um pequeno cadeado.

— Abre essa porra, senão vô quebrá, aí! — gritou Germano.

— Germano? Qual é a tua, mermão? E essa máquina aí, rapá. Lindona, aí... mas vira pro lado aí — disse Luz, tentando convencê-lo a desviar dela a mira do fuzil.

— A casa caiu, mulhé. Perdeu. Perdeu! Cai fora que o Juliano já era. Mas antes tu vai dá onde ele tá entocado!

— Que Juliano, Germano? Ele tá sumido, tu tá sabendo, não?

— Tô! Por isso tu vai me dá a Toca. Vambora — gritou Germano, puxando-a pela gola da camisa.

— Porra, Germano. Tu é cria do morro, rapá. Tu tá sabendo que o Juliano é doidão, cara. Ele deu um perdido... tu qué o quê, rapá?

— Tão vamo pro pico. Lá tu vai lembrá rapidinho, se antes eu não te dé um teco no caminho — disse Germano, ao mesmo tempo que batia com o cabo do fuzil contra o rosto de Luz.

— Pode quebrá mesmo, Germano. Fazê o quê, cara. Tenho nada pra dá, não, nem que eu quisesse — disse Luz

Quase ao mesmo tempo, na parte baixa do morro, os invasores atacavam o outro ponto estratégico fundamental de Juliano, o bunker-botequim de observação de Mãe Brava. Dois homens armados enviados pelo genro Paulo Roberto se aproximaram do barraco no momento em que ela levantava a porta de aço do botequim.

— Aí, vovó! Paulo Roberto mandô dizê que o Juliano já era! A senhora tem que passá o barraco pra nós. Na moral, aí — disse um dos homens.

— O quê? Tu repete essa história, que devo tá meio surda, devo tê ouvido direito, não — respondeu Mãe Brava.

— É uma ordem, aí. Agora o morro é nosso. E o Paulo Roberto tá de frente, vovó.

— Em primeiro lugar, vovó é a puta da senhora sua mãe.

— Tu é folgada, hein? Cuidado, que vamo passá o rodo, aí!

Revoltada com a notícia, Mãe Brava aproveitou a mesma dupla de mensageiros para enviar uma resposta ao genro traidor.

— Aqui ó, seu merda. E tu também aí, seu bosta. Voltem lá e digam pro cuzão do Paulo Roberto enfiar essas duas armas de vocês no olho do cu dele.

— Vê aí. É melhor a senhora cair fora, que o Paulo Roberto pode mandá quebrá.

— E eu tenho medo de alemão? Enquanto tu come feijão, eu já tô na sobremesa, rapá.

Assim que os homens subiram para dar o recado para Paulo Roberto, Mãe Brava mandou algumas crianças aviões espalharem a notícia do golpe para os principais amigos do morro e sobretudo para as três mães dos filhos de Juliano. E, de casa mesmo, telefonou para a mãe Betinha e a irmã Zuleika para combinar um encontro com urgência.

— Alô, Betinha. É a comadre. Tu tá sabendo? O Paulo Roberto traiu. O Paulo Roberto traiu!

Marcaram uma conversa no mesmo dia no Chapéu Mangueira, que virou uma base de apoio dos parentes e dos homens que abandonaram a Santa Marta e não tinham onde morar. Além das duas mães de Juliano, apenas a irmã Zuleika e os integrantes mais antigos da quadrilha, Tá Manero, Rivaldo e Tucano, foram convidados para discutir uma saída para a boca.

— Mas que traidor filho da puta esse Paulo Roberto, hein? E a Diva, como fica nessa? — perguntou Zuleika.

— Ela sumiu. Mandei procurá e quando encontrá vou dá uma surra. Duvido que ela não soubesse da trama desse canalha. Como é que ela não fala nada? — perguntou Mãe Brava.

— Mas a gente não pode esquecer que o canalha é o Paulo Roberto — lembra Betinha.

— O canalha teve a petulância de pegá a minha filha, de convivê com meu marido na cadeia e ainda de levá vantagem no plano de fuga do Paulista para fugi da cadeia, sem gastá um puto, nada — disse Mãe Brava.

No final da reunião, em que cada um mostrou sua revolta com a traição, todos estavam decididos a organizar uma reação armada, sob a liderança das três mulheres.

Mãe Betinha se encarregou de fazer os contatos com o missionário Kevin para pedir a ele que avisasse Juliano do golpe de Paulo Roberto. As mulheres queriam a opinião dele sobre o plano de reação.

Enquanto aguardava uma resposta de Juliano, Mãe Brava acionou uma rede de "aviões" para localizar antigos parceiros de crime dela e do marido falecido. Logo descobriu que Paulo Roberto estava agindo por conta própria, o golpe não tinha sido negociado com os dirigentes do Comando Vermelho. Por isso, Brava visitou algumas cadeias de Bangu para reativar seus contatos com os bandidos da velha guarda, principalmente com os que tinham influência entre os homens da diretoria do Comando Vermelho.

A ação de Mãe Brava abriria as portas dos morros vizinhos às visitas de Zuleika em busca de homens e armas para a reação. Como a guerra envolvia dois homens da organização, muitos dirigentes ficaram neutros. Mas os mais amigos de Brava mandaram ela concentrar as negociações com traficantes do Vidigal, que eram os mais indicados devido a longa história de aliança de guerra entre os dois morros contra inimigos comuns. E porque a vizinha Santa Marta, sob comando de Paulo Roberto, poderia representar uma ameaça ao controle do CV nos morros da zona sul. E Zuleika tinha ainda a seu favor outro forte argumento: nas últimas guerras expansionistas do Terceiro Comando contra o Comando Vermelho, Juliano sempre lutou ao lado do feroz exército do Vidigal.

Por manobra das três mulheres, uma semana depois do golpe a quadrilha de Juliano já tinha garantido o reforço de um dos narcotraficantes mais temidos do Rio de Janeiro, Patrick do Vidigal. O acordo causou euforia entre os simpatizantes de Juliano, que antes da fuga tiveram frustradas várias tentativas de obter apoio do Comando Vermelho. Por isso, informado do acordo por meio de um telefonema do missionário Kevin, Juliano imediatamente mudou seus planos de viagem para o México.

— Essa é uma grande notícia, Kevin. Eu sempre quis o Patrick como aliado, cara. Eu já troquei muito tiro para defendê aquele morro, chegou a hora dele devolvê a ajuda que eu dei.

— Mas não é bem por aí, Juliano. Eles estão oferecendo a ajuda em consideração a Mãe Brava. Sacumé, viúva de um grande bandido, o Paulista, é uma rainha pra eles... Já o teu conceito com eles, não sei não.

— Dona Brava é a minha segunda mãe' Paulista era o meu segundo pai, isso tem tudo a vê comigo, Kevin. E o Patrick tem essa fama toda, mas eu tenho mais experiência de guerra do que ele...

— Não sei qual foi o acerto. E depois que retomarem o morro, como é que fica? A boca será tua ou dele, do Patrick? Ou será de alguém que o Comando Vermelho indicar?

— Tem essa, não, Kevin. Com o Patrick eu me entendo, o cara é foda! O Vidigal e a Santa Marta têm tudo a vê. São dois quilombos, são os morros mais bonitos do Rio. Nós vamo formá juntos, vamo arrebentá!

■ ■ ■

Menos de 24 horas depois de ser avisado da parceria, Juliano desembarcou no Aeroporto Internacional de Guarulhos, em São Paulo. Era começo da manhã de sábado. A namorada Luana já o aguardava com um carro alugado para levá-lo direto ao Rio de Janeiro pela Via Dutra. Nessa hora, a 400 quilômetros dali, Mãe Brava, Mãe Betinha, a irmã Zuleika e os homens que saíram do Chapéu Mangueira o aguardavam na favela do Vidigal, que já vivia o clima de guerra desde o dia anterior. O ataque só não aconteceu na sexta-feira porque, na última hora, Juliano mandara avisar que desistiria da viagem ao México para lutar junto deles pela retomada do morro.

Os fogueteiros anunciaram a chegada de Juliano com cerca de um minuto de queima de fogos. Os homens de Patrick o receberam sobre uma laje de um pequeno mercado de vendas de frutas, legumes e material de higiene de cozinha. Estavam em volta de um banquete, uma velha mesa de madeira coberta com vários pratos de papelão cheios de pedaços de frango assado, farofa e garrafas de cerveja gelada. Todos vestiam o uniforme de guerra, marca dos "Animais do Patrick", como eram chamados nos morros do CV.

Bermuda ou calça preta, tênis preto, boné preto, jaqueta sem manga ou camiseta preta com o desenho amarelo da arma predileta de Patrick estampada no peito. Alguns também tinham a mesma estampa — um longo machado de aço — nas boinas pretas ou nas abas dos bonés. O uniforme se completava com um capuz, também preto, que eles só puseram no rosto instantes antes da invasão, que aconteceu por sugestão de Juliano no mesmo fim de semana de sua chegada, já na madrugada de domingo.

Os tiros de projéteis traçantes, que à noite deixam no ar uma linha iluminada, marcaram a primeira hora de combate, que aconteceu ao lado do muro do Palácio da Cidade, o ponto de invasão de Juliano e seus homens. Dali não houve quase nenhum avanço porque os aliados de Paulo Roberto estavam entrincheirados em dois cruzamentos de uma mesma viela da região do Beirute, de onde podiam formar uma linha de tiros intransponível. Já no outro foco de combate, o fator psicológico do ataque parece ter dado a vantagem aos Animais de Patrick.

Era um grupo de 25 homens, todos com o uniforme preto. Eles chegaram ao pico do morro pelo acesso de Laranjeiras. Cruzaram o Tortinho com os fuzis erguidos sobre a cabeça sem disparar um único tiro. Eram orientados no avanço pelas ordens de Patrick. Ao se aproximarem da área dos barracos, o líder do bonde que corria no meio deles começou a esbravejar gritos de guerra.

— Vai morrê, au, au! É o CV do Vidigal!

Na escuridão, sem ver de onde partiam os gritos do inimigo, os homens da quadrilha de Paulo Roberto, entrincheirados atrás da caixa-d'água do pico, deram o alerta do ataque disparando uma rajada de metralhadora para cima. Mesmo assim os soldados de Patrick continuaram o avanço em direção à área dos barracos, repetindo sem parar os gritos ameaçadores.

Os olheiros que estavam no telhado da Igreja Nossa Senhora da Auxiliadora, logo que conseguiram definir as imagens do inimigo na escuridão, saltaram assustados de uma altura de dois metros. Não fora difícil identificar o exército invasor. Nos últimos anos da década de 1990, os Animais de Patrick eram conhecidos em todas as favelas do Rio por causa dos horrores que praticavam para impor a disciplina na administração dos pontos de vendas de drogas e afastar os inimigos. O uso de um estranho instrumento de guerra, um enorme machado, ajudou a dar notoriedade ao grupo de Patrick no universo do tráfico do Rio.

Na invasão da Santa Marta, além de duas pistolas automáticas Eagle na cintura, o frente do exército de Patrick trazia nas mãos a arma com a qual já havia praticado muitas atrocidades, com um longo cabo de madeira de um metro e meio de cumprimento. Era o mesmo machado que a quadrilha usara para executar as sentenças de morte dos tribunais do Vidigal contra os já inimigos.

As mutilações das vítimas de Patrick a golpes de machado produziram algumas cenas macabras, que nos três últimos anos da década de 1990 assustaram os moradores de uma das áreas mais nobres do Rio de Janeiro.

Pedaços de membros humanos foram encontrados boiando no mar, junto às paredes rochosas do morro do Vidigal. Os peritos criminalistas também diversas vezes recolheram dedos, pés, mãos e uma cabeça decepada que apareceram no mar e nas areias da praia do Leblon, a mais próxima do ponto onde ocorriam os tribunais promovidos por Patrick. As sentenças aconteciam no topo do morro, junto ao precipício banhado pelo oceano. Os jovens carrascos, geralmente adolescentes, formavam a linha de fuzilamento. Em seguida, encarregavam-se de recortar o corpo da vítima a machadadas e, por fim, lançavam as partes mutiladas no mar.

■ ■ ■

Os olheiros de Paulo Roberto que identificaram o exército de Patrick com o machado correram até a base da quadrilha levando pânico pelo caminho.

— Eu vi, o Patrick tá na área! Eu vi, o Patrick...

Sem muita opção de fuga, pois os dois acessos principais estavam tomados pelos invasores, a ordem de Paulo Roberto foi a de resistir aos ataques, embora já soubesse que estava em desvantagem em número de armas e de homens. Mandou seus homens dispararem em conjunto suas armas, fazer o máximo barulho possível para chamar a atenção da polícia, com a esperança de que ela invadisse o morro e pusesse um fim nos combates.

A reação revoltou Juliano, que em poucos minutos de combate gastou um saco com centenas de projéteis do fuzil Jovelina. Sem dar trégua, manteve a seqüência de disparos durante duas horas, forçando um recuo da linha de defesa de seu inimigo. No lado oposto, os homens de Patrick também avançavam. Encurralaram os soldados de Paulo Roberto em volta da base deles, na Cerquinha.

Desde a guerra de 1987, nunca os moradores da Santa Marta foram envolvidos num tiroteio tão intenso. Os combates continuaram durante toda a madrugada, mesmo depois da chegada da polícia, que ficou concentrada nos dois acessos no pé do morro. Por causa disso, os feridos entre os homens de Juliano tiveram que ser levados para dentro da floresta, onde receberam os primeiros socorros dos companheiros ou foram encaminhados para os hospitais pelos caminhos secretos de saída do morro.

Só quando o dia começou a clarear os dois lados tiveram a dimensão do que havia acontecido de madrugada. Do lado das quadrilhas de Juliano e Patrick, cinco feridos com gravidade já tinham sido socorridos fora da favela. Entre os homens de Paulo Roberto, quinze haviam desaparecido, ninguém sabia se estavam feridos ou se fugiram. Também não sabiam que um grupo de cinco dos seus soldados tinha se rendido ao exército de Patrick, que resolveu usá-los para espalhar o terror contra o inimigo.

Da cadeia, como sempre fizera nas guerras que participava, Patrick mandava sacrificar alguém na frente do maior número possível de moradores. Pouco antes das oito horas da manhã, a vítima já estava escolhida: era Lilico, um jovem de 21 anos, filho mais novo de um operador de som que trabalhava nas equipes de reportagem da TV Globo do Rio.

Lilico foi arrastado para a praça da Mina, onde ficou alguns minutos em pé, de frente para um pelotão de fuzilamento. A cena despertou a curiosidade de Doente Baubau, que passou a cantar um dos jargões das torcidas de futebol nos estádios:

— Um dois três, quatro, cinco mil! Queremos que o Lilico vá para puta que pariu!

Sob o olhar assustado de muitos curiosos que pararam ao ver a cena no caminho, um dos carrascos se aproximou por trás do jovem indefeso. E, sem que ele percebesse, desferiu dois golpes com o machado: o primeiro quase o decapitou e o segundo, já com Lilico caído no chão, atingiu a nuca. Os outros quatro prisioneiros foram obrigados a carregar Lilico, que agonizava, até o ponto onde os inimigos estavam encurralados.

Ao verem Lilico naquele estado, os poucos homens da quadrilha de Paulo Roberto que ainda resistiam esconderam suas armas no próprio corpo e sumiram em busca de um esconderijo. O comandante seguiu no meio deles e nunca mais seria visto pelos moradores da favela, nem mesmo por sua mulher, Diva, e sua filha, Cristina. Só dois meses depois o destino do cunhado de Juliano seria conhecido na Santa Marta. Ele voltaria a praticar assaltos até ser morto quando fugia da polícia depois de ter roubado um banco multinacional no centro do Rio de Janeiro.

No começo de 2003, a antiga família de Paulo Roberto estava reduzida pela metade. Os sobreviventes, a mãe, a irmã e o irmão Chiquinho, estavam morando numa outra favela, em Mesquita, na zona norte.

Os outros dois irmãos, Germano e Galego, também tinham sido mortos em guerras do tráfico. E, junto com Paulo Roberto, que tinha quatro filhos, deixaram dez crianças órfãs nas favelas do Rio de Janeiro.

PARTE III

ADEUS ÀS ARMAS

CAPÍTULO 31 | FORAGIDO

Meses depois da história da traição no morro, fui procurado numa madrugada pelo missionário Kevin, que queria me passar uma informação urgente. Marcamos um encontro no restaurante La Mole, na praia de Botafogo. Sentamos num lugar com menos pessoas para falar de um assunto sigiloso, mas logo nossa conversa foi interrompida pelo toque do celular do missionário.

— Alô, irmão? Ele veio sim... Já estamos aqui.

Em seguida o missionário me passou o telefone, dizendo que era o Juliano e ele queria falar comigo.

— Alô! Desculpi interrompê o jantar!

— Tudo bem, o prato ainda não foi servido.

— Que a paz do Divino proteja a sua pessoa. Precisava conversá com urgência. É assunto sério, muito sério.

Eu já o conhecia das cadeias do Rio. Nossa primeira conversa tinha sido, em 1996, na cela que dividia com o "dono" da favela do Jacarezinho, Lambari, na carceragem da Polinter. Conversamos outras vezes depois da fuga, em 1997, 1998 e 1999, período das grandes caçadas contra ele. Na época eu apresentava um programa na Globo News sobre iniciativas edificantes, de pessoas anônimas, nas áreas de pobreza do país. Para gravar nos morros e nas favelas, muitas vezes precisei de uma conversa prévia com os chefes das bocas de pó, como Juliano. Mas dessa vez o interesse era dele.

— Aí, papo sério, gravíssimo. Quando pode sê?

— Quando você quiser!

— Não fala isso, senão eu digo agora. Pode sê?

— Que seja. Onde?

— O irmão aí sabe o caminho.

Eram duas horas da madrugada. Deixamos a comida quente sobre a mesa, pagamos a conta depressa e fomos esperar na frente do restaurante o avião de Juliano que estava a caminho para nos levar ao esconderijo dele. Era um carro amarelo com uma listra lateral azul, pintura padrão dos táxis cariocas. O motorista, soube depois, era um sobrinho de Cabeludo.

Seguimos pela avenida curva da enseada de Botafogo. Minutos depois entramos à direita em direção ao Jardim Botânico, pela rua São Clemente, onde passei pelo meu primeiro susto. Uns 500 metros à frente estava o acesso à Santa Marta. Imaginei que fôssemos passar direto rumo a algum outro local da cidade, onde seria mais lógico que um morador da favela, foragido da Justiça, fosse se esconder. Na época, a recompensa pela prisão de Juliano era o equivalente a 2.000 dólares, oferecidos pela Associação Rio Contra o Crime e a polícia, que o considerava um dos dez criminosos mais perigosos do Rio.

Naquela madrugada, os policiais que caçavam Juliano noite e dia formaram uma barreira na subida da Jupira, justamente a rua onde o motorista do táxi-avião resolveu entrar. De imediato, o missionário Kevin, no papel de co-piloto, lembrou dos procedimentos básicos de aproximação.

— Os faróis, os faróis! Desligou?

— Devagar, no sapatinho, aí.

— Luz interna, na moral.

A maioria dos PMs estava em volta de uma viatura D-20. Um deles, armado com um fuzil que parecia um AK-47, fez um sinal para o táxi parar e se aproximou, desconfiado, pelo lado onde eu estava sentado no banco de trás. Mantive o braço direito apoiado na janela da porta, preocupado em não esboçar qualquer movimento que pudesse assustar ou aumentar a desconfiança do soldado. Kevin tomou a iniciativa.

— Tudo bem, irmão?

— É o evangélico! É o evangélico! — gritou o soldado para os colegas que estavam perto da viatura.

Kevin tinha uma relação conflituosa com os policiais do Batalhão de Botafogo por causa das constantes denúncias que fazia como dirigente da Casa da Cidadania. Já fora ameaçado de morte, chegara a receber proteção da Polícia Federal e era investigado por suspeita de envolvimento com o tráfico por causa de sua notória proximidade com Juliano. Um segundo policial, que parecia ser o chefe do grupo, se aproximou do táxi, inclinou-se um pouco para ver melhor quem estava dentro e em silêncio fez um sinal para seguirmos em frente.

Não fomos muito longe.

Percorremos uns 200 metros da sinuosa rua de paralelepípedos até chegarmos ao Cantão, o fim da Jupira. Saímos do carro e pegamos um caminho escuro pelo lado oeste do morro. Kevin tomou a dianteira para me guiar pelas escadarias estreitas, tortuosas, de alvenaria ou cavadas na pedra, e que tinham alguns degraus altíssimos.

Passamos pela área dos tribunais do Cruzeiro, que naqueles dias estavam com as luzes apagadas por causa do cerco policial. Logo à frente vi um vulto sobre um barraco ao lado do prédio da entidade Jovens com uma Missão, a Jocum.

— Não pára, não. Segue em frente — disse alguém lá em cima, falando baixo.

Pela primeira vez olhei para atrás, rápido, o suficiente para saber que já tínhamos subido um pouco, dava para ver as luzes dos prédios mais próximos lá embaixo, em Botafogo.

Em poucos minutos já havia perdido o senso de direção. Entramos num longo corredor que passava por baixo do assoalho de vários barracos de madeira e de alvenaria. Parecia um labirinto de uma grande caverna úmida, quente e que exalava um forte cheiro de esgoto. Pouco antes de uma bifurcação, encontramos o primeiro homem armado. Ele levantou um dos braços para avisar que dali não poderíamos passar. Tinha uma metralhadora pendurada no ombro. Era o chefe dos olheiros, Paranóia.

Enquanto aguardávamos o sinal verde, para aliviar um pouco o medo, perguntei para o missionário, em voz baixa, qual dos dois caminhos era o mais seguro para a gente seguir. Ele respondeu que o melhor seria ficar calado para não chamar a atenção das patrulhas da PM, que estavam circulando pelo morro.

Paranóia nos acompanhou até a bifurcação para indicar o caminho da direita. As marcas do piso indicavam que era lugar de passagem, o principal caminho que levava ao miolo da favela, de maior concentração de barracos. Depois de uns cinco minutos de subida íngreme, mais um susto: de repente estávamos cercados por uns vinte homens armados. Tínhamos entrado numa área mais aberta, um círculo com dois grandes caixotes de alvenaria em volta de uma pequena queda-d'água, uma mina natural, a praça das Lavadeiras.

Nossa chegada movimentou uma parte do grupo, que veio ao nosso encontro. Ninguém se apresentou, mas um deles chegou mais perto.

— O general já tá esperando vocês, aí. Dá um güenta que já vamo lá — disse o menino, que aparentava uns 15 anos e carregava uma espingarda quase do tamanho dele. Soube, minutos depois, o nome de guerra dele: Pardal, o especialista no conserto dos chuveirinhos e que era bem mais velho do que eu pensara: tinha 20 anos.

Pardal ficou calado ao nosso lado. Percebi que estávamos dentro da boca, que na Santa Marta se deslocava em função das circunstâncias. Naquele ano de 1999 a base mais freqüente ficava acima dali, numa área mais aberta e usada em alguns pontos para o depósito de lixo, a região da Pedra de Xangô. Mas, por causa das patrulhas policiais, havia se deslocado para a primeira mina porque era um ponto de convergência de vários becos e vielas, facilitava o acesso dos usuários e significava também mais opções de fuga.

A primeira impressão foi a de que só os olheiros pareciam extremamente tensos, pois os inimigos deles podiam chegar a qualquer momento por todos os lados. Os homens de Juliano estavam reunidos em pequenos grupos. Alguns mexiam nas armas, como se estivessem cuidando da manutenção. Os jovens com saquinhos de plástico amarrados na cintura, os vapores, estavam praticamente parados, era pequeno o movimento de compradores de pó e de maconha. O grupo mais agitado estava ao redor de um sentinela, que segurava um bicho morto pelo rabo.

— É um gato ou é um rato? Quem acertá leva de presente pra casa — dizia o sentinela.

A distância, na escuridão, pensei que fosse um gato ou cachorro pequeno.

— É rato — garantiu o missionário Kevin, e completou —, este é o único lugar do mundo onde as ratazanas são maiores que os gatos.

Caminho liberado, entramos à direita e em seguida descemos algumas vielas, agora orientados por Pardal. No caminho, perguntei pelo amigo de infância dele, o Nein. A resposta foi o silêncio; ele parecia realmente atento aos riscos do caminho. Várias vezes fomos obrigados a parar por ordem de outros dois olheiros, que seguiam mais à frente. Percebemos que estávamos chegando ao esconderijo pela quantidade de sentinelas espalhados nas lajes e nas curvas de um beco cercado de barracos geminados, a maioria com mais de dois pavimentos.

Fizeram sinais para entrarmos depressa num prédio que já estava com a porta aberta. Era uma casa de alvenaria, com a cozinha e a sala equipadas, cheias de eletrodomésticos e aparelhos eletrônicos, como se fosse de uma família de classe média. Os donos da casa eram trabalhadores. A mulher dormia. O homem estava acordado, de bermudas, sem camisa e assistia a um filme na TV, sentado no sofá. Alguns jovens dormiam no chão, um deles ao lado de um fuzil. Pardal nos levou até a área de serviço, onde subimos uma escada bem estreita até a laje do terceiro andar.

Juliano estava nos esperando na varanda, um espaço parcialmente coberto, com uma churrasqueira e muitos varais cheios de roupas penduradas.

— Tudo tranqüilo? Aqui você tá seguro, não se preocupa — disse Juliano.

— É mesmo?

— Teus amigos tão aí atrás. Chega aí, vô te mostrá — disse ele, agachado atrás da mureta da varanda para apontar, discretamente, um prédio branco para o lado da Escadaria.

— Tá vendo, é o DPO!

Estávamos a uns 150 metros do único posto da Polícia Militar do morro em 1999. A brincadeira de Juliano tinha um significado.

— E aí? Li aquele seu livro sobre os crimes dos PMs lá de São Paulo, o *Rota 66*. Não vai escrevê sobre os crimes dos homi daqui, não? É papo sério, aí!

Percebi as marcas do tiro de raspão na testa, o ferimento ainda não estava bem cicatrizado. As histórias do último tiroteio, que levara à morte do piloto de sua quadrilha, Careca, também estavam muito vivas na cabeça dele. Já no começo da conversa deu para perceber que esse era o motivo de ele ter me chamado para conversar.

— Não dá mais, eles estão matando os meus guerreiros, um por um. Perdi oito nessa caçada deles.

— Oito?

— Pode contar aí: o último foi o Careca. Antes mataram o Podre, o Pimpolho, o Taruga, o Borroso, o Noco, o Bira, o Tibet, o Marquinho, o Rafael, o Caveirinha.

Eram onze. Reclamei do erro na soma e ele disse que nunca foi bom em matemática. Erraria novamente os números ao falar do caso de 17 dos seus homens presos naquele ano.

— Já prenderam mais de vinte. Isso é perseguição. Não dá mais, aí!

— Bom, prender traficante é obrigação da polícia. Você queria que ela fizesse o quê? — perguntei.

Ele queria me convencer a fazer uma reportagem sobre a violência dos últimos meses na favela, patrocinada pelo seu inimigo Carlos da Praça. Embora estivesse preso na Delegacia do Leblon, segundo Juliano, Da Praça conseguia permissão para sair da cadeia e acompanhar as incursões da polícia na favela.

— Ele põe uma máscara e vem junto para apontar quem é quem da minha rapaziada. E está pagando 100 mil pela minha cabeça.

Achei um exagero e aproveitei para perguntar sobre a história mais recente: esclarecer o motivo do último combate contra a quadrilha de Carlos da Praça, que resultou no tiroteio com a polícia e a morte de Careca. O missionário Kevin o ajudou a explicar que no centro da briga com o atacadista Da Praça estava o controle de quatro lucrativas esticas do asfalto. Elas foram criadas por Juliano nas ruas próximas à favela, nos bairros de Botafogo e de Laranjeiras, para facilitar o acesso dos usuários às drogas quando o morro estivesse cercado.

As esticas eram uma forma de evitar a sua falência no tráfico, limitado pelas caçadas policiais permanentes desde a sua fuga cinematográfica da Polinter. Espécie de minibocas, funcionavam nas esquinas mais movimentadas dos bairros de classe média e exigiam a atuação discreta dos vapores, que vendiam os sacolés nos bares e para os motoristas que passavam pelo ponto. Os sentinelas davam a cobertura, com armas escondidas sob as roupas, geralmente misturados aos freqüentadores do botequim mais próximo.

Sem a proteção geográfica dos morros, eram de fácil repressão para a polícia e vulneráveis ao ataque de inimigos como Carlos da Praça. Ele aproveitou a fragilidade da quadrilha de Juliano para tirar dele, com mão de ferro, duas de suas esticas mais rentáveis. Foi para recuperar esses dois pontos que os guerreiros fizeram o ataque fracassado da rua Assunção, em fevereiro de 1999.

— Tava tudo certo, o problema foi encontrar lá os homi da P-2 no acerto com os alemão. Aí deu no que deu — explicou Juliano.

Paronóia, considerado o "herói" do tiroteio por ter salvo a vida do chefe, ouviu calado a história contada por Juliano. Ainda se recuperava dos ferimentos nos braços e mostrou que uma das balas continuava alojada no corpo. Fiquei impressionado com a aparência dele, o modo de se vestir, o jeito de falar, parecia que eu estava diante do meu filho, que é da mesma geração. Quis saber de onde ele tirou coragem para enfrentar a polícia numa situação tão adversa.

— Foi a certeza da morte, cara. Aí peguei o AR, botei na reta e fui dando. Tava com uma cinta de 70 (projéteis). Só via o fogão na viatura, na traseira, na lateral.

Ele agradecia por estar vivo graças ao "milagre" de uma santa. Ele me mostrou a imagem dela, que carregava pendurada na corrente de ouro do pescoço.

— Tá aqui o meu escudo: Nossa Senhora do Bom Jesus.

Aproveitei para saber como eles conquistaram a confiança do médico que se dispôs a subir o morro, em época de guerra, para levar socorro aos feridos do combate.

— Um cara manero, sangue bom — limitou-se a explicar Juliano.

O missionário Kevin foi além.

— Esquema de mulher, de uma mina de fora do morro que só namora com dono de boca.

— Como assim?

— A família dela tem grana, mora em Laranjeiras. Mas ela gosta dessa vida, já foi mulher do Cagado, quando era o chefe do Vidigal.

— Mas o que isso tem a ver com o socorro ao Juliano?

— O pai dela tem dinheiro e ela também, porque só transa com os frentes do morro. O médico é do esquema dela, conhece a família, essas coisas, fica mais fácil. Bem, médico é profissional, tem que salvar a vida, seja de quem for.

— Ele veio de graça?

— Não. Cobrou uma puta grana. Aí também não. Tirou o dele, óbvio.

— Meteu a faca?

— Não sei, parece que cobrou uns 1.000 dólares.

Eu conduzira a conversa para um assunto que não era do interesse de Juliano, pelo menos naquela madrugada. Ele só queria falar das operações supostamente comandadas por um prisioneiro. Eu disse que iria verificar se, de fato, Da Praça estava saindo da cadeia dentro de alguma viatura para comandar operações no morro. E, se fosse verdade, voltaríamos a conversar.

Meses depois, sem que eu tivesse descoberto se a acusação era verdadeira ou não, ele queria conversar comigo novamente. Dessa vez o esconderijo era em outro lugar, fora da Santa Marta. A caçada continuava. Mas com a mudança do governo estadual, em 1999, a polícia mudara de tática. Sob a orientação de um antropólogo, o subsecretário de segurança Luiz Eduardo Soares, a polícia deixara de matar no morro. Em vez de operações truculentas, adotara a ocupação pacífica da favela, enquadrada no Projeto Vida Nova. As patrulhas do Bope, em circulação permanente pelos becos e vielas, afastariam os usuários, inviabilizariam parte de atividade dos vapores na venda de drogas, levariam à falência quase completa da boca. Os principais gerentes de Juliano foram presos, como Tá Manero, que era um foragido da Justiça havia sete anos. Procurei a namorada dele, Júlia, para saber o que tinha acontecido. Depois de ter abandonado o apartamento de Botafogo para morar com o filho traficante num barraco da favela, Júlia já falava com desenvoltura sobre a vida no morro. E explicou que a prisão do namorado tinha uma causa simples, objetiva.

— Nós temos dois cachorros bravos, que latiam quando a polícia subia atirando pra todo o lado. Mas agora, com a ocupação, os cães se acostumaram com os homi. Esse foi o problema — disse Júlia.

— Como assim?

— Agora, com o morro ocupado, os policiais andam pra cima e pra baixo, sem correria, sem bangue-bangue. Aí os nossos cachorros não estranharam mais. Não latiram pros homi quando vieram prender o Tá Manero, entendeu?

A maior parte da quadrilha teve que fugir para os morros dos amigos do Comando Vermelho que não estavam sob ocupação do Bope.

O esconderijo de Juliano passou para o complexo do morro do Turano, onde voltamos a conversar. Por coincidência, estivera lá semanas antes para fazer uma reportagem sobre os jovens que viviam uma outra realidade na favela. Depois de autorizado por um dos donos das bocas, o PC, gravamos ali um programa para a TV sobre os profissionais, formados na Universidade Estácio de Sá, vizinha do morro, que decidiram exercer a profissão em benefício dos moradores de sua própria comunidade.

De volta para falar com um foragido da justiça, entramos no morro como passageiros de uma Kombi que fazia o serviço de lotação. Muitos universitários também usavam a linha para comprar drogas direto na fonte. A maioria, para não correr riscos, preferia contratar os serviços dos aviões do pó que faziam a ponte universidade-morro.

Juliano estava escondido no Turano sob a guarda de PC, que estava viajando para a Colômbia. Ele escalara sentinelas armados para proteger o seu hóspede foragido 24 horas por dia. Sabíamos que Juliano tinha liberdade de circular pelas várias favelas do complexo, espalhadas pelos morros Escondidinho, 117, Caixa D'água e Turano, onde moram quase cem mil pessoas. Obedecíamos a regra básica de segurança para encontro com foragidos, a de não ter conhecimento prévio do local do encontro. Tudo que fora combinado era seguir até o fim da linha do lotação. No ponto final, eu e o missionário Kevin já éramos aguardados por uma jovem, de uns 15 anos de idade, que nos levou até o alto do morro e nos deixou à sombra de uma árvore. Juliano chegou minutos depois. Parecia ter pressa de voltar para o lugar de onde viera. Fomos objetivos.

— Tenho uma proposta. Quero que você escreva um livro sobre a história da minha vida.

O missionário Kevin e outras pessoas já haviam me falado desse projeto de Juliano. Já refletira um pouco sobre a idéia e resolvi recusá-la por princípios. Interpretei que o desejo dele era de um livro que fizesse a sua defesa pessoal ou algo que legitimasse a sua trajetória no crime, como se fosse derivada apenas do processo de exclusão social que sofrera. O outro motivo para recusar a proposta era mais sério, e de imediato falei para Juliano:

— O problema de um livro desse é a conseqüência da notoriedade.

— Não entendi.

— Como você prefere ser chamado? De traficante, de criminoso...

— Bandido. Bandido!

— Lembra do Lúcio Flávio, do Meio-Quilo, do Bolado, do Brasileirinho?

— Lembro. Lembro.

— E o que acontece com os bandidos no Brasil quando ficam mais conhecidos? Alguns são presos e tudo bem. Mas muitos são mortos. Não quero ser instrumento da morte de ninguém.

Juliano reagiu indignado com a minha franqueza.

— Que isso, cara? Tira essa palavra da sua boca, isso nunca vai acontecê comigo — disse ele enquanto fazia três vezes o sinal-da-cruz com a mão.

Juliano ainda lembrava da primeira conversa que tivemos na carceragem da Polinter, em 1996, quando eu falei do meu interesse em fazer uma reportagem dentro de uma boca de cocaína. Expliquei que eram coisas diferentes e que o meu interesse não havia mudado.

— Minha contraproposta é um livro sobre a tua quadrilha inteira, acho que a sociedade precisa conhecer melhor a vida de vocês.

— Isso dá mais que um livro. Dá vários!

— Topo fazer um!

— Mas por que não sobre a minha vida? Tenho muita história, cara. Quero que um dia meu filho ponha na idéia que esse bagulho do tráfico é foda.

— Que idade ele tem?

— Doze, tá na idade foda!

— Você tem medo que ele siga o exemplo do pai?

— Muito, muito. Isso não pode acontecê de jeito nenhum.

— Por que você não escreve? — disse eu.

— Sô muito ocupado, cara. É muito bagulho pra tomá conta.

— Mas agora você é um foragido, aproveita o tempo...

— Não tem clima. Começamos fazendo o teu, depois eu dô um jeito de fazê o meu.

Combinamos cada um pensar melhor nas propostas. Imaginei que ele não tivesse muita noção da complexidade de um trabalho de apuração jornalística com personagens fora-da-lei, condenados e foragidos da justiça. Era sem dúvida um desafio, cheio de implicações éticas, morais, legais. Antes mesmo de assumir, comigo mesmo, o compromisso de enfrentá-lo, eu já deduzira que seria a reportagem mais difícil de meus 25 anos de profissão. Mas quando voltei ao esconderijo pela terceira vez eu já estava decidido a conhecer de perto as histórias dos homens do CV da Santa Marta. Deixei cartas na chefia da redação do meu trabalho na TV, explicando a natureza da reportagem que faria. Era a maneira de fazer um esclarecimento prévio aos meus colegas para a eventualidade de ser preso na companhia de traficantes foragidos.

Os primeiros instantes de apuração deste livro confirmaram minha intuição.

Juliano promovera um "banquete" no coração de uma das favelas do Turano para receber a visita da namorada Milene e de alguns amigos da Santa Marta. Era começo de uma noite de sexta-feira, e a mesa, montada sobre a laje de um barraco, estava cheia de frangos assados, farofa e vinhos de garrafão, de preço popular. Havíamos chegado de táxi menos de 50 metros dali e no caminho fomos monitorados, via telefone celular, pelos sentinelas de Juliano em contato com o missionário Kevin. Fiquei preocupado com a segurança. Achava que a qualquer momento poderia haver uma invasão da polícia ou de alguma quadrilha inimiga. Ninguém parecia preocupado com isso. O missionário Kevin explicou que eu não havia percebido, mas, em todo o acesso, a mais de uns 500 metros dali, já havia olheiros armados de plantão escondidos nos telhados, que avisariam com antecedência qualquer movimento estranho.

Pretendia começar a ouvir depoimentos de Juliano naquela noite mesmo e deixar combinado meu livre acesso à Santa Marta, sem necessidade de consultas prévias. Queria também deixar claro qual seria o meu método de trabalho e falar de minhas expectativas sobre os critérios fundamentais de conduta minha e dos homens que pretendia entrevistar.

— Por exemplo: vocês não poderão me falar nada sobre seus planos, qualquer ação futura. Caso contrário, tenho a obrigação de intervir...

— Como assim?

— Não posso saber dos crimes do futuro, muito menos do presente... Se isso acontecer, terei que parar imediatamente o trabalho sob pena de virar um cúmplice de vocês.

Fiquei com a sensação de ter falado para mim mesmo, Juliano não parecia interessado nessas questões ou talvez elas não fizessem sentido para ele. O ambiente também não era propício para uma conversa mais séria. A todo instante ele era abordado por algum traficante do Turano que se aproximava para conversar, manifestar preocupação com as buscas da polícia a ele.

Esperei cerca de duas horas para conversar com mais calma. Afastamo-nos do "banquete" e fomos até a mureta de proteção da laje. Voltei para o tema dos pré-requisitos, sem conseguir impressioná-lo muito.

— Que papo é esse? Tu é esquisito, cara. Tô na confiança, na moral mesmo, aí. Sem essa de pé atrás...

— Mas é isso. Sobre o futuro, nada. Presente também. Mas sobre o passado quero saber tudo! Até o que vocês não vão querer contar.

— Que passado, cara. O passado já é, foi ontem. Não vale mais....

A gente procurava um meio de se fazer entender, quando a chegada de um carro desviou a minha atenção. Agora era eu que não prestava atenção na conversa de Juliano. Era um Vectra prata que se aproximava devagar, com os faróis desligados. As luzes internas acesas mostraram que o motorista era um adolescente e estava sozinho. Estacionou a menos de 30 metros do barraco da festa de Juliano, tão perto que deu para eu ver que não tinha placa de identificação.

Na época havia uma onda de assaltos nos sinais de trânsito da zona norte, principalmente na área do Estácio, região onde estávamos. Minhas suspeitas se confirmaram quando alguns homens armados se aproximaram do Vectra e começaram a tirar dele alguns acessórios. Um senhor idoso, algumas mulheres e até crianças levaram alguma coisa do carro para suas casas. O exemplo não podia ser mais didático.

— Tão depenando o carro ali, tá vendo? — disse eu, apontando para o Vectra, que estava sendo desmanchado ali bem perto de nós.

— É o jeito. Esse moleque deve tê dado um banho no pessoal aí. E agora veio pagá a dívida, sacumé?

— Está aí um exemplo justamente do que eu estava falando. Há um crime acontecendo ali e estamos aqui em cima vendo tudo. Não gosto de ser omisso.

— Não exagera, o crime foi lá embaixo, na hora do assalto...

— E ele continua acontecendo aqui, com o desmanche...

— Tu que o quê, cumpadi? A polícia aperta em cima, a rapaziada rouba embaixo. Se dão a dura no assalto, vão para o furto, voltam para o tráfico.

— Seja como for, eu quero ouvir os depoimentos sobre as histórias, não posso assisti-las. Nesse caso, é o único jeito de trabalhar.

— Mas assim é foda. No morro ou tu tá no crime ou tá no caminho dele. Todo mundo tem que tirá algum de alguém. Tu acha que a rapaziada qué vivê de salário mínimo, cumpadi?

— Assim vai ser complicado, muito complicado.

Depois da primeira experiência tumultuada, Juliano quis falar de seus planos de sair do Brasil, mas eu me neguei a ouvi-los. Combinamos um novo encontro para ouvir uma série de depoimentos dele. Disse que esperaria um contato para conversarmos onde ele estivesse, no país ou fora. Enquanto aguardava, iria começar a produção do livro-reportagem na Santa Marta e ouvir os depoimentos dos homens que estavam lá ou foragidos em outros morros.

■ ■ ■

Subi a Santa Marta com a curiosidade de quem queria conhecer o lugar de maior concentração de pessoas do Rio de Janeiro, talvez do Brasil, talvez do mundo. O espaço de 61.000 metros quadrados ocupado pelos barracos era relativamente pequeno, do tamanho da famosa Cinelândia, no centro da cidade. Mas em número de moradores era proporcionalmente três vezes maior que a favela do morro do Borel. E superava até a gigante Rocinha, maior favela da América do Sul. Segundo levantamento do IBGE, o Instituto Brasileiro de Geografia e Estatística, a densidade demográfica da Rocinha era de 178 mil habitantes por quilômetro quadrado, abaixo da concentração de 196 mil da Santa Marta, a comunidade que eu queria conhecer.

Os números frios da estatística me ajudaram a entender, nas primeiras visitas, a sensação de falta de ar, de aperto, num lugar onde as pessoas vivem literalmente oprimidas pela falta de espaço.

No começo tive dificuldade em aprender a me situar no meio de um amontoado de barracos sem nome, com becos e vielas sem placa de identificação e sem nenhum prédio público para servir de referência. Precisei mais uma vez da ajuda do missionário Kevin para conhecer a primeira pessoa da quadrilha, Luz. Ela ainda morava no barraco do falecido Mendonça, na Cerquinha. Pedi uma referência para voltar outras vezes sem ajuda de um guia.

— Essa favela tem tudo de bom, pode perguntar — disse Luz.

— Tem correio? Aqui fica perto do correio, por exemplo?

— Correio, a favela não tem.

— Cinema?

— Cinema também não.

— Biblioteca?

— Biblioteca não, aí.

— Praça, pracinha.

— Não, não?

— Escola, biblioteca

— Não tem nada disso, mas é só descer que tem tudo lá no asfalto, aí.

Para aprender a me situar melhor, usei uma pequena câmera para gravar imagens pelos labirintos por onde passava e depois assistia repetidas vezes até gravá-las bem na memória. Aos poucos os moradores e os homens de Juliano foram revelando seus códigos de referência, criados pela necessidade da vida clandestina, e não somente criminosa. Só a partir da década de 1980 as famílias passaram a ter escritura de posse de suas casas. Mas até o início de 2003 ainda não haviam conquistado o direito de ter um endereço. Na ausência dele, todos os becos e vielas eram chamados pelos nomes de seus moradores mais importantes, ou por episódios relevantes que aconteceram no lugar.

— Se é uma homenagem, porque não põe uma placa com o nome? — perguntei a Luz.

— Pra não dá mole pra polícia, aí!

A ausência de referências formais foi apenas uma das dificuldades para contar a história da geração de jovens que introduziu o Comando Vermelho na Santa Marta. No começo, acredito que meus critérios éticos tenham efetivamente prejudicado as apurações.

— Que papo é esse de levantá o meu passado, aí? — perguntou-me Paranóia depois de ouvir as explicações sobre o meu plano de pesquisa. Insisti com meus argumentos.

— Digamos que vocês resolvam executar alguém amanhã, ou agora, aqui, na minha frente. Sou radicalmente contra, vou fazer tudo pra evitar a morte.

— Mas se o cara é um cobra-cega, X-9 safado, tu qué o quê? Pneu nele, aí!

— Seja quem for. Não quero ver, não me mostrem nada. Quero ouvir histórias do passado, combinado?

— Tão não vô falá nada. Meu passado é uma bosta, aí!

Fracassaram também minhas primeiras buscas por diários, cartas da infância e da adolecência, álbuns de fotografias, boletins escolares, registros dos empregos nas carteiras profissionais. Julguei que estivessem desconfiados de minhas intenções. Cheguei a contratar duas pessoas do morro para ver se dava certo. Meio ano depois, nenhum dos dois havia conseguido nenhum documento ou lembrança sequer. Só entendi o motivo do fracasso quando mudei de tática.

Passei a concentrar a pesquisa na história dos homens que morreram em 15 anos de guerra no morro. Os amigos e parentes passaram a colaborar, cada um a seu modo. Alguns gravaram horas de depoimentos, fundamentais para a reconstituição de episódios marcantes. Alguns fizeram questão de oferecer as lembranças que guardaram dos filhos e amigos perdidos.

— Este era o Queimadinho — disse Diva ao me mostrar uma foto fora de foco, granulada, que mal dava para identificar o ex-gerente de Cabeludo que morreu de tuberculose em 1996.

— A família não tem uma foto melhor, não? De um documento de identidade, por exemplo?

— Esta é a única. E tava perdida, amassada no fundo de uma gaveta. O pessoal não tem boas lembranças pra guardar, Caco.

O levantamento da história dos mortos também me ajudaria a resolver o quebra-cabeça sobre a cronologia das guerras. Foram dezenas em 15 anos de história. Mas, para a maioria, a única referência efetiva era a guerra grande de 1987. Os santinhos das homenagens póstumas e os atestados de óbito, que as famílias me cederam, foram de grande valor para eliminar as informações desencontradas sobre as datas de crises, invasões, combates, tiroteios. Só depois de um ano aprendi que a cronologia da guerra, ou de qualquer episódio importante do morro, para a quadrilha, era marcada pela história de seus mortos. A descoberta me ajudaria a resolver dúvidas e controvérsias de datas, com perguntas mais efetivas, do tipo:

— Quando foi a traição do Paulo Roberto? Foi antes ou depois da morte do Mendonça?

E a saber identificar uma data a partir de relatos como estes:

— Juro! Quebraram a Carlinha, depois do Du e antes do Mendonça.

— Juliano tomô o morro na semana que fritaram o Raimundinho.

— Inverno, não. Foi no verão da ladeira do Careca, lembra?

Durante o processo de apuração, também tive que repensar meus conceitos sobre as coisas que são públicas e as que são privadas. No começo tentei manter o rigor do sigilo. Bastava algum policial me seguir para identificar toda a quadrilha. Procurava ouvir os depoimentos em lugares mais reservados, quase impossíveis de encontrar na favela. Os homens mostraram que não havia necessidade disso, não se incomodavam de falar de seus segredos em qualquer parte do território deles, como se confiassem em todos os moradores. E até nos momentos mais difíceis da apuração — quando este livro-reportagem seria denunciado à polícia — mantiveram a mesma postura, concordando em sair da área de controle deles para gravar depoimentos no meu território, no asfalto.

Superado o estranhamento do início, passei a ter dificuldade em administrar o oposto, a confiança extremada.

— Aí, repórti. Tu tá sabendo da parada que rolô ontem? — perguntou Tênis.

A frase do olheiro da quarta geração marcou o início da nova fase da pesquisa. Minha intenção inicial era contar exclusivamente a história da quadrilha de Juliano, cuja base tinha sido a Turma da Xuxa. Depois de dois anos de apuração, os mais jovens se acostumaram com meus métodos de trabalho e passaram a me pressionar, com um volume impressionante de relatos, a contar também a história deles no livro-reportagem.

— Tem que contá a história do meu amigo Nein, aí! — exigiu Tênis.

— Que história? — perguntei.

— A do helicóptero. Não tem sujeira. É do passado, aí!

Histórias como a do helicóptero, que reproduzirei mais à frente, me apontaram o caminho da estrutura de romance para o livro, o que me pareceu a melhor maneira de aproveitar o volume impressionante de diálogos presentes nos depoimentos. Apenas para registrar o relato do início da amizade de Tênis e Nein, foram horas de gravação.

— Um dia o Nein tava no plantão do preto, me viu e pá: aí, Tênis, me consegue um emprego no Banco do Brasil? Eu respondi: posso vê, aí. E tu, Nein, consegue uma vaga pro meu cumpadi mais eu aqui na boca? — me contou Tênis.

É possível que Tênis e outros parceiros dele tenham contado histórias exageradas ou mentirosas. Procurei checá-las cruzando depoimentos e com a consulta das fontes formais — arquivo de jornais e de TV, inquéritos policiais, processos na justiça, cartórios de registros civis. Foi sem dúvida a parte mais trabalhosa da pesquisa, que consumiu dois períodos de férias, todos os meus fins de semana e três anos de dupla jornada de trabalho, na TV e no livro. Nesse tempo, procurei não me desviar de meu objetivo: contar a história da quadrilha pela ótica dos moradores do morro, dos criminosos e da maioria honesta. Minha maior recompensa, independentemente do resultado, foi a conquista da confiança. Indispensável pela natureza da investigação, ela me obrigou a tomar a atitude arrogante da omissão de nomes, mesmo contra a vontade de muitos. Para não mutilar os fatos, optei pela exposição dos nomes de guerra, ou codinomes de alguns. O mesmo critério usei para os policiais honestos e desonestos, e para os trabalhadores eventualmente envolvidos com o tráfico, contra ou a favor dele. Por mais que eu tenha alertado sobre as possíveis implicações legais, julguei que era meu dever minimizar os danos sobretudo contra aqueles que, estimulados por mim, sem qualquer forma de juízo, foram seduzidos pela arte de contar a história de suas vidas.

CAPÍTULO 32 | **REDE MUNDIAL**

O endereço secreto chegou a minha casa por fax, lacônico: "Del Mayo 1111".
Era uma avenida das mais movimentadas do centro de Buenos Aires. Eu viera
de ônibus do aeroporto para ter a certeza de que não estava sendo seguido por
algum policial brasileiro, ou argentino, ou americano da DEA, a Agência de Combate às Drogas. Arrastava uma pequena mala com rodinhas e passei com atenção
máxima pelo número 1111 sem parar. Percebi que não havia ninguém me esperando ali, como fora combinado. Andei até o fim do quarteirão seguinte, cruzei a
avenida pela faixa de pedestre e voltei pela calçada oposta para observar melhor
o endereço. Era um hotel antigo, que um dia fora de luxo, o Ritz. As pessoas passavam ligeiro, agasalhadas por causa do frio de três graus centígrados, algumas
paravam por instantes na banca de revistas quase em frente. Fingi ler as manchetes dos jornais do dia enquanto olhava discretamente se havia alguém parado ou
circulando com jeito de quem estivesse investigando alguma coisa. Da banca também dava para observar o movimento na recepção do hotel.

Aproveitei o momento em que o recepcionista estava sozinho atrás do pequeno balcão para entrar no casarão de três andares do Ritz. Pedi o apartamento mais
simples. O senhor de cabelos brancos, que aparentava oitenta anos, pôs as lentes
de grau sobre os óculos de sol e exigiu a apresentação do passaporte. Fez expressão de desprezo quando constatou a nacionalidade brasileira. Ofereceu um quarto no andar térreo, ao lado da porta pantográfica do velho elevador, e que não
tinha banheiro privado. Preferi um apartamento no terceiro andar, com banheiro,

com TV em preto-e-branco, sem telefone para chamadas externas, sem café da manhã e, por medida de segurança, com uma janela de frente para a avenida. O velhinho cobrou 37 dólares adiantados e avisou que visitas eram proibidas durante as 24 horas.

A primeira visita bateu à porta do 314 quando eu estava no quarto havia apenas cinco minutos e começava a tirar as roupas da mala. Era um dos traficantes mais procurados pela polícia do Brasil.

— As visitas estão proibidas. Como você conseguiu entrar? — perguntei.

— Tava te esperando no 310 — respondeu Juliano.

Ele viera da cidade de Córdoba, onde se refugiara havia quarenta dias em uma pequena pensão familiar. A conversa começou tensa. Juliano estava preocupado por ter esquecido uma imagem de São Judas Tadeu no banheiro de um restaurante de estrada a caminho de Buenos Aires. Restara na mochila, além das apostilas de um curso de espanhol e de alguns livros de sociologia, as imagens de Santa Terezinha, de Santo Expedito e de Santa Clara, que, assim como a de São Judas Tadeu, haviam sido compradas na Basílica de Nossa Senhora Aparecida, no interior de São Paulo, durante a sua viagem de fuga do Brasil para a Argentina.

Era o nosso quarto encontro, dessa vez para a gravação dos primeiros depoimentos sobre a trajetória que o levou ao comando do tráfico e sobre a sua tentativa de dar adeus às armas.

Não fiz muitas perguntas sobre quem o ajudara a conseguir um passaporte por mil e quinhentos dólares e a dar cobertura na rota de fuga do Brasil. Já o conhecia o suficiente para saber que jamais revelaria segredos dos amigos.

Durante nossos encontros, embora estivesse visivelmente apaixonado, ele jamais me falou, por exemplo, do romance com Luana, em respeito ao pedido dela. Minhas descobertas vieram do relato dos moradores do morro, que sempre sabiam tudo de todos. Foram eles que me contaram detalhes da tórrida paixão e de seu fim, que estava acontecendo naqueles dias.

A viagem de fuga simbolizou o rompimento. Nos últimos meses, mesmo sabendo do namoro de Juliano com a jovem do morro, Luana nunca deixou de incentivá-lo a abandonar o tráfico e de ajudá-lo até seus últimos momentos no país. Na despedida, em algum lugar do Brasil, Luana escreveu um bilhete sem assinatura na agenda dele, marcando para sempre o fim do romance mais aventuroso de sua vida.

"Grande amigo. Lindo sempre. Lembre que aqui tem uma pessoa que te admira muito e eu sei que você um dia vai ser feliz. Espero que você e a Mi sejam felizes pois ela parece ser a mulher para te tirar dessa.

Nós precisamos das coisas mais humildes para podermos nos levantar. E ela parece ser isso. Um beijo de sua amiga.

Você sabe quem é."

■ ■ ■

Tínhamos pressa em iniciar o trabalho. Combinamos gravar sempre dentro do quarto, evitando ao máximo sair do hotel para não correr o risco de alguém o identificar nas ruas de Buenos Aires.

No primeiro dia a regra foi rompida por causa de uma pesquisa que Juliano vinha fazendo, desde a sua chegada em Córdoba, sobre o comportamento dos jovens que fumavam maconha na Argentina.

Gravamos o primeiro depoimento durante umas dez horas, com intervalos para Juliano descansar assistindo à televisão. Paramos à noite. Ele sugeriu que fôssemos andar pelas ruas à procura de maconheiros. Pela janela do quarto observamos a movimentação na avenida e aproveitamos um momento em que não havia ninguém no quarteirão do Ritz para sairmos do hotel.

— Como você faz para abordar os jovens nessa pesquisa? Você já aprendeu muita coisa de espanhol? — perguntei quando já estávamos andando pela noite.

— Marijuana! Yerba buena! Cigarrillo maldito! — respondeu Juliano tentando mostrar que já conhecia as palavras-chave para introduzir aos argentinos o assunto da pesquisa.

Andamos sem rumo numa noite gelada. Paramos para tomar um chocolate quente numa cafeteria. Numa delas, Juliano aproveitou para entrar numa cabine de telefone público e ligar para a casa de Betinha no morro do Chapéu Mangueira. Tentou várias vezes, mas não conseguiu. Duas moças, que aguardavam a vez de ligar, ofereceram ajuda para que ele conseguisse completar uma ligação a cobrar para o Brasil. Juliano viu que uma das moças fumava e imediatamente perdeu o interesse pelo telefone. Pediu um "cigarrilho" e ganhou. Partiu um pedaço do cigarro dado pela moça, extraiu o filtro e jogou fora o tabaco. Sob o olhar curioso da jovem, pegou o isqueiro e pôs fogo no papel, com o cuidado de aparar as cinzas na palma da mão. Em seguida esfregou a fuligem preta sobre a mão da jovem. Virou um pó branco finíssimo, motivo para um conselho de Juliano.

— Mire, é pura química. Isso vai direto para o pulmão e nunca mais sai de lá.

A moça concordou, fazendo um sinal de positivo com a cabeça. Enquanto a amiga telefonava, perguntou por que Juliano fazia campanha contra o cigarro.

— Qué pasa? Por que usted es contra el cigarrillo, asi. No és dañoso de esa forma, hermano! — disse a moça argentina.

— Depende do tipo de cigarrillo.

— Tu fumas marijuana, por exemplo? — perguntou Juliano.

— Marijuana? Si! No, no. Às veces! — respondeu nervosamente a moça, surpreendida pela pergunta.

As moças se afastaram sorridentes e foram do encontro do grupo de amigos que estava na cafeteria.

— Tu vê. Saíram rindo, na boa. Se eu tivesse um baseado aqui, iam querê esticá uma idéia... todo maconheiro é assim, aí!

Durante a madrugada, enquanto procurava se aproximar dos usuários da droga, Juliano tentava me convencer de que o comportamento básico dos maconheiros era igual em qualquer lugar do mundo, descoberta que ele teria feito a partir de suas viagens de fuga ao México e à Argentina.

— O maconheiro do Brasil ri à toa, tem uma fome maluca e uma preguiça do cão depois que passa o barato. E os da Argentina, os do Paraguai, os do Chile e os do México sentem a mesma lesmeira, a mesma larica e também riem por qualqué besteira quando tão doidão, cara! — disse Juliano, tentando fazer sociologia.

Entramos num bar com música ao vivo, que anunciava no cartaz da entrada a apresentação de uma banda de rock. Um local ideal para Juliano continuar a pesquisa em volta do grande balcão das bebidas. Pediu uma espécie de vermute e pagou uma cerveja para um jovem paraplégico, que estava sentado numa cadeira de rodas e agitava os braços no ritmo da música. Em minutos, Juliano fez questão de me mostrar que já conquistara a amizade do jovem, que lhe ofereceu uma ponta de maconha para fumar.

— Aí, brasileiro e argentino numa boa, aí. Tu viu? Em um minuto ele me passô um pra fumá, na maió confiança, aí. E é da boa, ó! Melhor, só a da Santa Marta, ó!

Perto das cinco horas da madrugada, ao perceber a animação de Juliano com a pesquisa, voltei exausto para o hotel. Fui acordado às 11 horas por Juliano, batendo nervosamente à porta do 314. Ele talvez não tenha dormido, mas disse que acordara faminto. Insisti para que tomássemos o café-da-manhã no quarto, mas ele não quis.

— Não agüento mais! Tô há quarenta dias nesse país sem comê feijão... Aqui é a capital, caralho. Hoje tenho que achá feijão nessa porra de cidade!

Juliano estava irredutível. Não gravaria depoimento nenhum sem antes comer feijão-preto, arroz, farofa e bife com ovo, seu prato de todos os dias no Brasil. Depois de muita insistência, ele concordou em reduzir a sua exigência ao feijão.

— Trinta anos comendo feijão todo dia cara, todo dia! Sem esse bagulho não dá, não consigo pensá, me concentrá, não consigo nem dormi direito...

Contra as próprias regras de segurança que criamos, saímos às ruas ao meio-dia à procura de algum restaurante que servisse feijão para o almoço. As ruas do centro estavam movimentadas, cheias de turistas, com o risco de que o foragido Juliano fosse reconhecido por algum turista brasileiro. Caminhamos mais de duas horas sem encontrar nenhum prato de feijão. Apelamos para alguns supermercados, mas também não tivemos sucesso, o que aumentou a ansiedade de Juliano. Em alguns momentos de mau humor, chegou a dizer a si mesmo que iria abandonar o seu projeto de dar adeus às armas. Tentei convencê-lo de que esse tipo de dependência era exagerada.

— Nunca vi um negócio desse, Juliano. Imaginava que traficante pudesse sofrer de dependência de alguma droga. Mas dependência de feijão? — eu disse.

— Falta de sexo, falta dum baseado... nada se compara. É pior, cara, muito pior. Aí, fudeu! Nessa terra não fico, vô parti pra outra! — ameaçou Juliano.

Por volta das três horas da tarde, ainda em jejum, já desanimado de tanto ler os cardápios colados nas portas dos restaurantes, descobriu um prato alternativo para amenizar a sua revolta.

— Arroz! Não acredito, arroz! — gritou Juliano já entrando no restaurante que servia comida coreana a quilo.

— Cuidado para não ter uma overdose — eu disse.

Depois do café-almoço de mais de uma hora, Juliano ficou mais calmo. Sugeriu que andássemos pela área central da cidade, que ele gostaria de conhecer, e que pelo caminho fôssemos gravando o seu depoimento. Nos primeiros minutos de caminhada, falou de sua infância e dos motivos que o levaram a entrar para o tráfico, mas não foi muito longe em seu relato. As atrações do caminho o deixaram extremamente dispersivo.

Juliano estava tendo dificuldades em viver numa grande cidade depois de ter ficado trinta anos praticamente confinado em morros. Vivia assustado com a falta dos limites no horizonte, incomodavam-no os espaços amplos e planos em todas as direções de Buenos Aires. Habituara-se a morar num lugar íngreme, a passar o dia andando sempre a pé pelos becos estreitos e tortuosos da Santa Marta, tendo que subir e descer escadas, pular barrancos, saltar de uma laje para outra. Nas ruas da favela, tinha uma visão limitada pelas paredes dos barracos, quase nunca distantes mais do que três ou quatro metros dos olhos. Sem o amontoado de alvenaria da favela a sua volta, que o protegia contra os inimigos que vinham de fora, sentia-se exposto, vulnerável, correndo perigo iminente.

Também o incomodava a importância que o carro parecia ter na vida das pessoas da cidade. E vice-versa, não gostava ver tanta gente dependendo dos veículos. Freqüentemente parava de conversar para ficar parado numa rua só para observar o comportamento dos motoristas no meio de um grande congestionamento ou dos passageiros amontoados dentro dos ônibus que demoravam para se mover no trânsito.

— Olha lá, cara. Todo mundo paradão, em silêncio. Como podem suportá um negócio desses? — indignou-se Juliano.

Embora carro sempre tenha sido o seu maior sonho de consumo — chegou a comprar dois nas épocas de fartura da boca —, pela primeira vez estava convivendo de perto com eles e compreendendo melhor o que representavam fora da favela. Nas longas caminhadas pelo centro, demonstrou desconhecer quase todas as regras básicas do trânsito. Não entendia os símbolos universais que sinalizavam a contramão, as conversões proibidas, a permissão para estacionamento. Também não sabia intuir a noção de distância entre os carros em movimento. Por isso, diversas vezes tive que alertá-lo ao cruzar as ruas para não ser atropelado.

Demonstrou também não estar habituado às regras de conduta social. Parecia incapaz de falar por favor ao balconista que servia um café ou de ser gentil com qualquer pessoa, mesmo que estivesse pedindo um favor a ela. Para ele, não havia nenhuma diferença entre pedir e dar uma ordem a alguém, formalidades que vinham dificultando sua adaptação à vida fora da favela, agravada pelas barreiras da língua e da convivência com os argentinos, tradicionalmente arredios aos brasileiros.

— Caralho, os caras odeiam brasileiro. E não adianta disfarçá. De longe eles já fazem cara feia pra você — reclamou Juliano.

— Por que você escolheu justamente a Argentina para se refugiar, Juliano? — perguntei.

— Eu sabia dessa rivalidade no futebol, mas não imaginava que fosse tão grande assim, até no meio da rua.

— Qual foi o seu critério para escolher o país?

— Queria que fosse perto do Brasil, pra facilitá a visita dos parentes ou dos amigos. E que não despertasse a desconfiança da polícia. No Paraguai, por exemplo, tem uma pá de bandidos vivendo lá. De lá para o norte, na Bolívia, por exemplo, já entraria na área suspeita do narcotráfico.

— E você está levando realmente a sério o projeto de abandonar tudo e começar uma vida nova?

— Tá foda! Tá foda! Preciso trabalhá, preciso estudá, quero fazê cinema... mas por enquanto como vou explicá que não tenho nenhum documento profissional, que não tenho nenhuma prova de tê trabalhado algum dia em outra coisa? Quem vai acreditá só na minha palavra?

Havia entrado na Argentina com um passaporte em nome de quem fora seu melhor amigo, o falecido Carlos Eduardo Calazans, o Du. Era o único documento que tinha nesse primeiro mês de foragido, vivendo com o dinheiro da ajuda do amigo João Salles. A primeira remessa de mil dólares chegou pelas mãos do missionário Kevin, que gastou metade do valor da mesada com as passagens de avião do Rio para Buenos Aires, de ida e de volta. Queixava-se de que o dinheiro era insuficiente para pagar hotel, comida e as despesas básicas. Em 1999, cada peso argentino valia o equivalente a um dólar, um valor relativamente alto em relação à moeda brasileira, o real. Eram necessários dois reais e meio para adquirir um peso argentino e Juliano ainda não havia apreendido a lidar com essa diferença no câmbio. Só na hora de pagar alguma conta ele descobria que os preços das coisas e dos serviços eram altos demais para suas economias. Logo na chegada, ainda sem ter noção dos preços, gastou oitocentos dólares, que trouxera do Brasil, com o pagamento apenas das longas conversas telefônicas com o pessoal do morro.

— Esses argentinos são assaltantes! Por apenas uma conversa de uma hora o cara aqui tem que pagar mais de 300 dólares! — protestou Juliano.

Apesar do preço milionário, Juliano não podia ver um telefone público sem tentar fazer algum contato com o Brasil. Cheguei a acompanhar alguns telefonemas que duraram mais de uma hora, o que mostrava que ele continuava muito ligado à vida dos homens da Santa Marta e dos amigos de fora da favela. Numa dessas ligações ele falou com o compositor Marcelo Yuca, do grupo O Rappa, que já o havia incentivado a deixar o tráfico. No telefone, Juliano parecia arrependido de ter fugido sem proporcionar a mesma chance de fuga aos homens que ficaram na Santa Marta.

— Isso não é certo, Yuca. Eu tô na boa, mas e o meu pessoal, os meus guerreiros, o Pardal, o Rivaldo, o 33? Eles também têm o direito de comê num bom restaurante de Buenos Aires. Eles também querem a paz que eu quero tê. Eu tenho que achá uma solução para essa garotada, cara. Eu errei, Yuca, eu errei!

Os telefonemas, com o passar dos dias, foram se tornando o principal obstáculo para as gravações dos depoimentos de Juliano. Ele tinha dificuldades em permanecer no quarto, em regime de concentração, para falar de sua vida. Sentia saudades do Brasil e uma grande vontade de conversar com o pessoal do morro. E para isso precisava sair do hotel à procura de uma cabine de telefone público. As ligações eram sempre "chamadas a cobrar" para os homens e a namorada da Santa Marta, e algumas demoravam mais de duas horas. Pensei que a boca estivesse encarregada de pagar os longos interurbanos internacionais:

— Caramba! Você não tira o telefone do ouvido o dia inteiro. Quem vai pagar essa conta? A boca está rica, hein? — ironizei.

— Rica? Que nada, falida! Mas não por causa dos telefonemas. No morro nós achamos que esse preço é roubalheira. Quem inventô esse valor? Alguém perguntou se nós concordamos ou não?

Para não pagar, Juliano se valia de uma artimanha muito difundida entre os traficantes do Rio de Janeiro. As ligações internacionais eram feitas sempre para o número de um telefone celular, operado pelo sistema pré-pago, que podia ser adquirido no Rio de Janeiro sem a identificação do comprador nem a comprovação de seu endereço. O pessoal da quadrilha geralmente comprava esses aparelhos mediante o pagamento do equivalente a quarenta dólares para ter um crédito de ligações limitado a 50 minutos de duração. Mas para as ligações a cobrar não havia nenhum tipo de limite, nem havia como a empresa operadora cobrar pelo serviço. Para evitar algum flagrante, a quadrilha usava esses celulares por dois meses, e depois os destruíam.

O total desrespeito às regras de segurança, criadas por nós mesmos, exigia uma mudança de hotel. Recomeçaríamos o trabalho em outro endereço, na mesma avenida Del Mayo. Num domingo pela manhã, depois da mudança, na hora do almoço, voltamos a andar sem rumo atrás de algum restaurante que resolvesse o desejo de Juliano, cada vez mais saudoso e faminto por feijão.

— Tô em crise, é sério! Precisamo procurá o povo mais simples, os pobres. Tenho certeza que eles têm feijão na casa deles — disse Juliano, enquanto tomava um chocolate no balcão de um bar.

— Povo, só na periferia ou então naquele estádio de futebol — eu disse, apontando para a TV que exibia ao vivo imagens de um campo de futebol lotado, o La Bombonera. Era dia de um clássico do futebol argentino entre os times do Independiente e o Boca Juniors.

— Se o povo tá lá é pra lá que nós vamo. Tu conhece onde fica esse bagulho? — perguntou Juliano.

— Qualquer taxista nos leva até lá — respondi, enquanto a TV mostrava as cenas da entrada dos jogadores em campo.

— Dá tempo de correr até o estádio e vê esse jogo de perto? — perguntou Juliano.

Resolvemos arriscar. O jogo já havia começado quando chegamos à bilheteria do estádio. Compramos os ingressos mais baratos, de acesso às populares. A polícia nos obrigou a entrar pelo lado onde estava concentrada a torcida do Boca Juniors, o time do maior jogador argentino de todos os tempos, Maradona, que assistia à partida no camarote dos convidados de honra. Alguns meninos se aproximaram pedindo *monedas* para completar o valor do ingresso. Era a prova de que estávamos no lado certo, na área dos pobres, como Juliano queria.

Não havia espaço para mais ninguém no primeiro andar. Subimos para o segundo, que parecia mais lotado ainda. Fomos até o terceiro e andamos em toda a volta dos grandes corredores de acesso às arquibancadas sem achar um bom lugar para ver o jogo. Tivemos que ficar atrás da última linha de torcedores que estavam em pé por falta de espaço. Um vento forte aumentava a sensação de frio, próximo de dois ou três graus. Alguns policiais estavam no meio dos torcedores da última linha, ocupando o lugar deles, atitude que deixou Juliano indignado.

— Eu paguei e quero vê essa porra. Aqueles polícia vão tê que dá o lugar deles, qualé que é?

Juliano tentou passar, mas nenhum dos policiais se afastou. Eles continuaram atentos às jogadas no campo. Juliano se encostou ao lado de um deles e aos poucos, aproveitando os momentos de vibração da torcida, foi ajeitando o seu corpo para ganhar espaço e ter melhor visão do gramado.

Era um jogo importante devido à disputa pela liderança no campeonato argentino e também por causa de uma peculiaridade. Na partida anterior, o centro-avante do Boca, o artilheiro Palermo, perdera quatro pênaltis consecutivos, talvez um número recorde de fracasso individual na cobrança da penalidade máxima do futebol. E naquele jogo Palermo teria mais uma chance de pôr um fim à série de pênaltis perdidos. No início do segundo tempo, um zagueiro do Independiente o derrubou na entrada da área e o juiz marcou pênalti. A torcida fez um enorme ruído, gritando o apelido do centro-avante Palermo.

— El loco! El loco!

Ninguém quis perder a chance de assistir ao lance.

No empurra-empurra, conseguimos chegar perto do alambrado das arquibancadas, embora ainda sem conseguir espaço para sentar. A torcida gritava o nome de Palermo para a cobrança do pênalti e vibrou quando percebeu que ele fora indicado pelo treinador. Era uma oportunidade de recuperar com a torcida o seu prestígio já bastante abalado.

Juliano correu até o alambrado, enfiou os pés e as mãos nos vãos dos arames e subiu para ver lá do alto Palermo bater o pênalti. Enquanto Juliano vibrava pendurado no alambrado, eu procurava um espaço ao lado de dois casais e de alguns homens no final do estreito corredor de acesso às arquibancadas. Dali dava para ouvir os gritos de Juliano, que tentativa repetir os hinos e os jargões da fanática torcida do Boca.

— Temblor del rei! Em La Bombonera ya ven!

Palermo bateu o pênalti na trave. O quinto erro consecutivo do lance considerado o mais fácil de ser convertido em gol causou um grande tumulto no estádio. A torcida do Independiente provocou a do Boca pela perda do pênalti e a do Boca reagiu, revoltada com o fracasso de seu artilheiro. No meio da confusão, pouca gente viu quando eu fui atacado por um grupo de jovens armados.

Fui surpreendido por trás. Um jovem me imobilizou, pressionando a lâmina de um punhal em meu rosto, enquanto com um dos braços tentava asfixiar-me.

— La plata, hijo de la gran puta. La plata!

Por causa do frio, eu estava com as duas mãos dentro de uma jaqueta de couro, o que dificultou uma tentativa de defender-me do ataque. Tentei tirar o dinheiro do bolso para dar ao agressor e livrar-me do punhal que estava muito próximo de meus olhos. Mas não houve tempo. Outros dois jovens me agrediram pela frente com socos na cabeça e pontapés pelo corpo, que me derrubaram no chão. Levantei-me rapidamente, tentando me esquivar das espetadas de punhal na altura da barriga.

Uma punhalada abriu um corte na perna direita, que levantei para me proteger do golpe que iria me atingir no abdome. O grupo tentou me arrastar para o corredor de acesso à arquibancada, um lugar estreito e escuro, onde não tinha ninguém para ver as agressões. Juliano percebeu a confusão ao redor de mim e pulou lá de cima do alambrado. Correu e entrou na briga, saltando com os dois pés sobre o grupo e distribuindo socos e pontapés em todas as direções.

— Caralho! Caralho!

Os gritos assustaram os jovens, que rapidamente se dispersam, me deixando ferido no chão. Atordoado, levantei-me e corri sem direção para o lado da multidão que lotava as arquibancadas. No meio da confusão, eu ainda fui confundido com um torcedor do time adversário e voltei a ser ameaçado. Levei empurrões, ouvi muitas ofensas. Juliano tentou interferir, gritou, fez pose de briga no meio do pessoal mais agitado, enquanto aos poucos fomos nos afastando do centro do tumulto. Mas só conseguimos escapar quando a atenção da torcida foi desviada por um gol do Boca Juniors.

— Isso é sacanagem, cara! Isso nos desmoraliza. Cumé que fazem isso na frente de todo mundo? — reclamou Juliano, já longe dos agressores.

— No começo parecia um assalto. Mas de repente passaram a dar muita porrada sem nenhum sentido. Não deu pra entender — disse eu.

— E tu viu os policiais, cara? Foi na cara deles e os putos não tomaram nenhuma providência, nem aí, caralho! — reclamou Juliano.

Passada a tensão, apareceu a dor no corte da perna e dos socos e pontapés que levei por todo o corpo. Decidimos sair do estádio, mas Juliano queria antes vingar-se pelo menos de um dos agressores, com uma surra e a entrega dele para a polícia.

— A polícia tem que matá um filho da puta desse! — protestou Juliano.

— Que negócio é esse, Juliano? Deixa pra lá, já foi! — eu disse.

— Caralho, olha aí o furo na tua perna! A polícia tem que vê isso, porra! Matá um cara desse!

— Ah é, é? Polícia tem que matar bandido, é? É isso que tem que ser feito, você tem certeza? É isso que ela devia ter feito quando te prendeu? — disse, tentando mostrar a incoerência de Juliano.

— Foi covardia, cara, é isso que me revolta.

— E qual assalto não é uma covardia? — perguntei.

Já fora do estádio, continuamos discutindo. Como os ferimentos não eram graves, decidi não procurar a polícia, nem o hospital, para não despertar desconfiança e uma possível identificação de Juliano. Pegamos um táxi para sair da área de risco em torno do estádio. Alguns quilômetros depois, voltamos a andar a pé sem destino certo, em direção ao centro de Buenos Aires, ainda falando das agressões no La Bombonera.

— É revoltante, revoltante! — disse Juliano.

— Se você não aparece, eu estava ferrado — disse.

— Dá pra tolerá, não. A gente tem que se vingá desses cara. Seguinte: tu vai dá uma porrada no nariz de um argentino, qualquer um, o primeiro que cruzá aí na calçada. Tem que dá o troco, já!

— Está louco. Deixa pra lá — disse.

— Mas isso me desmoraliza, cara. Pensa! Isso me desmoraliza.

— Como assim?

— A malandragem. Que vão dizê de mim? Você tava lá com o Juliano e foi assaltado! Que chefão é esse? Como vô explicá isso pros amigos da bandidagem?

— Problema, hein!

— Desmoraliza. Desmoraliza! Você fala isso pra ninguém, não, cara!

— Normal, é que você acostumou com o outro lado.

— É foda! Eu nunca tinha vivido isso do lado de vocês. É foda sê otário. É foda. É. Foda!

CAPÍTULO 33 | **VICIADO EM FEIJÃO**

Há poucos dias do fim do ano 2000, nossos encontros foram monitorados pelas polícias do Brasil e da Argentina sem que nós soubéssemos. Fomos surpreendidos pela atitude do cineasta João Salles, que procurou as autoridades da Secretaria de Segurança Pública do Rio de Janeiro para confessar que estava ajudando Juliano a sair da vida criminosa, mediante o pagamento de uma mesada para que escrevesse um livro que até então era feito em sigilo.

Por coincidência ou não, dias depois o nome de Juliano voltou ao noticiário da cidade. Uma reportagem do jornal *O Globo* revelava, sem citar a fonte, que ele havia sido visto na Argentina na companhia de um "escritor latino", a quem estaria contando sua história. Também falava que Juliano estava a caminho de realizar um antigo desejo, o de se encontrar com o guerrilheiro zapatista, o subcomandante Marcos, em Chiapas, no México.

A notícia tornou ainda mais difícil nossos encontros. Por 15 minutos não fomos descobertos pelos policiais brasileiros que seguiam nossos passos no centro de Buenos Aires, dias antes do Natal do ano 2000.

Tínhamos combinado que, nesse último encontro, Juliano falaria de seus planos para viver longe do tráfico e das armas. Mais uma vez, porém, não consegui convencê-lo a falar por mais de cinco minutos consecutivos. O motivo da dispersão, desta vez, se chamava Maria.

Era uma morena de traços finos, cabelos encaracolados, sobrancelhas grossas. Usava correntes, brincos e pequenos enfeites coloridos presos ao vestido longo, que lembravam a moda hippie dos anos 60. Eu aguardava Juliano na saída do metrô da avenida Del Mayo quando a vi pela primeira vez com ele, que estava no outro lado da rua parado numa banca de jornal, lendo as manchetes do dia, que falavam do crescimento da pobreza e do desemprego na Argentina. Me aproximei do casal pensando que a jovem bonita estivesse tentando vender algum artesanato para Juliano, mas me enganei.

— Tu eres el escritor brasileño, si? Com mucho gusto. Entonces sigamos adelante, vamos para alla, mejor para usted e para nosotros.

Era uma manhã de sábado. Caminhamos num silêncio misterioso mais de dez quarteirões pelas ruas movimentadas do centro comercial de Buenos Aires.

— Cómo estás? Tranquilo com la paz de Dios? — perguntou Juliano, já praticando o portunhol.

Em seguida, ele apresentou Maria, disse que era uma amiga que havia conhecido três semanas antes num passeio a uma reserva florestal perto da cidade de Córdoba. Uma amizade fulminante. Duas semanas depois os dois já estavam viajando juntos de ônibus, do nordeste do país à capital. Depois da parada em Buenos Aires para gravar os depoimentos para o livro, os dois pretendiam seguir viagem em direção ao sul do continente, embora não tivessem ainda um roteiro bem definido.

Carregavam duas mochilas, as duas penduradas no corpo de Juliano, uma sobre o ombro esquerdo, a outra sobre a prótese do ombro direito, que fora destruído pelo tiro de fuzil no morro do Chapéu Mangueira em 1993. Entramos num café com Juliano queixando-se de fortes dores no local do ferimento, que nunca foi bem recuperado, tampouco submetido a tanto peso quanto o da mochila de Maria.

Depois de duas rodadas de cafezinho com água mineral, Maria estrategicamente resolveu nos deixar sozinhos para recomeçar a gravação dos depoimentos. Era a primeira vez que se separavam desde o dia em que se conheceram. Maria despediu-se dizendo que voltaria a encontrar Juliano em seu esconderijo, provavelmente um hotel, depois da meia-noite.

Juliano parecia bastante tenso. De início, reclamou muito, como se eu fosse o responsável pela volta do seu nome ao noticiário. Ele tinha consciência de que isso iria desencadear o aumento da pressão da polícia, pois a notoriedade tornava a sua prisão prioritária. Ainda não sabia direito o que fazer. Tinha poucas opções devido à falta de dinheiro. Embora fosse de uma família pobre, pela primeira vez na vida estava enfrentando dificuldades para ter as coisas básicas, como transporte público, remédio, roupa, comida.

Passou a se alimentar à base de *empanadas*, o alimento mais barato e fácil de encontrar em qualquer lugar. Enfrentou o frio do rigoroso inverno argentino com roupas emprestadas pelos amigos que conquistou na Universidade de Córdoba. Mas perdera boa parte das amizades. Como atrasara as prestações dos cursos de espanhol e de filosofia, teve que abandonar os estudos e, em conseqüência, perdeu a maioria dos amigos do meio universitário. O projeto de começar uma vida fora do crime aos poucos foi ficando em segundo plano, diante das dificuldades que passara a enfrentar.

— É foda, cara. Meu passaporte tá em nome de um amigo que já se foi. Eu sô menos que ele. Não sô um morto, mas também não tenho uma existência, não tenho nome, identidade, nada. Não posso nem mesmo sê chamado de mendigo, de desempregado, de sem-teto. Me sinto abaixo do nada.

Queixava-se muito da falta de dinheiro. Desde que Salles suspendera a remessa da mesada de 1.000 dólares, havia quase dois meses, Juliano se endividara com a dona da pequena pensão de Córdoba. Chegara a conquistar a confiança de dona Cleonor, uma senhora muito gorda, de sessenta anos. Ela chegou a estender por quarenta dias o prazo para o pagamento dos pernoites, das despesas com a copa e das ligações telefônicas para o Brasil. Mas nos últimos dias, já sem esperança de receber, dona Cleonor cortou a linha de telefone do quarto, sinal de que o seu limite de tolerância estava acabando.

Juliano tentou associar-se aos artesãos hippies de uma praça de Córdoba, mas foi rejeitado porque não tinha como comprar matéria-prima. Pediu emprego em alguns restaurantes em troca de comida, embora ainda não tivesse encontrado nenhum que servisse feijão com arroz em suas refeições. Estava disposto a encarar o sacrifício de receber comida argentina em forma de salário, mas nem isso conseguiu. Era quase impossível conquistar uma vaga, concorrendo com milhões de desempregados do país.

Já pensava em apelar para o furto ou para o assalto para garantir o sustento quando conheceu Maria e logo se identificou com a história dela. Maria também vivia uma circunstância especial em sua vida, por causa de um irmão adolescente problemático. Filha de uma família de fazendeiros economicamente decadentes, tinha cinco irmãos que saíram da terra dos pais para morar na casa da avó em Córdoba. O adolescente Dario, seu irmão de 17 anos, usuário de cocaína desde os 13, acabara de se envolver num crime que abalara a cidade.

Maria contou a história do crime a Juliano em detalhes.

Num único fim de semana, Dario havia praticado três assaltos contra pedestres no centro da cidade. Flagrado pela polícia em mais um roubo, conseguiu escapar num táxi, e durante a fuga matou com três tiros o motorista que tentou reagir às suas ordens. O assassinato provocou uma grande passeata dos colegas, parentes e amigos do motorista, que prometeram linchar o adolescente quando ele fosse preso.

O medo do linchamento dividiu a família. Os pais queriam mantê-lo num esconderijo seguro em Córdoba e os irmãos achavam que ele deveria ser levado para Montevidéu, no Uruguai, com a esperança de interná-lo numa clínica de recuperação de usuários de drogas. E o deixariam lá até passar o clima de comoção pela morte do taxista.

— Não é nada disso. Vocês todos estão errados — disse Juliano com a ênfase de quem sabia do que estava falando.

Maria não chegou a concluir o relato da história de Dario, nem precisava.

— Preciso hablar con este teu hermano, Maria. Tenemos que agir antes que seja tarde — disse Juliano.

Maria também já tinha ouvido algumas confissões de Juliano. Embora soubesse que ele falara apenas parcialmente de suas atividades no Brasil, Maria não demonstrou nenhuma decepção. Ao contrário, gostou de ouvir a verdade e passou a sentir confiança nele, ficou mais à vontade para falar das circunstâncias do crime do irmão. Como Juliano era um estrangeiro, sem nenhum envolvimento com as pessoas de Córdoba, que estavam revoltadíssimas com o crime, Maria achou boa a idéia de apresentá-lo ao irmão foragido.

Neutralidade e uma grande familiaridade com a situação garantiram a Juliano mais do que uma boa receptividade do irmão de Maria. O adolescente percebeu que estava diante de um homem com experiência no crime e o recebeu com atenção e respeito. Fez muitas perguntas sobre a vida dos traficantes do Rio, falou de sua trajetória com as drogas e, quando soube que Juliano também gostava de maconha, acendeu um baseado para animar a conversa. Enquanto fumavam, Dario confessou em detalhes como tinha sido o assassinato do motorista e pediu conselhos, muitos conselhos.

Juliano falou duro com ele, como costumava fazer no morro quando precisava impor uma punição disciplinar aos companheiros mais jovens. Concluíram a longa conversa quando Dario, atendendo à sugestão de Juliano, decidiu tomar uma atitude surpreendente para a família.

— O melhor é que eu fique num lugar seguro e perto de vocês, não é? — perguntou aos irmãos mais velhos, numa reunião convocada por Maria e Juliano especialmente para que todos decidissem juntos qual deveria ser o destino do caçula.

Todos responderam sim.

O caminho mais perto, por coincidência, neste caso, também era o mais seguro, seguro até demais.

— Quero ir para a cadeia, lá a minha vida estará mais garantida — teria afirmado o adolescente.

A princípio todos resistiram à idéia, porque achavam que Dario seria muito maltratado pela polícia na cadeia. Mas Juliano argumentou que se ele permanecesse foragido, o risco de linchamento seria bem maior e o obrigaria a viver eternamente na clandestinidade, um permanente pesadelo para a família.

— Tudo tem que ser negociado antes com a polícia. Entreguem o moleque, mas desde que garantam a segurança dele. Peçam garantias de segurança, até mesmo, contra linchamento. Passem a responsabilidade para eles — sugeriu Juliano.

Também tentou convencê-los de que a idade de Dario, 17 anos, era um fator que iria beneficiá-lo na hipótese de uma apresentação espontânea à polícia.

— Com 17 anos ele não poderá ser levado a julgamento, estará protegido pela lei e, se for como no Brasil, logo estará de volta ao convívio de vocês.

A sua experiência com os jovens dos morros do Rio de Janeiro foi o que mais pesou na decisão da família. Ele citou vários exemplos de adolescentes infratores que se entregaram à polícia para, paradoxalmente, receber penas mais brandas. No caso de Dario, a rendição demonstraria respeito à lei, arrependimento, coragem de enfrentar a punição e ainda poderia contribuir para melhorar a sua imagem na cidade, que era a de um assassino frio, perverso.

Escolhido o horário estratégico, seis horas da manhã de um domingo, para evitar a imprensa e sobretudo os curiosos, Juliano e Maria foram pessoalmente acompanhá-lo em sua rendição no Palácio da Polícia de Córdoba. Pouco antes de entrar no prédio, Dario trocou abraços demorados de despedida com os dois. A família já havia providenciado os contatos com o chefe da delegacia, que estava atrasado. Depois de meia hora de espera, Juliano resolveu apresentar o adolescente ao sonolento policial de plantão, que não acreditou na surpresa.

— ¿Que desea? — perguntou o policial enquanto olhava o relógio e bocejava.

— Quero apresentar um foragido de la policia, de la justiça... — respondeu Juliano.

— ¿Solo uno? No tengo tiempo ahora, espere, espere... Siéntese alli...

Juliano ficou impressionado com a indiferença do policial.

— Solo uno! Solo uno! Carajo, que tira folgado. Qué o quê? Meia dúzia de foragidos! — comentou Juliano com Maria, enquanto aguardava sentado o policial concordar em recebê-los.

— No hables asi. Él puede provocar un arresto por desacato a la autoridad — cochichou Maria.

— ¡Mas carajo! O moleque é a figura mais procurada da cidade e o cara faz esse corpo mole, olha lá: só falta dormir na cadeira.

Os procedimentos burocráticos da apresentação do irmão de Maria só começaram com a chegada do chefe da delegacia, um oficial que, ao contrário do sonolento plantonista, era ativo, estriônico, desconfiado, muito desconfiado.

— ¿Y usted? Hable de su vida... ¿Nacionalidad? Brasileño? ¿Que hace en Córdoba... La identificatión... Su nombre? — perguntou o oficial a Juliano, enquanto preparava o cartório para lavrar os termos de apresentação de Dario e de seu depoimento como réu confesso.

Para mudar de assunto, Juliano orientou Maria a questionar o oficial sobre as garantias de segurança do irmão, com a desculpa de que a delegacia começava a ficar movimentada.

— Si el pueblo supiera que mi hermano está aquí, no existirá fuerza en el mundo que les reprima. Van a querer hacerle pedazos — disse Maria.

— Ya vamos a hablar con usted y también con su enamorado. Preparense, que nuestra conversacion será larga...

Na hora em que o escrivão o chamou para depor, Juliano tinha se afastado do cartório para ir até o banheiro. Maria também não estava ali para ouvir o chamado. Fora tomar água no bebedouro de uma máquina instalada ao lado da porta da entrada. Minutos depois os dois saíram da delegacia abraçados, como se fossem namorados. Pegaram um táxi e foram direto para a rodoviária de Córdoba, onde chegaram quase em cima da hora marcada no bilhete comprado com antecedência. Às oito horas da manhã, Juliano e Maria partiram de ônibus em direção a Buenos Aires, onde ele combinara gravar os depoimentos comigo.

— Nunca he hecho eso, Juliano. Huir asi de una comisaría... — disse Maria, já com o ônibus iniciando a manobra para partir.

— Eu não posso dizê a mesma coisa — respondeu Juliano.

— ¿Cómo? Nosotros no teníamos motivo para huir, y ni la policia deveria interrogarnos... ¿Soy yo culpada por ser hermana de mi hermano? — disse Maria.

— Eu não posso dizê a mesma coisa — repetiu Juliano.

— ¿Cómo? — Tienes culpa, hombre?... Juliano, el forajido número uno, ¿és eso?

— Si, si... uno, lo único!

— Además, la policia deveria agradecerte. A ti te pertenece la idea de la rendición. Nuestra familia tambien tiene que agradecer... ¿reza por mi hermano, si?

— Si, si. Um dia chegará a vez dele rezar por nós?

— ¿Nosotros?

Na viagem de nove horas de Córdoba a Buenos Aires Juliano se deixou interrogar por Maria. O caso do irmão havia reforçado a amizade dos dois, achava que já poderia confiar nela. Precisava falar a verdade também porque pretendia consolidar ainda mais a relação dos dois. Esperava contar com a ajuda dela para enfrentar as dificuldades da vida clandestina.

Juliano falou muita coisa do seu passado, principalmente dos melhores amigos que perdeu na guerra do tráfico. Não disse que estava na lista dos dez mais procurados pela polícia do Rio de Janeiro. E para confessar o seu maior segredo, exigiu uma promessa de Maria.

— Tu promete? Todas as noites?

— Prometo. E tu confiesas?

— Confesso. Sô como o seu irmão era. Sô um foragido — disse Juliano.

— ¿Éssssss? — surpreendeu-se Maria.

— Soooooooou! — confirmou Juliano.

■ ■ ■

Juliano sabia que telefonar não era um meio seguro de comunicação. Imaginava que os celulares — embora seus donos não tivessem contas registradas na operadora — pudessem estar sob escuta informal da polícia. Mas a saudade e a solidão eram mais fortes. Bastava ver um telefone para esquecer a prudência e deixar de lado a cautela de segurança sugerida pelo missionário Kevin. Desde o primeiro dia de fuga, os dois vinham se comunicando pela rede mundial de computadores, a internet.

Para isso, por pressão do missionário, Juliano teve que acrescentar um equipamento eletrônico à sua mochila de foragido: o computador portátil.

Havia anos Juliano tentava usar o computador nas suas atividades no morro. Gostava de mostrá-lo às pessoas que o visitavam na boca, sobretudo se os convidados fossem os intelectuais que vinham do asfalto. Percebia que eles ficavam impressionados ao ver a figura do chefão do tráfico exibindo o inseparável fuzil atravessado no peito e um notebook pendurado no ombro.

Sua iniciação na informática teve alguns acidentes por falta de noção dos cuidados que deveria ter com o equipamento. Ganhara dois notebooks de uma vez, em troca do pagamento de uma dívida de pó dos fregueses da boca. Perdeu os dois. Uma das perdas aconteceu num dia em que estava recluso na Toca. Depois de escrever até tarde da madrugada, dormiu com o equipamento no chão, ao lado da cama feita com papelão e mantas de lã. Só ao acordar percebeu que o computador estava coberto pelas águas das chuvas de verão que inundaram o seu esconderijo e muitos barracos do morro naquela noite.

O outro notebook foi destruído numa briga de rua com um de seus vapores, o adolescente Robertinho. Juliano desconfiava que estava sendo roubado. Irritado com os erros constantes na prestação de contas das cargas de pó, Juliano inicialmente convocou um júri para decidir o que fazer com ele. Mas acabou apelando para uma decisão mais simples e brutal. Dar uma surra de socos, pontapés e que culminou com uma violenta pancada de notebook na cabeça do adolescente. Os pedaços da tela do computador quebrada se espalharam para todos os lados e

Robertinho teve que ser levado para o hospital com suspeita de afundamento do crânio.

Só na Argentina Juliano se tornaria um usuário efetivo do computador. Nele escrevia as mensagens sigilosas para o missionário. Passou a usá-lo também com regularidade para escrever bilhetes e poemas para a namorada, Milene, que deixara no Brasil, produzir alguns textos para o teatro e o cinema, gravar alguns rascunhos de crônicas e principalmente para honrar uma antiga dívida com o pessoal da boca. Ele sempre fora cobrado por não enviar cartas aos dirigentes mais antigos do Comando Vermelho, que estavam nas cadeias. Solitário na Argentina, finalmente encontrara tempo para escrever aos chefões. Por respeito à hierarquia, a primeira carta foi escrita ao mais poderoso na época, o presidente do CV, Isaías:

> Senhor presidente ISAIAS,
> Muita paz de expírito e saúde para suportá esses momento defíceis. Vou le falá um pouco do que está acontecendo com migo, porque não me comunico. Porque estou em outro país, e tive que me disfazê dos documento que estava. Poriso a nessecidade de me mantê sumido até eu tê algum tipo de documento e podê me locomovê, no país que tô para qualquer lugar que você fô tem que entregá os documento ao entrá no ônibus. Porque eu estou aqui!
> Eu sempre vivi mais na visão de filozofia da família de Paz Justica e Liberdade. Acredito sinceramente nisso. Acredito que esse é o caminho da Liberdade. Quando fui traído pelo Paulo Roberto irmao do Germaninho eu estava indo fazê um curso de guerrilia no México, cheguei no México mas não fiz o contato, pois tive que voutá agora quando os putos tomaram o morro. Eu tentei de novo. Tenho contatos com a FARC da Colômbia, e pretendo i lá para abisorvê também sua filozofia.
> Liga praí meu Presidente, pocibilitá a condição de me localizá, pois todos os telefones estão tendo escuta aí, bem como qualqué pista. Assim humildimente pesso a oportunidade de dezenrrolá por cartas, que logo que chegá na baze da guerrilia ou no Brasil eu desenrrolo toda essa falta de contato. Sei que poderia fazê melhó mas no dia a dia eu me esplico, para todos, pesso se tem alguém que acha isso o aquilo fale o que qiser sabê que eu me proponho a desenrrolá. Pois vivo na pureza!! Temos muitas coisas pra conversar. Desde já quero dizê que eu acredito que nossa saída é botarmos na

prática a filozofia. Eu tenho muito a ajudá para a Liberdade de todos dessa maneira, pois o que penso tem futuro.

Espero humildimente a oportunidade de demostrá também a prática de Paz Justica e Liberdade!! Bem como uma carta para procegirmos nessa vizão!!

Sem mais no momento. Meu respeito e adimiração.

CAPÍTULO 34 | VERMELHO ARACAJU

A perseguição da polícia na Argentina não impediu que a cada três horas Juliano conversasse com seus homens da Santa Marta. Os encontros eram marcados por meio de senhas digitais e invariavelmente atrasavam, porque tanto o chefe quanto seus subordinados chegavam depois do horário marcado ao local do encontro, alguma sala de bate-papo da rede mundial de computadores, a internet.

Sem saber que estávamos sendo procurados por dezenas de policiais no centro de Buenos Aires, eu e Juliano nos encontrávamos durante o dia nas ruas de comércio mais movimentadas, onde era possível encontrar vários locutórios, os postos de comunicação multimídia argentinos.

O primeiro encontro foi numa sala virtual do provedor ZAZ. Por medida de segurança, Juliano usou o codinome Gue, abreviação do nome de seu ídolo guerrilheiro Che Guevara, para ter acesso ao espaço de conversação na tela. E, também por medida de precaução, começou escrevendo como se estivesse na capital do estado brasileiro de Sergipe:

Gue: Aqui é o Gue de Aracaju... estou no aguardo...

Havia apenas cinco pessoas na sala Vermelho Aracaju, e como ninguém respondeu a sua mensagem, Juliano aproveitou para tentar outro tipo de contato.

Gue: Auguma gatinha de Aracaju para tc com migo? solitario, comprensivo, carenti, procuro garota pra levá um papo manero sem azarazão...

Noviça: Ihhhhhhhhhhhhhhhhh que papo, Gue... apresenta logo as medidas: Duro, cinco centímetros? E mole, quantos?

Kevin (entra na sala): Como tá ai, irmao? Na santa paz...

O contato na Santa Marta, o missionário Kevin, entrou na sala virtual com meia hora de atraso e foi recebido com entusiasmo por Juliano, que já estava ficando impaciente. O último encontro havia sido há menos de seis horas, mas ele já tinha muitas perguntas a fazer.

Gue: Salve. Salve. Muita P.J.L (Paz. Justiça. Liberdade). Aí, conte uma novidade do morro? Os homens tão muito em cima?

Kevin: O morro tá tranqüilo. Os homens estão mais na deles. Deu pra fazer um churrasquinho na laje da Dona Virgínia, na segunda-feira, no aniversário do Rivaldo.... Cantamos até parabéns... Ele assoprou velinha e tudo...

Gue: Quero falá com o Rivaldo, chama ele aí...

Kevin: O Rivaldo está na pista...

Gue: Manda um avião atrás dele...

O diálogo ia além do desejo de matar a saudade. Juliano estava compenetrado na tela, tentando tirar o máximo de proveito daquele contato. Era como se fosse o executivo de uma empresa cobrando o retorno de ordens passadas e planejando as atividades dos jovens que estavam administrando o morro. Manifestava preocupação com o destino deles. No último ano, onze homens haviam sido mortos e 23 presos. Na outra ponta, no morro, Kevin fazia o papel de datilógrafo, digitava as respostas dos homens da quadrilha ao chefe na Argentina.

Gue: Como tá o pessoal na cadeia? O dinheiro tá sendo levado pras famílias? E o desenrole do 33? Aí, tem mole, não.

Kevin: O 33 esta aqui no seu lado. Tá bolado com muito tempo de resposta. Quer dar um tempo, tá sem uma treta (casa) no morro e por isso quer pegar uma namorada lá fora, sabe como é?

Gue: Tem essa, não. Sem caô. Fica na responsa, fica na responsa.

Kevin: E a filha do Tá Manero quer voltar para o morro. Tá rolando o maior caô, diz que vai subir na moral porque o barco tá afundando, aí.

Gue: Vai subir, o caralho! Quando mandei ela caí fora, ela ficou, não foi. Depois era pra não sair mais, não, e ela saiu. Foi. Agora tem mais volta, não. E se ela tivé colada num alemão? Sobe, não. Guenta!

Quis saber por que Juliano estava sendo tão intransigente com a mulher, Solange, filha do ex-gerente geral Tá Manero, um dos que foram presos em 1999. Ela namorava um inimigo, que era do bando de Paulo Roberto e sobrinho do ex-chefão Carlos da Praça. Juliano explicou que tentou muitas vezes convencê-la a acabar com o namoro, mas ela se negou. E agora estava querendo voltar ao morro porque havia rompido o romance com o inimigo.

— Ela tinha que tê feito isso quando a gente falô pra fazê. Agora não dá mais, perdi a confiança.

A conexão da internet caiu e Juliano tentou nervosamente retomá-la, já preocupado com o tempo mal aproveitado. O locutório cobrava um dólar por minuto de comunicação na rede.

— Perguntei nada ainda, caralho — disse ele enquanto tentava restabelecer a conexão.

Gue: Kevin você continua aí nessa terra bendita?

Kevin: Na santa paz, estou vendo o cruzeiro iluminado lá no Cantão... Tem saudades, não?

Gue: Fofoca, quero fofoca. Quem tá comendo quem, quero detalhe, isso que faz a diferença.

Kevin: A Luz tá doente, diz que tá precisando pegar um na firma... precisa comprar remédio. Tá sem telefone, pediu pra eu levar pra ela lá no barraco ou entregar pra alguém da família dela. Posso pedir para o 33?

Gue: Fala pro 33 dá cem pra Luz e pro Rivaldo botá na contabilidade. Mas cadê o Rivaldo, caralho, mandei chamá e o puto não vem nunca... Tá na pista ou deu um perdido pra comê alguéns?

Kevin: Tá vindo, tá vindo...

Gue: Tu disse que o morro tá quieto e isso não é bom. Vem ataque de alemão por aí, vem não?

Kevin: Outro dia eu estava com o Pardal em Ipanema e batemos o olho num cara que estava atrás de nós. Depois que passou por nós ele entrou num camburão da PM estacionada lá. Porra! Hoje eu vi esse mesmo cara entrando no 44, ali na Jupira.

Gue: Isso é pouco. Fala mais, fala mais...

Kevin: Entrou no prédio e ficou um tempão lá.

Gue: Porra, mole. Manda o pessoal levantá, saber qualéque é. Quero saber mais, mais... Depois eles me informam.

Kevin: Ontem o Tucano estava chamando 33 de patrão. É isso aí mesmo, não é? Ele vai se impondo na frente...

Gue: Tá certo, tá certo... É por aí, o 33 só precisa ficá mais na dele, mais na paz, cacete, é cadeeiro velho, tem que levá na manha essa garotada... E o aniversário do Julianinho?

Kevin: O pessoal tá dizendo que vai arrebentar no dia 30. Puta festa! Vão botar três celulares na parada pra tu falar um monte com ele e os amigos todos.

Gue: Vê aí!, tem dois anos que ele não tem uma festa....

Juliano não queria admitir, mas os contatos pela internet mostravam a sua tentativa de reorganizar a boca, que vivia a maior crise sob o seu comando. Desde a prisão do gerente Tá Manero, ficara praticamente à deriva, reduzida a menos de vinte homens e nenhum deles da sua geração. Foi obrigado a escolher os mais maduros para os cargos de gerência, embora alguns não tivessem muita afinidade com a função. A maioria das armas agora pertencia aos próprios homens, apenas quatro revólveres e uma pistola eram de Juliano.

Apesar do quadro de quase falência, desde a saída do Brasil, em agosto de 1999, Juliano mantivera precariamente o seu poder sobre o grupo. E agora, menos envolvido no projeto de abandonar o tráfico, procurava via internet mantê-lo ativo e injetar ânimo no pessoal que estava bastante desmotivado por causa da falta de dinheiro, de armamento e de matéria-prima, o pó.

No último contato pela internet que eu acompanhei, a conversa de Juliano foi mais explícita, o que demonstrava uma retomada concreta das atividades. As dificuldades de comunicação continuavam. O computador do outro lado, o da Santa Marta, continuava sob o comando de Kevin, o único que tinha familiaridade com os teclados. Ninguém aparecia em frente à tela na hora combinada para o diálogo com Juliano. Apenas o contador, Rivaldo, o chefe dos plantões, Tucano, e o gerente-geral, o frente Kito Belo, também chamado de 33, atendiam à convocação para a reunião virtual. Mas eles também preferiam obedecer às ordens por telefone.

Gue: Aí, irmão. Tá vendendo?

Kevin: O 33 está dizendo que as vendas viraram uma merreca. Mas pra quem tava parado...

Gue: Caralho, Kevin. Cadê o pessoal? Mandei esperá o meu contato aí, mandei não? Porra, pergunta para o 33, cadê o Rivaldo? Cadê o resto da rapaziada?

Kevin: Estão na pista... mas já estão estourando aqui, já, já

Gue: Qual é?

Kevin: O pessoal não entende direito de computador. Acham um saco ficar lendo essas letrinhas e alguns nem acreditam que é você mesmo que está escrevendo, preferem te ouvir pelo celular.

Gue: Quero falá também com o pessoal do Hip Hop.

Kevin: O Fom-Fom está pedindo uma graninha, senão ele vai tirar o som, sabe como é que é?

Gue: Dá 100 pro Fom-Fom... o Hip Hop tem que tê toda a força. O som é importante, caralho... Por isso tenho que falá com o Rivaldo.

Kevin: Tá chegando, tá chegando... ele tá bolado porque não tem pó, não tem movimento e todo mundo fica pedindo grana.

Gue: Manda o Rivaldo fazê contato com a comadre... Ou manda um avião levá um celular até a comadre que eu ligo daqui e acerto com ela.

Kevin: O 33 pergunta prá carregar com quanto?

Gue: 100 gramas, 200 é demais pra esse momento. 100.

Kevin: A comadre passou na boca ontem e sugeriu um reforço de um quilo, pra levantar a moral.

Gue: Manda o avião até lá que eu falo com ela... E as fofocas... Vocês só falam de trabalho... Tem notícia do Lincon? E quem tá comendo queeeeeeeeeeeeeeeeeeeeeeeeeeeeeeeemmmm??

Kevin: Se quer saber de fofoca vai aqui uma boa... Sabe aquele cara da sociedade cidadania... o presidente, o missionário, teu amigo? Ele está pensando em ir para a Europa e ficar um tempo lá... tem ouvido comentários que os PMs estão falando muito dele, dizendo que tem que dar um jeito nele.

Gue: Aí, ele tem que aproveita e ir embora mesmo.

Kevin: O triste é que o cara vai deixar a mulher para poder cair fora...

Gue: Calma... a esposa de um cara como nós tem que tê a paciência da mulher de mahatma gandi.

Kevin: O Rivaldo está voltando para a pista..

Gue: Pergunta pra ele se tá vendendo bem.

Kevin: Ele está respondendo que não, mas que hoje, como é sexta-feira, pode melhorá... isso se os homi não vierem pra cima.

Gue: Agora quero trocar uma idéia com o 33.

Kevin: Tá difícil, O 33 tá boladão mesmo, mais ainda depois que tu mandou ficar na responsa.

Gue: Qual é? Quer colhê tem que plantá.

Kevin: Tenho uma boa notícia e uma ruim. Qual tu quer ler primeiro?

Gue: A boa!

Kevin: Sabe aquela história do PM que entrou lá no 44 da Jupira? O pessoal levantou tudo. Sabe o Poliga, professor de natação, gente boa, que mora ali em frente do 44? Ele contou a história do cara. Coincidência. É policial mesmo, mas está de caso com uma garota ali do 44, nada demais.

Gue: Mas mantém a rapaziada de olho no cara.

Kevin: Agora a notícia ruim.

Gue: Esta eu quero ouvi não. Sexta-feira não é dia de ouvir coisa negativa... Segura até amanhã. Ok, vamo de senha Chiapas, lembra da contrasenha?...

Kevin: Lembro. Te cuida! Te cuida! Te cuida!

Foi o último contato pela internet da Argentina com a Santa Marta. À noite, voltamos a caminhar sem rumo pelas ruas centrais de Buenos Aires. Conversamos longamente sobre a sua mais recente e confusa decisão. Ele continuava interessado em abandonar o tráfico, mas agora com a pretensão de mudar a sua estrutura, por meio de um caminho que incluísse os homens do morro.

Pensava em se aproximar dos dirigentes do Comando Vermelho, atitude que nunca havia tomado em 16 anos no tráfico. Queria propor à cúpula um julgamento para resolver as antigas diferenças internas da organização sobre o destino da Santa Marta. Em outras palavras, desejava que a organização assumisse a administração da boca e cuidasse de distribuir os cargos aos homens de sua confiança. Contou que estava escrevendo uma longa carta para enviar ao presidente do CV no presídio de segurança máxima de Bangu.

Entramos no primeiro hotel barato que encontramos porque ele queria ligar o computador para reler trechos da carta ao CV e mostrar outros documentos que tinha arquivado. Juliano, num gesto premonitório, pediu para que eu copiasse todo o conteúdo do disco rígido. Havia guardado nos arquivos eletrônicos um resumo de sua produção de texto durante os seis meses de fuga. Também havia arquivara algumas cartas que recebeu nos últimos momentos em que estava no Brasil.

Alguns bilhetes, escritos pela namorada Milene, estavam numerados.

1

Vou sentir muita saudade de você... já estou sentindo.
Te desejo tudo de bom... que você realize o seu sonho.
Rezarei por você sempre.
Lembre-se que tem alguém aqui no Brasil que te ama de verdade!
Amor.
Você é um supermaridão.
Você é um homem maravilhoso, é o homem que eu amo.
Milene.

2

De nós, tanto quanto a derrota.
Acredito em você! Sei que irá vencer!
Boa sorte.
Boa vitória
Se cuida! Juizo, hein!
Sempre irei lembrar-me de você.
Beijos. Te amo muito. Milene.
De voce só lembranças boas!! Te amo!!! Te adoro!!!
De sua gatinha, Mi.

3

Vou sentir muito a sua falta.

Me liga sempre que você puder, tá?

O último texto que havia criado, a letra de um rap, ainda estava incompleto.

RAP DO VP

...Tenho uma idéia a ser dada
Que tem que ser escutada de coração
Alô rapaziada... O lado certo da vida errada
De consciência e razão
Que tá se havendo
Vamos se ligá
O inimigo é o opressor que só faz se matá
Irmão negro revolucionário
Eu não me calo.
O povo clama pelos irmãos de frente.
Vivem na prática ser conciente
Mano responsa não trai
Tem a tranquilidade de resolvê conflitos
E a fidelidade com os seus amigos
E paz, justiça e liberdade
Tem que ter fé em deus
O corpo fechado
Para lutá contra quem não está do nosso lado.
Povo se prepara para a luta
Contra o governo racista, filha da puta.
Irmão negro revolucionário
Eu não me calo....

O reencontro com Maria estava marcado para as duas horas da madrugada, numa banca de revista que fica aberta 24 horas, na Calle Florida. Aproveitamos a saída para mudar mais uma vez de hotel, pois já estávamos há mais de 40 horas no mesmo endereço. Sorte de Juliano. Antes do dia amanhecer, um grupo de policiais brasileiros esteve no hotel à sua procura, e ele nem ficou sabendo. Na hora da blitz, Juliano dormia a dois quarteirões dali, na mesma avenida, numa pensão de alta-rotatividade que cobrava 18 dólares o pernoite.

Nesta pensão foi a polícia que chegou antes. Passavam 20 minutos do meio-dia de um domingo. Eu acabara de sair do hotel em direção ao aeroporto. Juliano deixou o computador e a mochila no quarto e foi me acompanhar até o terminal do ônibus exclusivo de uma empresa de cartão de crédito. Paramos em uma cafeteria para combinar qual seria o lugar do próximo encontro, provavelmente em outro país da América Latina.

— Tenho a impressão de que aqui você não fica por muito tempo — disse eu.

— Tu acha isso, mesmo? Por quê?

— Acho que você não vai suportar a falta de feijão.

— Eu tenho três possibilidades — disse Juliano.

— Virar um zapatista no México? — perguntei.

— Não sei quando, mas ainda terei uma conversa com o subcomandante Marcos. Hoje tô mais ligado na guerrilha das Farc, na Colômbia.

— A escolha depende do quê?

— Não tenho mais chance de escolha. Meu café agora se chama Maria, meu almoço se chama Maria, meu hotel, meu transporte, meu remédio, para tudo eu dependo da Maria.

— Mas você disse que são três possibilidades...

— A outra depende de mim não. Tô botando minhas cartas na mesa com a irmandade, o Comando Vermelho, que não sabe a força que tem. Ainda tenho esperança de mudá os irmãos CV.

Em nenhum momento da despedida Juliano manifestou o desejo de seguir em frente com o projeto de dar adeus às armas, que no começo dos depoimentos era o seu tema preferido. Parti sem deixar nenhum encontro marcado, sabia que deveria aguardar os acontecimentos para definir o local de uma provável nova conversa.

O destino de Juliano começaria a mudar drasticamente. No caminho de volta à pensão, ele percebeu — a um quarteirão da entrada — uma grande movimentação da polícia. Pensou em seguir a pé pela calçada oposta para ter certeza de que a invasão era realmente no seu hotel, mas desistiu para não correr o risco de ser reconhecido por algum policial brasileiro.

Era mais seguro pegar um ônibus de uma linha comum. Ao passar em frente à pensão, viu que alguns policiais estavam saindo e os outros já estavam na calçada carregando as suas coisas para o porta-malas de um carro estacionado em frente. A mochila de lona estava cheia, inclusive com o cobertor amarrado nas alças. O computador também estava sendo apreendido.

— Caralho, era o que restava da minha vida, caralho! — falou pra si mesmo a caminho de um lugar onde pudesse encontrar Maria.

CAPÍTULO 35 | **NOVO SÉCULO**

A carta veio em um envelope aberto e foi deixada sobre o balcão da birosca de Mãe Brava, um sinal sutil de que estava sendo enviada para o dono do morro. Trazia uma péssima notícia, a mesma que o internauta Kevin já tentara transmitir a Juliano pela internet. Era um protesto contra os novos administradores da boca, assinado por 18 homens da Santa Marta que estavam presos nas cadeias de Bangu.

A carta fez aumentar o ambiente de desconfiança e incerteza na favela, principalmente por causa do peso dos remetentes. Os presos eram respeitados e tinham forte influência nas decisões sobre os principais assuntos da boca e da comunidade. E estavam pedindo, no mínimo, o afastamento dos "peixes do dono" Kito Belo, Faquir, Tucano, Rivaldo e de todos os que tinham sido escolhidos por Juliano para reerguer a boca nos primeiros dias do ano 2000.

Para muita gente, a carta simbolizava também um sinal vermelho para o chefe ausente. Desde a sua fuga para a Argentina, era a primeira vez que o pessoal da quadrilha fazia críticas pesadas a seu comando e exigia que ele tomasse providências urgentes contra a nova gerência. Achavam que chegara a hora dos adolescentes mais ativos nas vendas e na segurança da boca assumirem esse papel confiado por Juliano aos veteranos, os com mais de 25 anos. Na verdade, a carta aberta sintetizava o descontentamento de muita gente com sua longa ausência do morro.

Irmão Juliano,

Quem te envia esta escrita é a rapaziada FFTM B3B4 e Piragibe (Frente Favela Santa Marta Bangu 3, Bangu 4 e Piragibe). Fechando numa só, pelo certo, no intuito de falar o que não está certo dentro de nossa firma e da nossa comunidade. Tu está ciente do que está acontecendo... são muitas atitudes que para nós que temos a visão do certo não adotamos este tipo de atitudes. Vamos a finalidade do papo.

Primeiramente sabemos e entendemos como está a situação da firma em relação aos macacos. Somos todos concientes disso. Mas sabemos também que a firma não está parada. Só fica parada se os amigos que estão a frente da situação não souberem administrar da forma que tem que ser. Nós em geral da família STM (Santa Marta) só queremos o respeito e o reconhecimento de nossas lutas, pois estamos ficando esquecidos pelos irmãos... a realidade tem que ser dita.

Sabemos também que fazemos muita falta. Somos mentes conscientes, e mostramos na prática o dia a dia do certo. No caso dos irmãos não estão pondo o rítmo certo em prática... estão trabalhando de forma errada pois estão só na teoria. Queremos mais prática e o certo, pois é o crime. Pois se continuar da forma que está eles vão de ralo e se você não procurar acertar vão tentar te levar junto.

Esse papo é a realidade. É a pura verdade dos irmãos conscientes que tem a visão e a prática do certo. Somos todos reconhecedores da sua luta e a respeitamos na pureza legal e gostaríamos de ter a nossa luta respeitada também da mesma forma.

A situação já foi inversa. O 33 esteve no sofrimento quando nós estávamos na luta da rua. Naquela época falaram a pampa. Enviaram escrita dizendo que estávamos com ritmo de alemão. O Belo, quem escreveu, nos colocou quase no ralo. Mas a geral viu o nosso ritmo e a nossa união em prática procurando fortalecer a firma e os irmãos, o melhor que podíamos fazer. Puxamos vários bondes para a pista tentando nossos objetivos e uma melhora para todos nós. Infelizmente não demos a tacada certeira e viemos para essa maldição (a cadeia) sem condições nenhuma, dependendo do cumprimento de um bom trabalho dos irmãos que se dizem conscientes.

Conviveram com os irmãos no sofrimento e saíram. Nós só não sabemos quais eram os pensamentos deles. Se era mostrar o que aprenderam, ou nos massacrar como estão nos demonstrando no dia a dia! Somos irmãos, mas o crime está em primeiro lugar pois não podemos esquecer que estamos vivendo esse lado certo da vida errada, não podemos ir pela amizade mas sim pelo certo e pela razão!

Tem muitos com vacilação grave, merecendo mais do que ela no caso do safadão do cana Chiquinho agente penitenciário que quando você deixou ele no poder da Escola de Samba deu até paulada em amigo que fechava com nós e não pôde ser tomada nenhuma atitude, para bolação da rapaziada que não fecha com polícia. Essa era a situação que tinha que ter tido cobrança e não teve. Este puto continua convivendo em nossa comunidade. Isso é certo?

Em relação as nossas famílias, está havendo falta de respeito e maus tratamentos. Tem acontecido discussão dos que se dizem irmãos com a família do preso. Nossa família é um manto sagrado para nós e merece sempre um bom tratamento.

Em relação a comunidade, pedimos respeito e um bom tratamento e ter consciência das atitudes que estão sendo tomadas, porque se a comunidade não estiver satisfeita, se torna mais difícil sobreviver... Pedimos, dentro do respeito de nossas lutas, o afastamento do 33 e o FK (Faquir), pois o ritmo que estão impondo não é certo. E pedimos que de uma oportunidade aos novinhos que na prática representam mais do que eles! Fechamos contigo estando sempre certo, mas não fechamos com aquele ritmo que se encontra na firma, pois você mesmo fala que o certo é o certo, nunca o errado, nem o duvidoso. Mas se a nossa palavra e o respeito da nossa luta não estiverem valendo de nada deixaremos o silêncio e o dia-a-dia responder por nós. Aguardaremos sua atitude e sua resposta. Fé em Deus.

Espero que entendam que estamos bolados com o Faquir e o Kito Belo, o 33. Não temos vacilação. Quem tem é eles. E não estamos arrumando vacilação... só estamos mostrando a realidade que não estamos satisfeitos com eles.

União eterna!!! Família unida jamais será vencida! O mal nunca vencerá o bem!

CV RL (Rogério Lengruber)
Assinado: Rapaziada FFTM B3B4 e Piragibi

Era uma carta aberta, assinada com uma caneta preta pelos presos nas cadeias de Bangu 3 e Bangu 4. Ela deveria passar de mão em mão pelos parceiros do morro, mas foi confiscada por Mãe Brava. Ela mostrou o texto apenas para as pessoas de sua confiança, os filhos Difé e Santo, Kevin e uma das irmãs de Juliano, Zuleika. Achava que a divulgação poderia esquentar ainda mais as discussões internas e o risco de golpes externos.

— Fudeu. Esses puto vão tomá o morro do meu irmão e o pior é que dá pra sê contra, não!! — disse Zuleika.

— Isso podia durar muito tempo, não. O bacana viajando por aí e os nego aqui se ferrando, sem arma, sem dinheiro, sem pó. Fudeu mesmo. Não sei como ninguém ainda tomô esse morro dele — concordou Mãe Brava.

— O pior é que o Juliano sumiu. No último contato ele disse que por cinco minutos não foi preso lá na Argentina. Estava totalmente sem dinheiro e disse que agora tudo poderia acontecer na vida dele — informou Kevin.

— Essa carta tem que chegá na mão dele, senão esse morro já é — disse Santo.

— Tá na hora do desenrole. Os irmãos tão lá na maldição, sabe como é, as famílias deles tão na seca, sem tê como colocá um na mão do advogado... O Belo não pode esquecê esse lado, aí — reclamou Difé.

Juliano ficou fora do ar durante vinte dias, tempo longo demais para quem esperava na cadeia por uma resposta imediata. A demora já tinha sido entendida como uma desconsideração do chefe, que estava viajando para bem longe e talvez já tivesse abandonado o comando para sempre.

Ele restabeleceu contato por telefone, de novo pelo truque da chamada a cobrar para um celular pré-pago. Quem atendeu a ligação foi o missionário Kevin, que dessa vez não precisou responder "si, si, adelante". A telefonista era brasileira, Juliano estava falando de um algum lugar dentro do Brasil.

— Caralho. Que papo é esse cara? Pelo sotaque da telefonista já saquei tudo... vou espalhar essa notícia pra rapaziada, aí.

— Nem fala, aí... Tô fudido, irmão. Tô passando fome, dormindo no mato, na rua, sem um puto no bolso e sem um santo, cara, nenhum santo! — reclamou Juliano.

Informado sobre a ameaça de um golpe interno na boca, Juliano conversou horas com a quadrilha pelo telefone, que passava de mão em mão entre os que estavam de plantão. No mesmo dia ele ditou uma carta, que foi escrita no outro lado da linha pela amiga Luz. Era a resposta tardia aos que estavam presos, que a receberam no dia de visita.

Mil saudações.

Irmãos, desejo a todos saúde, tranquilidade para passá por esse momento difícil.

Quero pedi desculpas pela falta de contato que estamos tendo, mas isso não qué dizê que não sejamos irmãos e que todos devemos acreditá um no outro sempre.

Sou fiel aos meus princípios irmãos, sempre pesso que todos não esqueçam que somos da mesma familia, quando reclamam com outras pessoas de nosso problemas dão condições a pessoas que querem vê nosso mal forte. Reziguinação irmãos, sei que é o que mais tem, o que pesso é que continue não se deichá abatê. Se tem alguma coisa fale com migo mande uma carta por exemplo. Pesso que entre voces, os que falam de mais pare de falá. Ô que se falá tenha conciência do que estamos pasando. Qual o morro que vocês viram tanto tempo invadido pelos macacos? Pelos putos?

Se tem algum problema entre os irmão dezenrrolen. Pois se estivesse em uma guerra em tiroteio um iria ajudá o outro e nós estamos no meio de um tiroteio, em uma guerra. O inimigo diz assim (dividi para conquistá). No morro tem muito mais humilhação que voces aí na cadeia e na reziginação, vocês não estão agora lá para vê o que tá acontecendo, gostaria sem dúvida que estivece, pois assim ajudaria a solucionar. Pois os que tão lá são pouco, nunca foram tão pouco. Para quem não tem idéia do meu coração ou mesmo o que passa com migo, pesso que lembre de mim, me diga voces lembram de mim sacaniando os irmãos que estavam presos?????

Esta idéia vai para quem servi a carapussa! Quando fala pros irmãos que meu tempo passô o que querem dizê com isso? Meu sofrimento irmãos é muito maior do que vocês posam imaginá e não pasará nunca pois vidas que nós perdemos tão na minha mente e estarão sempre. Não sabem como me dói tantos irmãos mortos, e vocês presos, minha alma se sente mal com isso, meu coração fica apertado. Só que não vou dá cabecada, pois quase toda minha organização tá presa e um passo em falso tudo perdido. Precisamos do apoio de Bangu 1 e sem um grupo unido não poderemos ter apoio e tudo ficará pior.

Tou perto e lutando por caminhos que não foram trilhados que para mim são caminhos de conssegui nossas liberdades, não tô fugindo como pensam. Tô trabalhando com a cabeça aproveitando essa falta de condições de plantá no morro. Sei que nos falta muitas coisas para nossa família e muito das coisas que falta é a liberdade de vocês. Dinheiro tem solução. Mas muitas outras não. Falta irmãos que não terão como rezouvê. Como nossos irmãos que morreram. Isso não voutará mais!! E eles merecem nossos respeito e irmandade plena. Na prática temos que sê mais forte agora, nesses momentos deficeis pois muitos não morreram por dinheiro o poder, morreram pelo morro. E espero que quando falam que eu pasei do tempo não esqueçam de mordê a língua. Pois fazemos parte do mesmo lugar da mesma luta e nossa filozofia de Paz, Justica e Liberdade. Não é só a boca, e também a diguinidade, pesso vocês irmãos que tenham conciência tá brabo de achá solução, com nós dividido ficá pior. Que Deus nosso pai continue protejendo a nossa orgulhoza bandeira de PJL na prática. E que nunca mas os maquiadores usem os homês que vivem na cobiça e maudade como o Paulo Roberto, que colocô o carro na frente dos bois. E acabô traindo a ele mesmo. E ainda levô toda sua família de ralo. Muitos de vocês devem se perguntá porque que eu dei tanta corda para o Paulo. O mais certo é dizê. Quanto mais corda melhó pra se enforcá sozinho. Mas não é isso só não. Eu acredito na palavra de homem, pois a palavra de home é a única coisa que temos, irmãos. E fatores como não tê crias de vivência no crime com experiência pois a grande parte do nosso grupo estava presa. E a fauta de aparecê um entre os que estavam preso ajudô ele se chegá. Bem como por ele tê ficado tanto tempo preso aprendeu que quem é bandido cerá sempre bandido. Aí, pensei melhor assim, é mais um pra somá e recebi o Paulo de peito aberto..

Bom, ele tinha chegado em uma hora que estava precizando e ele demonstrô para minha irmandade (eu perguntava olhando na cara dele — Paulo tu vai me traí? — e ele jamais! jamais!). É a mesma coisa que o Uê fez com o Orlando Jogador, a mesma coisa que o Cláudio fez com o Raimundinho (eu pensava até aonde o ser humano pode ir com isso?). O cara sofreu a vida toda e tá tendo uma oportunidade, vai e trai? Sim irmãos, traiu! Disgrassado!! Irmãos, falá isso para vocês é uma forma de dezabafá. A vida não nace pronta! E a sabedoria só mesmo as esperiência que o tempo pode nos proporcioná e que adiquirimos. Hoje depois de tudo que pasei nesses 15 anos envolvido, digo só muita fé em DEUS mesmo, pois o diabo é maquiadô da mente fraca. E da covardia nem DEUS escapa.

Saudades de vocês muitas saudades de todos. Hoje tudo mudado, eu longe sozinho aqui onde estou fico a pensá em nós no pico fumando um baziado, com nossos irmãos os quais muitos só estarão na lembrança e no coração para sempre.

Tenho essa conciência que vocês continuaram fazendo o papel de escravo dos poderes!! Se vocês desejam tudo de bom ao povo eu dô minha vida por isso!! Quem de vocês tá preparado a dá sua vida pelo povo!!

PAZ JUSTIÇA E LIBERDADE
Março de 2000

Os homens da Santa Marta aceitaram os argumentos do antigo chefe e encaminharam a carta imediatamente aos dirigentes do Comando Vermelho nas cadeias de Bangu. Mas era tarde para evitar o golpe. Dias antes, a cúpula do CV já tinha decidido retirar o apoio a Juliano, devido ao seu longo período de afastamento do morro. Buscava um substituto, um nome de peso na área do crime, que garantisse para a organização o poder em uma favela geograficamente estratégica para a expansão do comércio de drogas no Rio.

A "diretoria" do CV tinha um motivo ainda mais oportuno para impor uma nova gerência à Santa Marta. Nas vésperas do Carnaval de 2000 a polícia havia decidido sair da favela, depois de um período de quatrocentos dias de ocupação permanente. Na visão dos traficantes, era um sinal verde, que a curto prazo levaria ao crescimento da venda de drogas. Por isso, precisavam com urgência impor um chefe que marcasse sua presença na boca.

Sem a ocupação da polícia e com Juliano foragido, os moradores da Santa Marta esperavam com naturalidade a chegada de um novo chefão do Comando Vermelho. Muita gente apostava na volta de Carlos da Praça ou de Claudinho. Alguns falavam nos nomes de My Thor, Caju, Elias Maluco, Patrick, chefes de outros morros do CV.

Ninguém apostou nele, nem imaginava que o velho rival de Juliano fosse dar um golpe dentro do território do Comando Vermelho. E que ele ainda estivesse forte para vencer a guerra, a primeira do novo milênio na Santa Marta.

CAPÍTULO 36 | **PERÍODO MATUTINO NÁUTICO**

Jackson portava uma velha metralhadora Uru com o pente de munição vazio. Os projéteis viraram coisa rara no morro. Mesmo se tivesse carregada, não poderia usá-la, pois a arma fabricada nos anos 60 estava emperrada, era um espantalho nas mãos de um adolescente de 14 anos. Havia uma semana Jackson, de 14 anos, vinha usando outra tática para enfrentar um provável ataque do inimigo.

Todos os dias, por volta das duas horas da madrugada, ele acendia o pavio dos fogos para produzir explosões semelhantes às de um tiroteio e assim provocar uma invasão da polícia ao morro.

— Melhor a polícia do que os alemão — disse Jackson às suas irmãs, que o visitaram uma hora antes de a favela ser invadida.

A tática era ganhar tempo enquanto o Comando Vermelho providenciava um reforço de sentinelas, que nesses dias não passavam de dez adolescentes, dos quais apenas cinco estavam "armados" como ele.

Era a primeira semana de Jackson na função de sentinela, oportunidade que esperara desde os 12 anos. Pouco antes de ser fuzilado, deixou com orgulho nas mãos das irmãs o pagamento integral da semana, equivalente a 100 dólares, que recebera da boca para garantir a segurança do lado oeste do morro.

Os invasores chegaram quinze minutos depois da mudança de plantão da boca. Jackson já havia tomado um banho na praça das Lavadeiras e se preparava para dormir no seu pequeno quarto, de meio metro quadrado, que ficava no lado externo do barraco da família. Logo depois dos primeiros tiros, ouviu os gritos dos amigos que passavam pelo beco onde morava.

— Jaquinho, Jaquinho! Vaza, vaza!! Vamo vazá que os alemão tão invadindo lá no pico.

Não deu tempo para calçar o tênis novamente, nem de lembrar da inútil metralhadora. Jackson saiu correndo do barraco para acompanhar os parceiros que fugiam morro abaixo. Escolheram o caminho que passava pela Mina e tinham à frente os irmãos Santo e Difé, seguidos por alguns adolescentes, novatos na boca como ele.

Jackson era o último da fila quando o grupo passou em frente à Casa da Cidadania, já na mira dos tiros dos invasores. Ele foi o único a ser atingido por um tiro de escopeta. Perdeu o equilíbrio com o impacto da bala, mas correu um pouco mais até escorregar no chão úmido na curva da praça das Lavadeiras. Os amigos estavam bem longe quando Jackson caiu. Ninguém saiu dos barracos para prestar socorro. A avó, dona Lena, de 75 anos, tinha dormido na casa de uma filha. Estava no pé do morro, voltando para casa, quando soube que o neto tinha sido ferido e morto.

— O corpo do Jaquinho esta lá na praça das Lavadeiras... Corre lá, dona Lena — avisou um menino olheiro da boca.

A morte do neto de dona Lena marcou o início do ataque de um inimigo histórico do Comando Vermelho na Santa Marta. Zacarias Gonçalves da Rosa, o Zaca, estava de volta para cumprir a promessa feita havia 13 anos. E trazia com ele uma novidade. Não era mais um bandido independente, havia se rendido às regras do crime organizado, se envolvendo com o Terceiro Comando.

Os homens de Zaca esperaram a polícia ir embora para surpreender os sentinelas no final da longa vigília da madrugada, o chamado período matutino náutico das guerras convencionais.

Invadiram pelo matagal que cerca o Palácio da Prefeitura e, na parte baixa do morro, dominaram sem nenhuma resistência o pessoal que bebia cerveja e dançava em volta das cinco mesinhas de ferro da birosca Forró do Nego.

Às cinco horas da madrugada de sábado, havia muita gente na rua por causa do ensaio geral na quadra da escola de samba. Nos primeiros momentos, muita gente confundiu o ataque com uma blitz policial, porque os invasores usaram coletes pretos iguais aos da polícia civil. E revistaram homens e mulheres para tentar identificar alguém da quadrilha de Juliano. Eram comandados por uma dupla temida: Zaca e seu cunhado de nome inconfundível, o Caga Sangue.

— Tô de volta. E daqui não saio nunca mais — disse Zaca. — E durante o breve interrogatório, avisou que não estava sozinho. — O CV já é! Este morro agora é do Terceiro Comando! Fica na boa, só quero pegá a turma do Juliano.

— Eu quero acertá as contas com aquele missionário que fecha com ele — disse Caga Sangue.

Na hora do ataque, Kevin dormia na casa de dona Mainha, uma senhora de setenta anos muito popular no morro porque abrigava em seu barraco de três cômodos crianças e adolescentes sem família ou qualquer pessoa desprotegida, vítima do frio ou da chuva, das perseguições da polícia, dos ataques de seus inimigos. A casa era bastante visada pelos policiais, que algumas vezes apreenderam produtos roubados dados à dona Mainha em retribuição à caridade recebida.

O missionário Kevin dormia na casa de dona Mainha porque uma amiga o convidara para um culto no domingo pela manhã, na favela. Na noite de sábado, em vez de pegar um ônibus para ir até Vila Isabel, onde morava, preferiu passar parte da madrugada na quadra da escola de samba e depois descansar no barraco de dona Mainha. Também estavam no barraco três jovens assaltantes de rua, Wilson, Popó e Magrão, ligados esporadicamente à boca, e duas moças trabalhadoras — Marcela e Violeta — que passavam temporadas com dona Mainha para terem mais liberdade do que em suas casas.

Todos acordaram assustados com o barulho dos tiros e acompanharam a movimentação da rua pelas janelas entreabertas. Viram muita gente apressada descendo o morro e, no meio delas, um homem ferido, o ex-presidente da Associação de Moradores, Zé Luis, que gritava de susto e dor.

— Fui baleado. Fui baleado. Vocês têm que fazer alguma coisa... Uma ambulância, pelo amor de Deus!

Dali também acompanharam a expulsão de duas amigas ligadas à boca, Diva e Luz. As duas tiveram suas casas invadidas e levaram algumas coronhadas de revólver porque disseram que não sairiam do morro. Na terceira pancada, que atingiu a parte posterior da cabeça, quase na nuca, Luz caiu e pediu um tempo aos agressores para se recuperar da dor. Levou alguns chutes. Eles só pararam de bater quando ela levantou a blusa e mostrou o corte no peito, a ferida da cirurgia do coração que fizera para o implante das pontes de safena.

Luz encheu três sacolas com roupas e lençóis, mas não levou nada. As dores eram fortes demais para carregar peso. Saiu do morro gemendo baixo, escondendo o choro, levando apenas um rádio portátil e uma pequena boneca negra, que costumava deixar na cabeceira na hora de dormir. Os amigos da favela tentaram convencê-la a ir para a praça Corumbá, onde estava a namorada Índia e um grupo de jovens que escaparam da quadrilha de Zaca. Alguns sugeriram que fosse pedir ajuda nos morros amigos. Mas Luz preferiu sair sozinha, seguiu em direção ao centro da cidade à procura de um prédio com marquise para se abrigar embaixo. Iria voltar a ser moradora de rua.

Ainda na casa de dona Mainha, desesperado, o missionário Kevin ligou para alguns de seus contatos na cidade para pedir ajuda diante da ameaça de ser descoberto por Zaca. As primeiras ligações foram para os repórteres das editorias de assuntos policiais do jornais, de revistas e de tevês. O missionário queria que a movimentação da imprensa levasse alguma segurança para o morro e criasse condições para poder escapar do cerco.

Sempre falando baixo, quase cochichando, também ligou para a mãe de Juliano, Betinha.

— Alô, é o Kevin. O morro acaba de ser invadido. Houve tiros lá em cima. Mataram um na mina. Se o rapaz ligar para senhora, explique o que está acontecendo, ele tem que ser avisado.

— Você viu alguma coisa?.... Arrastando um rapaz que sangrava muito? Te disseram o quê? Terceiro Comando... é, tão falando isso? Tu viu o Zaca? — perguntou Betinha.

— Estão esculachando os moradores — disse Kevin depois de avisar que o morro tinha sido invadido havia 15 minutos.

— E o Juliano, já tá sabendo que perdeu o morro?

— Desde aquele cerco policial lá na Argentina, Juliano nunca mais fez contato. Saiu do ar. Deve estar preparando alguma coisa.

— Você viu alguma coisa?

— Eram só cinco homens na contenção, com aquelas armas velhas. As bombas estavam segurando a barra, mas aí...

— Que bombas?

— Logo depois da meia-noite o pessoal explodia fogos pra simular tiroteio, atrair a polícia pro morro.

— Tá confirmado que é o Zaca?

— Estou ligando pra todo mundo e o pessoal está dizendo que é o Zaca, mas parece que o Carlos da Praça estaria junto, vamos ver mais tarde.

Ao amanhecer, a praça Corumbá já estava tomada por uma pequena multidão formada pelas sessenta famílias ligadas aos homens de Juliano e por outras tantas que se sentiam ameaçadas pelo novo comando. Homens e mulheres não paravam de chegar, trazendo tudo que fora possível ou permitido tirar dos barracos. Sobre o destino da quadrilha, sabiam apenas que os dois líderes, Kito Belo e Tucano, estavam dormindo na hora da invasão. E por isso tiveram que fugir desarmados, vestidos apenas com uma bermuda. Sem celular, nem puderam se comunicar com os outros para organizar alguma resistência ou reação. Cada um tratou de escapar do jeito que dava.

Paranóia foi ferido de raspão na perna, mas mesmo mancando conseguiu fugir pelo pico. Tênis também quase foi pego. Chegou a ser cercado, com armas apontadas contra si num raio de dez metros. Mas correu em ziguezague até a moto, que estava estacionada no Cantão. Fugiu acelerando o máximo que dava, com o corpo inclinado para frente numa tentativa de se proteger dos tiros da quadrilha de Zaca. Na praça, disseram que ele tinha sido ferido nas costas, mas que conseguira chegar até o esconderijo no Turano. E contavam que um olheiro novato, Eduardo, tinha sido pego e torturado por Caga Sangue antes de ser fuzilado.

— Arrancaram os olhos antes de matar o menino. Eles estão barbarizando.

Todas as pessoas que chegaram à praça tiveram que pedir permissão aos novos donos do morro. Os mais jovens, como Pardal, Paranóia, Nego Pretinho e Coquinho, de 13 anos, só conseguiram passar porque ainda eram desconhecidos de Zaca e Caga Sangue, que estavam havia anos afastados da favela. A tia Fabiana, enfermeira de um pronto-socorro, ajudou Coquinho a ganhar o salvo-conduto e a levar de casa uma TV, um aparelho de som e um videocassete.

Às seis horas da manhã uma ambulância do corpo de bombeiros subiu pela rua Jupira para socorrer o presidente da Associação de Moradores, que ainda reclamava da omissão da polícia. Na hora, Índia telefonava para o disque-denúncia também para pedir intervenção policial no morro, como se fosse uma moradora comum.

— Caralho, o Terceiro Comando está invadindo a casa dos trabalhadores e vocês não fazem nada. Manda urgente um batalhão inteiro pra cá, antes que eles matem todo mundo.

A polícia chegou meia hora depois. O missionário Kevin Vargas tentou tirar proveito da movimentação da ambulância e dos policiais. Chamou um táxi para o pé do morro e arriscou caminhar até lá...

Durante o dia, a quadrilha de Juliano continuou a sofrer mais perdas. O contador da boca, Rivaldo, um dos gerentes do preto, Wagner, um gerente do branco, Bira, e alguns sentinelas e olheiros menores de idade foram descobertos e presos pela polícia dentro da casa de dona Betinha, no Chapéu Mangueira.

A ocupação policial do morro também indicou que a situação não era nada favorável aos homens de Juliano. Os policiais do Bope não encontraram nenhum alemão circulando pelos becos e vielas. Eles haviam se "entocado" nos barracos de antigos amigos, sinal de que, no mínimo, o morro estava dividido, não havia mais a unanimidade de antes a favor da turma de Juliano.

O enterro do sentinela de 14 anos morto na invasão era mais um sinal do fim de uma era. Parentes, amigos, parceiros de tráfico ninguém apareceu no cemitério, nem na hora de carregar o caixão. Jackson foi enterrado só pelos coveiros do São João Batista.

Mas o maior impacto do golpe de Zaca veio de sua nova postura diante das mulheres e dos parentes dos homens de Juliano. Durante dois dias, eles vasculharam barraco por barraco para acabar com os principais vínculos de Juliano na favela. Além de ser surrada em público, a irmã de criação Diva teve a sua casa invadida e saqueada pelo pessoal do Zaca. Roubaram o berço da filha. Levaram até os móveis mais pesados, difíceis de carregar pelas escadarias. Móveis e eletrodomésticos novos, comprados por Diva no crediário dois meses antes, encheram um caminhão, que fez oito viagens levando coisas confiscadas da Santa Marta para os morros dos inimigos.

Mas atitude mais ousada foi a invasão à birosca da Mãe Brava, um símbolo do poder de Juliano. O barraco era um caixote de alvenaria de menos de três metros quadrados, com uma porta nos fundos e uma janela de frente para o Cantão, por onde eram servidas bebidas, salgadinhos, doces, balas e biscoitos. Saquearam todo o pequeno estoque de mercadorias, assim como o freezer antigo, a televisão portátil e um radiogravador. O prejuízo não passou de 500 dólares, mas o dano moral, pelo menos para a dona da birosca, foi gigantesco. Mãe Brava estava ausente na hora da invasão, estava morando havia algumas semanas na casa da família no Cantagalo.

— Ele teria que passá por cima do meu cadáver se eu tivesse lá — disse Mãe Brava quando soube da invasão.

— Sorte sua tê mudado antes de lá, mãe. O bicho ia pegá... nós escapamos por pouco — disse Difé, que na hora do ataque estava na portaria da escola de samba com o irmão Santo.

— Sorte do Zaca, rapá. Pra mim ele não passa de uma mosca sem asa atolada na bosta do cavalo do bandido! — retrucou Brava.

— Ele tá sozinho dessa vez, não! Tão falando em Terceiro Comando — disse Difé.

— Essa parada não é a dele. Manjo, o figura é de somá, não é de dividi. Tava mole, mole... Precisava do Terceiro?

— O mundo mudou, mãe. A bandidagem também. Ninguém mais pode controlar um morro sozinho... Essa parada de herói já é, já foi. Tá com o Terceiro ou com os amigos dos amigos. — insistiu Difé, fazendo referência à ADA, a organização Amigos.

— Que se foda... Amigos dos Amigos até pode ser. Bando de polícia arregado. Pode ser: Zaca ex-PM combina com essa gentalha — concordou Mãe Brava.

— Resta saber qual vai ser a reação do Juliano. Eu acho que ele não pode sabê que as mulheres foram atacadas, senão vai querer voltá pra se vingá e aí começa tudo de novo.

— Tem que sabê sim, cacete. Isso é o fim do mundo. Onde tá a moral de bandido?

— É o crime!

— Que crime, caralho! Um puto desse nem merece ser chamado de bandido. Isso me ofende. Tem que dá um troco pra arrebentá, destruir essa raça. E se vira moda essa porra?

• • •

A esperança de Mãe Brava estava voltando de Buenos Aires para o Rio de Janeiro, pelo caminho mais simples e barato. Depois de pegar muita carona de caminhoneiros, Juliano chegou de ônibus ao terminal Novo Rio, um ponto estratégico para quem pretendia seguir a pé direto para o morro do Fogueteiro, que fica a dois quilômetros de distância da rodoviária. O esconderijo, gentileza do dono do morro, My Thor, era um barraco seguro, habitado por uma família desvinculada do tráfico.

A única condição imposta por My Thor, a discrição, era impossível de ser cumprida por Juliano. Mas ele jurou que ficaria no anonimato, sem fazer nenhum contato externo, nem pelo telefone. Num esforço incomum, Juliano cumpriu o compromisso durante 48 horas, das quais mais de vinte foram dormidas para se recuperar do longo período de mendicância. A notícia do golpe de Zaca na Santa Marta o fez esquecer o trato. Imediatamente mandou um avião em código ao Cantangalo: "VIVA R.L.O.J.P.J.L. PARADA C.V.S.T.M." (Viva Rogério Lengruber, Orlando Jogador, Paz Justiça e Liberdade. Parada Comando Vermelho Santa Marta)

Na mesma noite, Mãe Brava, as irmãs Zuleika e Diva e os irmãos Santo e Difé estavam reunidos no esconderijo do Fogueteiro para matar a saudade de Juliano e falar da situação na Santa Marta. Os irmãos queriam saber das aventuras no exterior, mas o assunto dominante foi Zaca, sobretudo suas provocações contra a família, ou melhor, contra as mulheres de sua confiança.

Sem pensar muito nos meios escassos de que dispunha, Juliano sugeriu um contra-ataque imediato, com um bonde formado pelos mais jovens associados ao grupo de assaltantes liderado por Tucano, Pardal, Nego Pretinho e Tênis que já dispunham de pistolas automáticas adequadas para o tipo de ação que imaginava. Um grande assalto dissimulado, com armas escondidas no corpo, em que cada homem atuaria isoladamente contra os inimigos, mesmo se o morro estivesse ocupado pela polícia.

As mulheres aprovaram o plano de imediato, mas as ponderações de Santo e Difé se revelaram mais sensatas.

— E se o Zaca tivé de fato com os Amigos dos Amigos ou com o Terceiro Comando? Vai sê um massacre, vão matá todo mundo — disse Difé.

— Falaram até que atrás de tudo tá o Carlos da Praça. Mas ele ainda é do CV, ficaria esquisito é ou não é? — comentou Zuleika.

— É. Tá na hora do Comando Vermelho resolvê de vez essa parada, dizê se tão comigo ou se tão contra — afirmou Juliano.

Depois de horas de conversa, concluíram que os dirigentes do Comando Vermelho deveriam se envolver na guerra, com participação nas tomadas de decisão e sobretudo providenciando o apoio logístico para o grupo sair da falência e ter condições materiais de sustentar a luta contra organização rival.

Sem alternativa, Juliano escreveu uma longa carta para os dirigentes do CV. Aproveitou para esclarecer antigas rivalidades internas que envolviam a disputa de poder com o Carlos da Praça, com o falecido cunhado Paulo Roberto e mais recentemente com o ex-parceiro da Turma da Xuxa, Claudinho. A carta, lida em primeira mão pela família, era também um desabafo de quem nunca fora bem aceito na organização.

"Venho por meio desta desde já desejando a todos muita saúde e paz de espirito para suportá esses momento defíceis. bem como muita PAZ JUSTIÇA E LIBERDADE.

Meu respeito a todos do grupo bem como os demais irmãos.

Irmãos estou mais uma vez abrindo meu coração a vocês, me orgulha toda a luta que tenho com a bandeira do Comando Vermelho que no alto do Santa Marta está fincada.

Dô a vida por isso, mantê a filozofia de Paz Justiça e Liberdade.

Quando me envouvi foi nos anos 80. A família tava em alta o povo acreditava em nós. Todo o povo! Acreditei nisso também. Lutá pelo povo! Por nossos filhos, por um futuro melhor! Via seu Pedro Ribeiro ajudá o povo dando roupa, comida como um verdadeiro líder. Era tempo de pagode com Zeca Pagodinho nos morros, Almi Guineto, Dicró, Fundo de Quintal, Beto sem Braço. Os morros eram livre tempo de pagodes que não tem mais nos tempo de hoje.

Mais o menos nesse tempo teve a guerra no morro. Perdemos.

O Terceiro Comando ficô 4 anos até retomarmos. 4 guerras sucederam até isso acontecê. Nesses tempo vivi na Rocinha, Pavão, Leme, Engenho da Rainha, Santo Amaro, na rua. Meus pais perderam suas casas e tudo que tinham, só ficaram com roupa do corpo por minha culpa. O Robison deve lembrá quando me emprestô um barraco de alemão no morro dele para mim dechá minha família. Enquanto eu ia a luta.

Fui vigia com os vigias desses morros para quando ele fosse dormi eu podê dormi com ele. Dormi no mato, nas lajes, em barrado de embalação.

Fui vapor, avião, prantão, chefe de prantão. Gerente. E seria sempre se o Carlos da Praça o quizece, mas ele queria um robô e quando ele viu que para isso eu não servia, tramô com Claudinho.

E a polícia quase me panha e se panhace eu morreria pois era eu quem dava tiros para defendê o Cláudio. Eu defendi a vida dele e ele me traiu, o qual passei a achá que era o único culpado.

Não acreditava até então que o Da Praça, o qual também já fiquei na frente de tiro para não acertá nele, estava envolvido nessa trama. E por mim ser muito amigo do irmão do Cláudio, o Raimundinho, eu não quis fazê nada com esse traidor. E também depois de tanta luta, tanta morte, mais morte agora por causa de olho grande e dinheiro. Deichei tudo que tinha, dívidas que vários morros tinha com migo.

Minha casa, minhas armas, meu cachorro, meu filho, tudo.

Para mim é muito triste tudo isso. Sabê que na verdade era o dinheiro a parte mais importante para eles, não a comunidade, a irmandade! Enquanto a gente sofria, éramos irmãos, quando o dinheiro aparece somos amigos!???

Tudo que falo se demostra na prática, em pouco tempo 3 meses depois ezatamente o Da Praça perde o Morro, 1 ano depois Cláudio manda matá seu próprio irmão para dominá sozinho o Morro! E como por castigo vai preso! No mesmo momento que o Raimundinho iria fazê uma viaje e daí sumí. Mas todos os que não participaram vão a minha procura pois sempre fui o líder no coração de todos.

Não a toa todas as guerras eu estava prezente desde do Zaca e Cabeludo. E as outras que muitos irmãos tão ligados, pergunto que guerra Cláudinho foi? Todos os guerreiros sabem que demos muito tiro nos policias. Pergunte se ele o Cláudio estava prezente? É ruim ein!

Ganhei tiros, fiquei pinchado mas botei na linha.

Mas como estava falando tudo foi desmascarado e 5 dias depois voutamos pro Morro. Com total apoio dos moradores. O Dudu da Rocinha pode dizê pois teve a oportunidade de presenciá a forma que a comunidade me recebeu. Os quais me respeitam e amam. Como seu filho! E a recíproca é verdadeira. Até hoje a bandera se mantêm com diguinidade, mesmos com todos nós duros, em dificuldades, mas com a moral em pé.

E é dessa moral que queremos falá. Digo queremos porque o caso é de todos nós da Santa Marta.

Especulam que nós não vizitamos ninguém? Quero esplicá que nossa família se mantêm na garra. A galera mais conciente tá presa, e fazem muita falta. Mais de 40 morreram, nós estamos mantendo a bandeira erguida, só no orgulho. A 9 meses os Bopes estão plantados. Na medida do pocível vendemos para nos mantê. Temos dificuldades sinceramente de tudo, também temos certeza isso será superado.

Com respeito que estou longe, para mim é estranho. Todas as horas que sabíamos que a família precisava de mim estávamos prezentes, seja na Mangueira quando os alemão envadiram, no Vidigal, no Turano, nos Prazeres, no Cerra, no Galo, no Jorge Turco, no Encontro. Isso é um pouco de nossa participação.

Hoje nossos brinquedos estão servindo em guerras bem como fortalecimentos de irmãos. Portanto não poderíamos tá em falta de sintonia porque se tivécemos não teríamos tados prezentes nessas batalhas em tempo distinto uma da outra, não é mesmo? Fora o papo que sempre fizemos por amor a família sem interece do famozo precinho de hoje em dia!! Sabemos que devemos fazer vizitas a área de irmão, e até vamos na medida do pocível, pois temos nossos próprios problemas e não vamos ficá babando o ovo de ninguém pois somos bandido iguais a todos.

Digo isso irmãos, que parece sê o maior problemas que temos?!! Nós acreditamos também que irmandade tá também no coração, se precizam falá com nós é só mandá um toque que com serteza membros da família aparecerão. Pesso a comprienção da família do nosso momento, e as dificuldades que isso acarreta!!!

Meu Presidente, nós da família estamos profundamente tristes com o mal que Claudinho poderia está causando, e o tanto que ele poderia corrompê, manipulá ô mesmo aceitá sê manipulado. E nisso fazendo mais um foco de podridão e obiscuridade na família.

Se todos nós do Santa Marta cansamos de dizê que ele é safado maquiavélico cínico perguntamos porque ele se mantêm apodrecendo a família????

Digo isso porque comessa a se figurá mais problemas na nossa mãe família envouvendo nós irmãos!!! Vou esplicá. Minha juventude foi ao baile dos Prazeres e os safados que tentaram invadi o nosso Morro estavam lá como se fosse o certo, abraçados com o irmão Maitor! Minha juventude foi dezenrolá e a resposta foi que eles são irmãos também?? E ele ainda chamô meu povo para andá junto com eles no baile. Onde já se viu o certo andá junto com alemão?!?!?!

Percebo que essa erva daninha que não foi cortada comessa a amostrá suas raizes! Pois não iria está abraçado com Maitor se não fozzem amigos, coisa que também estranho pois Maitor quando teve com migo no Salgueiro falô que o Carlos da Praça era safado bem como o Cláudio!!! E que tinha conciência de minha luta! Só mesmo minhas trezes almas benditas e sabidas!!

Pois nos preocupa esses jestos pois nós que estamos dentro da razão assim temos a vizão que acabaremos tendo que defendê contra membros de nossa própria mãe família C.V., que é uma lástima, não faz sentido. Pode gerá uma guerra ainda maior e entre irmãos?? Temos irmãos que são conciente do que é certo nessa questão e fecham com nós nessa parada. Pois sabem o fundamento da história. Pois ela é clara, não é uma névoa!!

Não a mistério. O mistério está quando esses poderes ocultos que por exemplo uzam irmãos mente fraca como Paulo Roberto, que ficô no cárcere 9 anos de sua vida, chegô na rua, dei comida, dinheiro, casa, confiança, irmandade de verdade e ele me trai, porque estava robotizado!

Para mim é muito triste, ele poderia tá aqui no meu lado com a minha afilhada! Vivo! Eu sô muito sincero e perguntava a ele, Paulo tu vai me traí? Ele respondia jamais, Juliano, jamais vou fazê igual o Uê ou igual ao Claudinho! Jamais!!!.

Sofri pra caralho

Tu me deu maior condição no Morro! Todo mundo me respeita! É meu compadre! Jamais! Me dizia!

Eu fiz o que o certo faz. dei a corda para ele se enforcá ou se ele fosse mais sagaz depois de tanta cadeia segura a irmandade pura. como a minha!!

Sei também meu Presidente que se isso já tivesse sido desenrolado antes talves o Paulo Roberto tivesse vivo e, feliz do meu lado. Pois todos os que estão no sofrimento estarão sempre ao meu lado, pois é eles que serve. O que me preocupa é o bichinho de goiaba que pelo que percebo continua a tentá contra o certo. Se tudo tivece desenrrolado já teria sucegado o facho!!!

Sei meu Presidente, se eu tivece desenrrolado mas cedo poderia te sido rezolvido! Se quizecem no tempo que foi mandada as cartas poderia ter resolvido mas não obitive resposta. Assim preferi que o tempo demonstrace tudo que nós da família Santa Marta sempre fala. Somos o certo. Todos que sairam da cadeia vieram para cá. Se eles achacem que o ritimo não era o certo não retornaria!!! Não é mesmo!!!

Portanto humiudimente pesso em carecidamente um dezenrrole do certo de uma vez por todas.

O certo é o certo nunca o errado o duvidozo!!

Nós acreditamos nisso. Não temo medo do certo! Não temo padrinhos. Temo a razão!!

Acreditamos na Paz Justica e Liberdade. A prova está no nosso dia a dia sofrido onde nosso cruzeiro é iluminado de várias velas pois muitos de nós já morremos por isso, fora vários presos.

Fico pensando em nossa família. Mesmo depois de tantas lutas ainda tentam puchá nosso tapete, si fodem porque nós é favelado legítimo e não temos tapete, pois nosso pé é no chão. É porque tem muito vale quanto peza e esse caminho não é o que a organização trilhô no pasado. Pois no comesso o orgulho estava acima do dinheiro.

Fico pensando no Ze Bigode, aquele de " 400 contra um", que preferiu a morte que se entregá e antes de morrê amostrô para o mundo em gritando o nome do Comando Vermelho, ai penso também no Vico, um irmão daqui que foi torturado até a morte e sabia tudo onde estávamos e onde estava tudo, mas preferiu morrê.

Como irmãos. Não dá valor a esses heróis, como aqueles irmãos do Borel que preferiro dá um tiro na cara do puto que se entregá. O aquele menor do Pavão que sabia aonde o Fabinho estava mas preferiu morrê, como tantos outros ezemplos que tem em cada área não é mesmo? Então como não respeitá esses homi?

Irmaos, tô pronto a morrê também. Pois dedico corpo mente alma a eles meus irmãos que mesmo diante da tortura e da morte não revelaram nem o nome nem as intenções de seus irmãos, os quais não morrerão por dinheiro o poder morrerão pela Paz que não nos deichamo tê. Morreram pela Justica que só serve contra nós o povo. E morreram pela Liberdade de nossos pequeninos países estranjeiros nessa sociedade racista.

Me honrra sê do Comando Vermelho irmãos! Tem uma diferença realmente com migo, nao tô nisso por dinheiro o poder! A boca para mim não é mais importante que o morador, e a irmandade.

Para mim não somos só donos. Somos o líder não só das nossas respequetivas famílias mas também da comunidade, o pai dos orfãos, o imão do povo.

Quando pasamos a ezisti nas favelas foi quando prometemos aos moradores vivê o rítimo que estava acontecendo na cadeia, que seria protejê os oprimidos, ajudálos não só com dinheiro, mas com conciencia também. Hoje depois de tanta guerra estamos deichando de ezisti nos corações desses moradores. Eu não gosto disso.

Minha luta é por Paz, Justica e Liberdade. Tenho um filho de 12 vai fazer 13. O que ele vai pensá de mim? Que sô um simpres traficante! ele que naceu no morro, foi criado no Morro??? Se eu esquecê dos moradores.? Estarei esquecendo dele e de mim!! A Boca é só a baze de minha responsabilidade, bem como todo meu povo. Tenho que cuidá dos filhos dos meus irmãos que morreram ao meu lado, tenho que falá para eles a responça que os pais deles eram, tenho que sê um pouco pais deles, prometi a eles isso, irmãos! ! Tenho que enchergá o futuro e prepará meus irmãos para esse futuro, tenho total respeito a família e porisso vivo assim.

Estou errado me diga??? Meu Presidente!!!

Tenho muita dor no coração. A útima vêz que eu mandei uma carta me diceram que eu estava muito poeta. Porque falei que a família tava ficando velha, tinha passado dos 20 anos e teríamos que ter propostas para o futuro!! Para mim é verdade isso pois a muitos companheiro que querem vê uma luz no fim do túnel e é nossa responçabilidade isso, podemos achá solução para todos!

Somos muitos.

Somos tão grandes que Medellin tem inveja de nós.

Somos mais que várias gerrilhas que estão lutando pelo povo na América Latina.

Somos mais que a FARC da Colômbia

Somos maior que os zapatistas do México.

Mas não passamos de gangue dos morros cada um com seus intereces!! Quem tem medo perde a iluzão que tem na mão! Irmãos, falo de coração aberto, tem um ditado que diz ..quem fala a verdade não merece castigo.

Nossa chance está em nós mesmo. Basta acreditar nisso e conscientizarmos que a maior riqueza é a Paz Justica e Liberdade. Temos a maior bandera que poderíamos precizá para obiter a Liberdade que essa legenda nos dá, pois foi com ela que nossas comunidades acreditaram em nós no passado e pode acontecê de novo até voltarmos ao caminho de sê os guerreiros do povo na prática. Pois hoje isso não acontece em vários morros.

É o que vejo e o que povo diz e a voz do povo é a voz de DEUS. Vou lê, dá um ezemplo. Fale da falta que o povo tem do Naí da Mineira, do Izaias do Borel, do Maluco do Vidigal, do Dênis da Rocinha, do próprio Marcinho V.P., o peixe do Jacaré. Isso é um pequeno ezemplo: estoricamente o povo já saiu para fechá a rua por causa dessas lideranças e de outras, quando o nosso saudoso Orlando Jogador, que DEUS o tenha em bom lugar bem como o Bolado da Rocinha, morreram. O dezespero do povo estava estampado em todos os jornais, o Meio-Quilo, o nosso saudoso líder Rogério Lengruber. Todas essas pessoas fazen parte da estória do Rio e do Brasil.

O povo acreditava que eles poderia mudá a miséria que eles viviam. Digo viviam porque com esse governo que tá jogando de todas as formas com o povo fazendo o que eles tão pedindo e nós estamos perdendo terreno. Essa é a verdade. As mães dos morro tão cansadas de vê seus filhos morrerem em guerras mesquinhas, já não vê mais aquela concideração, aquele respeito. Isso conta e conta contra nós. Ainda temos chance, basta fazê o quê o povo qué!! Nós não perderemos nunca! Pois o poder de liderança é nosso! E para sempre agora o que fazemos com ele é outra coisa. Podemos manipulá ou amostrá na prática pra nossos filhos e comunidade que podemos ser melhó do que já somos! O mais importante é nossa família, digo também mãe, pai, mulher, filhos etc. Vamos dá uma chance para elas e nós!! A história nos julgará irmãos, que ela não nos julgue mas nos reverencie!!

Luto na baze por Paz Justica e Liberdade. Devemos lembrá que o Comando naceu entre os guerrilheiros da Ilha Grande e um dia pensamos em lutá pelo povo. Por isso estamos perpetuados a isso, quera ou não é esse e o caminho da Liberdade!!

HUMILDIMENTE PEÇO UM JULGAMENTO JUSTO COMO A FILOSOFIA DO COMANDO VERMELHO DETERMINA.

NA CERTEZA QUE O CERTO É O CERTO NUNCA O ERRADO NEM O DUVIDOZO.

PAZ JUSTIÇA E LIBERDADE A TODOS!!!!!!!!!!!!
MUITA FÉ EM DEUS.

R.L.O.J.P.J.L.C.V.S.T.M. JULIANO
(Rogério Lengruber — Orlando Jogador
— Paz-Justiça-Liberdade-Comando
Vermelho-Santa Marta)

CAPÍTULO 37 | O CINEASTA E O TRAFICANTE

João Salles estragou involuntariamente o contra-ataque de Juliano, que já tinha recebido o sinal verde do Comando Vermelho. Justamente na semana em que o cineasta procurou o jornal *O Globo* para confessar a ajuda financeira de 1.000 dólares que dera durante três meses ao traficante, o bonde do CV estava nos preparativos finais para a guerra no alto do morro do Vidigal.

O antigo aliado Patrick oferecera, além da base do Vidigal, o uniforme preto já conhecido de outros combates e as armas mais potentes de que dispunha: uma dúzia de fuzis, duas metralhadoras e o inseparável machadão, com o qual costumava decepar o inimigo. Por ordem do CV, homens do Santo Amaro, Escondidinho, Fogueteiro e Turano também estavam liberados de suas atividades para fortalecer a quadrilha de Juliano na retomada da Santa Marta.

Juliano planejara liderar o ataque usando uma máscara, para ninguém saber que havia retornado ao Rio. Sonhara retomar o controle da boca para sair da falência, retaliar as agressões sofridas pelas mulheres e recuperar o prestígio interno no Comando Vermelho, que jamais permitira um morro da Zona Sul sob domínio das organizações rivais. Imaginara que seria simples manter-se no anonimato, foragido em alguma favela de amigos.

Na véspera da publicação do escândalo sobre a ajuda financeira que recebia do cineasta, Juliano ainda tentou convencer João Salles, por telefone, a desistir da reportagem. Mas Salles explicou que a sua decisão era irreversível. Alegava que a polícia já havia descoberto tudo por meio de escuta telefônica clandestina nos aparelhos de sua produtora. A confissão, segundo ele, era uma tentativa de explicar à sociedade suas verdadeiras intenções antes que a polícia deturpasse a história. Salles também temia que os policiais viessem a extorqui-lo ou a sua família, dona do terceiro maior banco privado do país, o Unibanco.

Uma reportagem exclusiva de sete páginas, sob o título "Encontro na cidade partida", no jornal *O Globo*, marcaria o início de um das maiores coberturas jornalísticas da história do Rio de Janeiro envolvendo um traficante. Por causa da controvérsia criada pelo cineasta, de repente Juliano ganhou projeção nacional, como se fosse o traficante mais importante do país, embora estivesse falido, com seus homens desarmados e morando de favor na casa de amigos.

Não era exatamente a sua história que estava no centro do escândalo, mas sim a atitude de um cineasta rico de ajudar financeiramente um traficante dono de morro. Para a imprensa e a polícia, João Salles afirmou que o seu compromisso com Juliano era o de prover uma mesada, como se fosse uma bolsa, para ajudá-lo a escrever sua autobiografia, desde que ele assumisse o compromisso de abandonar o tráfico.

O depoimento — feito inicialmente de forma reservada e informal ao coordenador de Segurança Pública, o antropólogo Luiz Eduardo Soares, e ao secretário de Estado, o coronel Josias Quintal — geraria uma crise de autoridade. O antropólogo deu apoio ao cineasta, elogiou-o publicamente pelo gesto "louvável e generoso". O coronel, ao contrário, condenou a atitude e pressionou o Ministério Público Estadual a processá-lo por crime de favorecimento pessoal. O governador Anthony Garotinho também tomaria partido no debate de mídia, que ganhou dimensão nacional. Nos dias centrais da crise, chegou a demitir o antropólogo do cargo de coordenador de Segurança, ao vivo, em entrevista ao telejornal RJTV. O antropólogo estava fora do Rio naquele dia.

— Embora eu tenha o maior respeito pelo professor Luiz Eduardo Soares, tenha dado a ele a oportunidade de escrever um livro comigo, é uma pessoa que estuda muito segurança pública, pessoa por quem tenho carinho e admiração, ficou inviável a permanência dele na Secretaria — disse o governador.

— O senhor está o demitindo? — perguntou a apresentadora Ana Paula Araújo.

— Ele está demitido. Tentei falar com ele pela manhã, mas não foi possível e gostaria de fazê-lo depois que retornasse ao Rio, mas não posso deixar a polícia paralisada.

A sociedade também ficou dividida, pelo menos na mídia.

"Quando um cineasta, filho de banqueiro, se torna amigo de um foragido condenado a 42 anos por tráfico, e, com a melhor das intenções, paga a ele uma mesada de R$ 1.000 para escrever um livro, a sociedade se pergunta onde fica a fronteira do certo e o errado. Pode um bandido ser alçado pela mídia e por amigos influentes a porta-voz revolucionário de famílias pobres e honestas?" (Editorial do jornal *O Dia*.)

"Mas não é ajudando bandidos que os banqueiros construirão uma sociedade melhor." (Governador Antony Garotinho, no jornal *O Dia*.)

"O banqueiro é o bode expiatório. Deve haver alguém muito mais poderoso que ele por trás dessa ajuda financeira." (Ary Nunes, músico, no jornal *O Dia*.)

"O cineasta João Salles não teve a intenção de cometer um crime. Então não houve o dolo." (Evandro Lins e Silva, advogado criminalista, no jornal *O Globo*.)

"Entendo o João. Ele conseguiu enxergar por trás da máscara da violência. Foi um gesto muito bacana." (Luiz Eduardo Soares, antropólogo, no jornal *O Globo*.)

"Quando se filma um traficante, se testa um limite. É perigoso para quem filma e para quem é filmado." (Eduardo Coutinho, cineasta, no jornal *O Globo*.)

"O país estaria melhor se a nossa elite tivesse a preocupação social e o empenho cívico desse filho de banqueiro." (Zuenir Ventura, jornalista e escritor, no jornal *O Globo*.)

"Não vejo VP como a besta-fera de que falam, numa simplificação tão nociva quanto grave seria sua idealização." (João Salles, cineasta, no jornal *O Globo*.)

"...A relação estabelecida por João Moreira Salles com o traficante VP é uma fraude social. A situação é repetitiva e comum ao tratamento dos ricos com os pobres, dos políticos com os eleitores. Todos eles pensam que eliminando a distância física acabam com as diferenças sociais. ... Esta metáfora o rico acaba tomando com uma realidade." (Wanderley Guilherme, cientista político, no *Jornal do Brasil*.)

"A classe alta sofreu uma espécie de pasteurização e, com isso, perdeu seus líderes. Não há mais, entre ricos, histórias pessoais que produzam heróis. Eles ficam apenas na virtualidade. O que VP faz é mostrar que é um herói encarnado, que tem corpo e uma história pessoal de risco. Em sua trajetória, não há espaço para superficialidade. Ao contrário, ele tem a visceralidade que a classe alta perdeu e por isso é que exerce tanto fascínio..." (Sócrates Nolasco, psicanalista, no *Jornal do Brasil*.)

A súbita notoriedade levou ao desmonte imediato do novo grupo de Juliano, formado com a ajuda do CV. Os mais experientes sabiam do risco que representaria ficar ao lado de um dos homens mais procurados do país e se afastaram, voltaram para seus morros. Mas nem todos quiseram ficar longe de Juliano.

Apesar da caçada da polícia, que envolvia os investigadores da Delegacia de Repressão a Entorpecentes, agentes da Polícia Federal e policiais militares de várias unidades, Tênis, Paranóia, Tucano, Pardal e Nego Pretinho decidiram cuidar da segurança do chefe, qualquer que fosse o esconderijo. Alguns soldados de Patrick, também vapores, deram a idéia de formar uma quadrilha de apoio à fuga, e não só para ajudá-lo a escapar da perseguição.

— Um grupo assim vai chamar mais atenção, vocês vão me delatá sem querê. Temos que pensá num barato diferente — disse Juliano.

— A idéia é ficá por perto, de olheiro — disse Paranóia.

— Tu fica num barraco e a gente na contenção, no meio de uma galera pra sabê o que tá rolando, aí — sugeriu Pardal.

— A minha vontade é metê pipoco neles. Tem que segurá os homi, pra dá tempo do pinote — disse Paranóia.

— Tu pensa o quê? A polícia vem de P-2 na escondida. Deve tê centenas deles espalhados pelos morros. Basta cruzá com um deles... vão quebrá, tô ferrado — disse Juliano.

Desde o retorno da Argentina, a perseguição já havia obrigado Juliano a se esconder durante o dia no meio da Floresta da Tijuca, cobertura de vários morros, cujos donos, como My Thor, ofereceram guarida. Foram 45 dias perambulando pelo meio do mato sempre em companhia da namorada Milene, que mais uma

vez abandonara a casa da família na Santa Marta para acompanhá-lo nos esconderijos. Para a mãe, Milene inventou que iria aproveitar as férias de verão da escola, onde estudava computação, para viajar com as amigas. Só sua irmã mais
velha, Mana, sabia da verdade e como localizá-los numa emergência. Juliano e
Milene namoravam e dormiam no mato durante parte do dia. E na hora do ataque dos mosquitos, no começo da noite, voltavam a caminhar pelos becos das
favelas, onde eram bem-vindos. Não ficavam mais de dois dias em cada comunidade, para evitar que as operações policiais levassem transtornos aos moradores e
ao movimento de vendas de drogas. Mudavam de lugar também por prudência,
pois era grande o número de potenciais delatores, candidatos à recompensa de
dez mil dólares oferecida pela Associação Rio Contra o Crime e pelo Governo
para quem indicasse o paradeiro de Juliano.

Depois do escândalo do Caso Salles, a polícia passou a considerar a prisão de
Juliano prioridade máxima e por isso ele se separou de Milene, querendo evitar
que ela fosse atingida pela perseguição. A despedida deles foi no Vidigal, quando
todas as saídas do morro já estavam sob vigilância da polícia. No auge de sua paixão, Milene custou a aceitar a separação.

— Tu fica mais comigo, não. A casa tá caindo e não quero que tu se machu-
que não. Essa parada deve sê só minha — disse Juliano.

— Quero ir junto com você, ficar do teu lado, sempre — disse Milene.

— Tu vai para um lugar seguro pra rezá por mim. Fica fora da Santa Marta.
Tira tua família de lá. Vai pra bem longe... que o bicho pode pegá.

— Mas eu preciso continuar te vendo. Como eu vou fazer agora?

— Eu vou escapá. Deixa os urubus da imprensa se esquecerem de mim que eu
te procuro.

Passaram a noite acordados, namorando, chorando, fazendo planos e pela
manhã bem cedo, na hora em que Juliano costumava voltar para a floresta, trocaram um longo abraço e, em seguida, cada um foi para o seu lado, sem olhar para
atrás. Alguns policiais viram quando Milene saiu do Vidigal e, por causa disso,
no mesmo dia, reforçaram o cerco ao morro e intensificaram as operações de busca no meio da favela.

Com uma semana de cerco, as vendas da boca do Vidigal desabaram, ficando
restritas apenas ao movimento interno. O único jeito de o morro sair do foco das
buscas era providenciar a transferência do foragido para outro esconderijo. O plano

de Patrick e Juliano começou a ser executado numa noite de sexta-feira, com uma seqüência de assaltos aos motoristas que passavam pela avenida Niemeyer.

Paranóia, Pardal, Tucano, Tênis e um grupo de jovens do Vidigal vestiram coletes pretos, idênticos aos usados pelos policiais civis, e simularam uma blitz para congestionar a avenida. Em cinco minutos dezenas de carros se alinharam no corredor estreito e sinuoso da Niemeyer, entre a encosta do Vidigal e o mar. Sob a ameaça de armas assustadoras, os motoristas dos carros mais novos tiveram que entregar as chaves e o dinheiro que tinham.

Os assaltos em série levaram os policiais a se deslocar das principais entradas do morro para reprimir as ações no paredão da Niemeyer. Chegaram a trocar tiros com o grupo da falsa blitz, que fugiu com os carros roubados. Enquanto isso, no lado oposto, Juliano aproveitou a brecha no cerco para fugir em busca de um novo esconderijo.

Os sucessivos fracassos da polícia na caça a Juliano, sempre com grande repercussão na imprensa, agravaram ainda mais a crise no governo iniciada com a exoneração do antropólogo Luiz Eduardo Soares. Pouco antes de sua saída, Soares havia denunciado a existência de uma "banda podre" na polícia do Rio de Janeiro, formada por funcionários que seriam corruptos, torturadores, matadores e responsáveis pelo fracassso das políticas públicas humanitárias na área da segurança.

Prender o pivô da crise era agora uma questão de honra para os policiais cariocas, que também estavam sob pressão dos deputados federais da CPI, a Comissão Parlamentar de Inquérito do Congresso Nacional, que investigava o narcotráfico no país. O envolvimento da polícia com o tráfico era uma das pautas da CPI no Rio de Janeiro.

Mas nos dias de buscas obsessivas, e no auge do escândalo, Juliano iria surpreender os seus inimigos mais uma vez. Quando todos pensavam que ele fosse se confinar em algum esconderijo de favela, Juliano resolveu comandar a ação de um bonde com sete carros roubados em plena Copacabana, o bairro mais populoso e movimentado do Rio.

O destino do bonde era o morro da ladeira do Tabajara, que desde a tomada da vizinha Santa Marta estava sob controle parcial do Terceiro Comando. Os pontos de venda do morro, por serem próximos dos fregueses de Copacabana e, ao mesmo tempo, da base deles, a Santa Marta, também sempre foram cobiçados pelos seus rivais dentro do CV, Claudinho e Carlos da Praça. Mas todos foram surpreendidos pelo bonde de VP.

Os jovens Paranóia e Pardal estavam eufóricos por ver o chefe experiente comandando pessoalmente o bonde, sobretudo devido à coragem de se expor no auge da perseguição. Juliano chegou ao morro pelo acesso da rua Siqueira Campos, na garupa da moto de Tucano. Em seguida, também sem chamar muita atenção, vieram os outros homens, em mais duas motos e com os sete carros roubados. A senha do ataque era uma única palavra:

— Pixação! — gritou Paranóia, que ficou na retaguarda com o pessoal do spray. À medida que avançavam favela adentro, pixavam nos muros e paredes as letras CV, com tinta vermelha, para marcar a ocupação. Era o começo da noite de sábado, os becos estavam movimentados e muita gente procurou rapidamente um abrigo, com medo de um confronto entre os invasores e os traficantes locais, que haviam recuado para o coração da favela.

Botequins baixaram as portas de ferro, as mulheres fecharam seus barracos, crianças foram impedidas de sair e os pastores das igrejas evangélicas encerraram os cultos antes da hora. O Tabajara tinha duas grandes bocas, controladas por grupos diferentes: um independente e outro ligado ao Terceiro Comando. Os donos da maior delas, a dos indepedentes, eram três jovens nascidos e criados no morro, e o líder chamava-se Copa. Eles estavam na praça do Posto de Saúde, com suas melhores armas e com um número de soldados semelhante ao do bonde de Juliano.

Uma seqüência de explosões, que durou cerca de dois minutos e foi ouvida em toda a favela, marcou o momento em que os dois grupos ficaram frente a frente, mas não para guerrear, como muita gente temia. A queima de fogos era um anúncio de boas-vindas ao bonde, pois a ocupação havia sido negociada por Juliano dias antes, em encontros fora do Tabajara.

Juliano os convenceu de que a boca dos independentes seria inevitavelmente tomada por alguma quadrilha do Comando Vermelho ou do Terceiro Comando, que queria ter o controle total do morro. De fato, havia mais de um ano o trio vinha resistindo a ataques sistemáticos de seus inimigos. Por causa dos tiroteios constantes, já enfrentava a reação de moradores insatisfeitos com a insegurança, além da pressão externa, vinda dos prédios de Copacabana atingidos pelos disparos. Uma aliança, segundo Juliano, tornaria o grupo forte o suficiente para afastar os inimigos e todos os problemas.

Sem tiros e mortes, a imprensa e a polícia não tomaram conhecimento da mudança de poder no Tabajara. Os detalhes da conquista e as suas imediatas conseqüências foram explicados por Juliano numa nova carta enviada aos dirigentes do Comando Vermelho na cadeia de Bangu.

Faz já muito tempo que nós da Santa Marta vinhemos em luta e muitas vezes eu poderia tê tomado o Tabajara mas seria pela força bruta. Preferi esperá que se aliasse a mim os crias de lá e hoje está tomado com mais de 20 crias, sem violência nem manchete de jornal.

Agora tomado me aparece vários querendo se intitulá de dono ao ponto de dizerem que os caras que tavam lá não são alemão. Como não? Se eles trabalharam com todos os meus inimigos. Fora o papo que muitos outros irmãos tinham a mesma intenção! Se um desses irmãos tivessem tomado eu não tomaria essa atitude. Me alegraria! E saberiamos entendê!

Pois enquanto meus inimigos tavam lá não tinha dono. Agora que tomamos? Quero dechá claro meu Presidente que estou pronto a dezenrrolá sobre o Tabajara. Não tomei com fim financeiro, mas sim com fins estratégicos porque sempre serviu de base para meus inimigos me atacá, como fez o Tenório, Da Praça, Claudinho,

Hoje quem tá lá é o Copa, um irmão de lá e uma juventude minha. Quero sabê se alguém tem algo contra. Sei que o Maitor também tem interece lá pois diz que vai colocá um precinho de três para um amigo dele que no tempo do Carlos da Praça e Claudinho fortalecia ele.

Digo desde já que esse amigo dele está aí no B3. E ele qué convecê meus irmãos a aceitá a sê integrante da minha família!!

Assim vejo meu presidente. Mas se a família tivé outra vizão eu escutarei para podê deszenrolá até o certo sê demonstrado! Na prática e na certeza de que lutei, dentro da filozofia de Paz Justiça e Liberdade.

A conquista do Tabajara não só foi bem aceita pelos dirigentes do Comando Vermelho como inspirou o planejamento para a futura ocupação das bocas que estavam sob o domínio do Terceiro Comando. Juliano pôs para administrar a nova boca os homens que foram expulsos por Zaca da Santa Marta e os que haviam acabado de sair da cadeia, como o Dudu e Pintinho. Todos sob as ordens de Copa, também ex-prisioneiro e que já fora seu gerente de pó.

Juliano não podia ficar por muito tempo em um mesmo lugar. As buscas da polícia continuavam e envolviam cada vez mais homens. Um mês depois do Caso Salles, ele já estava exausto e quase desistindo. Sua única preocupação era encontrar uma maneira de evitar ser morto na hora da prisão. De tanto perambular de morro em morro, por dentro da Floresta da Tijuca, acabou correndo outros tipos de perigos. Adquiriu uma estranha infecção, causada provavelmente pela picada de algum inseto. Os sintomas eram fortes dores musculares, que dificultavam suas caminhadas, e muita febre — causa de seus delírios durante os pesadelos de perseguições.

Abatido pelo estado febril, Juliano passou a dormir mais de 12 horas por dia, sobretudo depois que ganhou um barraco para se esconder na favela do Falet. Aproveitou o abrigo para ficar três dias deitado, numa tentativa de se restabelecer, voltar a ter forças para enfrentar a vida de foragido. Em setenta horas de sono, acordou apenas duas vezes.

A vizinha, guardiã do barraco, assustada com os gritos dos pesadelos de Juliano, acordou-o uma vez para acalmá-lo e oferecer-lhe um prato de arroz, feijão, carne, batata fritas, servido junto com uma garrafa de guaraná e com uma sobremesa de doce de banana.

— Isso é melhor que sexo — disse ele à mulher, como forma de manifestar seu agradecimento.

Ele só seria novamente acordado vinte horas depois, quando o barraco foi invadido pelos policiais do Primeiro Batalhão do Serviço Reservado e da Divisão de Proteção à Criança e ao Adolescente. Ninguém acreditou, num primeiro momento, que aquele homem deitado num velho colchão, sem nenhuma roupa de cama, fosse o traficante que todos procuravam. Não havia nenhuma arma perto dele. Vestia apenas uma bermuda, sem nenhum volume nos bolsos. Tinha os cabelos enormes, encaracolados, amarrados na parte de trás da cabeça com um cordão, e usava cavanhaque. A seu redor, restos de velas queimadas ao lado das imagens de São Judas Tadeu, de Santo Expedito e de Nossa Senhora Aparecida. Ao acordar, assustado, Juliano também teve dificuldades de entender o que estava acontecendo. Por segundos acreditou que pudesse ser a continuidade de seus sonhos e pesadelos, sobretudo porque à frente dos policiais estava uma mulher, a delegada Márcia Julião, com uma pistola automática apontada para sua cabeça. Vistos do chão, os homens, que estavam ao lado da delegada, pareciam gigantes, e seus revólveres e fuzis engatilhados eram ainda mais assustadores.

— Perdi. Perdi. Não me matem. Não me matem — pediu Juliano. O seu apelo tirou as dúvidas dos policiais.

— A casa caiu, é o VP. Agora não tem banqueiro pra te tirar dessa, mermão — disse um policial, vibrando com o fim das buscas, que duraram 53 meses e 14 dias.

Era a sua segunda prisão em conseqüência da pressão da imprensa, associada a suas relações com intelectuais da cidade. Na primeira vez, quando ainda não era condenado pela justiça, a polícia o prendeu uma semana depois de ter dado a entrevista "desafiadora" sobre a segurança de Michael Jackson.

Desde sua última fuga, em 1996, mesmo já condenado duas vezes pela Justiça, viveu quatro anos em liberdade. Mas depois que virou personagem do Caso Salles, em menos de dois meses já estava voltando para a cadeia. A sua prisão na favela do Falet foi acompanhada pessoalmente pelo secretário de Segurança Josias Quintal. Uma caravana de viaturas, protegidas por motociclistas que abriam o caminho no trânsito, levou-o até o prédio central da polícia, onde Juliano já era aguardado por um batalhão de jornalistas.

Foi exposto às câmeras e aos repórteres, mas não quis dar uma entrevista coletiva. Diante de perguntas insistentes, não críticou a polícia — como fizera no passado — e evitou associar a sua prisão ao Caso Salles, embora tenha culpado a imprensa pela repercussão do episódio.

— Eu sou o monstro que vocês criaram. Vocês me mitificaram. Vocês precisam disso para sobreviver.

Para o cineasta e amigo João Salles, só elogios:

— Ele é um abolicionista do século XXI. Ele tem idéia da escravidão que tá acontecendo hoje com os favelados. É uma das poucas pessoas interessadas, de fato, em ajudá as comunidades dos morros.

Recebeu a visita da mãe Betinha, da sua irmã companheira, Zuleika, e da namorada Milene, que o abraçou e o fez chorar nos corredores da delegacia.

— Foi melhó assim. Pelo menos, agora a gente vai podê se ver uma vez por semana, sem precisá ficá fugindo ou correndo.

Não seria bem assim. Ao prestar o depoimento após prisão em flagrante na Delegacia de Repressão a Entorpecentes, Juliano ainda não sabia que seu destino seria a cadeia mais odiada pelos traficantes, o presídio de segurança máxima de Bangu. A cadeia era conhecida por impor o isolamento — cada preso ficava numa cela individual — e por obedecer a uma rígida disciplina, que principalmente limitava a possibilidade de conversarem livremente. Também adotava uma série de restrições, com finalidade punitiva. Elas variavam de caso para caso. Para Juliano, escolheram a pior que ele podia esperar, a proibição de receber visitas da namorada. Mas quando soube que o seu destino era Bangu 1, as conhecidas restrições disciplinares ficaram em segundo plano. A maior preocupação dele passou a ser a chegada ao lugar onde estavam concentrados os 12 principais dirigentes do Comando Vermelho. Juliano sabia que era aguardado lá para esclarecer episódios controversos de guerras passadas.

■ ■ ■

Antes de dar explicações aos dirigentes do CV, Juliano teria que prestar contas aos homens que, pela Constituição, representam o povo brasileiro. Convocado a depor na CPI do Narcotráfico, três dias depois de ser preso, ele foi levado de avião, sob escolta da Polícia Federal, para Brasília. O protocolo do Congresso Nacional, que exigia traje social para o acesso ao prédio, teve de ser quebrado para liberar a entrada de Juliano, que estava algemado e vestia bermuda jeans, camiseta branca e tênis.

— Que paíííís é eeese?

Já no plenário, para se acalmar enquanto aguardava o início do interrogatório, Juliano cantou a música de sucesso de sua banda preferida, a Legião Urbana. Estava emocionado, tenso e ao mesmo tempo orgulhoso por ser o primeiro integrante do Comando Vermelho a falar no Congresso Nacional. No início da sessão, quando os deputados da CPI autorizaram a retirada de suas algemas e ofereceram dez minutos para suas palavras iniciais, Juliano não esqueceu de saudar o CV. Levantou o braço esquerdo e com a mão fechada gritou a palavra de ordem da organização.

— Paz, Justiça e Liberdade.

Ele tinha uma grande expectativa em relação ao seu próprio discurso. Passara os dois dias que antecederam o depoimento organizando as suas idéias, falando sozinho para treinar e depois não passar vergonha diante do plenário mais representativo do país. Encarava a convocação como uma grande oportunidade, a maior que já tivera na vida, para convencer as pessoas de que os traficantes também deveriam ser ouvidos em um futuro debate público que buscasse soluções para os problemas sociais geradores de violência do Brasil.

— Oitenta por cento das pessoas que se envolvem no tráfico, se envolvem por pura necessidade — disse ele no início do discurso livre.

A sua maior expectativa era convencer o plenário de que, como "dono de boca", era um líder da comunidade, ilegal mas legítimo. Tinha a ingênua esperança de conquistar a simpatia dos deputados e de convencê-los a aderir a suas idéias para o combate ao crime e à violência no país. Para demonstrar que tipo de contribuição poderia dar, na hipótese de um debate público sobre segurança, fez um prognóstico sobre a tendência da criminalidade no Rio.

— Violência não se resolve só com polícia, porque o problema maior é social... O tráfico do Rio é violento sim e, desse jeito, vai se torná cada vez mais violento. As pessoas serão cada vez mais seqüestradas. Quem tem carrão tem toda a razão de andá com medo.

Ele pensara, com grande dose de ingenuidade, que o seu depoimento na CPI seria um sucesso, como foi o de seu amigo, o cineasta João Salles. Dias antes, convocado a depor como testemunha, Salles exibiu o documentário "Notícias de uma guerra particular" no plenário. E depois de explicar as razões de ter dado uma ajuda de três mil dólares ao traficante, foi aplaudido de pé pelos deputados.

No caso de Juliano, convocado na condição de interrogado, as gentilezas da abertura logo se transformariam numa sabatina sobre a vida criminosa do narcotráfico.

— Você cometeu muitos crimes? Você era violento? — perguntou o deputado.

— Eu era violento sim, igual ao Mad Max. Aquela era a minha realidade — respondeu Juliano, fazendo referência a um filme famoso.

— Como era o movimento das bocas de cocaína? Quanto você faturava?

— Nunca comprei mais de quatro quilos de cocaína das pessoas que me ofereciam partidas de drogas.

Quando percebeu que os deputados queriam, em vez de ouvir suas idéias sobre o crime, escutar revelações importantes sobre o universo do narcotráfico, Juliano recuou estrategicamente. Limitou-se a responder de forma genérica às questões mais delicadas, como a denúncias de extorsão policial.

— A gente pagava para eles deixarem o tráfico rolá. Se a gente não dava, eles caçavam e matavam.

Depois de ouvi-lo durante duas horas e meia, irritados, os deputados o convidaram a depor numa sala secreta, com a esperança de obter confissões mais consistentes contra os chamados barões da cocaína e os chefes de outros morros. Juliano não mudou de postura. Nessa hora, sabendo que logo voltaria ao convívio de traficantes poderosos na cadeia de Bangu, a fidelidade ao Comando Vermelho era mais que oportuna.

O relator da Comissão Parlamentar de Inquérito, deputado Moroni Torgan, que fora um atuante delegado de polícia, acabou a sessão indignado.

— O discurso social dele cai como um castelo de cartas quando se nega a colaborar com a CPI. Ele não passa de um gerente um pouco mais articulado. Diz que quer ajudar a luta contra o tráfico, mas se recusa a falar o nome dos financistas. Ele não quer ajudar os pobres coisa nenhuma!

CAPÍTULO 38 | NEIN E BERENICE

— Tu tá vendo o Tabajara na tua frente, rapá? Vamo vermelhá em cima de ti, tamo com mais de cem AK, vacilão!

A ameaça de guerra era de um traficante já em atividade no morro recém-conquistado. O Tabajara tinha sido escolhido como base para a formação do bonde do tão esperado ataque. O plano tivera o aval dos homens do Comando Vermelho, um sinal de que Juliano teve uma boa recepção em seus primeiros dias como prisioneiro na cadeia-fortaleza de Bangu 1.

Dias antes, a "diretoria" do CV já havia aprovado também a invasão total do Tabajara para expulsar os rivais do Terceiro Comando, que ocupavam metade do morro muito cobiçado pelo tráfico, devido à proximidade da multidão que mora em Copacabana. A área ocupada pela favela também tinha alguma semelhança geográfica com a da Santa Marta. As características do morro não permitiam a expansão das moradias, o que ajuda a explicar um fenômeno único nas favelas do Rio de Janeiro. A Ladeira do Tabajara foi a única que teve a sua população diminuída na última década do século XX. Eram 1.149 pessoas em 1991 e foi diminuindo num ritmo de quase dois por cento ao ano. Em 1999, não passavam de 822 moradores. Mas para os traficantes, a favela nunca deixou de ser atraente. Para o CV, o domínio do Tabajara virou instrumento de pressão contra os dois "crias" que disputavam o controle da Santa Marta.

Depois de vencer os inimigos em dois dias de guerra, o CV finalmente conseguia resolver a velha briga, dividindo o Tabajara, metade para Juliano, metade para Claudinho, ambos sob a bandeira da organização.

Com uma base próxima à favela, estava aberto o caminho para a formação do bonde e a retomada da Santa Marta, embora isso fosse publicamente negado por Juliano.

Recolhido ao isolamento de celas individuais, Juliano vira seu nome sair do noticiário, mas ele não deixara de se comunicar com os amigos e alguns repórteres. Apesar das decepções com a imprensa e com os intelectuais, ele voltaria a dar entrevistas esporádicas pelo celular e por meio de cartas supostamente encaminhadas por seu advogado a publicações eletrônicas e revistas.

Nos primeiros dias do novo século, ele falava no tráfico como coisa do passado. Reivindicava o direito de ser transferido de Bangu para uma cadeia onde pudesse estudar Filosofia e Direito. Falava em aprender um pouco mais sobre a alma humana e também se capacitar para um dia cuidar ele próprio de sua defesa nos processos que ainda tramitavam fora e dentro da cadeia.

Continuava na mira da polícia, que passou a acusá-lo de envolvimento nas disputas internas na cadeia pelo poder do CV, que culminaram com a morte de Dênis, o chefe do tráfico da maior favela da América do Sul, a Rocinha. Dênis apareceu enforcado dentro de sua cela. Juliano ainda era um novato na cadeia, mas como no dia da morte de Dênis sofreu arranhaduras no peito, a direção do presídio o apontou como um dos dois suspeitos de terem praticado o crime. Na sindicância interna, Juliano negou a acusação e disse que os machucados em seu corpo não passavam de arranhões provocados por sua ginástica no chão da cela.

Para os adolescentes, que viviam exilados no recém-conquistado Tabajara e na casa de Mãe Brava, no morro do Cantagalo, a história de Juliano continuava a mesma. As últimas notícias vindas da cadeia serviram de estímulo para sonhar com uma segunda guerra contra Zaca. Embora tivessem apenas vagas lembranças da primeira grande guerra de 1987, quando eram crianças, queriam reproduzir uma revanche também para ficar na história.

Foi nessa época que eu retomei as gravações dos depoimentos com as pessoas da quadrilha, que fora obrigado a interromper em conseqüência do Caso Salles. Contra a minha vontade, minha pesquisa sigilosa para o livro havia se tornada pública, o que obviamente impedia a sua continuidade no morro. Alguns homens de Juliano e moradores nunca mais quiseram conversar comigo. Depois da invasão da favela pela quadrilha de Zaca, a maioria teve que fugir para algum lugar incerto, o que dificultaria ainda mais um possível contato. A retomada gradual das entrevistas só foi possível pela ajuda, mais uma vez, de Kevin, que também se afastara do morro. Foi o missionário que os convenceu a aceitar a minha tática alternativa: em vez de eu procurá-los de forma sigilosa como antes, eles sairiam de seus esconderijos para falar comigo, na minha área, no asfalto.

O primeiro a aparecer foi Tênis, o amigo de Nein.

— Aí!

— Obrigado por ter vindo.

— Qual que é?

— O helicóptero, lembra? Gostaria de saber melhor daquela história do helicóptero, você quer falar?

— Quero mermo, aí. Vô sentá o prego naqueles putos.

— Não, não. Estou falando da história do passado, a do Nein.

— Grande parceiro, aí. Eu até me arrepio quando lembro do que fizeram com ele.

Desde a fuga de Juliano para a Argentina, Tênis estava morando no Cerro Corá. Casou no morro e estava prestando serviço para o chefão das drogas. A experiência como guarda-costas de Juliano o ajudou a se aproximar do dono da boca, Bruxo, que o escalou para o grupo de seus seguranças mais confiáveis. Mas o chefe acabaria morto, numa circunstância que impediu qualquer ação em sua defesa. Bruxo foi vítima da explosão de uma granada contra o seu rosto, detonada por ele próprio.

— O Bruxo era maluco, como o Juliano. Também tinha levado um tiro na cabeça. Aí um dia ele pegou uma granada, e disse assim: vou fazê que nem o Juliano. Vou desmontá essa porra. De repente: buuum! Explodiu na cara dele! E o Bruxo já é, aí!

Com a morte do Bruxo, o Terceiro Comando tomou a boca e Tênis teve que fugir do Cerro Corá. Deixou a mulher grávida no morro e passou a viver de tarefas nos morros dos amigos. Na última vez que voltou à Santa Marta não gostou da forma como foi tratado pelos "frentes" da boca.

— Cheguei pro gerente do branco e pedi: aí, preciso de 30 real pra comprar dois sacos de cimento pra obra do meu barraco. E o Kito Belo respondeu: não tá dando, não tá dando.

Durante o nosso encontro, contou que no último ano estava vivendo praticamente sem dinheiro. Queixava-se também da falta de apoio do Comando Vermelho à quadrilha de Juliano. Percorrera vários bailes funk no começo do ano 2000 para espalhar as dificuldades da Santa Marta, levar ao conhecimento do CV as suas reivindicações. Achava que os dirigentes do CV os abandonaram porque estavam de bronca com Juliano e os inimigos estavam tirando proveito disso.

— Eu vi lá no funk do Borel: os neguinhos do CV com a mochila envergada de munição. No Turano também, a maior fartura... e a gente nesse sufoco, aí.

Era cotado pelos parceiros de sua geração que estavam na cadeia para assumir a condição de novo frente de Juliano na Santa Marta na hipótese de que a boca fosse retomada. Desejava, como seus amigos, expandir o poder da quadrilha também ao Cerro Corá e à ladeira do Tabajara. Enquanto aguardava o dia da guerra, organizou alguns bondes interestaduais, que era uma atividade inédita entre eles até o ano 2000. Fretava ônibus e lotava com passageiros de perfil criminoso bem variado. As duas últimas excursões tinham sido para o rodeio de Barretos e para a festa religiosa de Nossa Senhora Aparecida, ambas no interior de São Paulo.

— O bagulho lotou, aí. Tinha vapor levando pó do bom, as mulhé do piza cheia de bolsa vazia, o pessoal do 157, amigos do falecido Mendonça.

— E o que vocês fizeram lá?

— Maió multidão, aí. As mulheres do piza deram bolsada à pampa, enquanto neguinho abastecia o nariz da rapaziada lá.

— E assalto?

— Nem precisô, faturamo mermo. Aí, em Aparecida, teve um que disse assim: vamo agradecê a padroeira. Aí eu botei na idéia que essa santa é a minha preferida.

Na despedida, ele revelou o desejo de um dia se vingar dos helicópteros que atacaram o seu amigo Nein. Mas eu pedi que ele nada me falasse de seus planos de vingança e fomos embora.

■ ■ ■

Os preparativos do bonde de ataque, no Tabajara, foram muitos parecidos com o da "grande guerra" de 1987. Nem todos os convocados apareceram, e por diferentes motivos. Os mais maduros, como Tucano e Kito Belo, que tinham mais de trinta anos, não tinham como avisar. Tucano estava na cadeia, tendo sido preso dias antes como integrante da quadrilha liderada por Mauricinho Botafogo, formada também por jovens de classe média, especializada em assaltos a residências da zona sul.

Kito Belo, depois de ser expulso pela quadrilha de Zaca, tinha ido morar no morro do Adeus, em Niterói, a convite dos traficantes locais que precisavam de reforço de soldados. Ninguém ainda sabia que Kito Belo havia sido morto num combate com os inimigos, em Niterói.

Mais dois homens experientes, ambos com 25 anos, também tinham sido mortos nas vésperas da formação do bonde. Em circunstâncias misteriosas, os ex-gerentes Tibau e Faquir foram seqüestrados numa calçada de Copacabana e depois tiveram seus corpos desovados na praia da Urca, no Rio, e na praia de Icaraí, em Niterói. No morro, o crime foi atribuído a desavenças no acerto de contas com policiais desonestos.

Em homenagem a Juliano, Paranóia e Pardal fizeram vários aviões à procura de sua amiga confidente Luz nos abrigos de moradores de rua. Vasculharam tocas de túneis, espaços entre os pilares de viadutos, marquises de prédios, espalharam recados em vários núcleos de desabrigados da Baixada Fluminense e de Jacarepaguá, mas até fevereiro de 2003 não a tinham localizado. Também mandaram uma menina checar uma informação sobre o possível paradeiro dela no morro do falecido Bruxo, o Cerro Corá, ocupado pelo Terceiro Comando. Mas Luz também não estava lá. As mulheres, porém, estavam bem representadas no bonde, embora fosse difícil distinguir quem era quem. A irmã de criação de Juliano, Diva, e duas namoradas de jovens da quadrilha, Coquita e Cristina, de 16 e 17 anos, foram obrigadas a colocar máscaras, camisetas e calças pretas, o mesmo uniforme usado pelos homens.

Para a posição de comandante do bonde, assim como na guerra dos anos 80, fora escolhida a figura mais temida entre os chefes de morro envolvidos. Em 1987 fora Cabeludo, dessa vez o líder seria o funesto Patrick do Vidigal. Ele selecionou mais de cinqüenta homens e mulheres e exigiu que todos pusessem o uniforme fúnebre para um ataque extremamente pretensioso, a invasão simultânea das bocas da Santa Marta e do Cerro Corá.

O inspirador do bonde acompanhou as ações de dentro da cadeia, pelo celular, que estava nas mãos de Coquita. Juliano teria pedido para o aparelho ficar permanentemente ligado, pois queria dar orientações e ouvir o ruído dos combates.

Para a rapaziada, fizera pedidos diferentes, guardados em sigilo por todos. Eram menos de vinte "crias" da Santa Marta na formação do bonde. Quem portava armas discretas, como alguns adolescentes foragidos dos abrigos de menores infratores, ficou no asfalto para usá-las na cobertura dos acessos principais ao morro.

Os primeiros disparos vieram do fuzil de Tênis, que estava à frente da ala vinda pela floresta. A máscara dele escondia o rosto de um jovem de 25 anos, tarimbado pela experiência de assaltos e da cadeia, que já se achava maduro o suficiente para assumir a lacuna deixada pelo ídolo Juliano.

Embora mais jovem, Nego Pretinho, aos 20 anos, demonstrava estar confiante e seguro como os mais velhos.

— Aí, sem medo de morte, galera. Essa parada vai sê nossa — gritou para os parceiros.

Pardal fez questão de invadir pelo Cantão, de onde a família foi expulsa por Zaca na guerra de 1987. Na época, Pardal era ainda bem pequeno. Treze anos depois, também armado de fuzil, ele buscava na guerra, além de vingança, honrar um compromisso moral. Jurara ao pai presenteá-lo com uma birosca confiscada do inimigo.

Paranóia ia correr o maior risco, motivo de orgulho para o menino que em 1987 andava pelo morro como mensageiro das notícias da guerra. A bravura revelada nos últimos combates credenciou Paranóia a lutar ao lado do gerente do chefão Patrick. Uma de suas funções era usar o fuzil para dar cobertura ao líder do bonde, que tinha as mãos ocupadas pelo machadão, arma de impacto da quadrilha. À frente do grupo mais numeroso, invadiram pelo pico, com a esperança de atacar diretamente Zaca, que sempre usou a área mais alta do morro como trincheira e refúgio.

Nas mãos de Paranóia, de Tênis ou de Pardal havia um troféu, que um deles teria herdado do comandante agora prisioneiro. Um dos três fuzis era a Jovelina de Juliano, mas nenhum deles quis confirmar este segredo de guerra.

■ ■ ■

Um dia antes de nosso último encontro na Argentina, Juliano me contou que o seu destino sempre estaria associado ao da Jovelina. Ele disse que a primeira coisa que iria fazer, se um dia abandonasse o crime, seria o cumprimento de uma promessa, numa cidade do interior de São Paulo. Passaria fita adesiva em volta da Jovelina, como se fosse uma embalagem de cocaína. E a deixaria aos pés da imagem da santa padroeira da Basílica de Nossa Senhora Aparecida.

Até o dia em que em que eu redigia a última página deste livro, o destino do fuzil continuava incerto.

■ ■ ■

Uma queima de fogos anunciou o sucesso da invasão ao Cerro Corá, na mesma madrugada do ataque. Prestaram uma "homenagem" ao antigo chefão com a distribuição de uma rodada de cocaína para batizarem a nova área da venda de drogas como praça do Bruxo.

Nos labirintos da Santa Marta, as guerras sempre foram mais complicadas e violentas. Dessa vez, depois de mais de cinco horas de combate, os tiroteios já haviam provocado "chuveirinho" em quase toda a tubulação da rede aérea de distribuição de água e nenhum dos lados dava sinais de cansaço. Os moradores continuavam recolhidos a suas casas, aparentemente com a sua costumeira neutralidade.

A única novidade marcante, desta vez, viera da mudança de perfil do pessoal de Juliano. Agora incluía a adesão das mulheres à quadrilha. E foram justamente elas as primeiras a matarem um inimigo. Era perto do meio-dia quando as três mascaradas surpreenderam dois soldados da retaguarda de Zaca. O impacto do fuzilamento levaria ao avanço irreversível até a vitória definitiva, que só aconteceria depois de três dias de combates.

A quarta geração de traficantes do CV na Santa Marta chegaria ao comando sem nenhuma baixa e nenhum escrúpulo pela ganância de poder. Em nome da revanche sonhada pelo ídolo prisioneiro, expandiriam o controle do comércio de drogas aos morros vizinhos e, pelo menos até o começo de 2003, continuariam mantendo a expansão tanto no Cerro Corá quanto na metade do Tabajara.

Os quatro principais candidatos à nova liderança revelavam o desejo de repetir a trajetória do chefe, que na cadeia reforçaria a sua condição de herói dos adolescentes ligado à boca. Pardal, Tênis, Paranóia e Nego Pretinho achavam que um dia Juliano chegaria à condição de chefão do CV, para defender o lado certo da vida errada.

Até fevereiro de 2003 nada indicava que Juliano tivesse conquistado a diretoria do Comando Vermelho. Não estava mais na mesma cadeia dos principais chefões, tinha sido transferido para o presídio de Bangu 3. Como havia planejado, aproveitava a mudança para voltar a estudar e, pela primeira vez na vida, a se preocupar com a sua defesa. A namorada Milene o visitava semanalmente na cadeia, inclusive durante o período de gravidez. No dia do nascimento de seu quarto filho homem, Juliano Gabriel, em novembro de 2002, Juliano jurou fidelidade a Milene e prometeu casar para ter uma vida menos abusada quando saísse da cadeia.

■ ■ ■

A expulsão de Zaca também levou de volta ao morro várias pessoas que estavam juradas de morte, como o missionário Kevin. Tão logo retomou as suas atividades na Casa da Cidadania, o nome do missionário foi indicado pelos moradores como um dos cabeças da única chapa das eleições para a escolha da nova diretoria da Associação de Moradores.

Ele foi eleito diretor com 400 votos, 70 por cento da preferência das 600 pessoas que foram às urnas. As outras anularam o voto. A experiência de Kevin na Associação acabaria sendo curta e traumática por causa da interferência da nova turma que estava à frente da boca. A maioria o respeitava devido a sua amizade com o chefe preso. Mas alguns não gostaram quando ele começou a reclamar de alguns abusos que estavam sendo cometidos contra a comunidade.

As desavenças começaram quando Kevin procurou o pessoal da boca para se queixar do comportamento de alguns adolescentes da favela, que estavam praticando assaltos na vizinhança do morro. Roubar na própria área dos amigos representava o rompimento de uma das regras de conduta mais antigas da malandragem.

Os traficantes prometeram providências, mas os roubos se tornaram mais freqüentes e ainda mais próximos. Culminaram com uma seqüência de assaltos à noite nos becos escuros dentro da própria favela, motivo de uma revolta silenciosa dos moradores.

A gravidade do episódio levou o missionário a cobrar, por meio de telefonemas à cadeia, uma atitude enérgica de Juliano. E ele ainda esperava uma resposta quando mais um episódio grave tornaria a crise irreversível.

Era o dia da votação na quadra da escola de samba para a escolha do samba de enredo do Carnaval de 2003. Os moradores do morro, como sempre, lotaram a quadra para acompanhar de perto a decisão do júri, que não agradou o pessoal do tráfico. Eles disputavam o concurso com um samba da preferência deles, enviado da cadeia pelo veterano compositor Tá Manero, vencedor em outros anos. Mas o preferido do júri para Carnaval de 2003 foi o samba do puxador Junior, um amigo dos sambistas da Santa Marta que morava fora do morro.

— Isso parece júri de alemão. Eu vô entrá no teu caminho — disse Nego Pretinho a Toninho Guedes, presidente da escola de samba, usando uma expressão que no morro é entendida como ameaça de morte.

A ameaça foi feita de forma discreta ao lado da mesa dos jurados, mas rapidamente se espalhou por toda a quadra. O protesto do missionário também virou fofoca no morro e marcaria o início de seu rompimento com o pessoal do tráfico.

Por alguns dias, Kevin esperou por alguma atitude de Juliano, ainda com esperança que ele fosse puni-los ou afastá-los da boca. Uma semana depois, o missionário recebeu uma ligação da cadeia de Bangu 3, do próprio Juliano, dizendo que não tinha providenciado "desenrole" nenhum.

A postura omissa de Juliano representou a maior decepção para Kevin em dez anos de proximidade com os traficantes da Santa Marta. Bastante magoado, sentido-se com a vida ameaçada, Kevin, renunciou ao seu mandato na Associação com uma pequena carta simples e formal sem revelar que o verdadeiro motivo era a impossibilidade de dialogar com a nova geração de traficantes. Mas não desistiria de suas missões evangélicas.

— Vou dar um tempo à minha amizade com Juliano. Vou levar a minha ajuda missionária para outros morros, que estejam precisando de solidariedade — disse Kevin no dia de sua renúncia.

O missionário Kevin começou o ano de 2003 na administração de uma agência de notícias da Santa Marta e de todas as favelas do Rio de Janeiro.

Na mesma época, Pardal e Nego Pretinho foram indicados por Juliano como novos frentes do morro. Tentei conversar com os dois. Pela primeira vez pedi para que falassem um pouco sobre o futuro e o risco de morte na nova função. Pardal e Nego Pretinho não quiseram falar e alegaram falta de tempo.

Eu acreditei neles.

A repetição de suas histórias de guerra já havia ensinado que não valia a pena perder tempo com nada, menos ainda falando de coisas que já eram tão sabidas como destino.

Todos cresceram acompanhando de perto a trajetória dos mais velhos. Sabiam dos perigos, mas estavam decididos a continuar no mesmo caminho.

De cada grupo de 16 da nova geração — se a trajetória da quadrilha de Juliano se repetir — não seria um exagero afirmar, em 2003, que sete teriam no futuro o mesmo fim de Paulo Roberto, Adriano, Mendonça, Renan, Du e os irmãos Careca e Vico. Ou seja, quase a metade terá morrido até o final da primeira década do século XXI.

Os outros teriam destinos diferentes.

Um se desviará das propostas do tráfico e seguirá a trajetória dos trabalhadores honestos, como o vigilante Jocimar, em troca de um salário equivalente a 200 dólares mensais. E outros dois, como Flavinho e Mentiroso, depois de fracassarem no crime, seguirão o mesmo caminho.

Um se desviará parcialmente da marginalidade, como o bicheiro Soni, para aderir às atividades da contravenção.

Um terá problemas mentais, como Doente Baubau, depois de consumir drogas em excesso.

Como Luz, um deles estará na lista da multidão de pessoas desaparecidas do país, ou esquecidas para sempre.

Três serão criminosos, como Claudinho, Alen e Juliano. Passarão a maior parte de suas vidas na cadeia. Desses, apenas um, se tiver sorte, muita sorte, como Claudinho, chegará ao poder, será dono de um morro. Ou poderá conquistar até três bocas, para ter o "poder" de Juliano. Mas estará condenado pela justiça. E será para sempre prisioneiro de si mesmo, de suas lembranças dos Tempos de Viver, dos Tempos de Morrer e de sua tentativa de dar um Adeus às Armas.

■ ■ ■

Certa vez, no esconderijo do Turano, Juliano falou de dois pesadelos reais, como síntese do pior que havia vivido na condição de líder do tráfico. As duas histórias — a de Nein e a de Berenice — tiveram como "testemunhas do passa-do" os moradores da Santa Marta

BERENICE

A irmã de Berenice e uma amiga chegaram com as melhores credenciais para conquistar a confiança da quadrilha de Juliano. Eram aviões de uma favela amiga e traziam uma carga de dois quilos de pó para entocar na Santa Marta, por moti-vos de segurança. Os morros do seu bairro, Tijuca, estavam sob constante varre-dura da polícia. Era preciso transferir o que havia no estoque até a situação se normalizar.

— Vocês são turanas! CV, aí! — disse Henrique, o ex-gerente do branco que acabara de ascender à condição de frente do morro, o cargo mais alto na hierar-quia da boca.

— Tu tá sabendo, aí. É um avião do Playboy, acertado na chinfra com o Juliano — respondeu uma das duas adolescentes.

Crias do Turano, com vários amigos sempre muito ligados aos homens da Santa Marta, elas tiveram uma recepção especial. Foram acomodadas, por cortesia da boca, em um barraco abandonado, que pertencera aos inimigos expulsos do mor-ro na guerra de 1992. Embora fossem funkeiras das mais animadas, já no primeiro fim de semana as duas chamaram atenção no baile da quadra por outro tipo de euforia.

Passaram parte da noite abraçadas com Pardal e com Tucano, e depois tam-bém namoraram Kito Belo e Paranóia. Ficaram também com alguns jovens do grupo do samba, com quem dividiram a pista de dança e bancaram o consumo de alguns gramas de pó, durante e depois do baile.

O mesmo comportamento se repetiu durante toda a semana seguinte, quan-do passaram o dia dormindo e a noite freqüentando os botequins e circulando pelos becos, cheirando pó com grupos de adolescentes. O comportamento de-las despertou a desconfiança de algumas mulheres do morro, parentes do pessoal da boca.

— Essas mina têm um aspirador no lugar do nariz, Henrique. Isso pode sobrá caô pro nosso lado — alertou Zuleika, desconfiada de que elas estivessem consumindo o pó estocado a pedido do Turano.

— Tu tem certeza? A farinha pode sê dos cria daqui, sacumé ? — ponderou Henrique.

— Na dúvida, se eu fosse tu, eu apertava, ia pra cima — disse Zuleika.

— Vou ficá de olho nelas, me ajuda, Zuleika.

Não precisaram de muito tempo para ter certeza. No baile do fim de semana seguinte, as funkeiras foram flagradas pelos olheiros da boca não só consumindo, mas também vendendo pó dentro da quadra da escola de samba.

— Elas tão vendendo sacolé de três e sacolé de cinco, Henrique — avisou o olheiro.

— Desse jeito vão acabá com a carga dos irmãos do Turano. O chefe tem que sê avisado! — disse Henrique.

Pelas leis do tráfico, as duas coisas — consumir e vender a droga sem autorização de seu dono — eram de extrema gravidade. De imediato, Henrique escreveu uma carta e mandou um "avião" entregar em mãos a Juliano, que nesta época estava na Polinter.

Nessas circunstâncias, em geral os chefões reagem com punições perversas, freqüentemente fatais, para jamais se repetirem. Ao ler a carta, Juliano entendeu que o problema era gravíssimo, que poderia ser compreendido como uma traição pelos amigos do Turano e que certamente chegaria ao conhecimento dos dirigentes do CV.

"Chega junto. Dá um aviso pra essas minas, na moral. Eu vou dá um jeito de repô o que foi gasto."

A ordem de Juliano, escrita num bilhete, surpreendeu quem esperava uma punição rigorosa contra as funkeiras.

— Mamão com açúcar. Isso que o meu irmão é. Tinha que mandar quebrar essas vagabas — protestou a irmã Zuleika.

— Vai vê que o Juliano passô o ferro nessas minas, e agora tá dando esse mole — reclamou Mãe Brava.

A cautela de Juliano tinha a ver com o episódio semelhante que levara à punição e, por conseqüência, à morte indesejada do amigo de infância, Carlos Calazans, o Du.

Não só por fidelidade ao chefe, mas por achar a providência sensata, Henrique fez o que lhe foi pedido. Chamou as funkeiras para conversar, explicou quais seriam as conseqüências para as relações dos dois morros e exigiu que elas mudassem radicalmente o comportamento.

Elas mudaram para pior. Deixaram de consumir e vender na Santa Marta, mas passaram a abastecer os bailes da Rocinha e dos Prazeres. Henrique voltou a conversar várias vezes com as duas e passou a ameaçá-las de expulsão do morro. Isso antes de saber que o abuso era ainda maior.

Preocupados com a provável perda da carga de dois quilos, por ordem de Juliano, Henrique mandou os homens invadirem o barraco das funkeiras para recuperar o que havia sobrado do pó. Para a surpresa deles, o pacote estava lá, com o mesmo tamanho e peso que tinha quando veio do Turano.

Henrique pediu desculpas pelo equívoco, mas não deixou de seguir as ordens de Juliano. Permitiu que as duas continuassem no morro e organizou um bonde de motos para levar a carga de volta ao Turano. Ao recebê-la, o chefão Playboy constatou que a carga original havia se transformado em um pacote com dois quilos de qualquer poeira ou farinha branca, menos cocaína.

A solução do golpe foi de chefe para chefe, Playboy e Juliano. Mas como virou assunto de todas as conversas entre os traficantes dos dois morros, também chegou ao conhecimento dos dirigentes do Comando Vermelho.

Pressionado por todos os lados, Juliano buscou uma punição simplória e, ao mesmo tempo, cruel, para marcar o seu poder: a execução das funkeiras. Da cadeia mandou avisar a Henrique, por carta, que elas teriam um prazo para se redimir, uma semana para pagar o valor da carga que venderam ou devolver os dois quilos de pó ao Turano. Caso contrário, vencido o prazo, ele mandaria da cadeia a ordem de fuzilamento, por meio de uma senha de duas palavras.

— Beijos, Henrique!

Quem transmitiu a senha para Henrique foi a irmã-amiga de Juliano, Zuleika. As funkeiras não haviam acreditado nas ameaças e passaram os últimos dias do prazo vendendo fora do morro o resto dos dois quilos de ocaína, que haviam enterrado para esconder do pessoal da boca. E continuaram morando no morro.

O telefonema em que Zuleika passou em código a ordem de execução foi atendido pelo chefe de plantão, Faquir. Era perto do meio-dia e Henrique, que passara a noite acordado, ainda dormia. Como a ordem já era aguardada com ansiedade pelos homens, Faquir compreendeu o significado dos "beijos, Henrique". Quis apenas saber mais detalhes.

— É para quando, Zuleika?

— Depende. As duas estão aí agora?

— Agora pouco estavam.

— Então é prá já.

— Deixa com a gente, Zuleika. Elas não passam de hoje.

Naqueles dias a boca vivia uma crise por causa dos constantes desentendimentos entre os dois grupos responsáveis pela administração. Henrique era o líder do pessoal ligado à Turma da Xuxa. Os outros eram caxangueiros como Faquir, integrantes das quadrilhas de assalto chefiadas pelo cunhado que acabaria traindo Juliano, Paulo Roberto.

Sem esperar pelo aval de Henrique, que dormia, Faquir reuniu o pessoal caxangueiro e partiu para o barraco das funkeiras. Mas só uma mulher estava na casa e não era nenhuma das duas, que tinham acabado de sair para fazer um lanche no asfalto.

Quem estava na casa era Berenice, uma jovem do Turano que tinha ido visitar a irmã funkeira. Sem saber o motivo da invasão, ela foi arrastada pelos cabelos para fora do barraco. Em seguida foi levada pelo grupo para a área do lixão, perto da Pedra do Xangô. Surrada pelo caminho, pediu socorro aos moradores do morro.

— Pelo amor de Deus. Eu posso perder o meu bebê.

Grávida de cinco meses, obrigada a se ajoelhar, Berenice cruzou os dois braços sobre a barriga para se proteger. Por instantes ficou em silêncio, talvez para acalmar Faquir, que gritava enfurecido para ela calar a boca. A partir do primeiro tiro, Berenice voltou a gritar com todas as forças.

— Isso é covardia. Eu não posso morrer! Meu bebê...

Depois de Faquir, quase todos dispararam suas armas e erraram muitos tiros porque Berenice lutava, se debatia. Foram mais de dez minutos de agonia. O ruído da execução chamou a atenção da outra turma de traficantes, que correu para avisar Henrique. Quando o frente chegou ao lixão, Berenice ainda agonizava e já estava sendo enterrada para acabar de morrer mais depressa.

— Que loucura é essa, Faquir?

— Essa filha da puta não quer morrê, cara.

— Mas que é isso, cara. Essa mulhé tem nada a vê com isso, porra.... Ela é a mulhé do Tonhão, caralho! Caralho! Tu ficô maluco!

A notícia da execução por engano na Santa Marta chegou no mesmo dia à cadeia e foi muito mal recebida pelos presos. Juliano teve que dar muitas explicaçõess e prometer que iria esclarecer as circunstâncias do crime e, se fosse o caso, punir os culpados.

Juliano ainda tentava explicar por que as funkeiras não tinham sido mortas quando um carcereiro apareceu no corredor, batendo com um cacetete de madeira nas grades de aço para anunciar a terrível novidade sobre a identificação da vítima. Parou ao lado da cela onde estava Juliano e chamou um dos presos que estava deitado no alto de um beliche.

— Tonhão! Chega até aqui na grade. Tenho que te dá uma notícia.

A chamada dos carcereiros para uma conversa reservada, num tom respeitoso, por si só já era um indicador de que trazia notícia ruim de casa ou da família. Tonhão saltou do beliche. Vestia apenas cuecas. Não pôs a bermuda e a camiseta, como mandava a disciplina, e foi assim mesmo até a grade.

— Lamento te dizê, mas mataram a tua mulher — disse o carcereiro.

— Mas como? Minha mulhé é uma santa. Minha mulhé tá gravida. Não pode sê ela — disse Tonhão.

— Ela estava morando na Santa Marta? — perguntou o carcereiro.

— Santa Marta? Nós somos sangue do Turano! — disse Tonhão.

— Então te acerta aí com o Juliano. Foi lá no morro dele.

Tonhão aguardava julgamento na mesma carceragem da Polinter desde que fora preso em flagrante por tráfico de drogas no morro do Turano. Conhecia Juliano por causa da amizade comum dos dois com o seu chefe, Playboy Imediatamente ele começou a cobrar explicações, aos gritos, e a jurar de morte Juliano, que ainda não sabia dos detalhes da execução.

Por pouco, muito pouco, Juliano não foi punido no mesmo dia. Foi salvo porque partilhava a mesma cela com o chefe do tráfico de uma das maiores favelas do Rio, a do Jacarezinho. Amigo de longa data e parceiro do plano de fuga previsto para os dias seguintes, Lambari saiu em sua firme defesa e, para acalmar o clima de vingança na carceragem, prometeu providenciar um julgamento de Juliano na "suprema corte", a diretoria do Comando Vermelho.

A sentença veio pelas mãos de um advogado, escrita em carta remetida da cadeia de Bangu. Juliano foi julgado culpado e a sentença era tão grave quanto seria a sua própria morte. Os homens do CV exigiam dele uma atitude que pudesse representar a dimensão de seu arrependimento pelo erro cometido.

"Você tem que te tomá uma única atitude. E você sabe qual deve sê", escreveu o "presidente" do CV.

Antes de tomar a atitude Juliano consultou as suas duas mães, que foram contra. A irmã Zuleika disse que o apoiaria em qualquer circunstância, mas achava a idéia péssima. Na ausência de seus ídolos, que já estavam mortos, Juliano não quis consultar mais ninguém, nem mesmo os homens mais experientes, seus seguidores, que também estavam presos. Mas eles mandaram um bilhete à carceragem da Polinter, expressando revolta contra seus próprios companheiros em liberdade no morro pela execução da mulher grávida.

> Irmão Juliano,
> Ficamos ligados no acontecimento, atitude tomada no caso da B (com círculo em volta) que mandaram viajar, sabendo que a B tinha filho e era comadre dos nossos imãos que se encontram no sofrimento, podendo antes nos deixar ciente se ela estava realmente vacilando, só chegando ao nosso conhecimento depois do acontecimento. Não tiveram essa consideração por nós e nein pelo filho de cinco meses que carregava na barriga, tu fecha com esta atitude?

O bilhete era assinado pelos prisioneiros Chiquinho, Zorro, Marechal, Macaé, Cadu, Fifa, Cowboy, Osório, Nego Pedrinho, Ramom, Osvaldo, Viana, Pé Grande, Luiz Henrique, Gordinho, Ká, Vovô, Coruja, Pneu, todos nascidos e criados na Santa Marta e, como Juliano, integrantes da facção CVRL, Comando Vermellho Rogério Lengruber.

Ao acabar a leitura do bilhete, Juliano decidiu cumprir a sentença do CV. Mandou matar o homem de sua maior confiança naquele tempo, o companheiro de guerra que saiu da Rocinha para ajudá-lo a retomar o poder da Santa Marta, o amigo que tinha a simpatia de sua família e que fora leal até o dia da sua sentença.

O fuzilamento de Henrique matou também suas esperanças de viver em paz.

No nosso último encontro na Argentina, eu falei para Juliano de minhas descobertas no morro sobre a morte de Berenice. Juliano não encontrou justificativa para o crime. Chorou copiosamente e não foi além da repetição de sua frase preferida, herança dos velhos ídolos do Comando Vermelho.

Era a decisão certa da vida errada.

NEIN

O *Águia* fez o trajeto dos helicópteros que partem da lagoa Rodrigo de Freitas para mostrar aos turistas, por mil dólares a hora, os lugares de beleza exuberante do Rio de Janeiro. Passou primeiramente pela praia de Ipanema voando baixo, chamando a atenção da multidão à beira-mar. Subiu para 300 metros e contornou à direita no Leblon, onde o piloto costumava flagrar mulheres seminuas tomando banho de sol nas coberturas dos prédios. Aos poucos foi subindo em direção ao Cristo Redentor.

Na favela, orientados por Juliano, os homens de plantão no pico andavam muito atentos ao movimento dos helicópteros em volta do Cristo Redentor. Eles chegaram a notar vários deles bem perto do monumento mais famoso do Brasil. Acreditaram que estivessem cheios de turistas estrangeiros.

— Esses gringos adoram o sovaco do Cristo — disse Paranóia ao parceiro de plantão ao ver três helicópteros voando em círculos ao redor da estátua gigante do Cristo Redentor com os braços abertos. O outro plantonista, Binha, aproveitava a calmaria para abrir a marmita com o almoço que a mãe trouxera até o pico.

Desde a emboscada em que morrera Rafael, irmão de Rivaldo, no começo do ano, Juliano vinha falando da importância de ficar atento ao movimento dos helicópteros da polícia. Nunca mais havia escalado um novato para função de plantonista no pico sem antes dar uma aula sobre técnicas de controle do "espaço aéreo" da Santa Marta. Orientações básicas, repetidas uma, duas, três vezes.

— Um olho no Pão de Açúcar, outro para o Corcovado. Uma virada para o lado da baía, outra para o Cristo. Atenção na lagoa, mas sem esquecê o Cristo. Um olho na ponte, outro no Cristo Redentor.

Os novos homens treinavam tiro contra o barranco do Tortinho quando a emboscada começou. Os fogueteiros estavam posicionados em todos os pontos de acesso à favela, tinham a seu dispor um bom estoque de fogos, mas nenhum deles teve tempo de acendê-los. O pessoal experiente guardava posição à sombra de uma grande rocha do pico do morro, mais perto da área dos barracos. Alguns deles, como Juliano, aproveitavam para consertar as armas emperradas pelo excesso de poeira. Mostravam para os mais jovens que era um erro usar lubrificantes em excesso para a manutenção das armas.

— Puseram WD demais e olha no que deu. A poeira gruda, emperra tudo. E aí, na hora do pipoco, fudeu! — disse Juliano.

Ninguém viu seus inimigos chegarem silenciosos pelo céu. Só perceberam quando os primeiros tiros disparados do ar atingiram o chão do Tortinho.

— Dum! Dum! Dum!Dum! Dum!

Um dos tiros acertou a cabeça de Binha, que caiu de bruços com o rosto sobre a marmita de comida. Teve morte instantânea.

O Águia tinha se aproximado do morro por trás da montanha. Bem perto da Pedra do Xangô, o piloto desacelerou o motor para diminuir ao máximo o ruído. Só depois de contornar a grande pedra voltou a acelerar. Os atiradores estavam nas portas laterais abertas. Sentados sobre chapas de aço blindadas, com as pernas para fora, portavam fuzis de longo alcance. Os alvos dos primeiros disparos foram os meninos que corriam para todos os lados do Tortinho.

Todos correram em direção ao beco que levava à área dos barracos, menos Nein, o primeiro a ser ferido. Nenhum amigo parou para socorrê-lo. Os adultos que estavam sob a rocha, com as armas desmontadas, não tiveram tempo de reagir. Juliano escapou morro abaixo, em direção ao barraco de Luz. Os outros correram para a floresta, em direção às matas do Corcovado, perseguidos pelo helicóptero. O Águia voava em círculos para o vento das hélices abrir espaço entre as folhas das árvores e facilitar a perseguição.

Cinqüenta metros de área descampada separavam Nein do depósito de água potável do morro, o Caixão. Conhecia bem aquela área, consertara muito chuveirinho ali. Ainda estendido na terra, parecia morto. Mas ao perceber que o helicóptero voltava em sua direção, levantou-se e por um instante ficou parado sozinho no meio do campo. Olhou para o lado do Caixão, jogou fora a arma e os chinelos. Tentou fugir pelo meio do campo. Não era dos mais velozes, mas escapou de vários tiros. Correu em ziguezague, tentando se esquivar dos disparos que levantavam pontos de poeira cada vez mais perto dele.

Ele conseguiu escapar do Tortinho. Mas, em seguida, foi atingido por um tiro de fuzil na perna, quando corria em direção à casa da sogra, onde estavam a sua mulher e a filha. Elas viram quando ele passou pela frente da casa arrastando uma das pernas, sempre perseguido pelo helicóptero que continuava a disparar lá de cima.

Nein perdeu o equilíbrio algumas vezes nas escadarias. Bastante machucado e sujo de sangue, parou em frente ao barraco da endolação. Bateu na porta, bateu na janela, mas nenhum dos amigos estava lá dentro.

Outros tiros acertaram o corpo de Nein quando ele estava quase chegando no ponto de venda de drogas. Alguns amigos acompanharam a perseguição pelas frestas dos barracos. Todos acharam que Nein queria morrer perto deles. Naquele dia, os vapores estavam concentrados no meio da praça Raimundinho, onde Nein acabou de ser fuzilado.

Quando os tiros cessaram, as crianças foram brincar embaixo das goteiras que pingavam dos canos furados pelas balas da polícia. O helicóptero havia pousado. A mulher de Nein pegou a filha no colo e correu junto com as vizinhas para fazer a pressão de sempre contra a prisão de algum morador. A mãe de Nein também correu muito. Mas já era tarde.

Enquanto os parentes e amigos tentavam chegar perto, os policiais já providenciavam a retirada do corpo. Poucos conseguiram ver o momento em que o *Águia* levantou vôo da praça, levando o corpo dele amarrado num cabo de aço.

Da janela do barraco de Luz, Juliano e a amiga viram quando o helicóptero deu uma volta sobre a favela com o adolescente de 15 anos pendurado pelo cabo de aço.

— Que é aquilo, Juliano? Quem é o parceiro? — perguntou Luz.

— É o Nein do Chuveirinho! — disse Juliano, sem desviar os olhos lá do alto.

— E agora, quem vai consertá os nossos cano? — perguntou Luz, sem ouvir resposta de Juliano.

Saíram para rua e se misturaram no meio de muita gente horrorizada com a cena. Luz correu até o grupo de mulheres que choravam em volta do amigo de infância de Nein, Pardal. O parceiro de conserto dos chuveirinhos apontava para o céu e não parava de repetir.

— Tão levando o cara embora, aí!

O helicóptero se afastou para o lado do Pão de Açúcar e, aos poucos, visto do morro, o corpo de Nein foi diminuindo de tamanho até desaparecer dos olhos dos homens de Juliano, passando para o outro lado da encosta da Santa Marta.

REFERÊNCIAS BIBLIOGRÁFICAS

Livros

Barra Pesada. Octávio Ribeiro, Editora Pasquim.

Boca do lixo. Hiroito de Moraes Joanides, Labortexto, 2003.

Capão pecado. Ferréz, Labortexto, 2000.

Cidade de Deus. Paulo Lins, Companhia das Letras, 1997.

Cidade Partida. Zuenir Ventura, Companhia das Letras, 1994.

Comando vermelho: história do crime organizado. Carlos Amorim, Record, 1993.

Condomínio do diabo. Alba Zaluar, Revan, 1994.

Crianças do Tráfico. Luke Dowdney, 7 Letras, 2003.

Crime and Industrial Society in the Nineteenth Century. John. J. Tobias, Penguin, 1972.

Favela e o Demagogo, C. A. Medina, Editora Martins.

Inferno. Patrícia Mello, Companhia das Letras, 2000.

La Erradicacion masiva de las favelas Cariocas. Alícia Ziccardi, Editora Nova Terra.

Malagueta, Perus e Bacanaço. João Antônio, Ática, 1998.

Meu casaco de general. Luis Eduardo Soares, Companhia das Letras, 2000.

O século do crime. Cláudio Tognolli e José Arbex, Boitempo Editorial, 1996.

Quatrocentos contra um: uma história do Comando Vermelho. William Pereira da Silva, Labortexto, 2001.

Se Liga: o livro das drogas. Myltainho Severiano da Silva, Record, 1997.

Um século na favela. Alba Zaluar e Marcos Alivto, FGV, 2002.

Teses, dissertações, relatórios e estudos

As favelas: estudos sociológicos. Augusta Vieira Ferreira Barcellos, tese de livre docência.

Associativismo e política na favela Santa Marta. Atílio Machado Peppe, dissertação de mestrado, Departamento de Ciência Política da Universidade de São Paulo.

Brás de Bina: Experiência de Urbanização. Gilda Blank

Concurso Público de Idéias: Projetos de Urbanização da Favela Santa Marta, 2000.

Edital do Concurso de Urbanização das Favelas do Rio de Janeiro.

Em busca da Integração: A política de remoção das favelas no Rio de Janeiro. Gisélia Potengy Grabois, dissertação de mestrado de Antropologia Social da Universidade Federal do Rio de Janeiro.

Letalidade da ação Policial no Rio de Janeiro, Ignácio Cano.

Levantamento de salubridade Comunidade Santa Marta. Secretaria Municipal do Desenvolvimento Social da Prefeitura do Rio de Janeiro.

Mapeamento Geológico-Geotécnico da Favela Santa Marta-RJ. Departamento de Geologia do Instituto de Geociências da Universidade Federal do Rio de Janeiro.

Na reza se conta a história e se canta a luta: Estudo sobre a Folia dos Reis do Morro Santa Marta. Adair Leonardo Rocha, dissertação de mestrado em Educação, Pontifícia Universidade Católica do Rio de Janeiro.

O Emprego de Crianças e Adolescentes no Tráfico de Drogas no RJ. Instituto de Estudos do Trabalho e Sociedade, Organização Internacional do Trabalho (OIT).

Operação Mutirão. Cadernos Latino-americanos de Economia Humana,1985

Passa-se uma casa: análise do programa de remoção de favelas. Lúcia do Prado Valladares, 1980.

Pesquisas de Assentamentos. Diretoria de Informações Geográficas, Empresa Municipal de Informática e Planejamento (Iplan Rio), 1984.

Projeto Parques Proletários. Fundação Leão XIII e Cruzada São Sebastião.

Relatório da Assistência Comunitária aos Assentamentos de Baixa Renda (AOABR), do município do Rio de Janeiro.

Relatório de Desenvolvimento Humano Instituto de Pesquisa Econômica Aplicada (IPEA) de 2002.

Saber e Poder: relação favela-asfalto. Adair Leonardo Rocha, tese de doutorado, Centro de Filosofia e Ciências Humanas da Universidade Federal do Rio de Janeiro.

Santa Marta: ousar urbanizar a favela. Paulo Oscar Saad, coordenador do Programa de Urbanização da favela Santa Marta.

Um compromisso que vamos resgatar. Fundação Leão XIII, governo Carlos Lacerda, 1962.

CRÉDITOS

Reportagem especial: Andrea Wellbaum

Pesquisa de documentação: Sônia Oliveira Pinto

Fotos: Agência O Dia: capa, p. 3 (base), p. 4 (topo, ambas), p. 6 (centro), p. 7 (topo), p. 8, p. 9 (base), p. 14 (topo à direita), p. 18, p. 24; Agência O Globo: p. 2 (todas), p. 3 (topo e centro), p. 4 (base, ambas), p. 5 (topo à direita), p. 6 (topo e base), p. 7 (base), p. 9 (topo); p. 11 (topo, ambas), p. 15 (base); Agência JB: p. 5 (base), p. 11 (base); Arquivo pessoal: p. 5 (topo à esquerda), p. 10, p. 12, p. 13, p. 14 (topo à esquerda e base), p. 15 (topo), p. 16, p. 17, p. 19, p. 20, p. 21, p. 22, p. 23; Prefeitura da Cidade do Rio de Janeiro: p. 1; Luiza Dantas / Carta Z Notícias: foto do autor.

Este livro foi composto na tipologia Goudy,
em corpo 10,5/15, e impresso em papel Offset
90g/m² no Sistema Cameron da Divisão
Gráfica da Distribuidora Record.